Die Frage nach dem Sinn des Seins, nach dem Wesen aller Dinge, nach der Stellung des Menschen in der Welt ist die Grundlage unseres Denkens. Darum gilt die Philosophie, die »Liebe zur Weisheit«, auch als »Mutter« aller Wissenschaften. Die Antworten, die die Philosophie von der Antike bis zur Gegenwart gegeben hat, änderten sich mit den Verhältnissen – und doch blieben sie sich in ihrem Wesen gleich. So ist die Beschäftigung mit Philosophie auch immer ein Betrachten ihrer Geschichte.

Der ›dtv-Atlas Philosophie‹ ist eine Geschichte der philosophischen Lehren, dargestellt anhand der Philosophen und ihrer wichtigen Thesen und Begriffe, und – als Besonderheit – anschaulich gemacht auf farbigen Bildseiten. Das dtv-Atlas-System, der Aufbau aus Tafel-Text-Einheiten, aus jeweils zusammengehörigen zwei Seiten, einer Farbtafel und einer gegenüberliegenden, ausführlichen Textseite, hat sich auch hier bewährt.

Wie schon die vorhergehenden Neuauflagen wurde auch die vorliegende 8. Auflage von den Autoren überarbeitet und aktualisiert.

Peter Kunzmann, geb. 1966, studierte Theologie (Diplom) und Philosophie (Promotion und Habilitation). Er lehrt als Privatdozent für Philosophie an der Universität Würzburg. Veröffentlichungen zur Anthropologie, zu Wittgenstein und zum Mittelalter.

Franz-Peter Burkard, geb. 1958, studierte Philosophie, Pädagogik und Religionswissenschaft in Würzburg und Tübingen. Privatdozent für Philosophie an der Universität Würzburg. Veröffentlichungen zur Anthropologie, Ethik und Existenzphilosophie.

Franz Wiedmann, geb. 1927, studierte in Tübingen und München. Von 1969 bis zu seiner Emeritierung 1995 hatte er einen Lehrstuhl für Philosophie an der Universität Würzburg inne. Veröffentlichungen zu Problemen der Geschichte, der Kunst, des Rechts und der Religion. Außerdem verfaßte er Monographien zu Spinoza, Hegel und J. H. Newman.

Axel Weiß, geb. 1958, ist freiberuflicher Grafiker und arbeitet seit 1985 als Sachbuchillustrator und Autor von Jugendbüchern. 1993 wurde er in Verona mit dem ›Premio Internazionale Felice Feliciano‹ für die Gestaltung des ›dtv-Atlas zur Philosophie‹ ausgezeichnet.

In der Reihe ›dtv-Atlas‹ sind bisher erschienen:

Weitere dtv-Atlanten sind in Vorbereitung

Peter Kunzmann, Franz-Peter Burkard,
Franz Wiedmann

dtv-Atlas Philosophie

Mit 115 Abbildungsseiten in Farbe

Graphische Gestaltung der Abbildungen
Axel Weiß

Deutscher Taschenbuch Verlag

Übersetzungen
Estland: Estonian Encyclopaedia Publ. Ltd., Tallinn (in Vorb.)
Frankreich: Le Livre de Poche/Librairie Générale Française, Paris
Italien: Sperling & Kupfer, Mailand
Lettland: Zvaignze ABC Publ. Ltd., Riga (in Vorb.)
Litauen: Alma Littera, Wilna
Niederlande: Sesam/Uitgeverij Anthos, Amsterdam
Polen: Prószyński i S–ka, Warschau
Portugal: Paz Editora de Multimedia Lda, Lissabon (in Vorb.)
Rumänien: Enciclopedia Rao, Bukarest (in Vorb.)
Slowenien: DZS, Ljubljana
Spanien: Alianza editorial, S. A., Madrid
Südkorea: Yekyong Publishing Co., Seoul (in Vorb.)
Tschech. Rep.: The Lidové Noviny Publ. House, Prag (in Vorb.)
Ungarn: Athenaeum Kiadó, Budapest

Originalausgabe
1. Auflage Oktober 1991
7., überarbeitete und erweiterte Auflage Februar 1998
8. Auflage August 1999
© 1991 Deutscher Taschenbuch Verlag GmbH & Co. KG,
München
Umschlagkonzept: Balk & Brumshagen
Gesamtherstellung: Appl, Wemding
Offsetreproduktionen: Werner Menrath,Weilheim/Obb.
Printed in Germany · ISBN 3-423-03229-4

Vorwort

Der vorliegende Band stellt die Geschichte philosophischen Denkens anhand seiner bedeutendsten Vertreter dar. Dabei wird der Leser vertraut gemacht mit den grundlegenden Problemstellungen der Philosophie und der Weise ihrer Beantwortung, ihren Methoden und ihrer Begrifflichkeit. Die Übersichten vor jedem Kapitel verweisen auf den geschichtlichen Hintergrund, auf dem die denkerische Leistung der Philosophen zu sehen ist.
Die Anlage des dtv-Atlas-Systems ermöglicht große Übersichtlichkeit, erzwingt aber auch eindeutige Auswahl und Periodisierung. In der gebotenen Kürze können nicht alle Philosophen zu Wort kommen und nicht bis ins Detail. Dafür liegt die Betonung auf der prägnanten Darstellung der wesentlichen Gedanken und Begriffe eines Philosophen bzw. einer Schule.
Mit dem Versuch, philosophische Gedanken in Form von Bildern und Graphiken zu veranschaulichen, wird hier weitgehend Neuland für die Darstellung der Philosophie betreten. Die Tafelseiten sollen die Texte anschaulich erläutern, ergänzen oder zusammenfassen. Ihr Ziel ist es, das Verständnis zu fördern und eigenes Fragen anzuregen.
Unser herzlicher Dank gilt Axel Weiß, der unsere Skizzen in Bilder verwandelte, für die freundschaftliche Zusammenarbeit; auch Winfried Groth vom Deutschen Taschenbuch Verlag und seinen Mitarbeitern, besonders Lieselotte Büchner und Gabriele Wurm (Register), für die verständnisvolle Betreuung; sowie allen anderen, die mit Rat zur Seite standen.

Würzburg, im Mai 1991   Die Verfasser

Inhalt

8 Inhalt

Abkürzungsverzeichnis

allg.	allgemein	Jh.	Jahrhundert
Bd.	Band; Bände	jmd.	jemand
bed.	bedeutend	kath.	katholisch
bes.	besonders	lat.	lateinisch
best.	bestimmt	method.	methodisch
Bez.	Bezeichnung	mod.	modern
bzw.	beziehungsweise	Nachdr.	Nachdruck
ca.	circa	natürl.	natürlich
Def.	Definition	n. Chr.	nach Christus
d. h.	das heißt	obj.	objektiv
dt.	deutsch	o. J.	ohne Jahr
Dtl.	Deutschland	ontol.	ontologisch
ebf.	ebenfalls	pädag.	pädagogisch
eigtl.	eigentlich	Pl.	Plural
Einf.	Einführung	pol.	politisch
Einl.	Einleitung	S.	Seite
einschl.	einschließlich	s. o.	siehe oben
engl.	englisch	s. S.	siehe Seite
Erl.	Erläuterung	sog.	sogenannt
etc.	etcetera	subj.	subjektiv
europ.	europäisch	Trad.	Tradition
frz., franz.	französisch	u. a.	unter anderem
geb.	geboren	Übers.	Übersetzer, Übersetzung
gen.	genannt	Übertr.	Übertragung
ges.	gesamt	unbest.	unbestimmt
ggf.	gegebenenfalls	urspr.	ursprünglich
Ggs.	Gegensatz	u. v. a.	und viele andere
gr., griech.	griechisch	v. a.	vor allem
hg., hrsg.	herausgegeben	v. Chr.	vor Christus
Hg., Hrsg.	Herausgeber	versch.	verschieden
histor.	historisch	wiss.	wissenschaftlich
i. a.	im allgemeinen	Wiss.	Wissenschaft(en)
individ.	individuell	zit.	zitiert
ital.	italienisch	zus.	zusammen

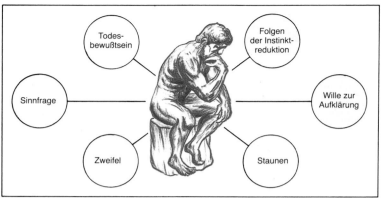

A   Antriebe des Philosophierens

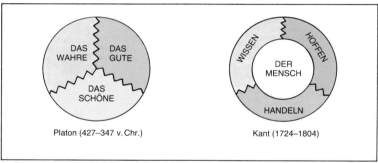

B   Elementare Fragen der Philosophie

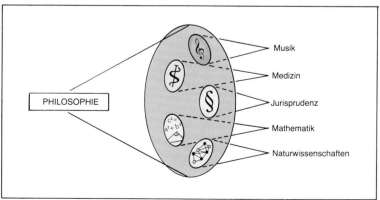

C   Die Einzelwissenschaften bemühen sich um Ausschnitte, die Philosophie
   um das Gesamt der Wirklichkeit

Der aus dem Griechischen stammende Begriff **»Philosophie«** bedeutet soviel wie *Liebe zur Weisheit* und entsprechend meint Philosoph den *Freund der Weisheit* (philós = Freund, sophía = Weisheit), der sich durch sein Streben nach jeder Form von Erkenntnis auszeichnet.

Bereits PLATON und ARISTOTELES stellen die Frage nach dem Antrieb im Menschen, der zum **Ursprung** der Philosophie wird, und für sie lag dieser im *Staunen.*

»Denn Staunen veranlaßte zuerst wie noch heute die Menschen zum Philosophieren . . . Wer aber fragt und staunt, hat das Gefühl der Unwissenheit . . . Um also der Unwissenheit zu entkommen, begannen sie zu philosophieren . . .« (ARISTOTELES)

Der Mensch nimmt seine Erfahrungswelt nicht einfach hin, wie sie ist, sondern ist verwundert und fragt nach dem Grund: »Warum ist überhaupt etwas? Was wirkt hinter den Erscheinungen? Warum leben wir?«

Sind mit solchen, zu jeder Zeit gegenwärtigen Fragen die alltägl., unmittelbaren Selbstverständlichkeiten erst einmal *frag-würdig* geworden, wird offenbar, daß bei aller Anhäufung von Einzelkenntnissen Wesen und Sinn des Ganzen noch verborgen ist.

Zu den Kräften, die den Anstoß zum Philosophieren geben und es in Gang halten, gehört auch der *Zweifel.* Seiner Kritik werden die Quellen unserer Erkenntnis ebenso unterzogen, wie die Geltung überlieferter Werte und gesellschaftl. Normen.

Einen Ursprung der Philosophie hat man auch darin gesehen, daß der Mensch im Bewußtsein seines *Todes* lebt.

Das stets drohende Ende verwehrt ein fragloses Dahinleben, drängt zum Nachdenken über sich selbst und zur Entscheidung, was im Leben als Wesentliches ergriffen werden soll.

Leiden und Tod sind *Grenzerfahrungen, die* aus einer vordergründigen Geborgenheit werfen und die Frage nach der *Sinnerfüllung* des Lebens entstehen lassen.

Biologisch ist der Mensch durch eine *Reduktion* seiner natürl. *Instinkte* gekennzeichnet. Daraus entspringt der Zwang, sonst angeborene Verhaltensweisen vernunftbestimmt ersetzen zu müssen, andererseits aber auch die Freiheit der Selbstbestimmung.

Ein so bestimmtes Wesen bedarf aber der beständigen vernünftigen Reflexion auf die Grundlagen seines Seins und Handelns.

»Der Mensch ist das Wesen, das stets mehr will, als es kann, und mehr kann, als es soll.« (W. WICKLER)

Philosoph. Fragen betreffen jeden Menschen. Philosophieren ist eine ursprüngl. Tätigkeit, die zum selbstverantwortl. Menschsein gehört. Jede Philosophie ist eine **Aufklärung** im Sinne von KANTS berühmter Definition:

»Aufklärung ist der Ausgang des Menschen aus seiner selbstverschuldeten Unmündigkeit. Unmündigkeit ist das Unvermögen sich seines Verstandes ohne Leitung eines anderen zu bedienen.«

Was Philosophie ist, läßt sich nicht in einen eindeutigen Begriff fassen, weil sie sich selbst durch die Weise ihrer Ausübung bestimmt. Deshalb eine Auswahl von **Beschreibungsversuchen:**

»Am Ursprung der Philosophie steht der Mensch, der sich in den Rätseln seiner Innen- und Außenwelt zurechtfinden will, . . . der sich bemüht aus dem Kaleidoskop der Besonderheiten die Grundlinie des Gemeinsamen und Allgemeinen herauszufinden.« (A. LÄPPLE)

Die Philosophie läßt sich bestimmen als der »method. und beharrl. Versuch, Vernunft in die Welt zu bringen«. (M. HORKHEIMER)

»Unter Philosophie versteht der heutige Sprachgebrauch die wissenschaftl. Behandlung der allg. Fragen von Welterkenntnis und Lebensansicht.« (W. WINDELBAND)

»Philosoph zu sein ist kein spezif. Beruf; der Philosoph ist auch kein gestaltetes Ideal, nach dem der Mensch sich formen könnte, um es zu machen; das Sein des Philosophen ist das Selbstwerdenwollen, das in der Breite des Philosophierens sich Raum, Möglichkeit und Ausdruck schafft.« (K. JASPERS)

Als **Grundfragen** der Philosophie nennt PLATON:

Das Wahre – Das Gute – Das Schöne.

In ihnen spiegelt sich die Beschaffenheit allen Seins wider.

In der Neuzeit hat KANT die Fragen so formuliert:

– Was kann ich wissen? (Metaphysik)
– Was soll ich tun? (Moral)
– Was darf ich hoffen? (Religion)
– Was ist der Mensch? (Anthropologie)

Wobei die letzte alle anderen im Grunde miteinschließt.

Im Unterschied zu den *Einzelwissenschaften* bezieht sich die Philosophie nicht auf einen jeweils begrenzten Ausschnitt der Wirklichkeit (Biologie: Leben; Chemie: Zusammensetzung der Materie), sondern

auf das Ganze dessen, was ist, um dessen Wesen und Seinszusammenhang aufzudecken, und dem Menschen Sinn und Werte zu vermitteln.

Anders als die Einzelwissenschaften, die von bes. Voraussetzungen ausgehen, hinter die sie nicht zurückgreifen können, strebt Philosophie nach größtmögl. Voraussetzungslosigkeit. Ihre Methode und ihr Gegenstand sind nicht fest vorgegeben, sondern sie bestimmt diese je selbst neu.

Der Prozeß der Philosophie, in dem der Mensch sich Klarheit über sich selbst und seine Welt verschafft, ist unabschließbar und ursprüngliche Aufgabe zu jeder Zeit.

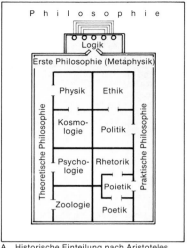

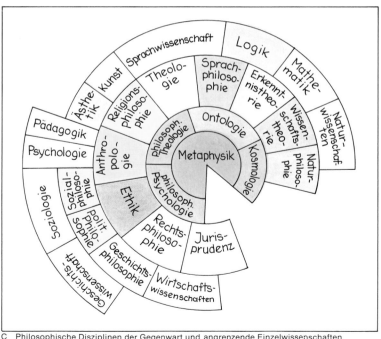

A   Historische Einteilung nach Aristoteles

B   Einteilung nach Johannes Scotus Eriugena

C   Philosophische Disziplinen der Gegenwart und angrenzende Einzelwissenschaften

Je nach der bes. Fragestellung und dem Gegenstandsgebiet werden eigenständige Bereiche **(Disziplinen)** der Philosophie unterschieden.

Anthropologie

Die Bemühung um die Erkenntnis der Natur des Menschen gehört zu den Grundproblemen der Philosophie. Der Versuch, das Allgemein-Menschliche zu bestimmen, dient der Selbstbesinnung des Menschen, der Klärung seiner eigenen Stellung in der Welt (im Vergleich etwa mit der übrigen belebten Natur) und gewinnt seinen Praxisbezug sowohl im Sinne einer sinnvollen Selbstverwirklichung als auch in der Gestaltung einer menschenwürdigen Gesellschaft.

Ethik

Die Grundfragen der Ethik betreffen das Gute, das Haltung und Handeln des Menschen bestimmen soll. Ihr Ziel ist, methodisch gesichert die Grundlagen für gerechtes, vernünftiges und sinnvolles Handeln und (Zusammen-)Leben aufzuzeigen. Die Prinzipien und Begründungen der Ethik sollen ohne Berufung auf äußere Autoritäten und Konventionen allg. gültig und vernünftig einsehbar sein, weshalb sie gegenüber der geltenden Moral einen übergeordneten, krit. Standpunkt einnimmt.
Aufgabe der *Metaethik* ist es, die sprachl. Formen sowie die Funktion der eth. Aussagen selbst nochmals zu hinterfragen.

Ästhetik

Die Ästhetik handelt von der allg. Bestimmung des Schönen und seiner Erscheinungsformen in den Künsten und der Natur, sowie der Wirkung auf den Rezipienten. Je nach Ausrichtung geht sie dabei rein funktional – beschreibend oder normativ – setzend vor. Neben einer Theorie der Künste selbst werden Fragen des ästhet. Urteils und der Formen ästhet. Empfindens und Erlebens erörtert. In der neueren Ästhetik finden sich auch informationstheoret. und sprachanalyt. Ansätze.

Metaphysik und Ontologie

Von ARISTOTELES ausgehend, verstanden als »Erste Philosophie«, insofern sie nach den ersten Gründen und Ursprüngen des Seienden als Seienden fragt; ihre Themenbereiche sind: das Sein selbst *(Ontologie),* das göttl. Sein (philosoph. *Theologie*), die Seele *(Psychologie)* und der Zusammenhang alles Seienden im Ganzen *(Kosmologie).*

Logik

Lehre vom folgerichtigen und geordneten Denken. Die *formale, klass.* Logik teilt sich in Elementarlehre (Begriff, Urteil, Schluß) und Methodenlehre (Untersuchungs- und Beweisverfahren).

Die *moderne Logistik* strebt nach weitestgehender Formalisierung und Mathematisierung. Sie arbeitet mit Logikkalkülen, die als ein System von Zeichen (Symbolen) mit dazugehörenden Operationsregeln verstanden werden. Darüberhinaus kennt sie auch mehrwertige Systeme, bei denen Aussagen mehr als die Wahrheitswerte »wahr/falsch« annehmen können.

Erkenntnis- und Wissenschaftstheorie

Die Lehre von den Bedingungen, vom Wesen und den Grenzen der Erkenntnis. Thematisiert wird dabei das Verhältnis von Erkenntnis-Subjekt, -Objekt und -Inhalt.
Die *Wissenschaftstheorie* beschäftigt sich mit den Voraussetzungen und Grundlagen der Erkenntnis in den Einzelwissenschaften. Dabei werden deren Methoden, Grundsätze, Begriffe und Ziele geklärt und einer krit. Prüfung unterzogen.

Sprachphilosophie

Die Sprachphilosophie betrachtet die Entstehung, Entwicklung, Bedeutung und Funktion von Sprache.
Die im Anschluß an WITTGENSTEIN heute vorherrschende Sprachanalyse teilt sich in zwei Richtungen. Die idealsprachliche versucht anhand von Sprachkritik und Formalisierung eine Sprache von hoher log. Präzision zu schaffen, die den Anforderungen exakter Wiss. entspricht. Dagegen wird in der »Philosophie der normalen Sprache« die Sprache auf ihre ursprüngl., alltägl. Verwendung und Bedeutung hin analysiert.

Weiter gibt es eine Reihe fächerverbindender Disziplinen.
Die **Geschichtsphilosophie** versucht Wesen, Sinn und Verlauf der Geschichte zu erfassen und zu deuten, sowie den Menschen in seiner Geschichtlichkeit zu begreifen.
In der **Religionsphilosophie** wird das Phänomen Religion auf sein Wesen hin befragt und in seiner Funktion für den Menschen und die Gesellschaft erörtert, ggf. einer Kritik unterzogen.
Deutung und Erklärung der Natur im Ganzen ist das Thema der **Naturphilosophie**, unter der histor. auch deren naturwissenschaftl. Erforschung fällt.
Die **Rechtsphilosophie** beschäftigt sich mit der Frage nach der Begründung von Recht, bes. ob es eine übergeordnete Norm gibt, von der her gesetztes Recht abgeleitet werden kann (z. B. Naturrecht).
Sozial- und **Politische Philosophie** betrachten Aufbau, Funktion und Sinn des Staates und der Gesellschaft. Der Mensch wird als soziales Wesen begriffen, dessen Selbstverwirklichung sich in der Gemeinschaft vollzieht. Bes. in der Gegenwart schließt dies auch die Kritik an den Lebensbedingungen der mod. Industriegesellschaft ein.

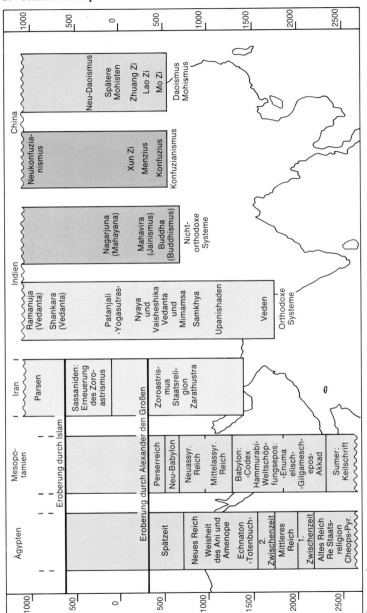

Übersicht: Östliche Philosophie

Die Anfänge der Philosophie in **Indien** sind in den **Veden** (»Wissen«) überliefert. Ihre genaue Datierung ist unsicher, die ältesten Teile dürften aber bis ca. 1500 v.Chr. zurückreichen. In diesen umfangreichen Schriften ist das myth. und religiöse Wissen der frühesten Zeit gesammelt, bestimmt für den kult. Gebrauch der *Priester.*

Die Veden bestehen aus vier *Abteilungen:*
Rigveda (Lobeshymnen),
Samaveda (Gesänge),
Yajurveda (Opferformeln),
Atharvaveda (Zauberformeln).

Diesen wurden erläuternde Texte angegliedert:

Die *Brahmanas* sollen Sinn und Zweck der Opfer erklären sowie die richtige Verwendung der Formeln.

Die *Upanishaden,* philosoph. am wichtigsten, enthalten die Grundthemen der ind. Philosophie, die später ausgebaut werden:
die Lehre von Karman und Wiedergeburt und der Einheitsgedanke der Gleichsetzung von Atman und Brahman.

Ab ca. 500 v.Chr. beginnt die Zeit der **klass. philosoph. Systeme.** Im Unterschied zur relativ geschlossenen Gedankenwelt der vedischen Zeit treten nun versch. Schulen auf und einzelne Persönlichkeiten werden greifbar.

Jedoch bleibt auch hier die Tendenz des ind. Denkens erhalten, die Person hinter dem Werk zurücktreten zu lassen und auf geschichtl. Daten keinen allzu großen Wert zu legen.

Die Philosophie beginnt jedoch aus der Beschränkung auf den Kreis der Brahmanen (Priester) herauszutreten und in breitere Bevölkerungsschichten einzudringen. Im allg. wird unterschieden zwischen den orthodoxen Systemen, die die Autorität der Veden als Offenbarung anerkennen, und den nicht-orthodoxen Systemen, die deren alleinige Autorität ablehnen.

Die sechs klass. **orthodoxen Systeme** sind:
Samkhya und Yoga,
Nyaya und Vaisheshika,
Vedanta und Mimamsa.

Zu den **nicht-orthodoxen Systemen** zählen der Buddhismus, der Jainismus u. a.
Die Zeit von ca. 1000 n.Chr. an wird zur *nachklassischen* Epoche der ind. Philosophie gerechnet. Mit Beginn des 19.Jh. läßt sich von einer *modernen* Periode sprechen, die durch die Begegnung mit westl. Denken gekennzeichnet ist.

Die klass. Zeit der **chinesischen Philosophie** ist v.a. geprägt durch zwei Schulen, den Konfuzianismus und den Daoismus.
Daneben gibt es zahlreiche weitere Strömungen, von denen u.a. Mohismus, Legalismus, Sophismus und die Yin-Yang-Lehre zu nennen sind.

Der **Konfuzianismus** geht zurück auf das Wirken des KONFUZIUS (KONG ZI; 551–479 v.Chr.), der sich selbst in der Tradition älterer Überlieferungen sieht. Inhalt seiner Lehren ist
v.a. eine konservative *Moral-* und *Staatsphilosophie.*
Sein bedeutendster Nachfolger ist MENZIUS (MENG ZI; 371–289 v.Chr.), der die theoret. Basis des Konfuzianismus weiter ausbaut.
Als maßgebender Kanon gelten später die »*Vier Bücher*«
›Lun Yü‹ (Reden des Konfuzius), ›Menzius‹, ›Lehre vom Mittelmaß‹ und die ›Große Lehre‹.

Während der Konfuzianismus zunächst im Widerstreit vor allem mit dem Taoismus und dem später nach China gelangenden Buddhismus steht, wird der
Neukonfuzianismus (ab dem 11.Jh.) zur eigentl. Staatsphilosophie Chinas. Die klass. moralphilosoph. Themen werden nun durch eine auf die Yin-Yang-Schule zurückgreifende *Kosmologie* erweitert.

Der **Daoismus** gründet sich auf das dem LAO-TSE (LAO ZI) zugeschriebene ›Tao-te-King‹ (›Dao De Jing‹; ca. 5./3.Jh. v.Chr.). Es enthält die »Lehre vom richtigen Weg und der Tugend«.
Das menschl. Leben wird in den *kosmischen Weg* der Natur eingebettet gesehen. Ein Grundgedanke darin ist die Lehre vom Wirken durch »*Nicht-Tun*«.
Der zweite bed. Vertreter des Daoismus ist ZHUANG ZI (ca. 4.Jh. v.Chr.).

Der auf Mo Zi (5./4.Jh. v.Chr.) zurückgehende **Mohismus** vertritt einen *utilitaristischen,* am Wohlergehen des Volkes orientierten Standpunkt.

Eine Nebenströmung zur klass. Philosophie ist die **Yin-Yang-Schule,** die mit dem Buch ›I Ging‹ (›Yi Jing‹) in Verbindung steht. Sie lehrt, daß alles kosm. Geschehen
aus dem Wechselspiel der Urprinzipien *Yin* (weiblich, weich, dunkel) und *Yang* (männlich, fest, hell) hervorgeht.
Diese kosm. Ordnung steht in Beziehung zum menschl. Leben, der Moral und der Gesellschaft.

Kulturelle Zentren des **Alten Orients** sind:
– *Ägypten:* Es ist geprägt von der Vorstellung eines Lebens nach dem Tode. In seiner reichen Götterwelt sind Formen des Heno- und Monotheismus enthalten.
– *Mesopotamien:* Zwischen Euphrat und Tigris entstehen die Großreiche von Sumer, Akkad, Assur und Babylon, Heimat großer Epen über die Weltschöpfung.
– *Iran:* ZARATHUSTRA (um 560 v.Chr.) gründet eine monotheist. Religion mit stark ausgeprägtem Dualismus.
– Der Nahe Orient ist Ursprung dreier *Weltreligionen:* In Judentum, Christentum und Islam wird ein allmächtiger Schöpfergott verehrt, der sich v.a. durch Propheten und Schrift offenbart.

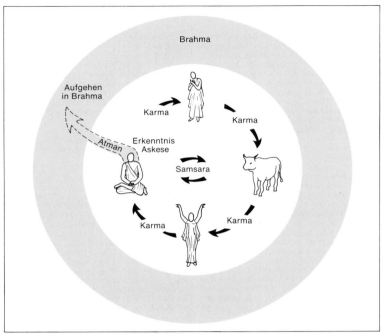

A   Upanishaden: Karma und Wiedergeburt

Behauptung:	auf dem Berg ist Feuer
Grund:	weil auf ihm Rauch ist
Beispiel:	wo Rauch ist, da ist Feuer, wie in der Küche
Anwendung:	nun hat der Berg Rauch
Folgerung:	also ist auf ihm Feuer

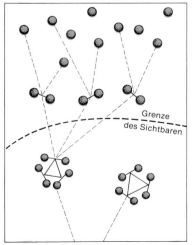

B   Nyaya – Vaisheshika: Lehre vom Schluß   C   Atomlehre

Ein frühes dichter. Zeugnis für die das philosoph. Denken bewegende Frage nach dem Ursprung allen Seins findet sich im berühmten **Schöpfungshymnus** des **Rigveda**: das *Eine* als Weltgrund, das selbst der Trennung von Sein und Nicht-Sein und dem Erscheinen der Götter noch vorausgeht.

»Damals war nicht das Nichtsein noch das Sein, / Kein Luftraum war, kein Himmel drüber her.– / Wer hielt in Hut die Welt; wer schloß sie ein? / Wo war der tiefe Abgrund, wo das Meer?

Nicht Tod war damals noch Unsterblichkeit, / Nicht war die Nacht, der Tag nicht offenbar.– / Es hauchte windlos in Ursprünglichkeit / Das Eine, außer dem kein andres war.« (Übers. P. DEUSSEN)

Die **Upanishaden** (ca. 800–500 v. Chr.) enthalten keine homogene philosoph. Lehre, sondern eine Vielfalt von Anschauungen. Am bekanntesten und wirkungsreichsten ist die Einheitslehre von **Brahman** und **Atman**.

Brahman wird begriffen als der in sich ruhende Urgrund allen Seins, als das alles durchdringende Wesen der Welt.

Atman bedeutet das Selbst (Seele) des einzelnen, im Sinne seines eigentl. Wesens. Atman grenzt sich so von dem ab, was dem Menschen nur äußerlich und uneigentlich zukommt.

Die entscheidende Erkenntnis, zu der der Mensch gelangen muß, ist, daß Atman und Brahman im Grunde *eines* sind. Es gibt nur das eine, alles durchwaltende Weltprinzip, in das die Seele, wie alles Sein, eingebettet ist. In seinem eigenen Innersten kann so der Mensch das unvergängl. Innerste des Seins erfassen.

»Wahrlich Brahman ist diese ganze Welt. . . Dieser ist mein Atman im inneren Herzen.«

Der zweite bed. Gedanke ist die Lehre von **Karma** und **Wiedergeburt**:

ein Mensch wird aufgrund seiner Taten (karma) zwangsläufig in neuer Gestalt wiedergeboren.

Die Kette der Wiedergeburten ist ewig, da alles Tun den Kreislauf der Seelenwanderung in Gang hält.

Der Begriff *Samsara* (»der zum Ausgang zurückkehrende Lauf«) bezeichnet die Verstrickung des Menschen in dieses Weltgeschehen. Ihm liegt eine *sittliche* Weltordnung zugrunde, denn gute oder schlechte Taten führen zu einer entsprechenden höheren oder niederen Lebensform im künftigen Dasein.

Dahinter steht der Gedanke eines ewigen **Weltgesetzes** (dharma), das kosmisch allem Geschehen ordnend zugrundeliegt und sich für den Menschen als Maßstab seines Handelns manifestiert.

Jeder einzelne ist verpflichtet, in Übereinstimmung mit seinem dharma zu leben, indem er die ihm gemäß seiner gesellschaftl. Stellung zukommenden Pflichten erfüllt.

Nun vollzieht sich in der Upanishadenzeit eine *pessimistische* Umbewertung des menschl. Daseins.

Es wird in seiner Leidhaftigkeit und Vergänglichkeit gesehen. – Immer neues Leiden entsteht im ewigen Wechsel von Tod und Geburt. – Die äußeren Güter des Lebens erscheinen wertlos im Vergleich zum unvergängl. Brahman.

So entsteht der Wunsch nach **Erlösung** (moksha) als Befreiung vom Kreislauf der Wiedergeburten. Da die Taten Ursache und Band der Wiedergeburten sind, können noch so gute Werke nicht zur Erlösung führen.

Der richtige Weg ist daher die Enthaltung von allem Tun und Begehren (Askese).

Aber dies allein bleibt fruchtlos ohne das *Wissen*.

Die höchste, intuitive Einsicht in das Wesen des Brahman ist die erlösende Kraft: denn wer um das Brahman weiß, ist selbst Brahman.

»Das Brahman bin ich: wer das weiß, wird von allen Banden frei.«

Wie der Fluß im Meer namenlos und gestaltlos verschwindet, so löst sich die individ. Existenz des Weisen im unendl. Brahman auf.

Die 6 *orthodoxen Systeme* der klass. Zeit erkennen die Autorität des Veda an.

Nyaya und **Vaisheshika** verschmelzen in späterer Zeit zu einem System.

Der Nyaya hat v. a. das Gebiet der *Logik* und *Schlußfolgerungen* bearbeitet, während das Vaisheshika eine *atomistische Naturphilosophie* vertritt.

Das vereinigte System hebt sich bes. hervor durch die Aufstellung einer Kategorienlehre. Die 7 *Kategorien* sind:

Substanz, Qualität, Tätigkeit, die Relationen Gemeinsamkeit, Besonderheit, Inhärenz (Beziehung zwischen notwendig verbundenen Teilen) und das Nichtsein.

Die Lehre der Schlußfolgerungen arbeitet mit einem 5 teiligen *Syllogismus*. Abb. B zeigt ein häufiges Schulbeispiel:

Damit der Schluß richtig ist, müssen Subjekt (Berg), log. Grund oder Feststellungsmittel (Rauch) und Folge oder Festzustellendes (Feuer) im richtigen Verhältnis zueinanderstehen.

Die Folge muß umfassender sein als der Grund, d. h., es gilt:

Wo Rauch ist, ist stets Feuer; aber nicht überall wo Feuer ist, ist stets Rauch.

Die Naturphilosophie lehrt die Zusammensetzung alles Materiellen aus unzerstörbaren *Atomen*, deren Zusammenballung zu den sichtbaren Dingen aber auflösbar ist. Nach Ablauf einer Weltperiode trennen sich die Atomverbindungen, bis sie sich nach einer Ruhephase zu einer neuen Welt zusammenfügen.

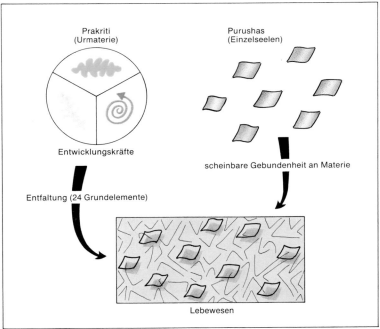

Prakriti
(Urmaterie)

Purushas
(Einzelseelen)

Entwicklungskräfte

scheinbare Gebundenheit an Materie

Entfaltung (24 Grundelemente)

Lebewesen

A Samkhya

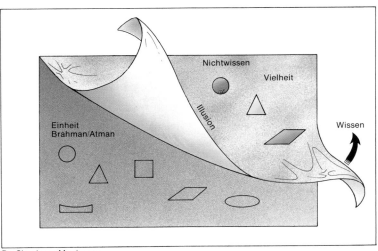

Nichtwissen

Vielheit

Illusion

Einheit
Brahman/Atman

Wissen

B Shankara: Monismus

Das **Samkhya** vertritt ein *dualistisches Weltbild.* Die beiden ewigen und unerschaffenen Weltprinzipien sind *Purusha,* der reine Geist, und *Prakriti,* die Materie.

Purusha ist mit Bewußtsein ausgestattet, aber völlig passiv, so daß er allein nichts hervorbringen kann.

Während das Samkhya urspr. einen umfassenden Purusha annimmt, geht es später von einer Vielzahl individ. Purushas aus.

Prakriti ist aktive, wirkende Kraft, aber ohne Bewußtsein und daher nicht zielgerichtet.

Nur durch das Zusammenspiel beider Prinzipien kann die Welt entstehen. Dabei wirken in der Prakriti 3 *Entwicklungskräfte* (gunas):
das Lichte, Freudige;
das Bewegliche, Leidenschaftliche;
das Dunkle, Hemmende.

Diese Kräfte befinden sich vor dem Anfang einer neuen Weltperiode im Ruhezustand. Mit dem Beginn ihrer Bewegung entstehen die 24 *Grundelemente* als die stoffl. Bestandteile der Welt
(zu ihnen zählt das Samkhya auch Vernunft, Selbstbewußtsein und Sinneswahrnehmung).

Der stoffl. Prakriti steht der Purusha völlig getrennt, lediglich betrachtend gegenüber. Daher ist auch die Verbindung von Geist und Körper im Menschen nur scheinbar, was an einem Gleichnis verdeutlicht wird:
So wie ein farbloser Kristall rot erscheint, wenn man einen roten Gegenstand dahinterhält, so erscheint der Geist lediglich von dem Sinnlichen betroffen. Die erfahrbaren psych. Vorgänge in der Seele gehören in Wirklichkeit der Prakriti an.

Der Weg der *Erlösung* des Menschen aus dem Kreislauf der Wiedergeburten besteht in der Erkenntnis,
daß sein Purusha von all den Dingen in der Welt gar nicht berührt wird.

Damit erlischt das Interesse an weltl. Handeln, durch das neues Karma geschaffen wird.

Das Samkhya bildet die theoret. Grundlage für die **Yoga,** während dieser die prakt. Methode zur Erlangung der Erlösung darstellt. Im Unterschied zum Samkhya nimmt der Yoga jedoch einen *persönlichen* obersten Gott an.

Dem Yoga liegt der Gedanke zugrunde, daß der Mensch durch Konzentration, Meditation und Askese zur Beruhigung des Gemüts, höherer Einsicht und schließlich Befreiung von der materiellen Prakriti gelangen kann. Das klass. System umfaßt 8 *Stufen,* deren erste 5 die Übungen des Körpers in den Vordergrund stellen, während das Gewicht der letzten 3 auf der geistigen Einsicht liegt:
1. Zügelung (Einhalten moral. Gebote),
2. Zucht (Reinigungsvorschriften, Askese, Studium),
3. rechte Körperhaltung,
4. Atemkontrolle,
5. Zurückziehen der Sinne von den äußeren Objekten,
6. Konzentration der Gedanken auf einen best. Punkt,
7. Meditation,
8. Versenkung (Vereinigung des Geistes mit dem Göttlichen, Auflösen der individ. Existenz).

Mit **Vedanta** (Vollendung des Veda) wurden zunächst die Upanishaden benannt, später wird der Begriff zur Bez. der Lehrsysteme verwendet, die auf der Auslegung der Veden aufbauen. Neben den Upanishaden ist die *Bhagavadgita* eines der wichtigsten Bücher des Vedanta.

Der bedeutendste Vertreter ist SHANKARA (um 800 n. Chr.), der einen strengen *Monismus* lehrt. Es gibt nur ein kosm. Urprinzip, das im Gesamten als Brahman, im einzelnen Selbst als Atman begriffen ist (vgl. S. 17).

Ihr Verhältnis zueinander läßt sich beschreiben wie das des unendl. Raumes zu dem Raum in einzelnen Gefäßen. Es ist derselbe Raum, nur eingegrenzt.

Die Wahrheit ist daher die *»Nichtzweiheit«* (advaita), während die Vielheit der Dinge nur *Illusion* (maya) ist. Die Mannigfaltigkeit der empir. Erscheinungen entspringt der Verblendung durch das Nichtwissen.

Die Erlösung vom Kreislauf der Wiedergeburten wird erlangt durch das höchste Wissen der Einheit von Atman und Brahman. In den Veden gibt es aber auch Stellen, die einen pluralist. Ansatz vertreten und eine Vielheit von Einzelwesen annehmen. Dies interpretiert SHANKARA so, daß es neben der höchsten Einsicht auch eine niedere Stufe des Wissens gibt, die der Auffassungsgabe der Mehrzahl der Menschen angepaßt ist.

Auf dieser Stufe wird von vielen Einzelseelen und der von diesen versch. Gottheit gesprochen, die in unterschiedl. Formen verehrt wird.

Eine Reihe späterer Denker modifiziert den strengen Monismus SHANKARAS.

So lehrt RAMANUJA die Existenz eines persönl. Gottes, dessen Attribute die Welt und die Einzelseelen sind. Diese behalten jedoch auch nach ihrem Eingehen in die All-Einheit ihre Individualität.

MADHVA lehrt einen Pluralismus, nach dem Gott, Seelen und Welt völlig verschieden sind.

Die **Mimamsa** beschäftigt sich mit den Regeln für die richtige *Auslegung* des Veda. Dieser gilt ihr als eine ewige und unerschaffene Autorität. Um die Bedeutung eines Textes zu ermitteln, werden 5 bestimmte Phasen durchlaufen.

Ihrem Gegenstand gemäß beschäftigt sich die Mimamsa vor allem mit hermeneut. und sprachphilosoph. Themen.

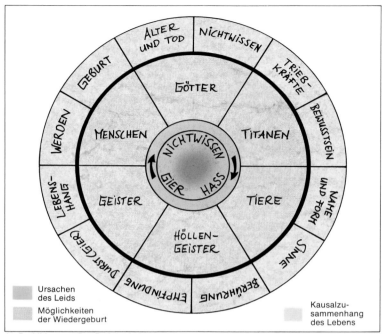

A   Buddhismus: »Das Rad des Lebens«

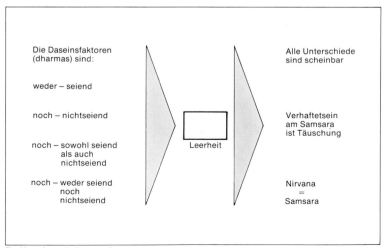

B   Nagarjuna: Lehre vom Leeren

Die Lehre des **Jainismus** ist von MAHAVIRA (um 500 v.Chr.) begründet worden. Sie gehört, wie der Buddhismus, zu den Systemen, die nicht auf der Autorität des Veda aufbauen.

Die Grundbestandteile der Welt sind die **Einzelseelen**, die von Natur aus zur Vollkommenheit fähig sind, und das **Unbelebte** (dazu gehören der Raum, der Äther sowie die Materie).

Die Seelen können ihre natürl. Anlage zu Allwissenheit und Seligkeit nicht erfüllen, da sie von Stofflichem durchsetzt sind. Aufgrund ihrer Tätigkeit ziehen sie nämlich Stoffteilchen, und damit *Karma*-Materie, in sich hinein, die sich aufgrund der Leidenschaften festsetzt und das Verhaftetsein an den Kreislauf der Wiedergeburten bedingt.

Das *Heilsziel* ist die Befreiung der Seele und der Aufstieg zur Stätte der Vollendeten.

Um dorthin zu gelangen, muß die Seele sich von dem Karma lösen, indem sie ein weiteres Eindringen durch ein tugendgemäßes Leben abwehrt und schließlich das vorhandene Karma durch Askese ausstößt.

Der **Buddhismus** geht auf das Wirken und die Lehre von SIDDHARTA GAUTAMA (um 560–480 v.Chr.) zurück, der sich nach seiner Erleuchtung selbst BUDDHA nennt. Der Buddhismus gehört zu den atheist. Religionen, da er keinen ewigen Gott kennt.

Für den Buddhismus gibt es kein beständiges Sein, sondern alles ist im *Werden* und *Vergehen* begriffen.

Daher lehnt BUDDHA auch den Begriff des Selbst (Seele) ab, da es keine dauerhaften Substanzen gibt.

Die letzten Elemente, die dem Weltgeschehen zugrundeliegen, sind auch keine materiellen oder geistigen Substanzen, sondern unbeständige Eigenschaften und Zustände. Von diesen **Daseinsfaktoren** (dharmas) gibt es 5 Gruppen:

Körperliches, Empfindungen, Unterscheidungen, Triebkräfte, Bewußtseinsakte.

Aus ihnen setzen sich alle greifbaren Erscheinungen (Steine, Tiere, Menschen) zusammen. Ihrem Auftauchen und Vergehen liegt eine kausale Abhängigkeit zugrunde. BUDDHA vertritt die *Wiedergeburtslehre* und die karm. *Tatvergeltung*. Da es keine bleibende Seelensubstanz gibt, ist das neue Lebewesen, das aus den Taten eines früheren entsteht, nicht leib-seelisch mit diesem identisch. Vielmehr ist es nur die Kausalkette der Taten, die nach dem Tod überdauert und zu einem neuen Leben führt.

Diesen Zusammenhang erklärt die Lehre vom **Kausalnexus** (nach H. v. GLASENAPP):

Aus dem 1. Nichtwissen entstehen die 2. karmagestaltenden Triebkräfte, aus diesen 3. ein Bewußtsein und daraus 4. Name und körperliche Form (Individuum), so entstehen 5. die Sinne und damit 6. die Berüh-

rung (Sinneswahrnehmung) mit der Außenwelt, aus 7. der Empfindung geht 8. der Durst (Gier) hervor und mit ihm 9. der Lebenshang, daraus ergibt sich 10. karmisches Werden, damit 11. eine neue Geburt und 12. Altern und Sterben.

Dieser Kreislauf kann nur unterbrochen werden, wenn das Nichtwissen und die daraus folgenden Übel vernichtet werden. Inhalt des erlösenden Wissens sind die »4 edlen **Wahrheiten**«:

Alles Dasein ist leidvoll.

Ursache des Leidens ist der Lebensdurst.

Die Befreiung vom Leiden ist das Auslöschen des Lebensdurstes.

Zur Aufhebung des Lebensdurstes führt der »edle achtfache Pfad«.

Der **achtfache Pfad** enthält die ethischen Gebote BUDDHAS:

Rechte Anschauung, rechte Gesinnung, rechtes Reden, rechtes Handeln, rechten Lebensunterhalt, rechtes Streben, rechtes Überdenken, rechtes Sich-Versenken.

Wer die edlen Wahrheiten erkannt und den achtfachen Pfad beschritten hat, gelangt zur Erlösung.

Ziel ist das Eingehen ins **Nirvana** (Verwehen). Damit ist der Zustand des völligen Erlöschens des Lebensdranges und des Aufhörens der Wiedergeburten gemeint. Bereits zu Lebzeiten kann der Erleuchtete sich von allem Begehren befreien und geht nach seinem Tod ins vollkommene Nirvana ein.

Nach dem Tod BUDDHAS wurde seine Lehre in unterschiedl. Richtungen weiterentwickelt.

Die Schule des **Hinayana** (»Kleines Fahrzeug«) stellt den mönch. Buddhismus dar, der sich um den Heilsweg weniger Auserwählter bemüht.

Das **Mahayana** (»Großes Fahrzeug«) wendet sich dagegen an breite Schichten. Die BUDDHA-Verehrung nimmt theist. Züge an, der einzelne kann sich auf dem Weg zum Heil der Hilfe der *Bodhisattvas* versichern. Diese sind Erleuchtete, die aus Liebe zum Menschen darauf verzichten, ins Nirvana einzugehen.

Bed. ist die sog. »*mittlere Lehre*« des NAGARJUNA (2.Jh. n.Chr.). Wesenhaft ist nur, was aus sich heraus unabhängig existiert. Da alle Daseinsfaktoren nur in Abhängigkeit voneinander sind, sind sie an sich bestimmungslos, d.h. leer. Somit ist auch die Gesamtheit der Welt leer und

die *Leerheit* erweist sich als das einzige Prinzip, jenseits von Sein und Nichtsein.

Die Verschiedenheit ist in Wahrheit nur Täuschung. Deshalb besteht auch kein Unterschied zwischen Samsara (Kreislauf des Werdens) und Nirvana. Die erlösende Erkenntnis ist:

wir sind im Nirvana, das Leere ist das einzig Wirkliche. ˈ

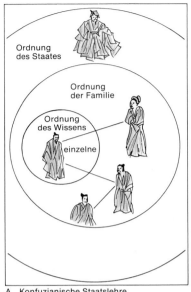

A Konfuzianische Staatslehre

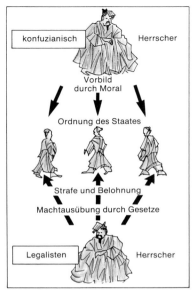

B Vergleich zu Legalisten

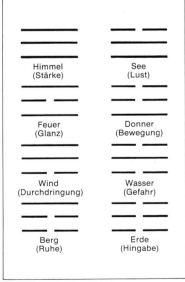

C I Ging: 8 Urzeichen

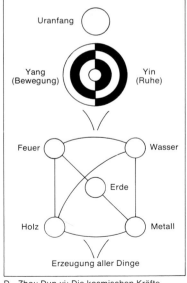

D Zhou Dun-yi: Die kosmischen Kräfte

Der **Konfuzianismus** geht zurück auf die Lehren des KONFUZIUS (551–479 v. Chr.), der sich in der Tradition eines uralten Denkens versteht, dem er Geltung verschaffen will. Er selbst hat nichts Geschriebenes hinterlassen. Seine Lehren wurden später im Buch ›Lun Yü‹ gesammelt.

Sein Denken zielt auf das konkrete Leben des Menschen und die Belange der *Praxis,* wobei er eine konservative Moral- und Staatsphilosophie vertritt. Die grundlegenden **Tugenden** sind:

Menschlichkeit,   Rechtschaffenheit, Schicklichkeit, Weisheit und Loyalität.

Sie verwirklichen sich in den fundamentalen *Beziehungen:*

Herrscher und Staatsdiener, Vater und Sohn, älterer und jüngerer Bruder, Ehemann und Ehefrau, Freund und Freund.

Die Stabilität des *Staates* gründet in der Moral des einzelnen und der zentralen Rolle der Familie. Der wahre Herrscher regiert sein Volk allein durch sein moral. Vorbild. Eine Stelle aus der ›Großen Lehre‹ faßt den moral. Zusammenhang zwischen dem Ganzen und seinen Gliedern zusammen:

»Wenn man sein Land regieren will, muß man als erstes seine Familie in Ordnung halten. Wenn man seine Familie in Ordnung halten will, muß man als erstes seinen Charaker bilden. Wenn man seinen Charakter bilden will, muß man als erstes das rechte Herz haben. Will man das rechte Herz haben, dann muß man als erstes aufrichtig denken. Will man aufrichtig denken, dann muß man als erstes zur Einsicht gelangen.«

Dem rechten Denken dient das konfuzian. Programm der Klarstellung und Ordnung der *Begriffe.*

Das Ideal ist der gebildete Edle, der Weise. Daher wird der Erziehung, die Geist und Herz umfaßt, bes. Bedeutung zugemessen. MENZIUS (371–289 v. Chr.) hält den Menschen von Natur aus für *gut.* Die Grundlagen aller Tugenden

sind dem Menschen also angeboren und er muß sie nur bewahren und entfalten.

Der Zustand des Staates im Ganzen wird durch die moral. Qualität des Herrschers entschieden. Einem guten Herrscher folgen die Menschen von selbst. Sein oberstes Ziel muß das Wohlergehen und die Moral seines Volkes sein.

Dagegen glaubt XUN ZI (um 313–238 v. Chr.), daß der Mensch von Natur *schlecht* ist und

nur durch Erziehung und Kultur mühsam gebessert werden kann.

Eine Gegenposition zu der auf der Moral aufgebauten Staatslehre des Konfuzianismus nimmt die Gruppe der **Legalisten** ein. Ihr Ziel ist ein mächtiger und geeinigter Staat. Seine Stützen sind die Stärke des Herrscherhauses, des Militärs und der Landwirtschaft.

Die Grundlage bilden eindeutige, für jedermann verbindl.

Gesetze, deren Befolgung durch ein rigoroses System von *Strafe* und *Belohnung* garantiert werden soll.

Das machtpolit. Programm der Legalisten ist nüchtern-pragmatisch und antitraditionalistisch.

Ab dem 11. Jh. wird der **Neukonfuzianismus** zur beherrschenden Philosophie Chinas. ZHU XI (1130–1200) vertritt eine *dualistische* Position. Die beiden Grundprinzipien sind

das universelle Formprinzip *Li* (Weltvernunft) und das materielle Wirkprinzip *Qi.*

Diese in der Natur maßgebenden Prinzipien bestimmen auch den Menschen:

Li als das in allen Menschen ident. Wesen, Qi als die individ. Bestimmtheit.

Auch die sittl. Natur des Menschen hat ihr Vorbild in der universellen Form, so daß Li auch im Sinne einer Verhaltensnorm fungiert. Demgegenüber vertritt WANG YANG-MING (1472–1528) einen *monistischen* Standpunkt, der die Vernunft als das alleinige Weltprinzip annimmt, an dem der menschl. Geist teilhat.

Der Mensch besitzt von Natur aus die Fähigkeit der Erkenntnis aller Dinge in sich.

Wenn er seine selbstischen Leidenschaften überwindet, vermag er mit der Weltvernunft eins zu werden. Daher besteht ein enger Zusammenhang zwischen sittl. Handeln und Erkennen.

Die **Yin-Yang-Lehre** wird mit dem Buch der Wandlungen (›I Ging‹) in Verbindung gebracht. Dieses enthält Zahlenspekulationen, die den kosm. Naturablauf mit dem menschl. Leben durch ein gemeinsames Ordnungsmuster in Zusammenhang bringen sollen. Die Grundlage dafür sind die

8 aus durchgehenden und unterbrochenen Strichen bestehenden *Trigramme,* die Naturkräfte und Eigenschaften symbolisieren (Abb. C).

Deren Kombination zu 64 (8×8) Hexagrammen soll alle kosm. Kräfte in ein gemeinsames Ordnungssystem bringen.

Die beiden Urprinzipien sind

Yang (männlich, fest, hell, aktiv) und *Yin* (weiblich, weich, dunkel, passiv).

Aus ihrem Zusammenwirken wird die Entstehung und der Wandel aller Dinge und Ereignisse erklärt.

Neukonfuzianismus und Daoismus bedienen sich der Yin-Yang-Lehre zur Ausformung ihrer *Kosmologie.* Der konfuzian. Philosoph ZHOU DUN-YI (1017–73)

stellt in einem Diagramm das Wirken der kosm. Kräfte zusammen (Abb. D).

Das Allerhöchste (Tai Ji) bringt durch Bewegung die Yang-Kraft hervor, der die Ruhe und damit die Yin-Kraft folgt. Aus dem Zusammenspiel von Yin und Yang entstehen die 5 Elemente und aus diesen alles Seiende.

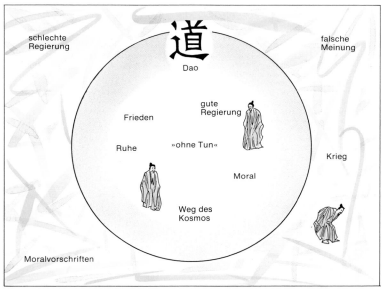

schlechte
Regierung

falsche
Meinung

道

Dao

gute
Regierung

Frieden

Ruhe

»ohne Tun«

Moral

Weg des
Kosmos

Krieg

Moralvorschriften

A   Dao

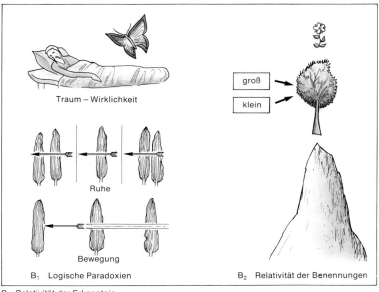

Traum – Wirklichkeit

Ruhe

Bewegung

B₁   Logische Paradoxien

groß

klein

B₂   Relativität der Benennungen

B   Relativität der Erkenntnis

Der klass. Text des **Daoismus** ist das ›Dao De Jing‹ (›Tao Te King‹; ca. 5./3. Jh. v. Chr.), das dem LAO ZI (LAO TSE) zugeschrieben wird. Die Historizität von LAO ZI ist jedoch nicht gesichert.

Das Buch handelt vom »Weg (Dao) und der Tugend«, wobei es um den Bezug des **Dao** zum Leben des Menschen, bes. des Herrschers, geht. Was das Dao ist, läßt sich in der Sprache nicht adäquat ausdrücken. Es ist namenlos, weil alle Namen etwas bestimmtes Seiendes bezeichnen, das Dao jedoch ist das jenseits aller Unterscheidungen über allem herrschende *Prinzip*, der »Weg der Natur und des (individuellen) Lebens«.

»Des Menschen Richtmaß ist die Erde, der Erde Richtmaß ist der Himmel, des Himmels Richtmaß ist Dao, des Dao Richtmaß ist es selbst.«

Der rechte Weg des Weisen und des weisen Herrschers ist es daher, sich vom Dao führen zu lassen, indem er sich innerlich von aller selbstischen Aktivität befreit.

Der Weise wirkt durch **»Nicht-Tun«.**

Dies meint nicht »nichts tun«, sondern das Unterlassen aller unnötigen Eingriffe in das Geschehen. Je weniger der Mensch versucht, von sich aus zu planen, um so mehr folgen die Dinge dem Dao.

»Dao ist ewig Nicht-Tun, und doch bleibt nichts ungetan.«

Staat und *Herrschaftsordnung* werden zwar nicht verworfen, sollen aber auf ein Mindestmaß beschränkt sein.

Je mehr Gesetze und Vorschriften, desto mehr Verbrecher gibt es auch.

Je weniger der Herrscher regiert, um so besser wird das Land sein.

Zahlreiche Moralvorschriften sind ein Zeichen dafür, daß die wirkl. *Tugend* verlorengegangen ist. Wer tugendgemäß lebt, braucht nicht darüber nachzudenken und keine Regeln, an die er sich zu halten hat. Der Weise lebt in Einfachheit und wirkt durch seine scheinbare Schwäche. Daher wird er oft mit dem Wasser verglichen:

für alle Lebewesen ist es von Nutzen und obwohl es weich ist, kann ihm nichts Hartes etwas anhaben.

Der zweite bed. Daoist ZHUANG ZI (4. Jh. v. Chr.) teilt die Geringschätzung für die minutiöse konfuzian. Morallehre, die ihm Ausdruck für den Verlust der ursprüngl. tugendhaften Einfachheit ist. ZHUANG ZI versucht falsche Gewißheiten in den Meinungen der Menschen zu erschüttern, indem er auf die *Relativität* der Erfahrung und der Wertmaßstäbe hinweist. Ein berühmtes Beispiel ist der »Schmetterlingstraum«:

»Einst träumte Zhuang Zhou, er sei ein Schmetterling, ein flatternder Schmetterling, der sich losgelöst fühlte und nichts wußte von Zhuang Zhou. Plötzlich erwachte er, und da war er wieder Zhuang Zhou. Nun weiß er nicht mehr, ob Zhuang

Zhou geträumt hat, er sei ein Schmetterling, oder ob der Schmetterling geträumt hat, er sei Zhuang Zhou. Aber sicher ist doch zwischen Zhuang Zhou und dem Schmetterling ein Unterschied. So ist es mit der Wandlung der Dinge.«

Auch die Grenzen der *Sprache* werden von ZHUANG ZI aufgezeigt: das Dao ist nur in paradoxen, sich selbst zurücknehmenden Formulierungen zu umschreiben.

Das Innewerden des Dao ist nur auf dem *mystischen* Weg möglich, der mit Hilfe von Bildern beschrieben wird. Der Geist muß Ruhe finden, so wie erst ein ruhiges Wasser klar wird. Er muß seinen Widerstand aufgeben, so daß ihn das Dao trägt, wie ein Blatt im Wind.

Für Mo ZI (5./4. Jh. v. Chr.) ist die Ursache allen Übels in der Welt das Fehlen von allgemeiner **Menschenliebe**. Würde umfassende Liebe herrschen, so wären Frieden und Wohlstand die sicheren Folgen **(Mohismus)**.

Die *Wohlfahrt* des Volkes ist oberster Grundsatz des polit. Handelns.

Alles, was ihr nicht förderlich ist, lehnt Mo ZI ab. So den Krieg, aber auch Luxus und einen großen Teil der Kultur, weil zu ihrer Erhaltung das Volk ausgebeutet wird.

Um zu einer gesicherten Theorie zu kommen, muß man einer best. *Methode* folgen, die 3 Gesichtspunkte hat:

Vergleich mit den Ansichten früherer Denker;

Überprüfung anhand der Übereinstimmung mit den empir. Tatsachen;

Bewährung in der gesellschaftl. Praxis.

Unter dem Oberbegriff **Sophisten** wird eine Reihe von Denkern zusammengefaßt, über die meist nur aus Berichten anderer Philosophen etwas bekannt ist. Ihre Argumentationskunst zwang Vertreter anderer Schulen dazu, ihre eigenen Theorien zu präzisieren. Die erhaltenen Fragmente zeigen sie mit Problemen der *Sprachphilosophie* und *logischen Paradoxien* befaßt. Zumeist ist nur der paradoxe Schlußsatz überliefert, über den Sinn und die Art der Argumentation sind nur Mutmaßungen möglich. Zwei Beispiele:

»Ein weißer Hund ist schwarz.«

Ein Kommentar interpretiert diesen Satz so: Wenn ein Hund blinde Augen hat, nennt man ihn einen blinden Hund, wenn er große Augen hat, aber nicht einen großen Hund. Warum sollte man nicht einen weißen Hund, der schwarze Augen hat, einen schwarzen Hund nennen.

»Ein fliegender Pfeil ist weder in Bewegung noch in Ruhe.«

Dies erinnert an die Paradoxien des Griechen ZENON (vgl. S. 33) und könnte so interpretiert werden: In jedem einzelnen Augenblick für sich steht der Pfeil still, ist also in Ruhe. Dennoch kommt er im Ziel an und ist also in Bewegung.

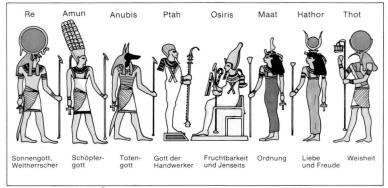

Re	Amun	Anubis	Ptah	Osiris	Maat	Hathor	Thot
Sonnengott, Weltherrscher	Schöpfer-gott	Toten-gott	Gott der Handwerker	Fruchtbarkeit und Jenseits	Ordnung	Liebe und Freude	Weisheit

A   Wichtige Götter der Ägypter

| Toter | Thot notiert das Ergebnis | Anubis wägt das Herz des Toten gegen ma'at auf | Osiris als Richter |

B   Ägyptens Totengericht

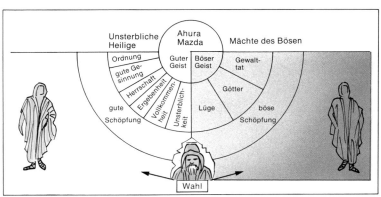

C   Iran: Weltbild Zarathustras

Ägypten zählt zu den ältesten Hochkulturen der Erde:
Altes (2900–2040 v.Chr.), Mittleres (2040–1537) und Neues Reich (1536–715), incl. zwei Zwischenzeiten. Dazu rechnet man eine Spätzeit (bis 332) (s.Abb. S.14).

Die **Religion** Ägyptens umfaßt eine Vielzahl von *Göttern*, was z.T. auf das Zusammenwachsen des Landes aus versch. Stämmen zurückgeführt wird. Eine bes. Rolle spielen *Sonnengottheiten*. Im Laufe der Geschichte erfährt die ägypt. Götterwelt viele Umbildungen und Kombinationen.
Der Sonnengott Re verschmilzt im Neuen Reich mit dem Schöpfungsgott Amun zu Amon-Re. (Die Herrscher tragen den Titel »Sohn des Re«.) Später löst Osiris ihn als Reichsgott ab.
Maat symbolisiert die kosm. und eth. Weltordnung. In späterer Zeit steht »ma'at« auch für Wahrheit oder aufrichtige Selbsterkenntnis. Ihr Vater, Ptah, ist Schutzgott aller Künstler und Handwerker. Hathor ist die Göttin der Liebe und Freude.
Um 1360 versucht der »Ketzerkönig« ACHENATEN (ECHNATON), den echten *Monotheismus* durchzusetzen. Seine Reformation hat nicht die Verehrung eines *Urgottes* (wie z.B. Amun) neben anderen zum Ziel. Die Anbetung soll ausschließlich Aton (Sonnenscheibe) gelten. In seinem ›Sonnenhymnus‹ heißt es:
»Wie zahlreich sind doch deine Werke, sie sind verborgen dem Gesichte des Menschen, du einziger Gott, außer dem es keinen anderen gibt ... Du setzest jeden Mann an seine Stelle, du sorgst für ihre Bedürfnisse, ein jeder hat sein Essen, berechnet ist seine Lebenszeit.«

Osiris, urspr. ein Fruchtbarkeitsgott, wird durch den Mythos mit dem *Totenreich* verbunden:
Von seiner Schwestergattin Isis wird er wieder zum Leben erweckt.
Die starke Betonung des Lebens im **Jenseits** ist ein Hauptmerkmal der ägypt. Religion. Das ›Totenbuch‹ schildert die Ankunft des Toten im »Westreich« als Gerichtsverhandlung (Abb. B):
Osiris fungiert als Richter, der Totengott Anubis wägt das Herz des Menschen gegen die Gerechtigkeit (ma'at) auf. Thot, Gott des Mondes, aber auch der Weisheit, notiert das Ergebnis.
Der Tote muß eine »Beichte« ablegen, in der er seine ird. Taten rechtfertigt.
Der Bewahrung der Lebenskraft der Seele (ka) dient die Erhaltung der Körper durch Einbalsamieren. Die Geistseele (ba) der Guten vereinigt sich nach dem Tode mit Osiris.

Ägypt. **Weisheitsdichtung** ist u.a. von ANI und AMENOPE (um 900) überliefert. Sie ist mit den bibl. Spruchsammlungen (z.B. ›Buch der Sprüche‹) verwandt. In ihr sind Beobachtungen über menschl. Dasein und Ratschläge zur Lebensführung enthalten.
»Besser sind Brote, wenn das Herz froh ist, als Reichtum mit Kummer. Der Hitzige ist wie ein Baum, der als Brennholz endet, während der Bescheidene ein Baum ist, der im Garten seine Frucht trägt.«

Im **Iran** stiftet ZARATHUSTRA (griech. ZOROASTER) die monotheist. Religion des Ahura Mazda (»der Allweise Herr«). Nach pers. Überlieferung ist das Auftreten ZARATHUSTRAS um 560 v.Chr. zu datieren.
Die Religion wird manchmal *Mazdaismus* genannt, ihre Anhänger Zoroastrier und (seit dem Einbruch des Islam) Parsen.
Ahura Mazda ist der weise Schöpfergott. Seine Begleiter sind die *Unsterblichen Heiligen* (Amesha Spenta), personhafte Darstellungen des göttl. Wesens. Es sind
die rechte Ordnung, die gute Gesinnung (vohu mano), Herrschermacht, »armaiti«, d.h. die Ergebenheit Gottes zu den Menschen, Vollkommenheit und Unsterblichkeit.
ZARATHUSTRA beschreibt die Welt als Kampfplatz zwischen zwei Prinzipien:
Dem Heiligen Geist als Mittler zwischen Mazda und seinen Geschöpfen steht der Böse Geist gegenüber.
Der **Dualismus** zwischen den beiden durchzieht den Weltprozeß:
»Und im Anbeginn waren diese beiden Geister, die Zwillinge, die nach ihrem eigenen Worte das Gute und das Böse im Denken, Reden und Tun heißen. Zwischen ihnen haben die Guthandelnden richtig gewählt.«
Mächte des Bösen im Kampf sind Lüge, schlechtes Denken und Gewalttat. Auch die alten Götter (daevas) sind Dämonen des Bösen, die die Menschen von der Weisheit und dem Gesetz (asha) abbringen wollen.
Nach späterer Lehre dauert der ganze Kampf 4 Perioden zu je 3000 Jahren.
Der **Mensch** hat nach ZARATHUSTRA ein »knochenhaftes«, d.h. körperliches, und ein geistiges Dasein. Er steht vor der *Wahl* zwischen Gut und Böse und kann bei richtiger Wahl dem Guten zur endgültigen Durchsetzung verhelfen.
Am Ende steht die Errichtung des *Reiches des Ahura Mazda*.
Am letzten Wendepunkt der Schöpfung findet ein *Weltgericht* statt. Dabei wird jeder einzelne für sein Denken und Handeln zur Rechenschaft gezogen.
Die das Böse gewählt haben, werden harten Strafen zugeführt. Die Guten werden mit Heil und Unsterblichkeit belohnt.
Das als herrlich beschriebene Reich Ahura Mazdas vollendet sich in Rechter Ordnung und Bestem Denken.

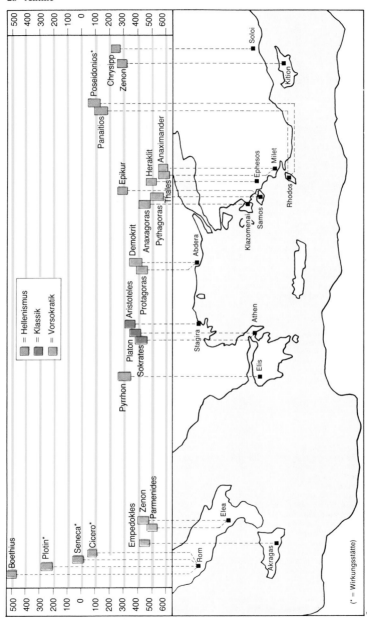

Übersicht: Antike Philosophie

(* = Wirkungsstätte)

Entstehung

Die Wiege der abendländ. Philosophie steht in den *griech. Kolonien* an den Küsten des Mittelmeers, im ion. Kleinasien und in Unteritalien. Der dort herrschende rege Handel mit der damals bekannten Welt bringt den griech. Kolonialstädten nicht nur Wohlstand, sondern vermittelt ihnen auch die Kenntnisse anderer Völker:

Mathematik, Astronomie, Geograpnie, Kalender, Münzwesen, Papier.

Die Auseinandersetzung mit fremden Kulturen fordert und erweitert den geistigen Horizont.

Kennzeichen dieser Zeit ist der beginnende Übergang von der Adelsherrschaft zu anderen polit. Formen (Tyrannis, Demokratie) und die damit verbundenen innenpolit. Krisenerscheinungen. In dieser Zeit geistiger Neuorientierung erfolgt die Wende, die man mit dem Schlagwort »vom Mythos zum Logos« (W. NESTLE) bezeichnet hat. Anstelle der Erklärung durch anthropomorphe Götter werden ab jetzt

natürliche, rationale Prinzipien gesucht, die die Ordnung der Welt und die Stellung des Menschen deuten konnten.

Dieser Übergang vollzieht sich jedoch nicht abrupt, so daß Denken, bes. bei den Vorsokratikern, aber auch bei Platon, noch an vielen Stellen durchscheint.

Wichtige **Grundzüge** der antiken Philosophie sind:
– Die Frage nach dem Urgrund (arché) und dem Urgesetz (lógos) der Welt und damit verknüpft die Suche nach einem Einheitsgrund.
– Die mit dem Begriff Alétheia (Unverborgenheit) verbundenen Themen: *Sein, Wahrheit, wahre Erkenntnis.*
– Die Beschäftigung mit der Natur des Menschen und seiner sittl. Bestimmung: Beschaffenheit der *Seele,* das *Gute (agathón)* und die *Tugend (areté)*. In der Individualethik das Problem der Erlangung der *Eudämonie* (Glückseligkeit).

Epochengliederung

Vorsokratik: umfaßt die Naturphilosophie der Milesier, die pythagoreische Schule, die Eleaten, Heraklit, die jüngeren Naturphilosophen und Atomisten.

Auch die *Sophisten* zählen in der Regel zur Vorsokratik. Ihr Interesse gilt aber dem Menschen und der Gesellschaft.

Die Periode der Sophisten, die die myth. Modelle weiter entzaubern und die überlieferten Moralvorstellungen in Frage stellen, wird auch als die *griech. Aufklärung* bezeichnet.

Die klassische Periode: wird bestimmt durch SOKRATES, PLATON und ARISTOTELES, die jeweils im Lehrer-Schüler-Verhältnis stehen.

Zentrum der Philosophie wird Athen.

SOKRATES, dessen Ansatz auf dem Hintergrund der Sophistik zu sehen ist, gilt als der Begründer der autonomen *Ethik,* auf deren Grundfragen er sein Denken völlig konzentriert. Er hat, so CICERO,

»die Philosophie vom Himmel auf die Erde heruntergeholt«.

PLATON greift die Problemstellungen des SOKRATES und der Vorsokratiker wieder auf, um sie um im Rahmen der metaphys. Konzeption seiner *Ideen-* und *Seelenlehre* einer Lösung zuzuführen.

ARISTOTELES kann als Begründer *systematisch* aufgebauter und *wissenschaftlich* fundierter Philosophie gelten, die alle Bereiche menschl. Erfahrung zu umfassen sucht.

Die hellenistische Philosophie: Auf geschichtlich-sozial-revolutioniertem Boden (Aufstieg und Zerfall des Alexanderreiches; Weltmacht Rom) entstehen die zwei bedeutendsten Lehren des Hellenismus:

die **stoische** und die **epikureische,** die beide durch eine Verlagerung auf die *Ethik* gekennzeichnet sind.

Die Geschichte der **Stoa** läßt sich in 3 Epochen unterteilen:

Die *alte* Stoa entwickelt und vollendet das stoische System. Unter ihren Mitgliedern sind bes. zu nennen der Gründer ZENON VON KITION und CHRYSIPP.

Die *mittlere* Periode wird geprägt von PANAITIOS, durch den die griech. Philosophie in Rom Einzug fand, und POSEIDONIOS, die darum bemüht waren, den eth. Rigorismus der alten Stoa zu mildern.

Schließlich die *späte* röm. Zeit, zu der SENECA, EPIKTET und Kaiser MARC AUREL zählen.

Gründer der anderen Schule ist EPIKUR, dessen Gedanken sich in den Werken der röm. Dichter LUKREZ und HORAZ wiederfinden.

Weitere Strömungen sind die **Skepsis,** die die philosoph. Lehrgebäude radikalem Zweifel unterzieht, wobei vor allem PYRRHON VON ELIS zu nennen ist, und der **Eklektizismus,** der der Verschmelzung philosoph. Lehren Recht gibt (z. B. CICERO).

Einflußreich sind die Schulen der von PLATON gegründeten *Akademie* und des von ARISTOTELES gegründeten *Peripatos.*

Mit dem **Neuplatonismus** findet die antike Philosophie noch einmal einen Höhepunkt bei PLOTIN.

BOETHIUS schließlich sichtet die antike Tradition und übermittelt sie dem Mittelalter.

Die bereits in der Spätantike sich ausformende christl. Philosophie (AUGUSTINUS und die Patristik) wird üblicherweise unter das Mittelalter gefaßt.

Die Prägung des abendländ. Denkens geschah unwiderruflich durch die Griechen. Der Verlauf der Geistesgeschichte spiegelt die von ihnen aufgeworfenen Problemstellungen und Denkmodelle wider.

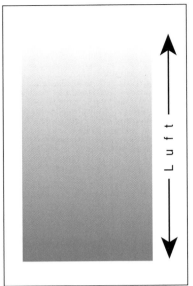

A Anaximenes

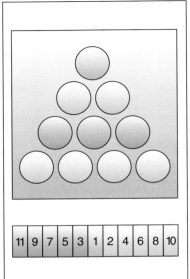

B Pythagoras

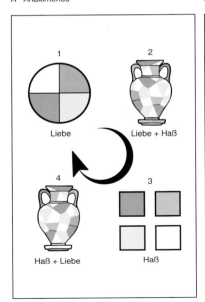

C Empedokles

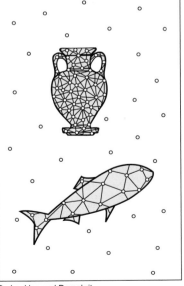

D Leukipp und Demokrit

Die milesischen Naturphilosophen

Die ersten philosoph. Theorien werden getragen von dem Gedanken,
daß es für alles Seiende einen gemeinsamen **Urgrund (arché)** gibt, der als einheitl. *Urstoff* der Vielheit der Dinge zugrundeliegt und als *Ursache* die erfahrbaren Veränderungen bewirkt.

Als erster Philosoph gilt **Thales von Milet** (um 624–546 v.Chr.), für den dieser Urstoff das *Wasser* ist.

Alles bestehe aus Wasser und sei, weil die arché als belebt und selbstbewegt betrachtet wird, auch selbst belebt (sog. *Hylozoismus*).

Darüberhinaus wirkte THALES in der Mathematik (Satz des THALES) und der Astronomie (Vorausberechnung der Sonnenfinsternis von 585 v.Chr.).

Sein Schüler **Anaximander** (um 611–546 v.Chr.) bestimmt das Urprinzip abstrakter als das **Apeiron,** d.h. das Unendliche, Unbegrenzte und Unbestimmte. Aus diesem gehen die Dinge der Welt als Gegensätze hervor und wieder in es zurück:

»Der Ursprung der Dinge ist das Apeiron. Woraus sie entstehen, da hinein vergehen sie auch nach der Notwendigkeit.«

Bei **Anaximenes** (um 585–525 v.Chr.) wird die arché wieder stofflich bestimmt, da er die *Luft* dafür hält.

Verdichtet sie sich, so entsteht das Kalte (z.B. Wasser, Erde, Stein), verdünnt sie sich, das Warme (z.B. Feuer).

Er führt somit qualitative Bestimmungen auf quantitative Veränderungen zurück. Auch die Menschen haben Anteil an diesem Prinzip, da auch die Seele aus Luft besteht.

Die Pythagoreer

Die Lehre der von PYTHAGORAS (um 570–500 v.Chr.) gegründeten Schule, deren Mitglieder in Kroton (Unteritalien) in klosterähnl. Gemeinschaft lebten, kreist um die Bedeutung der **Zahl.**

Wohl von der Entdeckung ausgehend, daß sich die Intervalle der Tonleiter auf rationale Zahlenverhältnisse schwingender Saiten zurückführen lassen, entwickelten die Pythagoreer den Gedanken, daß das Wesen der gesamten Wirklichkeit in Zahlen besteht.

Diese schaffen die *Ordnung* des Kosmos, indem sie das Unbestimmte (ápeiron) bestimmen und begrenzen. Die Dinge gelten als Abbilder der Zahlen, ihre Wesensform ist ihre mathemat. Gestalt.

Innerhalb der Zahlenreihe bestehen Unterschiede: So steht die Eins über den Zahlen und gilt als deren Ursprung.

Das Ungerade wird als begrenzt und vollkommen, das Gerade als unbegrenzt und unvollkommen betrachtet.

Die Theorie der Zahlen wird von den Pythagoreern in versch. Bereichen ausgeformt:

In der *Mathematik* bemühen sie sich um Systeme und Aufstellung von Axiomen. Der »Satz des Pythagoras« führt zur Entdeckung irrationaler Zahlenverhältnisse.

Sie entwickeln ein Bild vom *Kosmos,* nach dem die Gestirne sich kreisförmig in bestimmten Intervallen um ein feststehendes Zentrum bewegen.

Auch in der *Ethik* ist der Gedanke der Harmonie bestimmend, wobei die Pythagoreer offenbar sogar so weit gegangen sind, Tugenden mit best. Zahlen zu identifizieren.

Trotz der wissenschaftl. Forschungen in der Mathematik und Musiktheorie ist dennoch ein religiöser und myst. Grundzug in der pythagoreischen Schule vorherrschend. Dies zeigt sich bes. an der *Seelenwanderungslehre,* mit dem Gedanken der Trennung von Leib und Seele:

die Seele stellt das eigentl. Wesen des Menschen dar, die von der Verunreinigung durch das Körperliche zu befreien ist.

Empedokles (um 492–432 v.Chr.) nimmt **vier Elemente** an, die durch die Kräfte *Liebe* und *Haß* bewegt werden:

Wasser, Erde, Feuer und Luft.

In der absoluten Liebe bilden sie eine homogene Einheit, während sie durch den Haß getrennt werden. Sind beide Kräfte miteinander streitend wirksam, so entstehen durch Mischung der Elemente die konkreten Dinge.

In der *Wahrnehmungslehre* vertritt EMPEDOKLES die Ansicht, daß von den Dingen ausgehende Ausflüsse in die Öffnungen der Sinnesorgane eindringen, wenn diese genau zusammenpassen, Gleiches also nur durch Gleiches erkennbar ist.

Für **Anaxagoras** (um 500–425 v.Chr.) gibt es *unendlich viele,* qualitativ versch. *Grundstoffe.* Jedes Ding wird durch ein charakterist. Mischungsverhältnis dieser Stoffe bestimmt, die in jedem seiner, auch beliebig kleinen, Teile vorhanden sind.

Bewegt werden die Stoffe durch den *Nous* (Geist), der planmäßig ordnend vorgeht.

Leukipp (5.Jh. v.Chr.) gilt als Begründer der **Atomlehre,** die von seinem Schüler DEMOKRIT überliefert und weiterentwickelt wurde.

Alles ist aus un-teilbaren *(á-tomos)* Körperchen zusammengesetzt, die, stofflich völlig gleich, sich untereinander nur durch Gestalt, Lage und Anordnung unterscheiden.

Die Atome bewegen sich von jeher mechanisch gegenseitig durch Druck und Stoß. Zwischen ihnen gibt es nur leeren Raum. Aus der Gruppierung der Atome allein entstehen die versch. Dinge. In einem Fragment LEUKIPPS findet sich eine Formulierung des Kausalgesetzes:

»Kein Ding entsteht planlos, sondern aus Sinn und unter Notwendigkeit.«

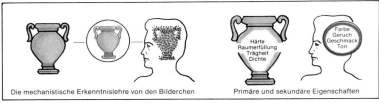

Die mechanistische Erkenntnislehre von den Bilderchen   Primäre und sekundäre Eigenschaften

A   Demokrit

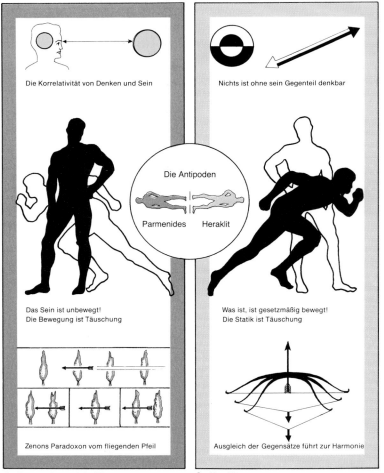

Die Korrelativität von Denken und Sein

Nichts ist ohne sein Gegenteil denkbar

Die Antipoden

Parmenides   Heraklit

Das Sein ist unbewegt!
Die Bewegung ist Täuschung

Was ist, ist gesetzmäßig bewegt!
Die Statik ist Täuschung

Zenons Paradoxon vom fliegenden Pfeil

Ausgleich der Gegensätze führt zur Harmonie

B   Parmenides und die Eleaten   C   Heraklit

Demokrit (um 460–370) führt LEUKIPPS Atomlehre weiter zu einem System des **Materialismus.**
Die aus den Atomkomplexen bestehenden Dinge sind bestimmt durch die sog. *primären,* objektiven Eigenschaften wie Raumerfüllung, Trägheit, Dichte und Härte, während etwa Farbe, Geruch, Geschmack etc. *sekundäre,* subjektive Eigenschaften sind, die erst durch die Wahrnehmung hinzukommen.
Wahrgenommen wird durch kleine *Bilderchen,* die die Dinge ausfließen lassen.
Auch die Seele besteht aus feinen (Feuer-) Atomen, die durch diese Bilderchen bewegt werden und damit den sinnl. Eindruck hervorbringen. Konsequent interpretiert DEMOKRIT dann auch die gesamte Verstandestätigkeit des Menschen als materiellen, atomaren Prozeß.
DEMOKRITS *Ethik* enthält als Ziel menschl. Strebens die rechte Verfassung der Seele, die in Ausgeglichenheit und Ruhe besteht und durch Vernunft, Halten des Maßes, Zurückhaltung im sinnl. Genuß und der Hochschätzung geistiger Güter erlangt wird.
»Der Geist soll sich gewöhnen, seine Freuden aus sich selbst zu schöpfen.«

Xenophanes ist der erste Vertreter der in Elea (Unteritalien) gegründeten Schule der **Eleaten.** Sein zentrales Thema ist der Kampf gegen die anthropomorphen Götter, wie sie Homer und Hesiod dargestellt hatten, und die Idee des einen Gottes:
»Ein Gott ist unter den Göttern und Menschen am größten, nicht an Gestalt vergleichbar den Sterblichen noch an Gedanken.«
Philosophiegeschichtlich folgenreich wird die Lehre des **Parmenides** (um 540–470) von der **Einheit des Seins.** Das Seiende zeichnet sich aus durch die Attribute »unentstanden, unvergänglich, ganzheitlich, unbeweglich, zeitlos, eines, kontinuierlich«.
Die Existenz von Nicht-Sein dagegen wird bestritten, daher der grundlegende Satz:
»Das Seiende ist; das Nicht-Seiende ist nicht.«
Das alles erfüllende Sein ist *unbewegt* und *unveränderlich,* da sonst ein vom Seienden verschiedenes Nicht-Seiendes angenommen werden müßte, in das hinein die Bewegung erfolgt. Die Diskrepanz zwischen dieser These und der Alltagserfahrung (die ständige Veränderung zeigt) hebt PARMENIDES auf, indem er die Sinneserfahrung als trügerisch und dem Schein verfallen erklärt.
Damit wird empir. Anschauung und Vernunfterkenntnis strikt getrennt. Wahre Erkenntnis gibt es nur von einem, unwandelbaren Sein.
»Aber dasselbe ist Denken und Sein.«
PARMENIDES' Schüler **Zenon von Elea** versucht, dessen Lehre durch eine Reihe von Argumentationen zu untermauern, die bereits in der Antike Berühmtheit erlangen.
So zeigt er auf, daß die Annahme von Bewegung, als Ortsveränderung in der Zeit, zu Widersprüchen führt:
Ausgehend von einer Vorstellung von Zeit als Folge getrennter Zeitpunkte würde ein abgeschossener Pfeil, wenn man seinen Flug in einzelne Zeitpunkte zerlegt, in jedem der Punkte feststehen und sich somit auch insgesamt nicht bewegen.
Nimmt man Zeit aber als ein unendl. Kontinuum an, so ergibt sich das Paradox, daß z. B. Achill im Wettlauf mit einer Schildkröte, die einen Vorsprung hat, diese niemals überholen könnte. Wenn Achill die Ausgangsposition der Schildkröte erreicht hat, so ist diese selber ja wieder ein Stück weitergekommen, so daß der Abstand zwischen beiden zwar kleiner wird, aber immer bestehen bleibt.

Eine gegensätzliche Position zur eleat. Lehre nimmt **Heraklit** ein (um 550–480). Bei ihm steht im Vordergrund das ununterbrochene **Werden** und **Vergehen,** dem alle Dinge unterworfen sind. Bekannt ist:
»Man kann nicht zweimal in den gleichen Fluß steigen.« Denn:
»Alles fließt und nichts bleibt.«
Die Welt wird vorgestellt als im ständigen Austausch gegensätzl. Bestimmungen:
»Das Kalte wird warm, das Warme kalt, das Feuchte trocken, das Dürre naß.«
Nichts ist vorstellbar ohne seinen **Gegensatz:** Leben und Tod, Wachen und Schlafen, Tag und Nacht.
Aus dem Spannungsverhältnis der Gegensätze leitet sich alles Geschehen ab.
In diesem Sinne wird der Streit (Krieg), als dauernder Kampf der Gegensätze, zum Vater aller Dinge erklärt.
Alles aber wird regiert vom **Logos,** der als Gesetz den Prozeß des Wandels vollzieht. Ihn zu erkennen ist Weisheit.
Der Logos ist gesetzgebend (auch im eth. Sinn), allem gemeinsam und die Einheit der Gegensätze:
»Aus Allem wird Eins und aus Einem Alles.«
Mit seinem Gedanken der Einheit der Gegensätze kann HERAKLIT als erster *dialektischer* Denker gelten. Zugleich bildet der eine, normative Logos einen Grundstock zur Naturrechtslehre.
Wie PARMENIDES unterscheidet HERAKLIT zwischen dem Sinnfälligen und dem dem Denken Zugänglichen. Wahre Weisheit kann aber nur durch Denken im Einklang mit dem Logos, der Weltvernunft, erreicht werden:
»Die Natur liebt es sich zu verbergen. Die meisten Menschen denken nicht nach über solche Dinge, auf die sie täglich stoßen, noch verstehen sie, was sie erfahren haben; ihnen freilich kommt es so vor.«

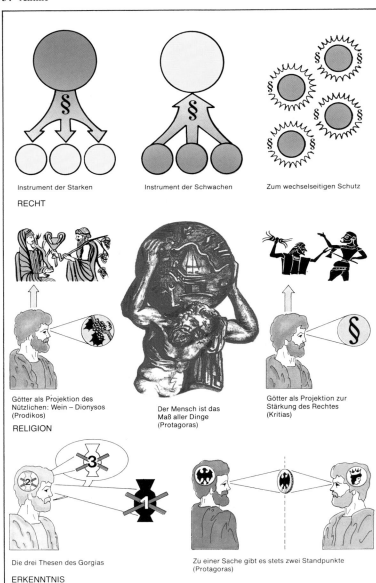

Instrument der Starken

Instrument der Schwachen

Zum wechselseitigen Schutz

RECHT

Götter als Projektion des
Nützlichen: Wein – Dionysos
(Prodikos)

RELIGION

Der Mensch ist das
Maß aller Dinge
(Protagoras)

Götter als Projektion zur
Stärkung des Rechtes
(Kritias)

Die drei Thesen des Gorgias

ERKENNTNIS

Zu einer Sache gibt es stets zwei Standpunkte
(Protagoras)

Sophistisches Denken

Im Griechenland der Zeit nach den Perserkriegen entsteht mit dem gewachsenen Wohlstand auch ein größeres Bedürfnis nach *Bildung.* Gleichzeitig erfordert die Staatsform der *Demokratie* vom Bürger zunehmend die Fähigkeit, elegant reden zu können. Die Menschen, die in der Gesellschaft des 5. Jh. Bildung und Beredsamkeit gegen Entgelt lehren, werden mit dem Sammelbegriff **Sophisten** = Lehrer der Weisheit) belegt.

Zugleich bilden die Vergrößerung des allg. Wissensstandes (z. B. durch Beobachtung anderer Völker) und der Pluralismus der schon bestehenden philosoph. Lehren eine Basis des sophist. Denkens.

Das Problem des Rhetorik-Lehrers ist, jeden beliebigen Sachverhalt überzeugend vertreten zu können, u. U. auch »die schwächere Sache zur stärkeren zu machen«. Unterstützt durch die Ausgangslage führt dies zu einem **Relativismus.** Dieser Relativismus macht sich bemerkbar

– im **Rechtsdenken:** Das Hinterfragen der geltenden Gesetze führt die Sophisten zum Gedanken des Gegensatzes von *natürl. Recht* (phýsei) und *Satzung* (nómō). So formuliert HIPPIAS bei PLATON:
»Das Gesetz (nómos) tyrannisiert den Menschen und zwingt ihn zu vielem, was der Natur zuwiderläuft.«
Das positive Recht ist nicht von Natur aus gültig, sondern entspringt der Setzung aus den *Interessen der Gesetzgeber:*
THRASYMACHOS erklärt, das positive Recht sei ein *Instrument der Mächtigen,* die Schwächeren zu unterdrücken.
KALLIKLES lehrt das Gegenteil: Gesetz sei ein *Schutzwall der Schwachen* gegen die Starken.
LYKOPHRON sieht die Rechtsordnung als gegenseitige Gewähr für Leben und Besitz der Bürger.

– in der **Moralphilosophie:** Auch die *moral. Werte* bestehen für die Sophisten nicht von Natur aus, sondern aufgrund von *Vereinbarungen* (thései). Daher haben sie an versch. Orten und zu anderen Zeiten unterschiedl. Gültigkeit.

– in der **Religion:** Analog zum Recht wird auch die Religion als Erfindung des Menschen gedeutet. KRITIAS erklärt:
»Als ... die Gesetze verhinderten, daß man offen Gewalttat verübte, nur insgeheim gefrevelt wurde, da scheint mir ein schlauer Kopf die Furcht vor den Göttern für die Menschen erfunden zu haben, damit die Übeltäter sich fürchten, auch wenn sie insgeheim etwas Böses täten oder sagten oder dachten.«
Ein anderes Argument findet sich bei PRODIKOS:

Die Götter seien Ausdruck menschl. Gefühle, bes. der Dankbarkeit. Die Menschen projizieren alles, was ihnen Nutzen bringt, ins Göttliche, so z. B. die Ägypter den Nil.
Schließlich wirft DIAGORAS in die Debatte, die Annahme einer »göttlichen Gerechtigkeit« widerspreche der Erfahrung der Ungerechtigkeit in der Welt.

– in der **Erkenntnistheorie:** Hier wirkt sich der aus der rhetor. Tätigkeit stammende Aspekt der *Relativität* bes. nachhaltig aus: PROTAGORAS (um 480–410), der als der bedeutendste Sophist gilt, führt aus:
»Über jede Sache gibt es zwei einander entgegengesetzte Aussagen.«
So kann ein Satz in einer Situation wahr, in einer anderen falsch sein. In letzter Konsequenz deutet das darauf hin, daß es überhaupt *keinen objektiven Sachverhalt* gibt. Daraus resultiert der berühmte »*Homo-mensura-Satz*« des PROTAGORAS:
»Der Mensch ist das Maß aller Dinge, des Seienden für sein Sein, des Nichtseienden für sein Nichtsein.«
Der Homo-mensura-Satz ist ein Kernstück des sophist. Denkens:
Der Mensch bestimmt das Sein, alles darüber hinausgehende wird abgelehnt *(Skeptizismus),* und alles Sein ist nicht objektiv, sondern *subjektiv* und *wandelbar (Relativismus).*
Mit seinen berühmten *drei Thesen* treibt GORGIAS (um 485–380) den sophist. Zweifel auf die Spitze:
nichts existiert;
selbst, wenn etwas existiert, ist es doch nicht erkennbar;
selbst, wenn es erkennbar ist, ist es doch nicht mitteilbar.
Damit ist auch jedem Versuch, etwa dem eleatischen, von vorneherein die Möglichkeit abgesprochen, ein objektives Sein zu finden und zu verkünden.
Der Mensch bleibt immer in einem Netz von Worten und *Meinungen (dóxai)* stecken. Er ist eben das »Maß aller Dinge«.

Die **Bedeutung** der Sophisten:
– Entgegen der Tradition der griech. Naturphilosophie wird der *Mensch zum Mittelpunkt* des philosoph. Bemühens.
– Das Denken selbst wird zum philosoph. Thema.
– Damit eng verbunden ist das Problem der *Sprache,* das bei den Sophisten eine überragende Rolle spielt.
– Die Kritik der *traditionellen moral. Wertmaßstäbe* eröffnet dem Denken einen ganz neuen Horizont und bereitet den Weg für eine autonome, vernunftbegründete Ethik.
Schließlich ist die nachfolgende Periode der klass. griech. Philosophie (SOKRATES-PLATON-ARISTOTELES) ohne die Sophistik kaum denkbar.

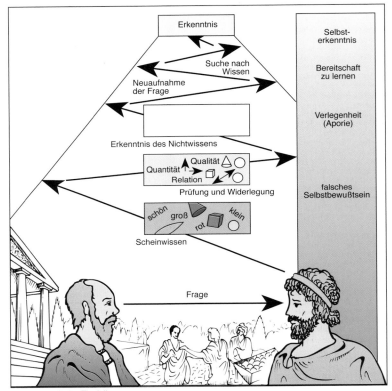

A Die sokratische Elenktik

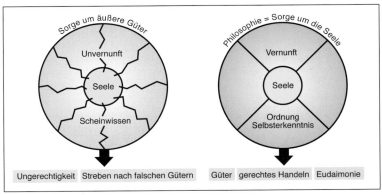

B Seele und Vernunft

Sokrates von Athen (um 470–399 v.Chr.),
mit dem die klass. Periode der griech. Philosophie beginnt, gilt als Begründer
der *autonomen* philosoph. *Ethik.*
Die wichtigste Quelle unserer Kenntnis seiner Lehre sind die Dialoge seines Schülers
PLATON. Diese zeigen ihn damit befaßt, in
unermüdl. Gespräch seine Mitbürger zu prüfen und sie zu einer gerechten Lebensführung zu ermahnen. Die ihm daraus erwachse-
nen Feindschaften führen im Jahr 399 zu einem Prozeß gegen ihn wegen Gottesläste-
rung und Verführung der Jugend, der mit seiner Verurteilung zum Tod durch Gift endet.
Im Zentrum seiner Philosophie steht die Frage nach dem **Guten** (agathón) und der **Tugend** (areté). Als Antrieb dazu bezeichnet
SOKRATES in der ›Apologie‹ die Inschrift am
Orakel zu Delphi:
»Erkenne dich selbst.«
Diese legt er als Aufforderung aus, das
menschl. Wissen zu prüfen und das dem
Menschen zukommende Gute zu bestimmen.
Im griech. Verständnis bedeutet areté die ei-
ner Sache ihrem Wesen nach zukommende
Tauglichkeit. Beim Menschen liegt sie in
dem göttlichen und vernünftigen Teil seiner
selbst: der **Seele.**
Das Gute ist also die spezif. areté (Tauglichkeit) der menschl. Seele, die zu erken-
nen und zu erlangen die wesentlichste aller
Aufgaben ist.
SOKRATES macht nun im Umgang mit seinen
Mitbürgern die Erfahrung, daß zwar alle
glauben, über das Gute und die Tugenden
Bescheid zu wissen, in Wirklichkeit aber in
einem *Scheinwissen* befangen sind, das der
strengen Prüfung durch den **Logos** (Vernunft) im Gespräch nicht standhält. Er entwickelt eine best. *Methode,* um zu sicherer
Erkenntnis zu gelangen:
das **elenktische** Verfahren (Abb. A).
SOKRATES erschüttert durch prüfendes Fragen das Scheinwissen des anderen, bis dieser
an den Punkt gelangt, an dem er einsieht,
nicht zu wissen. Die damit entstandene Aus-
weglosigkeit (*Aporie*) ist der Umschlagpunkt, von dem aus im *Gespräch* aufgrund
vernünftiger Gemeinsamkeit die Suche nach
wahrer Einsicht beginnen kann. Das von So-
KRATES gesuchte Wissen ist ein
praktisches Wissen, das die Erkenntnis von
Gut und Böse zum Inhalt hat, sich durch
krit. Selbstprüfung absichert und auf den
rechten Gebrauch in der Praxis abzielt.
Dabei zeichnet sich im Verfahren ein Fort-
schreiten vom Besonderen zum Allgemeinen
ab, das das *Wesentliche* des zu untersuchen-
den Begriffs erfaßt. SOKRATES' Gesprächs-
partner sind in der Vielzahl der Erscheinungen verhaftet und vermögen auf die Frage
nach der Tugend nur mit Beispielen zu antworten aber nicht mit einer Wesensbestimmung. Deshalb formuliert ARISTOTELES:
»Zweierlei ist es, was man mit Recht dem

SOKRATES zuschreiben dürfte: Einmal die
Begründung durch Heranführung aus der
Erfahrung und dann das Bilden von All-
gemeinbegriffen.«
SOKRATES' Vorgehen ist getragen vom Ver-
trauen in den Logos, dessen innewohnende
Gesetzlichkeit im vernünftigen Gespräch
die wahre Einsicht zutage fördert.
Daher werde ich »nichts anderem von mir
gehorchen als dem Logos, der sich mir bei
der Untersuchung als der Beste zeigt«.
Die Bemühung um philosoph. Einsicht in das
Wesen der Tugenden bedeutet für SOKRATES
in einem umfassenden Sinn *»Sorge (epiméleia) um die Seele«.* Aus der Verfassung der
Seele entspringt das Gutsein des ganzen
Menschen, denn sie ist das alles Besorgende
und in allem zu Umsorgende. Die Seele erfüllt die ihr zukommende areté, wenn Einsicht und Vernunft herrschen, wenn aber Unwissenheit überwiegt, verfehlt sie sie und verfällt dem Schlechten. Aus der Seele entspringen erst alle anderen Güter für den Menschen und auch seine *Glückseligkeit* (Eudämonie), die in ihrer Ordnung und Harmonie
besteht.
Von diesem Gedanken her ist auch SOKRA-
TES' Satz zu begreifen:
»Niemand tut freiwillig (wissentlich) un-
recht.«
Denn jede schlechte Handlung entspringt
der Unkenntnis über Gut und Böse. Der
Wissende jedoch ist gut.
Die meisten Menschen befinden sich aber im
Irrtum über das Wesentliche des Lebens:
». . . schämst du dich nicht, dich um möglichst großen Reichtum zu sorgen und für
Ruhm und Geltung, dagegen um Einsicht
und Wahrheit und um deine Seele, daß sie
so gut werde wie möglich, darum sorgst
und besinnst du dich nicht.«
SOKRATES versteht seine Philosophie als
Mäeutik (Hebammenkunst), denn er will
nur Helfer sein bei der Einsicht und Selbsterkenntnis, die jeder aus sich selbst finden
muß, die ihm aber nicht von außen gegeben
werden kann.
SOKRATES verwirklichte in idealer Weise die
Einheit von Denken und Handeln. Dabei
kam ihm eine innere Stimme, sein *»daimóni-
on«,* zu Hilfe, das sein Handeln leitete und
ihm Zeichen war für die göttl. Bestimmung
der Seele.

Sein Philosophieverständnis bringt es mit
sich, daß SOKRATES selber keine Schule gegründet hat. Dennoch berufen sich zwei gegensätzliche philosoph. Strömungen auf ihn:
Die **Kyrenaiker** bauen den Eudämonismus
zu einem Hedonismus aus, der die Lust zur
Maxime des Handelns macht (ARISTIPP).
Die **Kyniker** treiben die sokrat. Geringschätzung des Materiellen auf die Spitze
(DIOGENES VON SINOPE lebte in einer Ton-
ne).

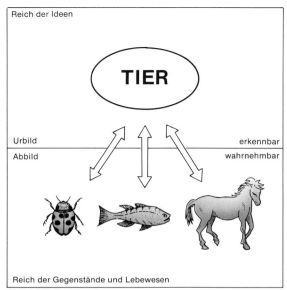

A Zwei-Welten-Theorie

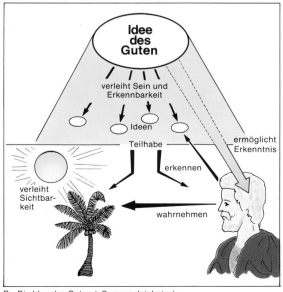

B Die Idee des Guten (»Sonnengleichnis«)

C »Liniengleichnis«

Mit der **Ideenlehre** gelingt es **Platon** (427-347 v.Chr.) nicht nur, ein System zu schaffen, das von SOKRATES' Fragestellung ausgehend große Teile der vorsokrat. Philosophie wieder sinnvoll aufnehmen konnte, sondern auch ein Gedankengebäude zu errichten, das wie kein anderes in der abendländ. Geistesgeschichte nachwirkte. So ist für A. N. WHITEHEAD alle abendländ. Philosophie »als Fußnoten zu PLATON« zu verstehen.

Seine um 385 v.Chr. gegründete Schule, die **Akademie,** bestand nahezu 1000 Jahre. Blütezeiten des Platonismus waren der von PLOTIN geschaffene Neuplatonismus der Spätantike und die Zeit der ital. Renaissance.

Inhalt der platon. Ideenlehre ist ein angenommenes Reich immaterieller, ewiger und unveränderlicher Wesenheiten, der **Ideen** (griech. eidos; idéa).
● Ideen im Sinne PLATONS sind Urbilder der Realität, nach denen die Gegenstände der sichtbaren Welt geformt sind.
Diese Ideen existieren objektiv, d.h. unabhängig von unserer Kenntnisnahme oder Gedankenwelt. Sie entspringen also nicht einer Setzung unseres Bewußtseins, sondern werden durch dieses erkannt. Deshalb läßt sich PLATONS Position als **Objektiver Idealismus** beschreiben. Beispiel:

Daß wir trotz unterschiedlichster Gestalt von Fliege, Fisch und Pferd all diese Einzelwesen als Tiere erkennen, läßt darauf schließen, daß es ein gemeinsames Urbild »Tier« gibt, das allen Tieren gemein ist und deren Wesensform bestimmt. So ist es die Idee des Tieres, die die unterschiedlichsten Organismen erst zu Tieren macht. (Abb. A)

Nach der wohl authentischsten Interpretation, der **Zwei-Welten-Theorie,** geht PLATON davon aus, daß die Welt der unveränderlichen Ideen der Welt des Vergänglichen übergeordnet ist. Erstere Welt besteht dann wirklich, wie die Eleaten es schon für das Sein gefordert hatten.

Die Welt des Körperlichen ist dem Reich der Ideen untergeordnet, ethisch wie ontologisch:

Sie hat ihr Sein nur in der Teilhabe (méthexis) oder Nachahmung (mímesis) der eigentlich seienden Welt der Ideen.

Neben der erkenntnistheoret. und method. Komponente zeigt dies auch das Liniengleichnis in PLATONS Dialog ›Politeia‹ (›Der Staat‹). Die Welt läßt sich demnach in zwei mal zwei Bereiche gliedern:

Die Welt des **Sichtbaren**
– indirekt Wahrnehmbares (z.B. Schatten und Spiegelbilder) und
– direkt Wahrnehmbares (z.B. Gegenstände und Lebewesen).

Die Welt des nur **dem Geiste zugänglichen**
– die Bereiche der Wissenschaft, z.B. die Mathematik, die ihr Anschauungsmaterial

(wie geometr. Figuren) überschreitend zu geistigen Erkenntnissen wie den allg. Lehrsätzen gelangt;
– das Reich der Ideen, das der reinen Vernunft bar aller Anschauung zugänglich ist. (Abb. C)

Zentraler Punkt der platon. Philosophie ist die **Idee des Guten.** Das Gute war schon Hauptanliegen des SOKRATES, hat aber im viel umfassenderen Rahmen des platon. Denkens einen Stellenwert, der weit über die Ethik hinausgeht, vielmehr als Ziel und Ursprung allen Seins erkenntnistheoret. wie ontolog. eine Schlüsselposition einnimmt.

So ist das Gute dargestellt als der Wurzelgrund aller Ideen, der selbst über sie hinausliegt.

Aus ihm erst ziehen die Ideen Sein und Wert und mit ihnen die ganze Welt. Er verschafft ihr Ordnung, Maß und Einheit.

»Doch die Frage, warum das Gute ist, für PLATON eine sinnlose Frage. Nach dem, was hinter dem Seienden ist, kann gefragt werden, aber nicht nach dem, was hinter dem Guten ist.« (O. GIGON)

PLATON stellt im Sonnengleichnis (ebf. in ›Politeia‹) dar, daß der Mensch nur im Lichte des Guten das Sein zu erkennen vermag:

»Dieses also, was dem Erkennbaren Wahrheit verleiht und dem Erkennenden das Vermögen der Erkenntnis, bestimme ich als die Idee des Guten. ... Die Objekte der Erkenntnis erhalten nicht nur das Erkanntwerden, sondern auch Existenz und Wesen vom Guten, das nun nicht selbst ein Seiendes ist, sondern über dieses an Erhabenheit und Kraft hinausragt.« (Abb. B)

Die Stellung des Guten innerhalb der Denkbaren wird mit der der Sonne im Bereich des Sichtbaren verglichen:

»Wie die Sonne dem Sichtbaren nicht nur das Vermögen verleiht, gesehen zu werden, sondern auch das Werden und Wachstum und Nahrung, ohne daß sie selbst ein Werden ist.«

PLATONS **Physik** wird im Dialog ›Timaios‹ dargestellt:

Die materielle Welt des Werdens wird durch einen Weltbildner, den Demiurgen, gemäß der Vernunft planvoll angelegt (Teleologie), indem er sie nach dem Vorbild der Ideen gestaltet.

Deshalb ist die Welt in platon. Sinne auch ein Kosmos, eine natürl. Harmonie.

Das noch ungeformte Material, in dem sich die Abbildung der Ideen vollzieht, nennt PLATON »dechómenon«, das »Aufnehmende«. Es tritt als ein Drittes zwischen Sein und Werden.

Da die vernunftlose Materie aber als Mitursache der Welt ins Spiel kommt, bleibt die Abbildung der Ideen in der Welt unvollkommen.

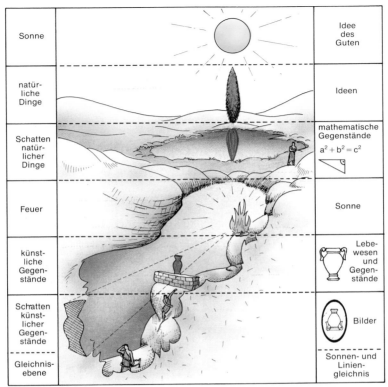

Sonne		Idee des Guten
natürliche Dinge		Ideen
Schatten natürlicher Dinge		mathematische Gegenstände $a^2 + b^2 = c^2$
Feuer		Sonne
künstliche Gegenstände		Lebewesen und Gegenstände
Schatten künstlicher Gegenstände		Bilder
Gleichnisebene		Sonnen- und Liniengleichnis

A »Höhlengleichnis«

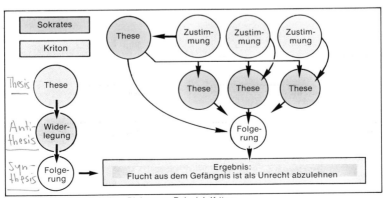

B Aufbau eines platonischen Dialogs am Beispiel ›Kriton‹

Mit der Einführung der Ideenlehre bewegt sich PLATON auch in der Erkenntnistheorie über seine Vorgänger hinaus.

Mußten die Eleaten ihr in sich ruhendes Universum noch gegen empir. Widerspruch schützen, konnte PLATON die sinnl.-erfahrbare Welt als Erkenntnisquelle gänzlich preisgeben.

Die *erkenntnistheoretische* Quintessenz des *Liniengleichnisses* (s. o.) läuft auf einen **Rationalismus** hinaus. Je höher der ontolog. Rang des betreffenden Gegenstandes, je wertvoller seine Erkenntnis, desto sicherer ist sie und desto entschiedener ist ihre Quelle in der **Vernunft** und nicht in der Anschauung zu sehen.

Im einzelnen ordnet PLATON den im Gleichnis genannten Seinsbereichen folgende Grade der Erkenntnis zu:

»So nimm nun für unsere Abschnitte auch die folgenden vier Widerfahrnisse an, die sich in der Seele ereignen:

Einsehen (griech. nóesis) für den höchsten, *vernünftiges Nachdenken* (diánoia) für den zweiten Abschnitt; dem dritten aber weise den *Glauben* = Für-wahr-Halten; pístis) und dem letzten das *Vermuten* (eikasía) zu.«

»Nóesis« und »diánoia« als die wirkl. Erkenntnis sind von der Empirie, der sinnl. Erfahrung, möglichst unabhängige Erkenntnisweisen. Während SOKRATES noch an Induktion des Allgemeinen aus dem Besonderen dachte, wird bei PLATON die höchste Form von Erkenntnis nicht abgeleitet. Die Ideen werden nicht von ihrer jeweiligen »Inkarnation« aus *erschlossen,* sondern voraussetzungslos *geschaut:*

»Die Vernunft (nóesis) dringt bis zum voraussetzungslosen Urbeginn von allem, um es anzurühren und dann wieder . . . herabzusteigen. Dabei nimmt sie überhaupt nichts sinnlich Wahrnehmbares zu Hilfe, sondern nur die Ideen selbst, schreitet so von Idee zu Idee und endet auch bei Ideen.«

Woher kennt die Seele dann die Ideen? Im Einklang mit seiner Anthropologie (s. S. 43) kann PLATON die Antwort geben, sie kenne sie aus einem früheren, jenseitigen Dasein. Ideen werden nicht entwickelt, sondern geschaut – sie werden *wiedererinnert.* Alles Erkennen und Lernen ist **Wiedererinnerung** oder **Anámnesis:**

Die Seele hat die Ideen in der Präexistenz geschaut, aber beim Eintritt in den Körper vergessen.

PLATONS bekanntestes Gleichnis, das *Höhlengleichnis,* stellt den Aufstieg zu den Ideen dar:

Die Menschen gleichen in Höhlen geketteten Wesen, die von der wirkl. Welt nichts sehen können. Sie halten Schatten von künstl. Gegenständen, die eine Lichtquel-

le an die Höhlenwand malt, für die Wirklichkeit.

Die Anamnesis gleicht nun dem Vorgang, daß einer dieser Unglücklichen ans Tageslicht geführt wird und dort die natürl. Gegenstände und die Sonne sieht, wie sie wirklich sind.

Die Schatten und die Gegenstände in der Höhle entsprechen dabei der sinnl. Erfahrung, die Welt außerhalb der Region des *Intelligiblen,* d. h. des Vernünftig-Einsehbaren.

Die Stufen des Aufstiegs korrelieren mit den Bereichen des Liniengleichnisses. (Abb. A)

Den Antrieb, der den Menschen immer wieder in die Region des wahren Seins und des Guten führt, nennt PLATON »**Eros**«. Er weckt im Menschen die Sehnsucht, sich der Schau der Ideen zu widmen. Im *Symposion* wird er als das philosoph. Streben nach der Schönheit der Erkenntnis beschrieben. Zwischen der Welt des Sinnlichen und der des Geistigen nimmt er eine vermittelnde Funktion ein. Im Verhältnis zum Mitmenschen zeigt sich sein pädagog. Aspekt (epiméleia) darin, die anderen an der Erkenntnis teilnehmen zu lassen.

PLATON nennt die Methode, die zu dieser Erkenntnis führt, »**Dialektik**«. Sie wird ihm zum Inbegriff aller Wiss., die sich mit dem wirkl. Sein beschäftigt, im Gegensatz zur *Physik,* die sich mit den Vorgängen der empir. Welt befaßt.

Der Weg der Rückerinnerung ist in PLATONS Verständnis im **Dialog** möglich. Hier wird durchweg mit *Begriffen* operiert, die die Ideen repräsentieren.

Dialektisch und ohne Zuhilfenahme der Anschaulichkeit sollen die Ideen im Dialog ans Tageslicht und ihr Verhältnis untereinander zu besserem Verständnis gebracht werden.

Dies erfolgt durch *Analyse* und *Synthese* von Begriffen, aber auch durch die Bildung von *Hypothesen,* die geprüft, akzeptiert oder verworfen werden.

Die Figuren der platon. Dialoge nehmen also bewußt gegensätzliche Positionen ein, um *Thesen* an ihren *Antithesen* zu prüfen. (Abb. B)

Die meisten **Schriften** PLATONS sind *Dialoge,* in denen SOKRATES die Hauptfigur ist. Ihre Interpretation wird erschwert durch den Umstand, daß sie über eine lange Entstehungszeit hinweg eine dynamisch sich wandelnde Lehre spiegeln. Außerdem kann PLATON in der zwanglosen Dialogform Inhalte seines Denkens darstellen und dabei hinter der Maske seiner Figuren verbergen. Die ca. 25 als echt geltenden Dialoge erstrecken sich von der Frage nach der Tugend (so die meisten Frühdialoge) über die nach der Erkenntnis (z. B. ›Menon‹, ›Theaitetos‹) bis zur Politik (z. B. ›Politeia‹, ›Nomoi‹) und zur Naturphilosophie (›Timaios‹).

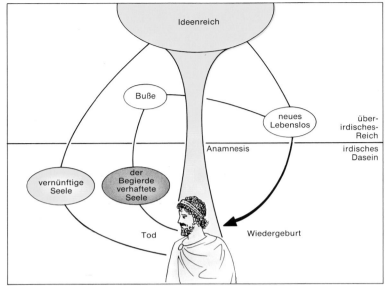

A Seelenwanderung

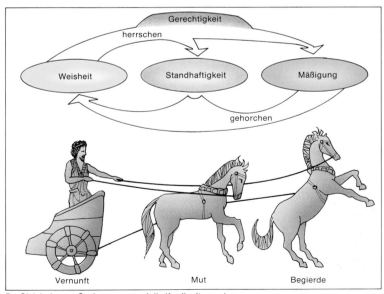

B Gleichnis vom Seelenwagen und die Kardinaltugenden

Wie PLATON metaphysisch Dualist ist, ist er es auch anthropologisch:

Leib und **Seele** sind scharf voneinander abgegrenzt, wobei der Seele die Herrschaft über den Körper zukommt.

Aus pythagoreischen und orph.-kult. Quellen übernimmt PLATON die Vorstellung einer **unsterblichen Seele.** Argumente für diese Behauptung sind ihm:

– die Seele sei eine *homogene Substanz,* was analog zu den Ideen mit Unvergänglichkeit gleichgesetzt wird;
– Gleiches wird durch Gleiches erkannt: Da die Seele das reine Sein (Ideen) erkennt, ist sie diesen ähnlich und gleichen Ursprungs;
– ihre Selbstbewegtheit;
– der dialekt. Schluß, daß die Seele, deren wesentl. Kennzeichen die Lebendigkeit ist, nie das Gegenteil, den Tod, aufnehmen könne.

PLATON faßt diese Argumente im ›Phaidon‹ in dem Satz zusammen,

»daß dem Göttlichen, Unsterblichen, Vernünftigen, Eingestaltigen, Unauflöslichen . . . am ähnlichsten die Seele ist«.

Mit der Unsterblichkeit verbunden sind die **Prä- und Postexistenz** der Seele. Sie hat vor dem ird. Dasein schon genauso existiert wie nach dem Tode.

Im Einklang mit der These von der *Anamnesis* stammt die Seele aus der Sphäre des *Nous,* des Göttlichen, Vernünftigen, und inkarniert infolge der sinnl. Begierde. Nunmehr ist sie in den Leib eingesperrt »gleich einer Krankheit«. PLATON drückt dies durch zwei Worte aus:

›sōma = sēma‹, d. h., der Körper (sōma) ist das Grab (sēma) der Seele.

Ziel des ird. Lebens ist daher die Rückkehr der Seele in ihren Urzustand:

Die Verbindung zu ihrem Ursprung aber besteht in der *Regentschaft der Vernunft.*

Die Seele selbst gliedert PLATON in 3 Teile, wobei sich auch hier sein dualist. Grundgedanke spiegelt:

das eigtl. Göttliche:
– die **Vernunft;**

das zur Wahrnehmungswelt Gehörige:
– das Edlere: der **Mut;**
– das Niedere, weil Widerstrebende: die **Begierde.**

Diese Dreiteilung der Seele nach Vernunft, Mut und Begierde drückt PLATON im Bild des Gespanns aus:

Die Vernunft entspricht einem Wagenlenker, der Mut einem willigen Pferd, die Begierde einem widerspenstigen. (Abb. B)

Jedem der drei Seelenteile ordnet PLATON eine **Tugend** bei:

Aufgabe des Vernünftigen ist im menschl. Seele ist es, weise zu werden:
Ihre Tugend ist die **Weisheit.**

Aufgabe des Mutes ist es, energisch der Vernunft zu gehorchen:
Seine Tugend ist die **Tapferkeit.**

Auch die Begierde muß sich der Weisung der Vernunft beugen:
Ihre Tugend ist demnach die **Mäßigung.**

Diesen 3 je auf eine Instanz der Seele zufallenden Tugenden ordnet PLATON eine vierte über:

die Tugend der **Gerechtigkeit** (dikaiosýne).

Sie herrscht, wenn alle Seelenteile die ihnen zukommende Aufgabe und Tätigkeit im rechten Maß erfüllen. Gerade in dieser Tugend tritt bes. die echt griech. Neigung zutage, das *Maßvolle, Harmonische* mit der Tugend in eins zu setzen.

Alle 4 Tugenden zusammen werden bis heute *Kardinaltugenden* genannt (lat. cardinalis: die Türangel betreffend, im Angelpunkt stehend).

Aus der Vernünftigkeit des idealen Reiches ergibt sich nicht nur das Postulat von der Herrschaft der Vernunft nebst ihrer Konkretion in den Kardinaltugenden. Ein weiteres Ergebnis des Vorzugs der intelligiblen Welt des Geistigen ist auch eine *Abwertung des Leiblichen.* Hier deckt sich PLATONS Anthropologie und seine Ethik mit seiner Ansicht über die Erkenntnis:

Die sinnl. Welt ermöglicht keine wahre Erkenntnis, sondern nur unsicheres Meinen.

Auch ethisch ist die erstrebenswerte Welt die geistige. Der Weise versucht hier wie dort dem Gefängnis des Leiblich-Sinnlichen zu entkommen.

Der Lohn, den er dafür erwarten darf, zeigt sich zum einen im *Leben nach dem Tode:*

Die Seele des Vernünftigen geht in das Reich des rein Geistigen wieder ein, während die des Unvernünftigen sich nicht zu den Ideen aufschwingt und Buße leisten muß.

Zum anderen liegt der Lohn der Tugend aber wesentlich in ihr selbst:

Von seinem Ursprung her und seinem Wesen nach zum einsichtigen Leben bestimmt, kann es in PLATONS Sicht kein besseres Leben geben als das nach der Richtschnur der Erkenntnis.

Dazu gehört die Schau der Ideen ebenso wie das Streben nach dem Guten.

Der Weise hat aber auch pädagog. und polit. Aufgaben zu erfüllen. Dies wird im Höhlengleichnis deutlich:

Obgleich der Schauende überwältigt ist von der Schönheit der Ideen, gilt es dennoch, das Geschaute in den »Alltag« hinüberzutragen.

Dies v. a., um anderen zu helfen, den Aufstieg zu bewältigen.

Auch die Lust darf nicht ganz aus dem Leben verbannt werden, sofern sie Lust am vernünftigen Dienst am Guten ist. So schreibt PLATON im ›Philebos‹, das wünschenswerte Leben ist gemischt

»aus dem Honig der Lust und dem nüchternen Wasser der Einsicht«.

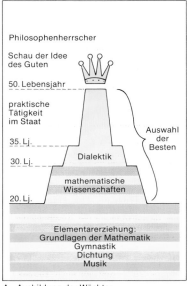

A   Ausbildung der Wächter

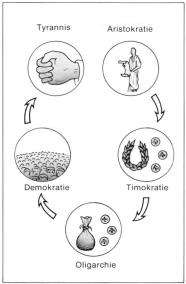

B   Verfassungskreislauf

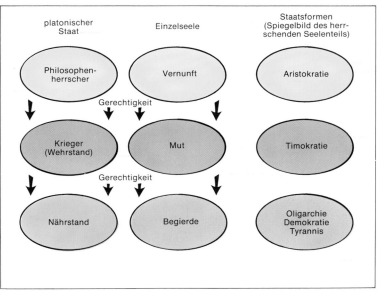

C   Analogie: Seele – Staat

In ›Politeia‹ (›Der Staat‹) und abgewandelt in den ›Gesetzen‹ entwirft PLATON das Modell eines **Idealstaates.** Obwohl in ihnen auch Probleme konkreter griech. Geschichte aufgegriffen werden, gibt PLATON keine Beschreibung realer Zustände. Vielmehr legt er seine Vorstellungen für den *bestmöglichen* Staat vor.

Seine Schriften zur Staatslehre sind also eher **Utopien.**

Die **Entstehung** des Staatswesens wird nicht begründet mit dem Trieb des Menschen zur Staatenbildung, sondern

mit der *Schwäche des einzelnen.* Von sich aus nur zu bestimmten Tätigkeiten begabt, muß er sich mit anderen zusammenschließen.

So ist das Gemeinwesen von Grund auf *arbeitsteilig.*

Ein wesentl. Kennzeichen seiner Staatslehre ist die beständige *Analogie zum Individuum:* Wie die Seele nach PLATON in 3 Teile gegliedert ist, so ist auch der Staat in 3 **Stände** zu gliedern:

– herrschender Stand: Sorge für die richtige Lebensweise aller Bürger können nur die Weisen tragen. Daher fordert PLATON, die Philosophen müssen an der Spitze des Staates stehen (**Lehrstand).**
– Stand der Wächter: Sorge für die Verteidigung des Staates nach innen und außen (**Wehrstand).**
– Stand der anderen Bürger, der Handwerker, der Gewerbetreibenden und Bauern, die die Versorgung der Gemeinschaft sicherzustellen haben (**Nährstand).**

Die »*Philosophenkönige*« zeichnen sich durch ihre bes. Begabung aus, die durch eine 50jährige Ausbildung in jede Richtung vervollkommnet wird. In ihnen soll sich die Weisheit mit der Macht verbinden.

Bes. Bedeutung aber hat die

Erziehung; für PLATON die Grundlage des gesamten Staatswesens.

Da keine verfassungsmäßige Beschränkung die Macht der Herrscher begrenzt, liegt allein in ihrer durch die Ausbildung erworbenen Einsicht das Wohl des Staates begründet.

Die Ausbildung sieht vor:

– Elementarerziehung durch Musik, Dichtung und Gymnastik (bis zum 20. Lebensjahr);
– wiss. Ausbildung in Mathematik, Astronomie, Harmonielehre (10 Jahre);
– Unterweisung in Dialektik (Philosophie) (5 Jahre);
– prakt. Tätigkeit im Staat (15 Jahre);
– danach Übernahme der Regierung oder kontemplatives Leben.

Während der ganzen Zeit erfolgen strenge Prüfungen und Auswahl der wenigen, die zum Philosophenherrscher geeignet sind.

Da die beiden oberen Stände ihr Leben ganz dem Wohl der Gemeinschaft widmen sollen,

will PLATON jedes eigennützige Denken durch Gütergemeinschaft von vornherein ausschalten:

Privatbesitz ist verboten.

Auch *Frauen* und *Kinder* sind allen gemeinsam. (So soll dem Wehrstand die Motivation entzogen werden, seine Macht nach innen einzusetzen.)

Sogar die Zeugung der Kinder wird vom Staat im Sinne einer Auslese der Besten geregelt.

Wie die Tüchtigkeit (areté) des einzelnen aus der Herrschaft der Vernunft entspringt, so entsteht auch die Tauglichkeit des Staatswesens aus der *Herrschaft der Philosophie,* d. h. der Philosophenkönige.

Der Wehrstand entspricht dann dem Mut, der die Tapferkeit als Ideal in sich birgt.

Analog zum Begehrlichen ziemt sich für den Nährstand die Mäßigung.

Im einzelnen wie im Staat aber besteht die Tugend der **Gerechtigkeit** nicht in der Leistung eines Einzelteils, vielmehr in der *Harmonie,* die entsteht aus der Ausübung der je best. Tätigkeit:

Es handelt sich um einen *totalitären Staat,* der die Leistungen seiner Bürger ganz für sich vereinnahmt.

Die Verfassung dieses Staates ist *aristokratisch,* d. h., sie beruht auf einer Herrschaft der Besten.

In dem von PLATON aufgezeigten **Kreislauf der Verfassungen** wird sie von der *Timokratie* usurpiert, die eine Übergangserscheinung ist. Zwar werden die Herrscher anerkannt, doch zeichnet sich durch den wachsenden Einfluß des Geldes schon die nächste Staatsform ab, die

Oligarchie. In ihr fällt die Macht mit dem Besitz zusammen. In dieser vom Idealstaat schon weit entfernten Verfallsform hat der Reichtum eine zentrale Position eingenommen:

»Tugend und Reichtum verhalten sich zueinander, als lägen sie je in einer Waagschale, deren eine sinkt, wenn sich die andere hebt.«

Ihr Ende wird durch einen Umsturz bewirkt, indem die mangels Güter bis dahin Machtlosen der

Demokratie erzwingen. Diese leistet schließlich durch aufkommende Anarchie der schlechtesten Regierungsform, der *Tyrannis,* entscheidenden Vorschub.

Insgesamt ist der platon. Idealstaat nie in die Wirklichkeit umgesetzt worden. (Sein eigener Versuch, ihn auf Sizilien zu errichten, schlug fehl.)

In den ›**Gesetzen‹,** seinem Alterswerk, geht PLATON nicht mehr vom Bild des idealen Herrschers aus: das Staatswesen wird durch *Gesetze* geregelt. Ausführl. Proömien sollen deren Sinn erläutern, damit sie zu Lehrmeistern der Bürger werden.

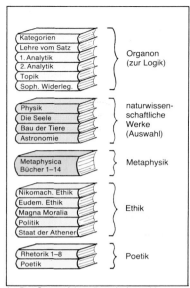

A   Das Corpus Aristotelicum in Auswahl

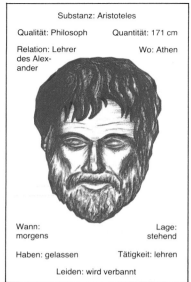

Substanz: Aristoteles

Qualität: Philosoph   Quantität: 171 cm

Relation: Lehrer   Wo: Athen
des Alex-
ander

Wann: Lage:
morgens   stehend

Haben: gelassen   Tätigkeit: lehren

Leiden: wird verbannt

B   Die Kategorien des Aristoteles

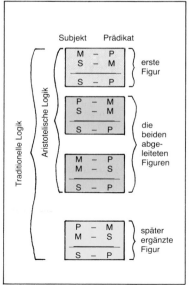

C   Die Figuren des Syllogismus

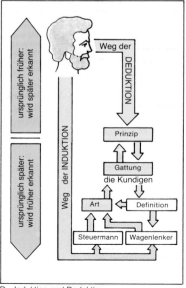

D   Induktion und Deduktion

Aristoteles (384–324 v.Chr.), in Stagira geboren, war zwanzig Jahre lang Schüler des PLATON an dessen *Akademie.* Um 342 v.Chr. wurde er zum Lehrer ALEXANDERS D. GR. berufen. Später gründete er in Athen eine eigene, die **peripatetische** Schule.

Die von ihm erhaltenen Schriften sind zumeist Vorlesungsskripten, die für den Gebrauch am *Lyzeum,* seiner Schule, verwendet wurden (sog. *esoterische* Schriften). Aus ihnen setzt sich das **Corpus Aristotelicum** zusammen:
– Bücher zur Logik, später Organon = Werkzeug) genannt,
– naturwiss. Werke,
– Metaphysik,
– eth. Schriften,
– Bücher zur Ästhetik. (Abb. A)

Einer der bedeutendsten Beiträge zur abendländ. Geistesgeschichte überhaupt ist seine **Logik:**
ARISTOTELES ist der erste, der die Ordnung des Denkens nicht (nur) dem Inhalt, sondern auch der Form nach untersucht *(formale Logik).*
V.a. über BOETHIUS und PETRUS HISPANUS wurde die aristotel. Logik zum Grundstock der ges. *traditionellen* Logik.
Wie bei seinem Lehrer PLATON steht der *Begriff* im Vordergrund: er allein bezeichnet eine **Kategorie.**
In der vollständigsten Form heißt es dazu:
»Jedes ohne Verbindung gesprochene Wort bezeichnet entweder eine *Substanz* oder eine *Quantität* oder eine *Qualität* oder eine *Relation* oder ein *Wo* oder ein *Wann* oder eine *Lage* oder ein *Haben* oder ein *Wirken* oder ein *Leiden.*« (vgl. Abb. B)
Gewöhnlich aber werden Worte zu Sätzen verknüpft, die **Urteile** heißen, sofern sie wahre oder falsche Aussagen machen.
Solche Urteile lassen sich nach best. Regeln zu **Schlüssen** verbinden. In der ›Ersten Analytik‹ legt ARISTOTELES diese Regeln dar.
Die Verknüpfung zweier Urteile zu einem dritten heißt **Syllogismus:**
In seiner reinsten Form formuliert ihn ARISTOTELES so:
»Wenn *a* vom ganzen *b* und *b* vom ganzen *c* ausgesagt wird, so muß auch *a* notwendig vom ganzen *c* ausgesagt werden. Eine solche Gestalt des Schlusses heißt die erste.« (Später taufte man *a* zu *P, b* zu *M* und *c* zu *S* um.)

Als klassisch gilt der Syllogismus:
(1) Alle Menschen sind sterblich
(2) Sokrates ist ein Mensch
(3) also: Sokrates ist sterblich
wobei die Sätze (1) und (2) die *Prämissen* darstellen, Satz (3) die *Conclusio.* »Mensch« ist in diesem Syllogismus der *Mittelbegriff* (griech. hóros mésos; lat. terminus medius), der in der Conclusio herausfällt.

Neben dieser ersten Form des Syllogismus stellt ARISTOTELES noch zwei weitere dar, die sich durch die Stellung des Mittelbegriffs als Subjekt bzw. Prädikat unterscheiden. (Abb. C)

Eine Kette von Schlüssen ist ein **Beweis.** Diese Methode ist **deduktiv,** d.h. sie geht vom Allgemeinen zum Besonderen.
Ziel der Wissenschaft soll es nach ARISTOTELES auch sein, zwingend das Bestehende aus einer Ursache (griech. aitía) abzuleiten.
Der Beweis in aristotelischem Sinne ist Ableitung (apódeixis).

Sein Gegenstück ist die **Induktion** (epagogé). ARISTOTELES beschreibt sie in der ›Topik‹ so:
»Induktion ist der Fortschritt vom Einzelnen zum Allgemeinen, z. B. wenn der kundige Steuermann der beste ist und wieder der kundige Wagenlenker, so wird auch überhaupt in jedem Ding der Kundige der Beste sein.«
In deutl. Absetzung von PLATON ist für ARISTOTELES Erkenntnisgewinn auch auf dem Weg über die Induktion aus der Verbindung von Vorwissen und sinnl. Erfahrung möglich. Ziel der Wissenschaft ist es zwar, zwingend das Besondere aus der allg. Ursache ableiten zu können, der Weg dorthin aber führt durch die Induktion.
Apodiktisch ist erst die fertige Wissenschaft, ihr Wissen aber bezieht sie aus der Induktion.
Die Induktion sucht nach dem Gemeinsamen innerhalb einer Gattung. Die Einteilung alles Seienden ermöglicht die **Definition** (horismós). Sie besteht aus der Gattung und den artbildenden Differenzen (z. B. Mensch ist ein vernünftiges Lebewesen).

Das Zusammenspiel von Induktion und Deduktion bewirkt, daß sich das Verhältnis von Früherem und Späterem umkehrt:
Das eigentlich frühere Allgemeine wird später erkannt als das spätere Besondere. (Abb. D)
Das Früheste und Allgemeinste **(Prinzip)** aber ist nicht beweisbar:
»Prinzip ist ein unmittelbarer Satz eines Beweises. Unmittelbar ist der, als welchen es keinen früheren gibt.«
Dies gilt, weil die Ableitung der Ableitung zu einem Regreß ins Unendliche führen müßte. ARISTOTELES selbst nennt v.a. *ein* solches Prinzip, den *Satz vom Widerspruch:*
»Es ist unmöglich, daß einem dasselbe in derselben Hinsicht zugleich zukomme und nicht zukomme.«
»Das festeste Prinzip der Logik« (A. TRENDELENBURG)

Platon weist auf das himmlische Ideenreich, Aristoteles auf die irdische Werdewelt

A   Nach Raffaels ›Schule von Athen‹ (um 1510)

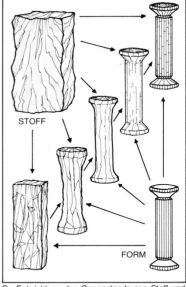

STOFF

FORM

B   Entwicklung des Gegenstands aus Stoff und Form

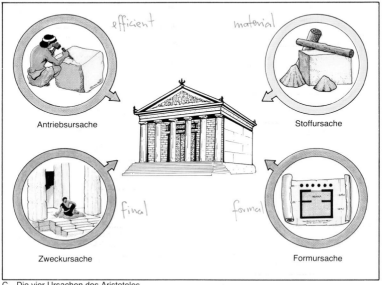

efficient

material

Antriebsursache

Stoffursache

final

formal

Zweckursache

Formursache

C   Die vier Ursachen des Aristoteles

Der **Begriff** »Metaphysik« entstand durch den histor. Zufall, die 14 die allg. Prinzipien betreffenden Schriften des Aristoteles in der ersten Gesamtausgabe hinter den physikal. einzuordnen (griech. metà tà physiká), woher sich dann die Bez. der Wiss. ableitete, die untersucht, *was hinter der Natur* liegt.

Aristoteles trennt sich in der ›Metaphysik‹ von Platon, dessen Ideenlehre er im 1. Buch kritisiert:

»[Die Ideen] helfen auch nichts, weder zur Erkenntnis der anderen Dinge … noch zum Sein derselben, da sie ja nicht in den an ihnen teilhabenden Dingen sind.«

Damit ist der wichtigste Unterschied zwischen Lehrer und Schüler genannt: Aristoteles will den platon. Dualismus zwischen Idee und realem Gegenstand überwinden. Dazu fordert er, das *Wesen der Dinge liege in ihnen selbst.*

Für Aristoteles kann die **Substanz** (griech. **ousía**) der Dinge nur in ihnen selbst liegen. Zwar sind auch für ihn *Gattungen* Substanzen, aber erst in abgeleitetem Sinn.

Dafür erklärt Aristoteles einen anderen Dualismus:

Stoff (griech. hýle; lat. materia) und **Form** (griech. éidos/morphé; lat. forma). Im Gegenstand treten beide nur zusammen auf:

Der reine Stoff ist ebensowenig zu finden wie die reine Form.

Aristoteles' Ziel ist es, alle Aporien seiner Vorgänger aufzuheben. Er verbindet seine Lehre von Stoff und Form zu einer Synthese des **Werdens:**

auf der »Unterlage« (griech. hypokeímenon) Stoff formt sich die Form des Gegenstandes aus.

In der Materie ist das **Wesen** nur der Möglichkeit (dýnamis/potentia) nach angelegt, Aktualität/Wirklichkeit (enérgeia) gewinnt es durch die Form. Das **Wesen der Dinge** liegt nicht in einer transzendenten Idee von ihnen, sondern verwirklicht sich in der Reihenfolge ihrer Erscheinungen.

Diese Entfaltung des Wesens nennt Aristoteles **Entelechie** (vgl. Abb. B)

Das Wort leitet sich von »télos« (»Ziel«) her: Jede Entwicklung setzt in der Konzeption des Aristoteles das Ziel voraus, von der *möglichen* zur *wirklichen Entfaltung* der »ousía« voranzuschreiten,

wobei er den bei Platon noch myth. Gedanken der **Teleologie** als eine zentrale Position in seine Metaphysik aufnimmt.

Demgemäß gibt Aristoteles für die Entwicklung **vier Ursachen** an:

– **Formursache** (causa formalis). Ein Gegenstand bestimmt sich nach seiner Form: z. B. ein Haus nach seinem Plan.

– **Zweckursache** (causa finalis). Nach dem teleolog. Grundgedanken des Aristoteles geschieht nichts ohne Zweck: beim Haus z. B. Schutz vor dem Wetter.

– **Antriebsursache** (causa efficiens). Jede Entwicklung bedarf eines Motors, der sie vorantreibt: beim Haus z. B. die Arbeit der Maurer, Zimmerleute.

– **Stoffursache** (causa materialis). Jeder Gegenstand besteht aus Materie: beim Haus Ziegel, Steine etc. (Abb. C)

Letztere Ursache ist der Grund für die Zufälligkeiten und Unregelmäßigkeiten der Gegenstände:

Die Materie »sperrt sich« gegen die Formung.

Dem von der Form diktierten Wesen, der **Substanz**, stemmen sich die Zwänge (anánke) der Materie entgegen, woraus sich das rein Zufällige ergibt:

Aristoteles nennt es *symbebekóta,* die Tradition **»Akzidens«.**

Dabei korrelieren das Bestimmte, die Substanz, mit begriffl. Faßbarkeit und das nicht Bestimmte, Zufällige, das Akzidens, mit der begriffl. Unfaßbarkeit, woraus sich nach den Voraussetzungen der aristotel. Logik der Wegfall des Akzidentiellen für die Wiss. ergibt.

Man hat die Stellung der Vernunft in Aristoteles' Philosophie häufig mit dem Röntgenstrahl verglichen:

Er dringt durch das sinnl. Erkennbare, aber Unwesentliche, zum begriffl. Faßbaren und Wesentlichen.

Aus dem Gedanken der Entwicklung ergibt sich für das Aristotel. System auch ein **Schichtenbau** der Welt, die von der untersten Grenze, dem reinen Stoff, zur reinen Form, seiner obersten Grenze, aufsteigt und sich so durch die Aristotel. *Physik* zieht.

Demgemäß muß also das Höchste, die Gottheit, reine Form sein.

Weil Aristoteles Form und Denken in Beziehung setzt, ist ein Gott reiner Geist, der sich selbst zum Denkgegenstand hat.

Er ist in die *Theoria,* das reine geistige Schauen seiner selbst, versunken.

Ein weiteres Attribut ergibt sich daraus, daß die Welt in ihrem ständigen Wandel der Bewegung bedarf. Da der Anstoß zur Bewegung aber nicht ins Unendliche weitergehen darf, muß es einen ersten Beweger geben, der selbst unbewegt ist.

Dieser **unbewegte Beweger** ist der Aristotel. Gott.

Insgesamt fallen im bewegenden Verhältnis Gottes zur Welt bis auf die Stoffursache alle Ursachen zusammen.

Das Aristotel. Gottesbild impliziert Desinteresse an der Welt:

Gott greift nicht in den Weltlauf ein und ist von ihr aus nicht zu beeinflussen.

Da er selbst unbewegt ist, wird die Welt nicht durch Tätigwerden des Gottes bewegt, sondern durch das »sehnsüchtige« Streben des Stoffes nach ihm als der reinen Form.

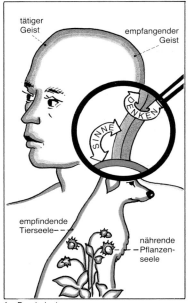

A Psychologie

B Ethische Tugend ist die Mitte zwischen zwei falschen Extremen

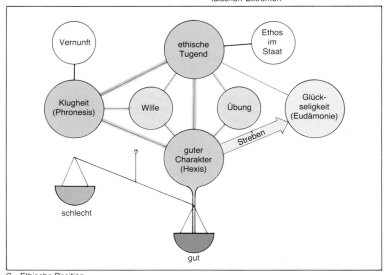

C Ethische Position

ARISTOTELES unterscheidet in seiner **Psychologie** drei **Seelenteile**, die aber dem Schichtenbau der Natur angehören:
die vegetative oder *Pflanzenseele,*
die Sinnen- oder *Tierseele* und schließlich
die *Vernunft,* die erst beim Menschen zu finden ist.

Der Pflanzenseele fällt die *Ernährung* zu, der Tierseele *Empfindung* und lokale *Beweglichkeit,* der Vernunft *(nous)* die *geistige* Tätigkeit.

Dabei ist die Seele als ganzes Formprinzip des Körpers:

»Die Seele ist die höchste Entelechie des . . . dem Vermögen nach lebendigen Körpers.«

Der **Geist** nimmt eine Sonderstellung ein:
Er läßt sich unterteilen in einen *empfangenden* (rezeptiven) und einen *tätigen* (schaffenden) Geist, wobei ersterer den Stoff (Potentialität), letzterer die Form (Aktualität) vertritt.

Dabei nimmt der empfangende Geist, der mit den Wahrnehmungen des zweiten Seelenteils verknüpft ist, die Denkgegenstände der Form nach auf, während der tätige Geist das alles bewirkende Prinzip für die Aktivität der Geistseele überhaupt darstellt.

Im Gegensatz zu den anderen Seelenteilen ist der tätige Geist nicht an den Leib gebunden und damit *unsterblich.*

Da aber das Denken nur aus der Verbindung mit der Empfindung entsteht, ist der Geist nach dem Tod kein individ. Geist (im Unterschied zu PLATON).

Die Aristotel. **Ethik** hat zum Gegenstand den Bereich der menschl. Praxis als des auf Entscheidung beruhenden Handelns und grenzt sich damit von der theoret. Philosophie ab, die auf das Unveränderliche, Ewige gerichtet ist.

Von Natur aus strebt jedes Wesen nach einem ihm eigentüml. *Gut,* in dem es seine Vollendung findet.

Das menschlich Gute ist die Tätigkeit der Seele gemäß der Vernunft.

In ihr findet der Mensch die *Eudämonie* (Glückseligkeit), die von den äußeren Umständen unabhängig ist, als Endziel seines Strebens. So heißt es in der ›Nikomachischen Ethik‹:

»Wenn wir als die eigentüml. Leistung des Menschen ein best. Leben annehmen und als solches die Tätigkeit der Seele und die vernunftgemäßen Handlungen bestimmen . . . und wenn dasjenige hervorragend wird, was im Sinne der ihm eigentüml. Leistung vollendet wird, dann ist das Gute für den Menschen die Tätigkeit der Seele auf Grund ihrer bes. Befähigung (d. h. der Vernunft).«

Um das spezif. Gute der Seele näher zu bestimmen, unterscheidet ARISTOTELES zwischen *dianoëtischen* und *ethischen Tugenden.*

Die **dianoëtischen Tugenden** liegen in der reinen Ausübung der Vernunft selbst, wobei ARISTOTELES in *theoretische* und *praktische Vernunft* unterteilt.

Unter ihnen ist für das eth. Handeln entscheidend allein die **Klugheit** (phrónesis).

Die **ethischen Tugenden** findet der Mensch bereits vor. Sie werden durch die bestehende Ordnung in der Gesellschaft und im Staat (polis) vermittelt und erhalten ihre Gültigkeit aus der Tradition und der allg. Zustimmung (z. B. Besonnenheit, Großzügigkeit).

Die Einübung in die in der Polis bestehenden *Werte* macht für ARISTOTELES einen wesentl. Teil der sittl. Formung aus.

Erst aus dem Zusammenspiel von Klugheit und eth. Tugend entspringt die *sittliche Haltung* des Menschen:

». . . daß man nicht in einem wesentl. Sinne gut sein kann ohne die Klugheit, noch klug ohne die eth. Tugend.«

Dabei kommt der Klugheit bes. die Aufgabe zu, die richtigen Mittel und Wege zu erkennen, die zum Guten führen, während die eth. Tugenden das Ziel vorgeben.

Beide zusammen bestimmen den **Willen** (búlesis) in Richtung auf das Gute hin, indem sie vermittels der Einsicht dem Streben das richtige Ziel weisen. Die naturwüchsigen Bestrebungen werden so geformt und die Leidenschaften (Affekte) beherrscht. Die Freiheit des Willens steht dabei für ARISTOTELES außer Frage.

»Wenn nun die eth. Tugend ein Verhalten des Willens ist und der Wille ein überlegendes Streben, so muß also die Einsicht wahr und das Streben richtig sein, wenn die Entscheidung gut werden soll, und es muß eines und dasselbe vom Denken bejaht und vom Streben gesucht werden.«

Bezeichnend für die Aristotel. Position ist, daß die sittl. *Haltung* (héxis) nicht schon aus der Einsicht entspringt, sondern durch Praxis erworben wird: durch Übung, Gewohnheit und Lernen.

Deshalb ist es auch das Urteil und Vorbild des *Erfahrenen,* nach dem sich die nähere Bestimmung der Tugend richtet.

Inhaltlich ist die eth. Tugend bestimmt als die **Mitte** (mesótēs) zwischen falschen Extremen, also z. B.:
Tapferkeit (Feigheit – Tollkühnheit)
Mäßigung (Wollust – Stumpfheit)
Großzügigkeit (Geiz – Verschwendung)
Bes. Beachtung gilt der **Gerechtigkeit,** die die hervorragendste Tugend in bezug auf die Gemeinschaft ist. Als *austeilend* sorgt sie für eine gerechte Verteilung der Güter und Ehren in der Gesellschaft, als *ausgleichend* ist sie Korrektiv für erlittenen Schaden.

Eine wesentl. Tugend ist auch die *Freundschaft,* in der der Mensch den Übergang vom Einzelwesen zur Gemeinschaft vollzieht.

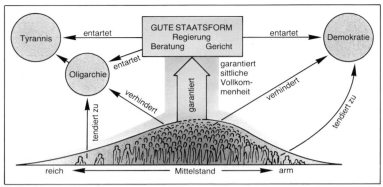

A   Die Frage der Staatsform

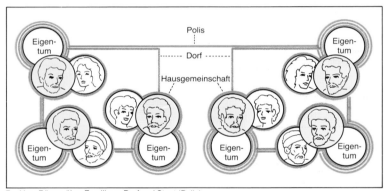

B   Vom Bürger über Familie zu Dorf und Staat (Polis)

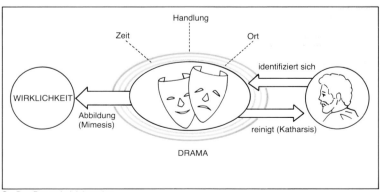

C   Das Drama bei Aristoteles

In der Behandlung der **Staatslehre** bei ARI-STOTELES treten einige Merkmale seiner **Methode** und seines **Wesens** deutlich hervor: Im Ggs. zu PLATON bezieht der »Empiriker« ARISTOTELES einen großen Teil seiner Kenntnisse aus vergleichenden Studien.

So schreibt man ihm eine Analyse von 158 Verfassungsformen zu, von der allerdings nur das Fragment ›Der Staat der Athener‹ erhalten ist.

Zum zweiten trennt Lehrer und Schüler der Maßstab des **Realistischen.** PLATON konzipiert seinen Staat im *Idealen,* ARISTOTELES im *Möglichen.*

»Man muß nicht nur den besten Staat im Auge haben, sondern auch den möglichen.«

Anders als PLATON sieht ARISTOTELES bei der **Entstehung** des Staates nicht die Schwäche des Individuums als Anlaß zum Zusammenschluß, sondern setzt dessen *natürl. Neigung zur Gemeinschaft* an den Anfang. Seine klass. Formel:

»Der Mensch ist von Natur aus ein staatenbildendes Wesen« (ánthropos phýsei politikón zóon).

Auch die *Sprache* ist für ARISTOTELES ein Hinweis darauf, daß der Mensch nicht nur auf das bloße Überleben eingerichtet ist, sondern auf eine Gemeinschaft, die sich über Nützliches, Gutes und Gerechtes verständigen soll.

Wie PLATON sieht ARISTOTELES die Aufgabe des Staates in der *sittlichen Vervollkommnung* der Bürger. Er besteht um des glücklichen und guten Lebens willen. Erst in ihm kann sich die Tugend der einzelnen vollkommen entwickeln.

Der Staat formt sich aus einer Abfolge von größer werdenden Gemeinschaften:

Am ursprünglichsten ist die Gemeinschaft von *Zweien* (Mann und Frau, Vater – Kinder, Herr und Sklave), diese zusammen bilden die *Hausgemeinschaft,* aus denen dann das *Dorf* besteht und schließlich die *Polis,* der Zusammenschluß mehrerer Dörfer (Abb. B).

Erst die Polis garantiert die *Autarkie* (d. h. Selbstgenügsamkeit, Unabhängigkeit und Selbsterhaltung) der Gemeinschaft.

Das Formprinzip der Polis ist die **Verfassung:**
»Der Staat ist die Gemeinschaft von Bürgern einer best. Verfassung.«

Die **Verfassungsformen** teilt ARISTOTELES mit PLATON in drei »rechte« und drei dazugehörige entartete ein, wobei auch er den Umschlag der einen in die andere kennt:

Königtum	und	*Tyrannis*
Aristokratie	und	*Oligarchie*
Volksherrschaft	und	*Demokratie*

Das Ordnungskriterium ist die Anzahl der Inhaber der Regierungsgewalt:

einer – einige – alle.

Als gut gilt die Staatsform, die dem Gemeinwohl dient, als entartet, die nur die Interessen der jeweils Herrschenden verfolgt.

Von den drei »rechten« bevorzugt er prinzipiell keine. Am ehesten realisierbar und am stabilsten ist die **Politie** (gemäßigte Volksherrschaft). Sie ist eine Mischform aus den Vorzügen anderer Verfassungen und entspricht dem in der Ethik formulierten Prinzip der Tugend als Mitte zwischen Extremen:

»Die staatl. Gemeinschaft ist die Beste, die auf Grund des Mittelstandes besteht, ... gibt er den Ausschlag und verhindert so das Übergewicht des Extrems.«

Ansonsten zieht ARISTOTELES aus der histor. Analyse den Schluß, die jeweils beste Staatsform sei die dem Land und den Bedürfnissen der Bürger am besten *angepaßte.*

Zur inneren **Ordnung** des Staates gibt ARISTOTELES an, daß die **Familie** genauso zu erhalten sei wie das **Privateigentum:**

Die Familie sei noch *elementarer* als das Dorf und dieses als der Staat und somit die Familie als natürl. Ordnung der Gesellschaft zu bevorzugen, wenn auch der Staat für die **Erziehung** der Jugend wesentlich verantwortlich ist.

Beim Privateigentum geht ARISTOTELES einen Mittelweg. Die Gütergemeinschaft (nach platon. Vorbild) lehnt er ab. Er versucht den Mittelweg mit Blick auf *Sparta,* wo

»der Besitz privat bleibt, aber der Benutzung allgemein zugänglich wird«.

Zur inneren Struktur der Gesellschaft zählt ARISTOTELES durchaus die **Sklaverei,** die Ungleichheit überhaupt (etwa auch zwischen Mann und Frau), die ihm ebenfalls als natürl. Einrichtung gelten. Unter freien Männern aber gilt die Gleichheit.

Ein Zweig der praktischen Philosophie ist die **Poetik.** In der gleichnamigen Schrift erstellt ARISTOTELES eine Theorie der **Dichtung,** bes. der Tragödie, deren Wirkung unübertroffen ist. Wesentl. Begriffe sind:
– Die **Nachahmung** (mímesis): Kunst soll die Wirklichkeit *abbilden,* doch nicht nachschreiben (im Ggs. zur Geschichte).
– Die **Einheit** von *Handlung, Zeit* und *Ort:* Die Handlung soll einheitlich, folgerichtig und abgeschlossen sein und die Dauer sich auf ca. einen Sonnentag beschränken.
– Die **Kátharsis** = »Reinigung«): Kunst soll den Betrachter läutern, indem er sich mit dem Dargestellten identifiziert und dadurch seine eigenen Affekte auf anderer Ebene abreagiert.

Wirkungsgeschichtlich läßt sich ARISTOTELES nur an PLATON und in der Neuzeit an KANT messen. Im Mittelalter wurde er zu einer Grundlage der *Scholastik.*

Bis an die Schwelle der Neuzeit galt sein Werk als unfehlbar.

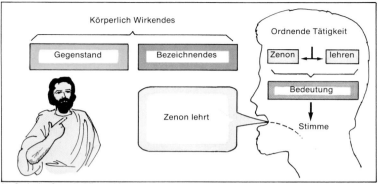

A   Stoische Sprachphilosophie

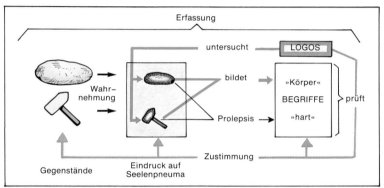

B   Stoische Erkenntnislehre

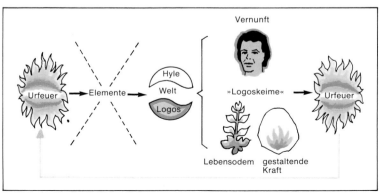

C   Stoische Physik: die Weltperioden

Die **Stoa** übt als philosoph. Strömung vom Hellenismus bis in die Spätantike großen Einfluß aus. Ihre Geschichte wird allg. gegliedert in die

- *alte* Stoa: mit dem *Schulgründer* ZENON V. KITION (um 336–264 v. Chr.), seinem Schüler KLEANTHES (gest. um 232), und CHRYSIPP (um 281–208), der dem klass. System seine größte Geschlossenheit gibt. Daher der antike Vers

  »Wäre nicht Chrysipp, gäbe es keine Stoa.«
- *mittlere* Stoa: PANAITIOS (um 180–110) und POSEIDONIOS (um 135–51) machen sich um die Übertragung stoischen Gedankenguts nach Rom verdient und mildern dessen urspr. eth. Härte.
- *späte* Stoa: v. a. SENECA (4 v. Chr.–65 n. Chr.), der Freigelassene EPIKTET (50–138) und der Kaiser MARC AUREL (121–180). Im Mittelpunkt ihrer Werke stehen die *Lebensbewältigung* und moral. Fragen. Zu dieser Zeit wird die Stoa schon als eine Art Populärphilosophie gewertet.

Die **Einteilung** der Philosophie in der Stoa geschieht in *Logik, Physik,* und *Ethik.* Die Bedeutung der einzelnen Disziplinen verdeutlichen die Stoiker u. a. am Bild des Obstgartens:

Die Logik entspricht den schützenden Mauern, die Physik ist der nach oben wachsende Baum und die Ethik sind die Früchte des Gartens.

Die **Logik** der Stoiker enthält neben formallog. Untersuchungen auch sprachl. und erkenntnistheoret. Theorien.

Die *Syllogistik* erweitern die Stoiker v. a. durch 5 *hypothetische* bzw. *disjunktive* Schlußformen, aus denen sich alle gültigen Schlüsse zusammensetzen lassen müssen. Dabei stehen die Variablen nicht für Begriffe, sondern für Aussagen (»Aussagenlogik«):

1. Wenn A ist, so ist B. Nun ist A. Also ist auch B.
2. Wenn A ist, so ist B. Nun ist B nicht. Also ist auch A nicht.
3. Nicht kann zugleich A und B sein. Nun ist A. Also ist B nicht.
4. Entweder ist A oder B. Nun ist A. Also ist B nicht.
5. Entweder ist A oder B. Nun ist B nicht. Also ist A.

Die *Sprachphilosophie* der Stoiker beschäftigt sich mit der Entstehung der Wörter (Etymologie). Sie sind überzeugt, daß sich der Ursprung jedes Wortes aufdecken lassen müsse.

So führen sie einen Genitiv von »Zeus« (Zenós) auf »zen« = leben zurück.

Die Bedeutungslehre der Stoiker unterschied zwischen dem *Bezeichnenden,* dem *Bezeichneten* und dem realen *Objekt.* Das Bezeichnende ist ein Lautgebilde, damit an die Stimme und deren Wirkung als Körper

gebunden. Das Objekt gehört ebenfalls in den Raum der Physik. Dagegen ist die Bedeutung (lektón) unkörperlich. Sie ist Produkt geistiger Tätigkeit, denn die Mitwirkung der Vernunft erst macht aus der stimml. Äußerung sinnvolle Sprache:

»Sprechen heißt, eine stimml. Äußerung hervorbringen, die ein Gedachtes bezeichnet.«

Die **Erkenntnistheorie** der Stoa geht vom Materiellen aus:

Die *Wahrnehmung* verändert (CHRYSIPP) den Zustand unserer materiellen Seele oder prägt sich ihr sogar wie in Wachs ein (ZENON).

Der entstehende »Eindruck« verbindet sich mit anderen. Begriffe können so natürlich als Allgemeines versch. Wahrnehmungen entstehen, was die Stoiker »*Prólepsis*« (Vorwegnahme) nennen.

Auch durch die Tätigkeit der Vernunft (lógos) werden Vorstellungen zu Begriffen umgeformt. Sie bedürfen, wie die Wahrnehmung, der *Zustimmung* durch den Logos. Nur so ist die *Erfassung* möglich.

Die wirkl. Erfassung eines Objekts setzt also eine naturgetreue Abbildung in der Seele voraus, die durch die Tätigkeit der gesunden Vernunft bestätigt wird:

»Das Wissen ist eine unerschütterliche und von keinem Vernunftgrunde [mehr] umzustoßende Erfassung (Katálepsis).«

In ihrer **Physik** lassen die Stoiker als »Sein« nur gelten, was wirkt oder leidet, also Körper.

Dem Passiven entspricht die Materie (hýle), dem Tätigen der »Logos«.

Der Logos ist die Weltvernunft, die als Hauch (pneuma) die eigenschaftslose Materie durchzieht und so ihre planvolle Entwicklung bewirkt. In allen Gegenständen sind »Logoskeime« (lógoi spermatikoí) enthalten, in denen ihre Entwicklung planartig angelegt ist.

»Der Logos ist mit der Hyle untrennbar verbunden. Er ist mit ihr vermischt; er durchdringt sie ganz, formt und gestaltet sie und schafft so den Kosmos.«

Das *Urelement* ist das Feuer. Aus ihm entwickeln sich die anderen Elemente (Luft, Wasser, Erde) und die konkrete Welt. Als Wärme durchzieht es alles und bildet seinen Lebensodem. Es ist somit auch *Seele* und Kraft, die alles *vernünftig* bewegt.

Die Stoiker lehren einen Zyklus: Wie die Welt aus dem Urfeuer hervorgegangen ist, wird sie auch wieder in diesem vergehen. Nach diesem Weltbrand wird sich wieder die Welt der konkreten Einzeldinge ausbilden.

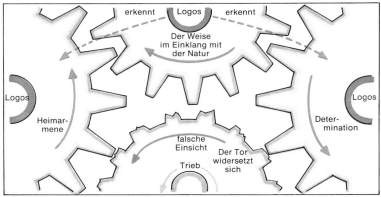

A Stoischer Determinismus

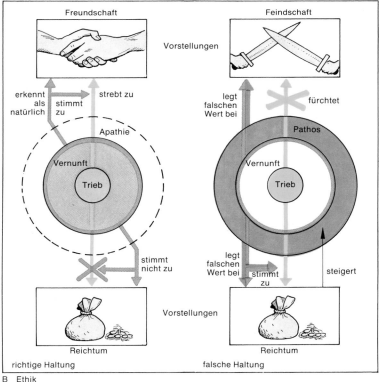

B Ethik

Die **Theologie** der Stoiker kreist um den Logos:

Gott ist die schöpferische Urkraft, die erste Ursache allen Seins. Er ist der Logos, der die vernünftigen Keimkräfte aller Dinge in sich trägt.

Das gestaltende Feuer, der ordnende Logos, auch Zeus werden als Gott bezeichnet. Für die Stoiker ist der Kosmos, der alles Leben und Denken hervorbringt, selbst ein Lebewesen, dessen *Seele* göttlich ist.

Aus der Vernünftigkeit des Logos folgt eine *zweckmäßige* und *planvolle* Ordnung der Dinge und Ereignisse:

»Daraus ergibt sich der Gedanke einer teleologisch vollkommen durchgeordneten Welt, in der der Zusammenhang von allem eine sinnvolle Ordnung darstellt, die von einer einzigen göttl. Kraft geplant und schrittweise ins Werk gesetzt wird.« (M. FORSCHNER)

Die festgelegte Ordnung nennen die Stoiker **Schicksal** (griech. heimarméne; lat. fatum) und deren festgelegtes Ziel **Vorsehung** (prónoia; providentia). Der *Notwendigkeit* in der Welt ist nicht zu entfliehen.

Der *kausal* und *teleologisch* festgelegte Lauf der Außenwelt ist auch ein Grundgedanke der stoischen **Ethik.** Da die äußeren Güter stets unverfügbar sind, ist die innere *Haltung* das einzige, was in der Macht des Menschen steht. So schreibt SENECA:

»Wer selbst will, den führt das Schicksal, wer nicht, den reißt es fort.«

Der äußere Freiraum des Menschen besteht demnach in einer *Mit*wirkung.

Das **Ziel** des Menschen liegt darin, »einstimmig (mit der Natur) zu leben«. So erreicht er die Harmonie, die zu einem »guten Fluß des Lebens« führt und zur *Glückseligkeit* (Eudämonie).

Das Glück ist nur zu erreichen, wenn kein *Affekt* die Seelenruhe stört. Der Affekt gilt als übersteigerter Trieb. Seiner Entstehung nach beruht er auf einer Vorstellung, der ein falscher Wert beigelegt wird. Seiner Wirkung nach wird er zum *»páthos«,* zu einer Leidenschaft. Da ihr Objekt selten ganz zu erreichen ist, bleibt der Mensch unbefriedigt.

Stoisches Ideal ist die **Apathie,** die Freiheit von solchen Affekten.

Die Stoiker unterscheiden 4 Gattungen von Affekten:

Lust, Unlust, Begierde und Furcht.

Sie sind durch den Gebrauch der *richtigen Vernunft* (orthós lógos) zu vermeiden:

Ein Trieb wird erst zum Affekt, wenn die Vernunft dem Wert seines Objekts *zugestimmt* hat.

Die Einsicht in den wahren Wert der Dinge verhindert das Erstreben von falschen Gütern oder beseitigt die Furcht vor vermeintlichen Übeln. Dazu gehört die Erkenntnis,

daß alle äußeren Güter keinen Wert für die Glückseligkeit haben.

»Der Affekt entsteht, wenn die Vernunft dem Trieb einen falschen … Zweck setzt und das Scheitern beklagt.« (M. HOSSENFELDER)

Die Dinge teilen die Stoiker in gute, schlechte und **Adiáphora** (gleichgültige). Als gut gelten die Tugenden, als schlecht deren Gegenteil. *Gleichgültig* sind alle anderen Dinge, da sie nichts zum Glück beitragen. Sie sind entweder vollkommen gleichgültig, z.B. die Anzahl der Haare auf dem Kopf. Oder sie sind »bevorzugt« oder »zurückgesetzt«. Zu bevorzugen sind die Dinge, die der natürl. Anlage entsprechen.

Da wir auch unter Indifferentem auswählen müssen, sollen wir das Natürlichere wählen, z.B. die Gesundheit der Krankheit vorziehen.

So unterscheiden die Stoiker auch unter den *Handlungen:*

Es gibt schlechte (aus falscher Einsicht) und gute (aus richtiger Einsicht).

Die dazwischen liegenden *mittleren* Handlungen werden »zukommende« genannt, wenn bei ihnen eine natürl. Veranlagung verwirklicht wird.

Sie entspringen keiner Einsicht, aber realisieren ein natürl. *Gut.*

Für das Glück entscheidend ist die **Tugend.** Sie besteht wesentlich in der sittl. Einsicht über den Wert der Dinge. Aus ihr ergeben sich die anderen Tugenden (Gerechtigkeit, Tapferkeit usw.).

Tugend als *Erkenntnis* ist lehrbar und unverlierbar.

Zwischen der Tugend und ihrem Gegenteil gibt es kein Mittleres, da nur einsichtig gehandelt wird oder nicht.

Auf der rechten Vernunft basiert das rechte *Verhältnis* zu den Dingen und zu den Trieben. Die erreichte Harmonie ist also das Glück.

Ein zentraler stoischer Gedanke ist die Lehre von der **Oikeíosis,** die Zueignung, aufgrund derer die sittl. Streben des Menschen bereits in seiner naturgemäßen Anlage enthalten ist. Die Oikeiosis besteht in der Hinwendung zu dem, was in der Selbstwahrnehmung als zugehörig betrachtet wird. Der Mensch eignet sich die ihm naturgemäßen Dinge zu und unterscheidet zwischen ihm Zuträglichem oder Schädlichem. Daher strebt jedes Lebewesen auch nach *Selbsterhaltung.*

Im Heranwachsen erkennt der Mensch dann die Vernunft als sein wahrhaft naturgemäßes Wesen.

Die Zueignung erweitert aber auch das sittl. Tätigkeitsfeld auf die Gemeinschaft:

Dem Individuum ist nicht nur es selbst, sondern auch Eltern, Freunde usw. zugehörig, schließlich die gesamte *Menschheit.*

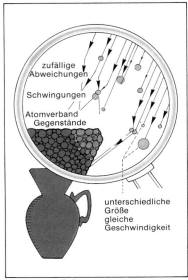

A   Atomlehre Epikurs

zufällige
Abweichungen

Schwingungen

Atomverband
Gegenstände

unterschiedliche
Größe
gleiche
Geschwindigkeit

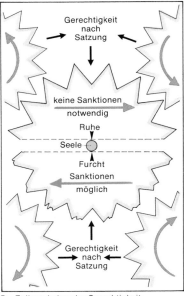

B   Kanonik

Gedanke

falsch

wahr

nicht wahr- / nehmbar
wahr- / nehmbar

falsch

wahr

Gegenstand

widerspricht

widerspricht
nicht

bestä-
tigt
nicht

Bild

bestä-
tigt

Erfahrung

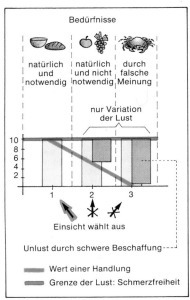

C   Der Einsichtige wählt die Alternative
der größten Lust

Bedürfnisse

natürlich
und
notwendig

natürlich
und nicht
notwendig

durch
falsche
Meinung

nur Variation
der Lust

10
8
6
4
2

1   2   3

Einsicht wählt aus

Unlust durch schwere Beschaffung

Wert einer Handlung

Grenze der Lust: Schmerzfreiheit

D   Epikurs Lehre der Gerechtigkeit

Gerechtigkeit
nach
Satzung

keine Sanktionen
notwendig

Ruhe

Seele

Furcht

Sanktionen
möglich

Gerechtigkeit
nach
Satzung

Epikur (um 342–271 v. Chr.) begründet eine Lehre, der es bes. auf die Praxis ankommt. Seine Schule wirkt fort v. a. in den Römern HORAZ und LUKREZ. Dessen Schrift ›Die Natur der Dinge‹ (um 50 v. Chr.) gilt neben einigen Spruchsammlungen und Briefen EPIKURS als wichtigste Quelle.

EPIKURS **Physik** ruht auf 3 Prinzipien
– Nichts entsteht aus dem Nichtseienden.
– Nichts vergeht in das Nichtseiende.
– Das All war immer so, wie es jetzt ist, und wird immer so sein.

Das All besteht nur aus *Körpern* und dem *Leeren*. Die Existenz der ersteren ist aus der Wahrnehmung bekannt. Das Leere ist Voraussetzung für den Aufenthalt und die Bewegung der Körper.

EPIKUR lehnt sich an den Atomismus DEMOKRITS (S. 33) an. Die Körper sind Zusammensetzungen aus **Atomen.** Atome haben keine *Qualitäten* außer Gestalt, Schwere und Größe. Sie sind mathematisch teilbar, physikalisch aber nicht. Denn nur so ist verständlich, daß sie sich nicht in Nichts auflösen, aber auch versch. Gestalt aufweisen. Aus der unterschiedl. Gestalt der Atome ergeben sich die Formen der Körper.

Die Atome fallen infolge ihrer *Schwere* ununterbrochen parallel durch den Raum. Durch *Zufall* ändern einige die Richtung, prallen auf andere, »verflechten« sich und erzeugen so die Körper.

Die Menge der Atome und das Leere sind unbegrenzt. EPIKUR behauptet deshalb die Existenz unzähliger *Welten* im All.

EPIKURS Erkenntnistheorie heißt **Kanonik.** Physikal. Grundlage sind die *Bilder.* Sie entstehen durch den Abfluß von Atomen von der Oberfläche der Körper. Im Beobachter ergeben sie einen feineren Abdruck der Gegenstände in der stoffl. (»feinteiligen«) Seele. Die *Sinneswahrnehmung* ist Prüfstein der Wahrheit.

»Wahr ist das wirklich Geschaute oder auf Grund von Beobachtung mit dem Denken ergriffene.«

Durch die Wiederholung der Bilder oder Eindrücke gelangen wir zu *Vorbegriffen* (prólepseis), die die Grundlage der Vernunfttätigkeit bilden. Beziehen sich die von der Vernunft gebildeten *Meinungen* (dóxai) auf Wahrnehmbares, können sie .
– durch die sinnl. Wahrnehmung bestätigt werden und gelten als wahr.
– einer sinnl. Erfahrung widersprechen oder nicht bestätigt werden und somit als »leeres Meinen« verworfen werden.

Beziehen sie sich auf Nicht-Wahrnehmbares, sind sie
– falsch, wenn sie dem Wahrnehmbaren widersprechen.
– wahr, wenn ihnen nichts in der sinnl. Erfahrung widerspricht.

Der leere Raum z. B. ist durch die Bewegung logisch erforderlich, aber auch durch die Wahrnehmung nicht widerlegt.

»Trug und Irrtum liegen immer in dem Hinzugedachten im Bezug auf das, was der Bestätigung oder Nichtwiderlegung bedarf und dann nicht bestätigt oder widerlegt wird.«

Die **Ethik** ist das Kernstück der Lehre EPIKURS. Ihr Prinzip ist die **Lust.** Jedes Lebewesen erstrebt natürlich die Lust und meidet den Schmerz. Das Lebensziel ist also die Lust. EPIKUR definiert die Lust als die *Abwesenheit* von Schmerz und Unruhe. Damit gibt es keinen Zwischenzustand zwischen Lust und Schmerz. Wenn der körperl. Schmerz (durch Mangel) und der denkerische (durch Ängste) beseitigt sind, ist die Lust erreicht. EPIKUR unterstreicht die *Erreichbarkeit* der Lust. Sind die elementaren Bedürfnisse durch Beseitigung von Hunger, Durst usw. gedeckt, gibt es keine *Steigerung* der Lust, sondern nur noch deren Variationen. Die Lustempfindung wird nur mannigfaltiger.

Die *Bedürfnisse* teilt EPIKUR deshalb in 3 Gruppen:
– natürliche und notwendige,
– natürliche und nicht notwendige,
– nichtige, die nur durch falsche Meinung entstehen.

Die Deckung der Bedürfnisse der ersten Art ist ohne Mühsal erreichbar. EPIKUR ist deshalb Genügsamkeit für eine wichtige Tugend. Die Einsicht wägt nach einem »Lustkalkül« das Zu- und Abträgliche ab und meidet Lust, die durch körperl. Schmerz oder seel. Unruhe größere Unlust verursachen kann: Polit. Tätigkeit z. B. bringt EPIKUR soviel Unsicherheit in den Lebenslauf, daß er ein Leben im Verborgenen anrät.

Zur **Ataraxie,** zum richtigen Leben ohne Unruhe, gehört neben körperl. Schmerzfreiheit auch die seel. Freiheit von Unruhe und Verwirrung. Dazu dient auch die Beachtung der *Tugenden.*

Der Weise wird sich z. B. an der Gerechtigkeit orientieren, da er sonst vor Sanktionen der Gesellschaft nie sicher sein kann. Was gerecht ist, besteht in einer *Konvention,* die die Menschen zur Sicherung des Zuträglichen vereinbart haben. Auch muß man »die *Weisheit* anwenden, die . . . sich uns als der sicherste Führer zur Lust anbietet«. (CICERO)

Das Ausräumen falscher Meinung dient der Beseitigung von Ängsten, die die *Ataraxie* gefährden.

Die **Götter** greifen nach EPIKUR nicht in den Weltlauf ein. Sie haben ein glückseliges Dasein, dessen Ruhe sie nicht durch »mühsame Aufgaben« verletzen.

EPIKUR denkt sich den Weltlauf auch nicht von *Notwendigkeit* und *Schicksal* gelenkt.

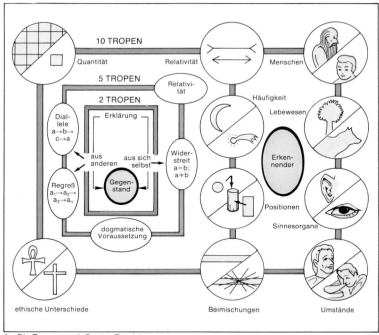

A Die Tropen nach Sextus Empiricus

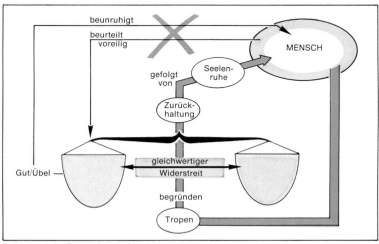

B Konzept der Pyrrhonischen Skepsis

Die **Skepsis** (wörtl. »Umherblicken«) des PYRRHON VON ELIS (365–275 v. Chr.) ist systematisch dargestellt bei SEXTUS EMPIRICUS (ca. 200–250 n. Chr.):

»Skepsis ist die Kunst, auf alle mögliche Weise erscheinende und gedachte Dinge einander entgegenzusetzen, von da aus wir wegen der Gleichwertigkeit der entgegengesetzten Sachen und Argumente zuerst zur Zurückhaltung, danach zur Seelenruhe gelangen.«

Ausgangspunkt der Pyrrhon. Skepsis ist der Zusammenhang zwischen **Urteilsenthaltung** (griech. epoché) und **Seelenruhe** (ataraxía).

Alle Unruhe kommt aus dem Drang, die Dinge zu erkennen und zu bewerten.

Der *dogmatische* Glaube an natürl. Güter oder Übel bringt den Menschen in Verwirrung und Angst. Wenn die Skeptiker

sich des Urteils enthalten und zur *Gleichgültigkeit* gelangen, folgt die Seelenruhe wie der Schatten dem Körper.

Die Urteilsenthaltung über die Natur der Dinge begründet die Pyrrhon. Skepsis durch den »gleichstarken Widerstreit« (**Isosthenie):** Bei jeder Aussage ist eine gleichwertige entgegengesetzte denkbar.

Die Skeptiker untersuchen die Möglichkeiten von Entgegensetzung, um die Epoché herbeizuführen. Eine Erscheinung oder ein Gedanke wird dabei mit einer (gegenläufigen) Erscheinung oder einem Gedanken verglichen.

SEXTUS gibt dafür 3 Listen von **Tropen** (Figuren) an.

1) Die *zehn* Tropen, die sich auf die *Relativität* gründen. Relativ ist
– der Urteilende, denn verschieden sind die Lebewesen, die Menschen, die Sinnesorgane und die Umstände, unter denen eine Wahrnehmung stattfindet.
– das Beurteilte: Je nach ihrer Quantität erscheinen die Dinge anders (das Sandkorn hart, der Sandhaufen weich). Auch die Sitten und Lebensformen der Völker sind unterschiedlich.
– Urteilende und Beurteiltes zusammen: Je nach Position des Betrachters sehen die Dinge anders aus, oder einem von beiden ist etwas »beigemischt«. Auch die Häufigkeit des Phänomens bestimmt dessen Stellenwert.

2) Die *fünf* Tropen bestehen aus dem Widerstreit und dem unendl. Regreß, in den jede Aussage gerät. Ferner aus der Relativität, den dogmat. Voraussetzungen und dem Kreisschluß in der Argumentation.

3) Die *zwei* Tropen: Prinzipiell wird entweder etwas aus sich oder aus etwas anderem erkannt.

Die erste Möglichkeit ist durch den tatsächl. Widerspruch über die Dinge ausgeschlossen. Die zweite führt deshalb auch nur zum unendl. Regreß oder zur Diallele (Kreisschluß).

Die Skepsis bringt diesen method. begründeten **Zweifel** durch *Schlagworte* (phonaí) zum Ausdruck:

»Nicht eher« (die eine vor der anderen Behauptung), »Vielleicht«, »Alles ist unbestimmt« etc.

Dabei ist die *Gültigkeit* der Schlagworte selbst wieder undogmatisch, d. h. dem Zweifel unterworfen. Die Pyrrhon. Schule hält sich strikt an das *Phänomen*, dem der Skeptiker nicht widersprechen kann, ohne zu urteilen.

Nach SEXTUS wird z. B. nicht bestritten, daß uns Honig süß *schmeckt*, wohl aber, daß er süß *ist*.

Seinen Voraussetzungen nach müßte sich der Skeptiker auch des **Handelns** enthalten. Da dies aber unmöglich ist, richtet er sich nach der »alltägl. Lebenserfahrung«. Dazu gehören außer diesen Vorzeichnungen der Natur und dem natürl. Erlebniszwang auch die Sitten seiner Umwelt und seine erlernten Techniken.

Indem er sich (undogmat.) diesen Vorgaben beugt, kann er sich im Handeln des *Urteils* enthalten.

Mit ARKESILAOS (315–240) und KARNEADES (213–128) nimmt auch die **Neue Akademie** eine skept. Wendung. Ziel der Epoché ist v. a. die sicherere Erkenntnis. Gegen die Stoa (S. 55) bestreiten die akadem. Skeptiker die Existenz »kataleptischer« Vorstellungen, die die Zustimmung erzwingen.

Ein Wahrheitskriterium gibt es nicht, nur *Wahrscheinlichkeiten.*

Vorstellungen können entweder nur glaubhaft sein oder auch zugleich »ungehindert«, d. h. nicht im Widerspruch mit einer anderen. Höchstmögliche Gewißheit besteht dann, wenn die Vorstellung zusätzlich »durchgeprüft« ist:

Alle mögl. Fehlerquellen werden sondiert, die die »normale« Wahrnehmung beeinträchtigen können.

M. TULLIUS CICERO (106–43 v. Chr.) verbindet in seinem Werk Gedanken aus versch. Schulen der Antike. Er ist der bedeutendste Vertreter der **römischen Eklektik.**
Seine bes. Verdienste liegen in
– der Übertragung griech. (v. a. eth.-polit.) Theorien auf die Situation des röm. Reiches.
– der Formulierung klass. Theorien über das *Naturrecht:*
Die Rechtsnatur gehört für CICERO wesentlich zum Menschen wie dessen Vernunft. Über die histor. wechselnden Gesetze stellt er ein unwandelbares Naturrecht.
– der *Überlieferung* der konkurrierenden philosoph. Systeme der Antike.
CICEROS Vermittlung der griech. philosoph. Begrifflichkeit ins *Lateinische* gilt als wichtiger Beitrag zur Tradition der abendländ. Philosophie.

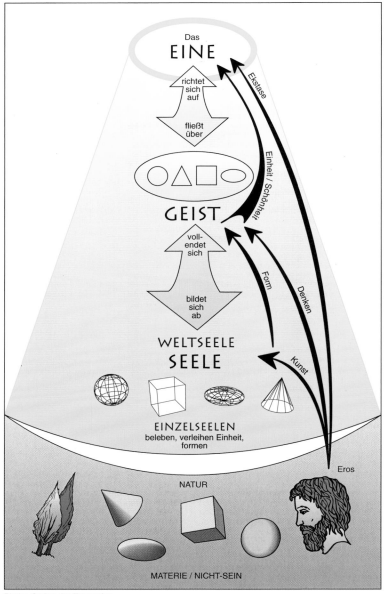

Plotins Stufen der Emanation

Als letztes großes System der Antike gilt der **Neuplatonismus.** In ihm greifen Philosophen v.a. in kosmolog. Perspektive auf PLATON (S.39–43) zurück und verbinden seine mit aristotel. und stoischen Thesen.
Bed. Gestalten sind:
- AMMONIUS SAKKAS (um 175–242), der Lehrer PLOTINS und Schulgründer in Alexandrien.
- PLOTIN (um 204–270), der eigentl. Gründer des Neuplatonismus.
- PROKLOS (um 410–485), der als »Scholastiker« dem Neuplatonismus die größte systemat. Geschlossenheit gibt.

Die Philosophie PLOTINS ist greifbar in den ›Enneaden‹, von seinem Schüler PORPHYRIOS herausgegeben. Sie beschreiben Aufstieg und Abstieg vom und zum **Einen** (griech. hen). Dieses Eine, das von PLOTIN auch als das Gute bezeichnet wird, ist absolute Einheit und *Fülle*. Von ihm leitet sich alles Sein, aber auch alle *Schönheit* her. Kein Seiendes existiert außerhalb der Verbindung mit dem Einen. PLOTIN wählt u.a. das Beispiel der Sonne: Licht ist untrennbar mit der Sonne verbunden. Es ist nicht von ihr abzuschneiden. Das Licht bleibt immer auf der Seite der Sonne. Analog ist auch das Sein nicht von seiner Quelle, dem Einen, zu trennen.
Da das Eine eine absolute *Einheit* ist, ist ein direkter, begriffl. differenzierter Zugang zu ihm nicht möglich.
»Es ist nicht Seiendes, sonst würde auch hier das Eine nur von einem anderen ausgesagt; ihm gebührt ... kein Name, [man wird] es das Eine nennen, freilich nicht, als sei es sonst etwas und dann erst Eines. Es wird eher aus dem von ihm Gezeugten erkannt, dem Sein.«
Das Eine fließt wegen seiner *Überfülle* aus, was PLOTIN als »Ausstrahlung« bezeichnet, die sog. **Emanation.** Die jeweils seinsmäßig höhere Stufe bildet sich ab in einer unteren. Dabei verliert sich zunehmend die Einheit und Fülle, bis das Sein mit der Materie die Körperwelt bildet.

Zuerst entsteht dadurch der **Geist** (nous). Er ist die Sphäre der *Ideen,* d.h. der ewigen Urbilder aller Dinge. Deshalb ist er höchstes Seiendes. Diese *intelligible Welt* ist auf das Eine ausgerichtet, ist aber schon in sich differenziert:
Das *Denken* des Geistes verlangt die Trennung von Denkendem und Gedachtem und Verschiedenheit der Gegenstände untereinander.
Deshalb kommen ihm außer den *Prinzipien* von Sein, Beharren und Identität (wegen seiner Ewigkeit) noch die von Bewegung und Verschiedenheit für den Vollzug des Denkens zu.
Die Reife des Geistes birgt die Frucht der **Seele.**

So wie das ausgesprochene Wort Abbild des Gedankens ist, ist die Seele Abbild des Geistes.
Als »Aus-Wirkung« des Geistes ist ihre höchste Tätigkeit die Schau des Geistes. Die Seele verbindet die Sphären des Geistigen und des Stofflichen.
Als *Weltseele* durchdringt, formt und beseelt sie den Kosmos und verleiht der Welt ihre *Harmonie.*
Die Seele enthält in sich die *Einzelseelen.* Diese verbinden sich mit der Materie und schaffen so die Einzeldinge der körperl. Welt.
Die **Materie** bezeichnet PLOTIN als das Nichtseiende. Sie ist an sich ohne Form, ungeordnet und häßlich. Vom Licht des Einen ist sie am weitesten entfernt, so daß PLOTIN von der »Finsternis des Stoffes« spricht.
Die Verbindung der Materie mit der Seele trübt deren Schau vom der Geist und das Eine, von dem sie abstammt.

Den **Aufstieg** zum Einen sieht PLOTIN als Prozeß der *Reinigung.* Antrieb dazu ist die *Liebe* (eros) zum Ur-Schönen und Ur-Einen. Der Aufstieg führt über die *Kontemplation.*
Die *Kunst* z.B. führt über die Wahrnehmung sinnlicher Schönheit zur Erfassung der Schönheit der reinen, in sich geschlossenen Form.
Auch in der *Philosophie* überwindet die Seele die Schattenwelt der Körper und kehrt zum Geist zurück.
Die höchste Befreiung ist die *Ekstase,* die unmittelbare Versenkung in der Betrachtung des Einen.

Neuplaton. Einflüsse finden sich auch bei BOETHIUS (um 480–524). Man nennt ihn »den letzten Römer und ersten Scholastiker«: Er übersetzt, kommentiert und kompiliert Quellen der antiken Philosophie (v.a. ARISTOTELES). Der Scholastik überliefert er tal. Begrifflichkeit und den Drang zur Konkordanz.
Ungerecht eingekerkert, verfaßt er den ›Trost der Philosophie‹, einen fiktiven Dialog mit der Ärztin Philosophie. Grundlage der »Therapie« ist die Diskussion der **Vorsehung:** *Gott* ist der Schöpfer und Lenker der Welt, der ihr ihre Einheit verleiht.
Als solcher garantiert er die Beständigkeit der Vorsehung. Dagegen ist das *Schicksal* und das in ihm wirkende *Böse* nur aus Distanzierung von der göttl. Mitte zu sehen:
»So ... verwickelt sich das, was sich weiter vom göttl. Geiste entfernt, in größere Verknüpfung des Schicksals ... Und wenn es sich der Festigkeit des obersten Geistes angeschlossen hat, so ist es ... der Unausweichlichkeit des Schicksals überhoben.«
Der Mensch soll sich in seiner Vernunft gründen und den (wechselnden) äußeren Dingen gleichmütig gegenüberstehen. Das (scheinbar) *üble* Geschick dient dann nur zur Übung und Besserung oder als Strafe.

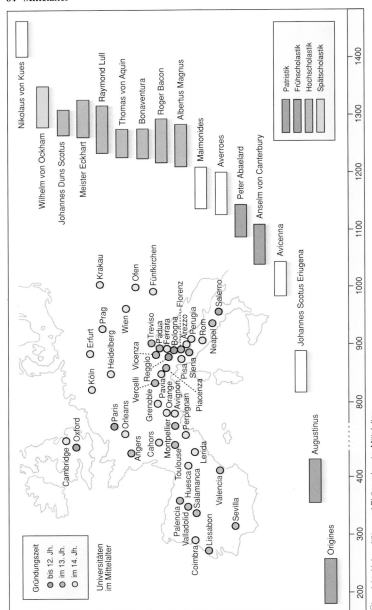

Übersicht: Universitäten und Philosophen im Mittelalter

Die **abendländische mittelalterliche Philosophie** ist charakterisiert durch die Verknüpfung von **Christentum** und Philosophie.

Mittelalterl. Philosophie ist christl. Philosophie, in ihrer Intention und in ihren Vertretern, die fast alle Kleriker sind.

Ein beständiges Grundthema ist daher auch das Verhältnis von *Glauben* und *Wissen.* Dies bedeutet aber nicht, daß das Denken sich nun dogmatisch einheitlich zeigt. Der Streit der philosoph. Richtungen untereinander und die Verurteilungen von Thesen seitens der kirchl. Autoritäten zeigen,

daß das Denken sich sehr wohl in selbständigen und divergierenden Bahnen bewegt.

Die erste Periode fällt zeitlich noch mit der Antike zusammen:

Die **Patristik** (ca. 2.Jh.–7.Jh.) ist gekennzeichnet durch die Bemühungen der *Kirchenväter* (patres), die christl. Lehre mit Hilfe der antiken Philosophie auszubauen und zu festigen sowie gegen das Heidentum und die Gnosis zu verteidigen. Der bedeutendste und wirkungsreichste Vertreter der christl. Philosophie in der Antike ist AURELIUS AUGUSTINUS. Sein vom Neuplatonismus beeinflußtes Werk ist eine der Hauptquellen mittelalterl. Denkens.

In der Zeit nach dem Ende der Antike (symbolisches Datum ist die Schließung der platonischen Akademie im Jahr 529 durch Kaiser JUSTINIAN) wird für einige Jahrhunderte hauptsächlich das Überlieferte in den Klöstern bewahrt und weitergegeben, jedoch verliert das philosoph. Denken an eigenständiger Kraft.

Die ab dem 9.Jh. beginnende Periode wird im allg. als **Scholastik** bezeichnet.

Der Begriff Scholastiker (schola = Schule) meint diejenigen, die sich schulmäßig mit den Wiss. beschäftigen; bes. die Lehrer, die an den seit KARL DEM GROSSEN gegründeten Dom- und Hofschulen und später an den Universitäten wirken.

Vor allem aber ist mit Scholastik die *Methode* bezeichnet:

Fragen werden rational in ihrem Für und Wider geprüft und einer Lösung zugeführt.

Rückgriff und krit. Auseinandersetzung mit tradiertem Wissen sowie lehrende Weitergabe sind Kennzeichen der Scholastik.

Die ab dem 12.Jh. gegründeten *Universitäten* werden zu Zentren des geistigen Lebens. Der Lehrbetrieb erfolgt in den 4 Grundfakultäten:

Philosophie (septem artes liberales), Theologie, Rechtswissenschaft und Medizin.

Die an den Universitäten abgehaltenen *Disputationen* folgten dem strengen Schema der scholast. Methode. Ihre schließliche formale Erstarrung war ein Ansatzpunkt der in der Renaissance stattfindenden Kritik an dieser Form der Philosophie.

Die *antiken Quellen,* aus denen sich die Scholastik nährt, sind v.a.:

AUGUSTINUS; die *neuplatonische* Tradition (darunter die überlieferten Schriften eines unbekannten Autors, der sich DIONYSIUS AREOPAGITA nennt); BOETHIUS, der die aristotel. Logik überliefert; später die ges. Schriften des ARISTOTELES.

Man unterscheidet folgende Perioden:

In der **Frühscholastik** (11.–12.Jh.) beginnt der Ausbau der scholast. Methode. Es entbrennt der *Universalienstreit,* der auch Thema der weiteren Jahrhunderte ist, um die Frage, ob den allg. Bestimmungen (Gattungen und Arten, z.B. Mensch) eine vom Denken unabhängige Realität an sich zukommt, oder ob sie nur im Denken existieren.

Für die weitere Entwicklung der Philosophie ist der Einfluß der **arabischen** Welt von großer Bedeutung.

In den Jahren 800–1200 bewahrte die islam. Kultur die Überlieferung der griech. Philosophie und Wissenschaft. Die Werke der Griechen gelangten in arab. Übersetzungen in den Westen. Auf diese Weise wurde dem christl. Mittelalter ein viel größerer Teil des Schrifttums zugänglich gemacht, als ihm bisher zur Verfügung stand, so auch die ges. Schriften des ARISTOTELES.

Die neue *Aristotelesrezeption* prägt das Bild der **Hochscholastik** (ca. 12.–13.Jh.). An einer gründl. Kenntnis des ARISTOTELES kommt kein Denker vorbei. Dabei stehen sich die am Augustinismus orientierte *franziskanische* Tradition und die aristotel. Richtung der *Dominikaner* gegenüber.

THOMAS VON AQUIN hat den weitestreichenden systemat. Versuch der Verbindung von Aristotelismus und christl. Philosophie unternommen.

Die Unvereinbarkeit einiger aristotel. Lehren mit dem christl. Dogma führte von kirchl. Seite zu dem zeitweiligen Verbot best. Schriften des ARISTOTELES und der Verurteilung einer Reihe philosoph. Thesen.

Mit MEISTER ECKHART gelangt die Tradition der mittelalterl. **Mystik** zu einem Höhepunkt; ihr geht es um den geistigen Weg zur inneren Schau und Vereinigung mit dem Göttlichen.

Weitere Vertreter sind HEINRICH SEUSE, JOHANNES TAULER und JOHANNES GERSON.

In der **Spätscholastik** (14.Jh.) setzt, vor allem mit WILHELM VON OCKHAM, die Kritik an den metaphys. Systemen der alten Schulen (via antiqua) ein. Der neue Weg (via moderna, auch als *Nominalismus* bezeichnet) geht einher mit einem Aufblühen der Naturwissenschaften (NIKOLAUS VON ORESME, JOHANNES BURIDAN).

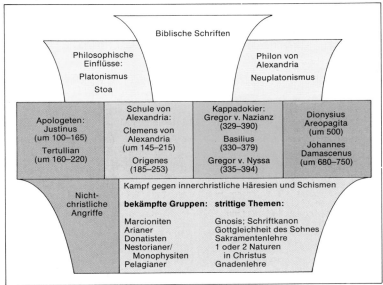

Biblische Schriften

Philosophische
Einflüsse:

Platonismus

Stoa

Philon von
Alexandria

Neuplatonismus

Apologeten: Justinus (um 100–165) Tertullian (um 160–220)	Schule von Alexandria: Clemens von Alexandria (um 145–215) Origenes (185–253)	Kappadokier: Gregor v. Nazianz (329–390) Basilius (330–379) Gregor v. Nyssa (335–394)	Dionysius Areopagita (um 500) Johannes Damascenus (um 680–750)

Kampf gegen innerchristliche Häresien und Schismen

Nicht-
christliche
Angriffe

bekämpfte Gruppen:

Marcioniten
Arianer
Donatisten
Nestorianer/
  Monophysiten
Pelagianer

strittige Themen:

Gnosis; Schriftkanon
Gottgleichheit des Sohnes
Sakramentenlehre
1 oder 2 Naturen
  in Christus
Gnadenlehre

A Übersicht

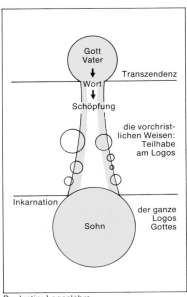

Gott
Vater

Wort — Transzendenz

Schöpfung

die vorchrist-
lichen Weisen:
Teilhabe
am Logos

Inkarnation

Sohn

der ganze
Logos
Gottes

B Justin: Logoslehre

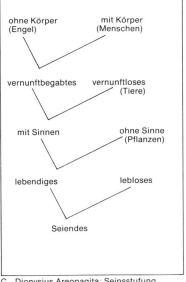

ohne Körper
(Engel)

mit Körper
(Menschen)

vernunftbegabtes

vernunftloses
(Tiere)

mit Sinnen

ohne Sinne
(Pflanzen)

lebendiges

lebloses

Seiendes

C Dionysius Areopagita: Seinsstufung

Patristik wird die Zeit des nach-apostol. christl. Altertums genannt. Die Werke der »Väter« (patres) wurden oft als Autoritäten neben der Bibel geachtet, jedoch bildet ihr Denken weder systematisch noch geschichtlich eine Einheit und gleicht eher einer Übergangsphase von der Apologie christl. Lebens bis zur schulmäßigen Theologie.

Eine Ausnahme bildet das wirkungsmächtige Werk des AUGUSTINUS.

Einflüsse auf die Philosophie der Patristik kamen vom Platonismus, der Religionsphilosophie PHILONS VON ALEXANDRIA (um 25 v.– 40 n.Chr.), dem Neuplatonismus und der Stoa.

Die *Apologeten* des 2.Jh. verteidigen das junge Christentum gegen die Vorurteile und Anklagen der »Heiden«. JUSTINUS vertritt die Ansicht, daß auch

schon die weisen Menschen vor Christi Ankunft bruchstückhaft Anteil am Wort *(Logos)* Gottes hatten, durch das die Schöpfung entstand und das als Ganzes in Christus inkarniert (Fleisch geworden) ist.

Der Strömung des *Gnostizismus,* der eine Überwindung des bloßen Glaubens durch höhere Erkenntnis anstrebt, steht der Versuch des **Clemens von Alexandria** (um 145– spätestens 215) gegenüber, der die richtige christl. Gnosis zu begründen, als Verbindung der antiken Philosophie als Form mit den neuen christl. Glaubensinhalten. Er bezieht damit Position in der kontroversen Frage,

ob die *Philosophie* dem *Glauben* dienlich, unnütz oder gar schädlich ist.

Für CLEMENS ist die Philosophie von Gott gewollt und ihr vernünftiger Gebrauch heilsam. Auch die griech. Philosophen hätten, obwohl sie der Offenbarung noch ermangelten, unter der Einwirkung einer natürl. Erleuchtung durch Gott gestanden, wenn sie z.B. die Einsicht eines Urgrundes der Welt hatten.

Der Vermittlung des CLEMENS steht die schroffe Ablehnung der Philosophie durch TERTULLIAN (um 160–nach 220) gegenüber. Er wehrt sich gegen das Eindringen der Philosophie in den Raum des Glaubens:

»was hat Jerusalem mit Athen zu schaffen!«

Mit **Origenes** (um 185–spätestens 253) beginnt die Philosophie sich als Reflexion der Offenbarungsinhalte durchzusetzen.

Gott ist immateriell und hat die Welt aus dem Nichts geschaffen. Sein Sohn ist Logos und nimmt eine Mittelstellung zwischen dem Vater und der Welt ein. Die Dinge der Welt sind Abbild des Logos, nicht des Vaters selbst.

Im Ursprung hat Gott alle geistigen Wesen gleich vollkommen geschaffen. Ihre Unterschiede entspringen ihrem freien Willen, durch den sie die Möglichkeit zum Bösen haben. Die auf der Seite Gottes stehenden Geister sind die Engel, während die vollkommen abgefallenen die Dämonen sind. Dazwischen stehen die Menschen. Als Strafe für die Sünde werden die Seelen mit dem Körper verbunden und haben nun die Möglichkeit der Läuterung.

Am Ende des weltlichen Seins werden die Geister von den Bösen erlöst und alles geht wieder in die Einheit Gottes ein.

Gregor von Nyssa (um 335–394) begreift den Menschen als Verbindungsglied der sinnl. und der geistigen Welt. Die *Seele* ist

»eine geschaffene, lebende, vernünftige Substanz, die dem organ. und empfindungsfähigen Körper durch sich Lebens- und Wahrnehmungskraft verleiht«.

Seele und Körper bilden eine Einheit. So ist auch die Sinnes- und die Verstandestätigkeit aufeinander angewiesen, jedoch unter Vorherrschaft des Verstandes, der sich der Sinne wie eines Instrumentes bedient.

Der Mensch ist das Bild Gottes; während Gott ein ungeschaffenes und somit unwandelbares Sein ist, ist der Mensch geschaffen und damit wandelbar. Hierin liegt die Möglichkeit,

daß der Mensch kraft seines freien Willens sich von dem Guten zum Bösen wegbewegen kann.

Großen Einfluß auf die mittelalterl. Philosophie, Theologie und Mystik hat **Pseudo-Dionysius Areopagita** (um 500), ein vorgebl. Apostelschüler, der neuplaton. und christl. Gedanken verschmilzt und method. Vorarbeit für die Scholastik leistet.

DIONYSIUS kennt drei Wege der *Gotteserkenntnis:*

Der bejahende nennt die göttl. Eigenschaften (z.B. Trinität).

Der verneinende *(negative Theologie)* setzt bei den geschaffenen Wesen an und verneint von Gott alles, was nur geschöpflich ist (z.B. Gott hat keinen Körper).

Dieser Weg fordert auf, über die Unangemessenheit unseres Sprechens über Gott sich klar zu werden. Alle Bezeichnungen können nur Symbole eines Unnennbaren sein. Daher ist schließlich

der *mystische* Weg der Aufstieg von allem Gegebenen zum Unbestimmbaren.

In Gott sind die *Urbilder* alles Seienden als seine Gedanken und Willensäußerungen enthalten. Die Dinge der Welt gehen aus ihm hervor und haben ihr Wesen durch die Teilnahme an den Urbildern. So haben die Dinge an Gott teil, er aber nicht an ihnen, denn

Gott ist »Überseiend« und »Überwesentlich« (gegen einen Pantheismus).

Der Hervorgang der Dinge aus Gott vollzieht sich in Stufen, so daß sich eine *hierarchische Seinsordnung* ergibt.

Diese Stufung des Seins bildet ein Grundschema der scholast. Ontologie (Abb. C).

Die Welt strebt nach Rückkehr in Gott als dem Seinsgrund, aus dem sie entspringt. Das Sehnen der menschl. Seele nach Gott findet Erfüllung in der myst. Vereinigung mit dem göttl. Einen.

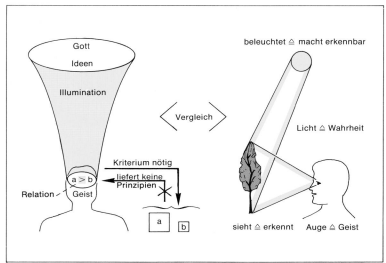

A   Illuminationstheorie

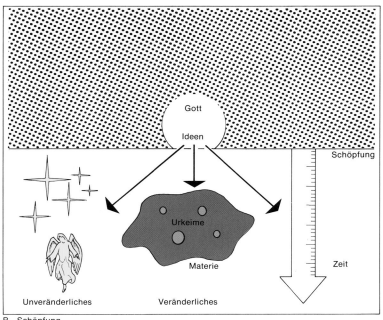

B   Schöpfung

Das Werk von **Aurelius Augustinus** (354–430) gehört zu den wirkungsmächtigsten Schöpfungen der abendländ. Geistesgeschichte. Im Ausklang der Antike legt AUGUSTINUS, indem er das Erbe der antiken Philosophie aufgreift,
die Grundlagen für eine »christliche Philosophie«. Er wird damit zum Wegbereiter für das Mittelalter.
In seinem Denken finden sich aber bereits viele Ansätze, die in die Neuzeit und Gegenwart reichen, und u.a. bei DESCARTES oder etwa in HUSSERLS Analysen des inneren Zeitbewußtseins aufgegriffen werden.
Wichtigstes Dokument für das Verständnis seiner Person sind seine ›Confessiones‹ (›Bekenntnisse‹).
In den ersten Kapiteln beschreibt er die ruhelose, von innerer Zerrissenheit geprägte Zeit vor seiner Bekehrung. Die folgenden Kapitel enthalten die berühmte »Memorialehre«, Reflexionen über die Erfahrung, das Bewußtsein, die Zeit, in denen Ansätze einer vorausweisenden Bewußtseinsphilosophie zu finden sind.
Das besondere des von AUGUSTINUS eingeschlagenen Weges der *Selbsterkenntnis* ist seine Hinwendung zu Gott.
Ich erkenne mich selbst nur im Licht der Wahrheit dessen, durch den ich immer schon erkannt (geschaffen) bin.
Im *Glauben* kann der Mensch seine Erkenntnismöglichkeiten entfalten, wie umgekehrt die Einsicht den Glauben bestätigt:
»Glaube, um zu erkennen; erkenne, um zu glauben (Crede ut intelligas; intellige ut credas).«

Die Suche nach den Voraussetzungen des Erkennens führt AUGUSTINUS zur Entdeckung der Fundierung von Wissen in der **inneren Selbstgewißheit** des Bewußtseins.
In der Bemühung der Überwindung der Skepsis stößt er so auf einen Gedankengang, wie ihn ähnlich DESCARTES wieder verwendet. Über die Dinge außerhalb meiner kann ich mich täuschen. Aber indem ich darüber zweifle, bin ich mir selbst als eines Zweifelnden bewußt. Meine Existenz ist in allem Urteilen, Zweifeln, Irren als gewiß vorausgesetzt.
»Wenn ich mich nämlich täusche, bin ich (Si enim fallor, sum).«
So führt der Weg zu den Grundlagen der Gewißheit nach **Innen**. Die klass. Formulierung des AUGUSTINUS dafür lautet:
»Gehe nicht nach draußen, kehre in dich selbst ein; im inneren Menschen wohnt die Wahrheit (noli foras ire, in te ipsum redi; in interiore homine habitat veritas).«
Der die Wahrheit suchende Mensch befindet sich in einer Bewegung, die immer weiter nach Innen führt und zugleich den liebenden *Aufstieg* zu Gott darstellt. Von der sinnl. *Außenwelt* (foris) zur *Innenwelt* des menschl.

Geistes (intus) und von dort zum *Innersten* des Herzens (intimum cordis):
zu Gott als dem Urgrund der Wahrheit selber.

Im Innern findet der Mensch notwendige und **sichere Wahrheiten** vor, die zeitlos und überindividuell gültig sind (z.B. die Grundsätze der Mathematik und der Satz vom Widerspruch).
Diese Wahrheiten entstammen nicht der Sinneserfahrung, deren Analyse vielmehr zeigt, daß sie bestimmte *Ideen* bereits voraussetzt, also nicht ohne einen geistigen Anteil zustande kommt.
So sind z.B. Einheit oder Gleichheit Ideen, die wir schon vorgängig an die Sinneserfahrung herantragen.
Ebenso kann der flüchtige Sinneseindruck uns keinen Begriff von den Dingen vermitteln. Nur wenn wir die Bilder dieser Eindrükke im Gedächtnis bewahren, zusammenfügen und vergleichen können, gewinnen wir Klarheit über die Beschaffenheit der Sinnendinge.
Die Frage, wie wir unabhängig von der Sinneserfahrung in den Besitz der Ideen gelangen, beantwortet AUGUSTINUS mit seiner Theorie der **Illumination:**
Die ewigen Wahrheiten sind uns dank der Einstrahlung durch Gott gegeben.
Dies läßt sich vergleichen mit der Wirkung des Sonnenlichtes. Den Augen entspricht die Kraft des Geistes, den beleuchteten Dingen die Erkenntnisgegenstände und der Sonne die Kraft der Wahrheit.
AUGUSTINUS bedient sich hier eines Bildes aus der Tradition der neuplaton. *Lichtmetaphysik.*

Die Ideen sind die Urbilder allen Seins im Geiste **Gottes.** Die geschaffene Welt ist die Verwirklichung und das Abbild dieser Urbilder.
Gott schafft die Welt aus dem Nichts.
Das bedeutet, daß es vor der Schöpfung weder eine Materie noch eine Zeit gab. Wenn die Zeit erst mit der Schöpfung entsteht, so steht Gott außerhalb der Zeit und die Frage nach dem Wann der Entstehung der Welt ist sinnlos.
Die die Welt konstituierenden Faktoren sind *Materie, Zeit* und *Form* (ewige Ideen). Einen Teil des Seins hat Gott sogleich in seiner endgültigen Form geschaffen (Engel, Seele, Gestirne), ein anderer Teil der Geschöpfe verändert sich (z.B. der Körper der Lebewesen).
Um dies zu erklären, greift AUGUSTINUS zur Theorie der *Urkeime* (rationes seminales).
Diese Keime wurden von Gott in der Materie angelegt und aus ihnen entwickeln sich die Lebewesen.
Damit läßt sich der Vorgang der Entwicklung begreifen, ohne auf andere Gründe als die absolute Schöpfertätigkeit Gottes zurückgreifen zu müssen.

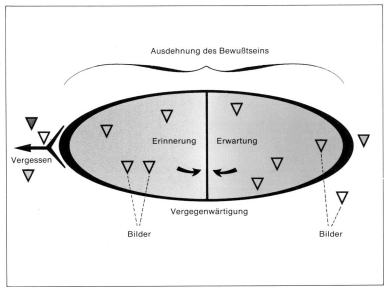

A Inneres Zeitbewußtsein

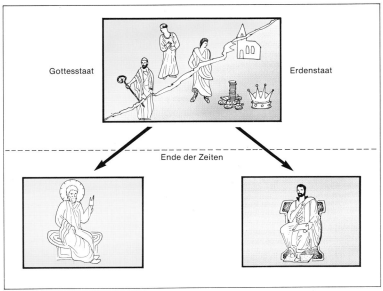

B Geschichtstheologie

Berühmt ist AUGUSTINUS' Analyse der **Zeit** im XI. Buch der ›Confessiones‹. In ihr wird nicht nur die die Zeiterfahrung konstituierende Leistung des Bewußtseins *(memoria)* aufgedeckt, sondern

grundsätzlich die Seinsverfassung des Menschen als eines zeitl. Wesens im Verhältnis zu einer ewigen Wahrheit reflektiert.

AUGUSTINUS vollzieht hierbei die Wendung von dem antiken, an den Kosmos gebundenen Zeitverständnis hin zur Dimension des subjektiven inneren Zeitbewußtseins.

Wird Zeit als etwas objektiv Gegebenes betrachtet, so zeigt sich, daß sie in disparate Zeitpunkte zerfällt. Denn das Vergangene ist nicht mehr, das Zukünftige noch nicht und die Gegenwart reduziert sich auf den winzigen Punkt des Überschlags von Vergangenheit zu Zukunft.

Dennoch haben wir ein Bewußtsein von Dauer, erfahren Zeit und besitzen Zeitmaßstäbe. Das ist offenbar nur möglich, wenn das menschl. Bewußtsein die Fähigkeit hat, die Spuren, die der flüchtige Sinneseindruck hinterläßt, als *Bilder* im Gedächtnis zu bewahren und ihnen somit Dauer zu verleihen.

Die Weise der *Vergegenwärtigung* der Bilder kennzeichnet die 3 Zeitdimensionen als

»Gegenwart von Vergangenem, nämlich Erinnerung;

Gegenwart von Gegenwärtigem, nämlich Augenschein;

Gegenwart von Künftigem, nämlich Erwartung.«

Daher ist es ungenau zu sagen, Vergangenheit und Zukunft ist, vielmehr ist wahrhaft nur das Gegenwartserlebnis, das sich in die Vergangenheit und Zukunft durch Vergegenwärtigung hinausschiebt. In der Seele messen wir die Zeit, die uns somit gegeben ist als eine *Ausdehnung der Seele* (distentio animi). An den Rändern dieser Ausdehnung in Vergangenheit und Zukunft entschwinden die Bilder zunehmend im Dunkeln.

Da der Geist somit die Zeitdimensionen hervorbringt, ist das Innere des Menschen in ständige Erwartung, Vollzug und Erinnerung zersplittert.

Die Erfahrung der eigenen Zeitlichkeit verweist den Menschen auf das Unvergängliche. Der Geist kommt zur Ruhe, indem er sich auf die ewige Wahrheit hin richtet.

». . . nicht zerspannt in das Viele, was da kommt und geht, sondern ausgespannt nach dem, was vorweg da ist.«

Indem der Geist sich auf den ewigen Gott hin sammelt, von dem her alles Seiende sein Sein erlangt, erweist sich der Mensch als »teilhaftig der Ewigkeit«.

Der Mensch ist nach AUGUSTINUS »eine aus Leib und Seele bestehende, verstandesbegabte Substanz«, wobei er der Seele den Vorrang einräumt. Das Innere des Menschen zeigt sich als

Einheit in der *Dreiheit* von Bewußtsein (memoria), Verstand (intelligentia) und Wille (voluntas) und ist somit ein Bild der göttl. Trinität.

Der Grundbegriff von AUGUSTINUS' **Ethik** ist die **Liebe,** die mit dem Willen zusammenfällt. Das Endziel des menschl. Strebens liegt in der *Glückseligkeit.*

Diese erlangt der Mensch aber nicht in der Befriedigung an einzelnen innerweltl. Gütern, sondern in Gott, als dem unvergänglichen und um seiner selbst willen geliebten. Gott hat den Menschen auf sich hin geschaffen, und nur in ihm findet er die Erfüllung seines Strebens.

In der wahren, d. h. auf Gott ausgerichteten Liebe findet der Mensch die Richtschnur für sein Handeln. Ist die Liebe wahr, braucht es kein anderes moral. Gesetz. Daher kann AUGUSTINUS sagen:

»Liebe und tue, was du willst (dilige et quod vis fac).«

Jedoch zeigt sich, daß die Menschen zumeist der Selbstliebe verfallen sind und somit das falsche Gut wählen. Hierher gehört die Unterscheidung von *uti* (gebrauchen) und *frui* (genießen).

Die äußeren Güter dürfen wir nur gebrauchen, um des höheren Zieles willen, der Glückseligkeit in Gott, die wir um ihrer selbst willen genießen können.

Genießen wir jedoch die äußeren Güter und uns selbst, so verfehlen wir das wahre Ziel der Liebe.

Die Tendenz zum Bösen im Menschen begründet AUGUSTINUS mit der *Erbschuld,* die der Mensch zu Beginn seiner Geschichte auf sich geladen hat. Von ihr kann er sich nicht aus eigener Kraft befreien, sondern ist auf die **Gnade** Gottes verwiesen.

Die Freiheit des Menschen zum Guten gründet sich in der Erwählung durch Gott.

Die von AUGUSTINUS in seinem Werk ›De civitate dei‹ (›Der Gottesstaat‹) dargelegte **Geschichtsauffassung** ist von großem Einfluß auf die europ. Geschichtsphilosophie und die politische Gewaltenteilung im Mittelalter.

Die Geschichte läßt sich begreifen als das Ringen zweier Reiche: des *Gottesstaates* und des *Erdenstaates.* Beide sind begründet durch eine unterschiedl. Weise des Liebens:

». . . der irdische durch Selbstliebe, die sich bis zur Gottesverachtung steigert, der himmlische durch Gottesliebe, die sich bis zur Selbstverachtung erhebt.«

Dem entsprechen zwar Kirche und Staat als äußere Erscheinungsformen, jedoch finden sich in jeder der beiden auch Vertreter der anderen geistigen Ordnung. So besteht in der realen Geschichte immer ein Ineinander beider Reiche, bis am Ende der Zeiten beide getrennt werden und der Gottesstaat als Sieger hervorgeht.

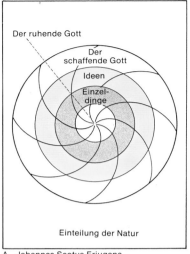

Der ruhende Gott

Der schaffende Gott

Ideen

Einzeldinge

Einteilung der Natur

A Johannes Scotus Eriugena

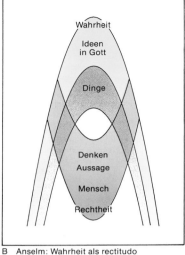

Wahrheit

Ideen in Gott

Dinge

Denken
Aussage

Mensch

Rechtheit

B Anselm: Wahrheit als rectitudo

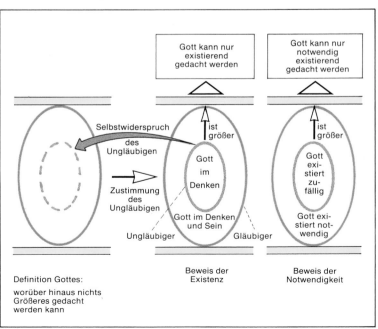

Gott kann nur existierend gedacht werden

Gott kann nur notwendig existierend gedacht werden

Selbstwiderspruch des Ungläubigen

ist größer

ist größer

Gott im Denken

Gott existiert zufällig

Zustimmung des Ungläubigen

Gott im Denken und Sein

Gott existiert notwendig

Ungläubiger

Gläubiger

Definition Gottes:

worüber hinaus nichts Größeres gedacht werden kann

Beweis der Existenz

Beweis der Notwendigkeit

C Anselm: Das »ontologische Argument«

Frühscholastik

Mit dem Ausklang der Antike tritt für einige Jahrhunderte eine Epoche ein, in der hauptsächlich das überlieferte Gedankengut bewahrt wurde.

Eine Ausnahmeerscheinung in dieser Zeit ist die schöpfer. Leistung des Iren **Johannes Scotus Eriugena** (um 810–877), der um 850 von KARL DEM KAHLEN an dessen Hofschule berufen wurde.

Aller menschl. Wissensdrang hat auszugehen von dem *Glauben* an die **Offenbarung.** Jedoch kommt der **Vernunft** die Aufgabe zu, den Sinn der Offenbarung zu klären. Zwischen dem Glauben und der wahren Vernunft entsteht kein Widerspruch. Der *Autorität* der Kirchenväter soll man folgen, solange diese im Einklang mit der Offenbarung steht.

Im Falle eines Widerspruchs zwischen der Autorität und der Vernunft hat die Vernunft den Vorrang (vgl. S. 12, Abb. B).

In seiner Schrift ›Über die Prädestination‹ greift JOHANNES in eine vielbeachtete Kontroverse ein, indem er die *Freiheit* des menschl. Willens als notwendig mit dem christl. Glauben verbunden aufzeigt und es mit der Güte Gottes für unvereinbar hält, daß dieser dem Menschen (Höllen-)Strafen vorherbedacht hat (die Hölle ist der Reue).

In seinem Hauptwerk ›Über die Einteilung der Natur‹ unterscheidet er

4 Naturformen:

– die Natur, die schafft und nicht geschaffen ist: *Gott* als Schöpfer.
– die Natur, die geschaffen ist und schafft: die *göttl. Ideen.* Diese sind die Urbilder für
– die Natur, die geschaffen ist und nicht schafft: die *Einzeldinge* (Geschöpfe).
– die Natur, die weder schafft noch geschaffen ist: Gott, der in seine Ruhe eingegangen ist und zu schaffen aufgehört hat (das Endziel der Schöpfung).

Die ganze Schöpfung ist zu verstehen als *Selbstoffenbarung* (Theophanie) des verborgenen Gottes, der sich damit selbst bestimmt. Der *Geist* des Menschen ist der Schlüssel zur Welt, der Gottes Selbstoffenbarung eröffnet.

Anselm von Canterbury (1033–1109) gilt als der bedeutendste Theologe des 11. Jh. und als »Vater der Scholastik«. Er ist der Überzeugung, daß der *Glaube* selbst nach rationalem Verstehen drängt (fides quaerens intellectum). Zwar ist der Glaube stets der Ausgangspunkt und der Inhalt der Glaubenssätze kann von keinem Vernunftgrund umgestoßen werden, jedoch

führt die *wahre Vernunft* notwendig zu den Wahrheiten des Glaubens; und der Christ sollte daher auch versuchen, seinen Glauben intellektuell zu verstehen.

ANSELM versucht zu zeigen, daß die Inhalte der christl. Lehre ohne Zuhilfenahme der Autoritäten (Bibel, Kirchenväter) rein aus Vernunftgründen sich entwickeln lassen.

Auf diesem Hintergrund steht das berühmte sog. »ontologische **Argument**«, mit dem er im ›Proslogion‹ die Existenz Gottes rational zwingend erweisen will, selbst für denjenigen, der nicht an Gott glaubt:

Gott wird bestimmt als

»das, worüber hinaus nichts Größeres (Vollkommeneres) gedacht werden kann (aliquid quo maius nihil cogitari potest)«.

Diesen Satz versteht auch der Ungläubige, und indem er ihn versteht, hat er ihn in seinem Verstande. Wenn nun zugegeben wird, daß das vollkommener ist, das nicht nur gedacht wird, sondern darüberhinaus *real* existiert, so muß »das, worüber hinaus nichts Vollkommeneres gedacht werden kann« real existieren.

ANSELM erweitert das Argument, indem er feststellt, daß nach der Ausgangsdefinition Gottes Nicht-Existenz nicht gedacht werden kann,

da etwas, das *notwendig* existiert, vollkommener ist als etwas, dessen Nicht-Existenz gedacht werden kann, das also zufällig existiert.

Das Argument wurde über das Mittelalter hinaus heftig diskutiert, unter anderen unternahm KANT eine Widerlegung in seiner ›Kritik der reinen Vernunft‹ (vgl. S. 141).

Bevor Gott die Welt geschaffen hat, war diese als *Idee* in seinem Geist. Die Urbilder sind das innere Sprechen Gottes und das Gewordene ist das Abbild seines Wortes. Aus sich selbst heraus kann das Geschaffene nicht in Sein bestehen, sondern bedarf der Erhaltung durch Gott. Die menschl. *Seele* ist ein Bild Gottes mit den 3 Hauptvermögen:

Erinnerung (memoria), Erkennen (intelligentia) und Liebe (amor).

Sie ist dazu geschaffen, Gott als das höchste Gut zu lieben.

Im ›Dialog über die Wahrheit‹ zeigt ANSELM 3 Ebenen der **Wahrheit** auf:

Die ewigen Wahrheiten in Gott (die *Ideen*), die Wahrheit der *Dinge*, die auf der Übereinstimmung mit der göttl. Wahrheit beruht, und die Wahrheit des *Denkens* und der *Aussage*, die in der Übereinstimmung mit den Dingen liegt.

»So ist die Wahrheit des Daseins der Dinge die Wirkung der höchsten Wahrheit und zugleich der Grund jener Wahrheit, die der Erkenntnis zukommt, und der in der Aussage enthaltenen Wahrheit . . .«

Die kürzeste Definition der Wahrheit bei ANSELM lautet:

»Wahrheit ist die allein im Geiste erfaßbare *Rechtheit* (veritas est rectitudo mente sola perceptibilis).«

Rechtheit bedeutet auf den Menschen bezogen: Ausrichtung des ganzen Menschen – des Denkens, der Haltung, des Willens – auf den ewigen Seinsgrund in Gott, das rechte Sich-Einlassen auf das Sein, das die Begegnung mit der Wahrheit ermöglicht.

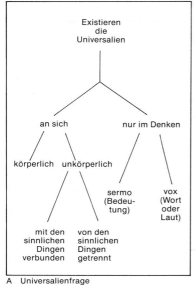

A Universalienfrage

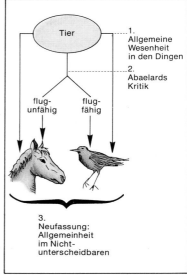

B Wilhelm von Champeaux

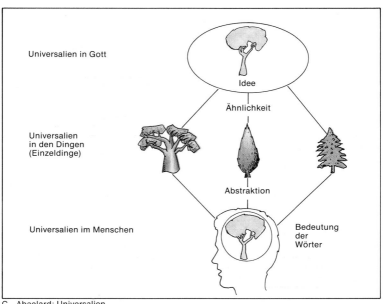

C Abaelard: Universalien

Ein zentrales Problem des Mittelalters ist die Frage nach dem Status der **Universalien.**

Universalien sind Allgemeinbegriffe, Gattungen (z.B. Lebewesen, Mensch) im Unterschied zu den *Einzeldingen.*

Die Hauptfrage ist:

kommt nur den Universalien eigentliches Sein zu, während die Einzeldinge unselbständige Ableitungen aus ihnen sind, oder haben nur die konkreten Einzeldinge reales Sein, während die Universalien bloße Namen sind, die der Mensch sich bildet.

Der äußere Anstoß für dieses Problem war die von BOETHIUS zitierte Frage aus der ›Isagoge‹ des PORPHYRIUS:

Existieren die Arten und Gattungen an sich oder nur im Gedanken; wenn sie wirklich existieren, sind sie körperlich oder unkörperlich; sind sie von den sinnl. Dingen getrennt oder befinden sie sich an ihnen?

Für den **Universalienrealismus** existieren allein die Universalien an sich. Die Einzeldinge bestehen nur als untergeordnete Formen des ihnen gemeinsamen Wesens.

WILHELM VON CHAMPEAUX (1070–1121) vertrat z.B. die Ansicht, daß allen Menschen ein Wesen gemeinsam ist, das unteilbar in jedem vorhanden ist und auf das sich als real zugrundeliegendes das Wort »Mensch« bezieht.

ABAELARD richtet dagegen den Einwand, daß dann derselben Wesenheit zugleich gegensätzl. Eigenschaften zukommen müßten.

Wäre z.B. die Wesenheit »Lebewesen« ungeteilt im Menschen und im Tier, so müßte sie vernünftig und vernunftlos zugleich sein.

Später korrigierte WILHELM deshalb seine Ansicht dahin, daß die Allgemeinheit in den Gliedern einer Gattung in dem besteht, worin sie ununterschieden (indifferenter) sind, d.h. in dem Fehlen einer Verschiedenheit.

Für den **Nominalismus** existieren nur die Einzeldinge (Individuen) real, während die Universalien bloß im menschl. Geist existieren. Sie können entweder als von den Dingen abstrahierte Begriffe oder als willkürliche Namen verstanden werden.

So vertritt JOHANNES ROSCELINUS (um 1050–1124) die Position, daß die Universalien nur *Worte* sind (universale est vox).

Peter Abaelard (1079–1142) vertritt in der Universalienfrage eine dem Nominalismus verwandte Richtung, die man auch als **Konzeptualismus** bezeichnet hat.

Die Universalien sind vor dem Menschen und den Dingen als *Ideen* (Urbilder der Dinge) der Inhalt des *göttlichen* Geistes.

In den Dingen bestehen sie in dem Vorhandensein einer Gemeinsamkeit. Allerdings ist diese Übereinstimmung keine an sich existierende Sache (res), sondern wird vom menschl. Geist durch *Abstraktion* erfaßt.

Der Begriff (conceptus) von den Dingen ist daher nicht willkürlich gebildet, sondern das Ergebnis der Abstraktion, die eine Grundlage in den Dingen hat.

In bezug auf die menschl. Erkenntnis kommt Universalität nur den *Wörtern* zu. Allerdings nicht den Wörtern selbst, sondern ihrem Gehalt, ihrer *Bedeutung.*

Deshalb unterscheidet ABAELARD zwischen *vox* (als Naturlaut) und *sermo* (Bedeutung der Worte), dem er die Universalität zuspricht.

ABAELARD stellt auch die Frage, ob die Universalien an eine der Benennung zugrundeliegende Sache gebunden sind oder infolge ihrer Bedeutung noch existieren können, wenn die benannten Dinge nicht mehr vorhanden sind,

z.B. der Name der Rose, wenn es keine Rosen mehr gibt.

ABAELARD unterscheidet daher zwischen der *denominativen* und der *signifikanten* Funktion eines Ausdrucks. Der *Name* der Rose kann von nichts mehr ausgesagt werden, wenn es keine Rosen mehr gibt, wohl aber hat der Satz »Es gibt keine Rosen« eine *Bedeutung.*

In seiner Schrift ›Sic et Non‹ (›Ja und Nein‹) sammelt ABAELARD eine Fülle sich widersprechender Sätze der Bibel und der Kirchenväter. Er zeigt damit auf, daß die Texte der Autoritäten auslegungsbedürftig sind und nicht starr übernommen werden können. Dadurch leistete er einen bedeutenden Beitrag zur Entwicklung der *scholastischen Methode,* versch. Ansichten und deren Gründe aufzuführen, zu prüfen und wo möglich einer Lösung zuzuführen.

ABAELARDS **Ethik** ist in dem Werk ›Scito te ipsum‹ (›Erkenne dich selbst‹) ausgeführt. Die äußere Handlung ist als solche moralisch indifferent. Es kommt allein auf die Absicht (intentio) oder *Gesinnung* an.

Diese zeigt sich in dem inneren Akt der *Zustimmung* zu einem Streben.

Damit sind auch nicht die Neigungen als solche schon gut oder böse, sondern erst der Akt der Zustimmung zu dem, was sich nicht gehört, ist Sünde.

Das Gute liegt in der Zustimmung zum Willen Gottes, das Böse in dessen Mißachtung. Die äußere Handlung fügt diesem inneren Akt nichts hinzu.

Für das geistige Leben des 12. Jh. von Bedeutung war auch die Entwicklung von Bildungszentren **(Schulen).**

Berühmt war die Schule von *Chartres,* sowie die des Klosters *St. Victor* vor Paris, die unter HUGO VON ST. VICTOR Ansehen gewann, der sich um eine enzyklopädische Systematik der Wissenschaften bemüht, zugleich aber auch der Mystik verbunden ist.

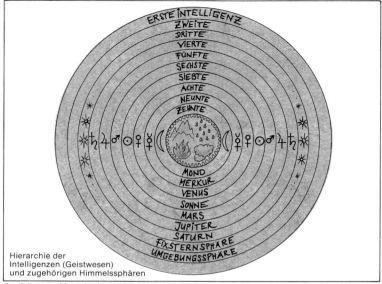

ERSTE INTELLIGENZ
ZWEITE
DRITTE
VIERTE
FÜNFTE
SECHSTE
SIEBTE
ACHTE
NEUNTE
ZEHNTE

MOND
MERKUR
VENUS
SONNE
MARS
JUPITER
SATURN
FIXSTERNSPHÄRE
UMGEBUNGSSPHÄRE

Hierarchie der
Intelligenzen (Geistwesen)
und zugehörigen Himmelssphären

A   Avicenna: Metaphysik und Kosmologie

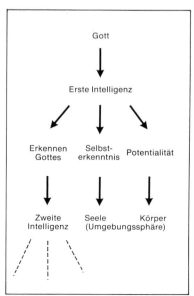

Gott

Erste Intelligenz

Erkennen   Selbst-   Potentialität
Gottes   erkenntnis

Zweite   Seele   Körper
Intelligenz   (Umgebungssphäre)

B   Avicenna: Entstehung der Intelligenzen

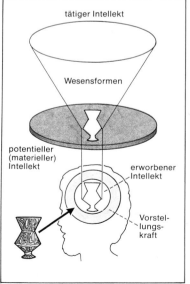

tätiger Intellekt

Wesensformen

potentieller
(materieller)
Intellekt

erworbener
Intellekt

Vorstel-
lungs-
kraft

C   Averroes: Intellekt- und Erkenntnislehre

Arabische Philosophie
Für die geistige Entwicklung des christl. Abendlandes im Mittelalter ist der Einfluß der arab. Welt von großer Bedeutung gewesen. Die arab. *Wissenschaft,* bes. die *Medizin,* war der des lat. Westens weit überlegen. Vor allem aber bewahrte in den Jahren 800–1200 die islam. Kultur die Überlieferung der *griechischen* Philosophie und Wissenschaft.

Die Werke der Griechen wurden in großen Übersetzerschulen ins Arabische übertragen und gelangten über das maurische Spanien in den Westen.
Auf diese Weise wurden dem christl. Mittelalter die gesamten Schriften des ARISTOTELES zugänglich (nicht nur die von BOETHIUS übersetzten zur Logik). Die Folge war ein Aufblühen der empir. Wissenschaften.

AL-FARABI (um 875–950) strebt eine Synthese von ARISTOTELES und dem Neuplatonismus an. Dabei entwickelt er eine umfassende metaphys. Weltbeschreibung, indem er den plotin. *Emanationsgedanken* mit der aristotel. Lehre vom *Intellekt* (griech. nous, lat. intelligentia) verbindet.

Auf seinen Grundgedanken baut die Philosophie des berühmten Arztes **Avicenna** (IBN SINA, 980–1037) auf. Seine **Metaphysik** gründet sich auf die Unterscheidung zwischen dem Sein, das *notwendig an sich* ist (Gott), und dem Sein, das notwendig durch anderes ist. Da nach AVICENNA das eine notwendige Wesen auch nur Eines hervorbringen kann (da es keine Vielheit in sich hat), schafft Gott ein Geistwesen (die erste Intelligenz), und zwar notwendig und von Ewigkeit her.
Gott ist das einzige Sein, bei dem *Essenz* (Wesen) und *Existenz* (Dasein) nicht zu trennen sind und das daher notwendig an sich ist.
Alles andere Sein ist bedingt notwendig und unterteilt sich in Ewiges und Vergängliches.
Aus der geistigen Tätigkeit der geschaffenen ersten *Intelligenz* entspringt die hierarch. Weltschöpfung (Abb. A, B).
Auf der untersten Stufe entsteht der *tätige Intellekt,* der die Aufgabe hat, den *rezeptiven* Intellekt des Menschen zu erleuchten und der ird. Materie die Formen zu geben.
Da Gegenstände und menschl. Geist aus der gleichen Quelle stammen, ist eine adäquate Erkenntnis der Welt möglich. Ziel des Lebens ist die Vereinigung mit dem tätigen Intellekt.

Von theolog. Seite her wurde an diesem Konzept kritisiert, daß es keinen eigentl. Schöpfungsakt gebe, wenn die Welt notwendig und ewig durch Gott ist. Die einflußreichsten Angriffe gingen von AL-GHAZALI (um 1058–1111) aus, der durch erkenntniskrit. Argumente die Grenzen der Philosophie in bezug auf Gott aufzuzeigen sucht.

Averroes (IBN RUSCHD; um 1126–1198) beeinflußte den lat. Westen v. a. durch seine umfangreichen **Kommentare** zu den Werken des ARISTOTELES. So wie ARISTOTELES *der* Philosoph, war AVERROES *der* Kommentator.
Man unterscheidet 3 Gruppen:
– die *Paraphrasen* geben eine kurze Wiedergabe von Ergebnissen des ARISTOTELES.
– die *mittleren* Kommentare liefern eine Erklärung des Gehalts der Aristotel. Lehre und eigene Stellungnahmen.
– die *großen* Kommentare bieten nach dem Text des ARISTOTELES eine detaillierte Erklärung.
AVERROES strebt eine Vereinigung von *Philosophie* und islam. *Religion* an, indem er versch. Stufen der Koranverständnisses unterscheidet, die der jeweiligen Fassungskraft des Menschen entsprechen.
In seiner Lehre vom **Intellekt** unterscheidet er den *aktiven* Intellekt, der die intelligiblen Formen gibt, vom *potentiellen* Intellekt, der sie aufnimmt. Beide sind ewig und überindividuell.
Die Aktualisierung der Formen im potentiellen Intellekt in bezug auf einen konkreten Menschen ergibt den individuellen *erworbenen* Intellekt.
Da dieser als an den Menschen gebunden sterblich ist, schließt AVERROES' Lehre die persönl. Unsterblichkeit der einzelnen Seelen aus.

Zu den bed. jüd. Philosophen des Mittelalters gehören *Avicebron* (IBN GABIROL; um 1025–1058) und **Moses Maimonides** (MOSE BEN MAIMON; 1135–1204). Beide wurden in Spanien geboren und haben ihre Hauptwerke in arab. Sprache verfaßt.
Nach AVICEBRON gelangt alles Sein aus dem *Willen Gottes* zur Existenz durch Vereinigung von *Materie* und *Form.*
Aus der *universellen* Materie ist alles (außer Gott) zusammengesetzt, auch die geistigen Wesen.
Dabei versteht er unter Materie nicht Körperlichkeit, diese ist nur eine best. Form der Materie, sondern reine Potentialität zur Aufnahme der Form, durch deren Hinzutreten sie erst zur Existenz gelangt.
MAIMONIDES wirkte bes. durch sein Werk ›Führer der Unschlüssigen‹. Er wendet sich an solche, die aufgrund der Beschäftigung mit Philosophie im Glauben unschlüssig geworden sind, und will zeigen, wie sie ihn durch wissenschaftl. Vermittlung wieder angewinnen können.
Widersprechen Bibelstellen wissenschaftl. Erkenntnissen, so sind sie allegorisch zu deuten.
MAIMONIDES vertritt eine *negative Theologie,* indem er behauptet, daß über das Wesen Gottes nur in Negationen zu sprechen ist. Affirmationen betreffen nur seine Wirkungen, nicht sein Wesen.

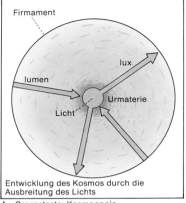

Entwicklung des Kosmos durch die
Ausbreitung des Lichts

A Grosseteste: Kosmogonie

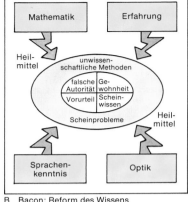

B Bacon: Reform des Wissens

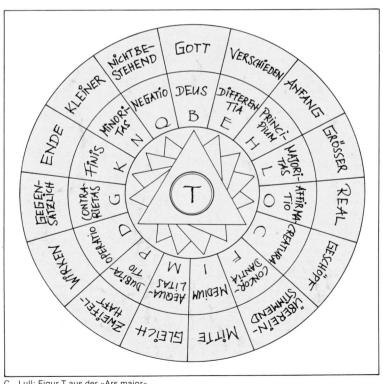

C Lull: Figur T aus der »Ars maior«

Roger Bacon (um 1215–92) steht in der von ROBERT GROSSETESTE (um 1168–1253) begründeten Tradition der mathematisierenden *Naturforschung* der Universität von Oxford. In ihr spielt die Lehre vom **Licht** eine grundlegende Rolle.

Das Licht ist sich selbst erzeugende Substanz und Träger der in der Natur wirkenden Kräfte.

Die Naturwirkungen lassen sich daher aufgrund der *geometrischen* Gesetze, denen das Licht folgt, erkennen.

BACON will durch *Reform* der Kirche und der Gesellschaft die Lebensverhältnisse der Menschen bessern und die Christenheit stärken. Dazu bedarf es eines methodisch gesicherten und auf Erfahrung gegründeten Wissens.

In seinem ›Opus maius‹ (Das größere Werk) zeigt er daher zunächst die vier Hauptquellen von *Irrtümern* auf:

Blinder Glaube an *falsche Autorität;* die *Gewohnheit,* die das Falsche konserviert; *Vorurteile* der unerfahrenen Menge; *Scheinwissen,* hinter dem sich Unkenntnis verbirgt.

Der Theologie und Philosophie seiner Zeit wirft er vor, daß sie unwiss. Methoden arbeiten und sich mit Scheinproblemen herumschlagen.

Hauptsächlich vier **Wissensbereiche** sind es, die er dagegen als Heilmittel vorschlägt:

– Die Bibelexegese und die Interpretation philosoph. Texte muß sich auf die Kenntnis der *Originalsprache* stützen (für seine Zeit eine revolutionäre Forderung).

– Fundament der Wissenschaften ist die *Mathematik*. Sie ist den Menschen angeboren und ohne ihre Evidenz ist keine klare Erkenntnis möglich.

– Aufgrund der dem Licht zugesprochenen Rolle wird die *Optik* (perspectiva) zu einer Grundwissenschaft. In ihr wird die Anwendung mathemat. und experimenteller Methoden vermittelt.

– Das Wissen baut auf *Erfahrung* auf. Aussagen über die Natur müssen durch diese bestätigt oder widerlegt werden. Daher kommt dem *Experiment* eine große Bedeutung zu. Daneben kennt BACON auch eine innere Erfahrung als *Erleuchtung,* die das Geistige und die Erfahrung des Göttlichen betrifft.

Ein Konflikt zwischen Theologie und Wissenschaft kann nach ihm bei richtiger Anwendung der Vernunft nicht auftauchen, da die Wahrheit der Vernunftwissenschaft und der Offenbarung beide im absoluten Wissen Gottes gründen.

Bonaventura (GIOVANNI FIDANZA; um 1221–74; ab 1257 Leitung des Franziskanerordens) gehört der sog. »älteren Franziskanerschule« an. Als Gegenströmung zum Aristotelismus orientiert er sich an AUGUSTINUS und dem Neuplatonismus. Gleichwohl benutzt er auch aristotel. Gedankengut und akzeptiert ihn im Bereich der »weltl.« Wiss. als Autorität.

In der Metaphysik aber habe ARISTOTELES das Wesentliche verfehlt, weil er die platon. Ideenlehre nicht gelten ließ und somit auch die *Urbilder* allen Seins im Geiste Gottes nicht angenommen habe.

BONAVENTURA vertritt eine von GROSSETESTE beeinflußte **Lichtmetaphysik,** nach der das Licht die allem Körperlichen gemeinsame *Form* darstellt. Durch dieses erfolgt die allg. Formierung der Materie, während die bes. durch Elementar-, Mischungs- und Seelenformen geschieht. Er nimmt daher an, daß es in jedem Seienden eine *Mehrheit von Formen* gibt. Die Formen entspringen aus *Keimgründen,* die seit Urbeginn von Gott in der Materie angelegt wurden.

Der **Erkenntnisweg** des Menschen führt über die geschaffene Welt, in der er die Gegenwart Gottes erblickt. BONAVENTURA unterscheidet dabei als Stufen des Erkennens Inhalte, die *Schatten, Spuren* oder *Bilder* des Göttlichen sind.

Die Wahrheit unveränderlicher Prinzipien erfaßt der Mensch (als veränderl. Wesen) nur, indem er vom göttl. Licht erleuchtet ist *(Illuminationsgedanke).*

In seinem ›Pilgerweg der Seele zu Gott‹ beschreibt BONAVENTURA die Stufen zur *mystischen* Vereinigung mit Gott. Auf der höchsten Stufe kommt die Verstandestätigkeit zur Ruhe und das Gemüt geht ganz in Gott auf.

Raymond (RAMON) **Lull** (1232–1316) ist innerhalb der Philosophie seiner Zeit ein origineller Außenseiter. Seine Gedanken fanden aber u. a. ihren Niederschlag bei CUSANUS, BRUNO und LEIBNIZ, der dessen kombinator. Logik hervorhebt.

LULLS **»Ars generalis«** (Allg. Wissenschaft) will die Begriffe, Prinzipien und Methoden aufzeigen, die für alle Wiss. die Grundlage bilden. Sie ist eine »ars inveniendi veritatem«, eine Kunst der Wahrheitsauffindung, die sich nicht nur mit formalen Beziehungen beschäftigt, sondern mit den Prinzipien inhaltl. Wahrheit.

LULL geht aus von absoluten Prinzipien (Transzendentalien) und relativen Prinzipien (objektive Relationen), deren Zusammenhang aufgrund von *Kombinationsgesetzen* aufgezeigt wird. Zu diesem Zweck entwickelt er bestimmte **Figuren.**

So enthält z. B. die sog. Figur A Begriffe, die die »Grundwürden« Gottes darstellen und dieselben sind, die auch den Aufbau der Welt bestimmen müssen (z. B. Gutheit, Größe, Dauer).

Die Figur T enthält die Prinzipien der Bedeutungsunterscheidung (Abb. C).

Durch die Verwendung von drehbaren Drei- und Vierecken in den Figuren kann die Beziehung und Vereinbarkeit von Termini geklärt werden.

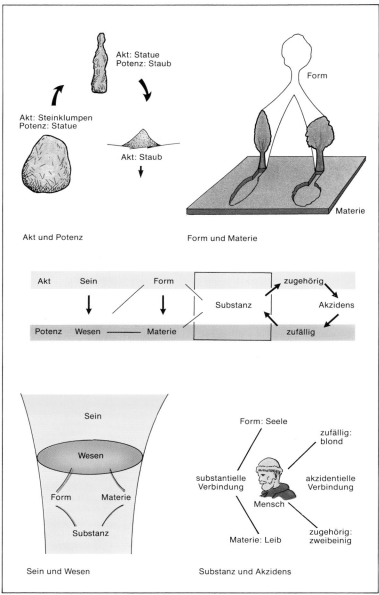

Akt: Statue
Potenz: Staub

Akt: Steinklumpen
Potenz: Statue

Akt: Staub

Form

Materie

Akt und Potenz

Form und Materie

Akt — Sein — Form — Substanz — zugehörig — Akzidens

Potenz — Wesen — Materie — zufällig

Sein

Wesen

Form — Materie

Substanz

Sein und Wesen

Form: Seele

zufällig: blond

substantielle Verbindung

akzidentielle Verbindung

Mensch

Materie: Leib

zugehörig: zweibeinig

Substanz und Akzidens

Thomas von Aquin: Die ontologischen Differenzen

Albertus Magnus (um 1206–80), wegen seiner enzyklopäd. Bildung auch »doctor universalis« genannt, erstrebt eine Zusammenschau des Geistesgutes der Philosophie und Wiss. seit den Griechen. Er kommentiert die Werke des ARISTOTELES, wobei er von der neuplaton. Tradition der griech. und arab. Kommentare beeinflußt ist. Er ist außerdem einer der bedeutendsten *Naturforscher* seiner Zeit.

ALBERT unterscheidet klar zwischen den mit Hilfe der *Vernunft* lösbaren Fragen und *Glaubensfragen,* die sich auf die Offenbarung gründen.

> So ist z. B. die Frage nach der Ewigkeit der Welt philosophisch nicht zu beantworten, während alle Fragen, die der Vernunft zugänglich sind, sich der rationalen Überprüfung auch stellen müssen.

Alles ist in seinem Sein und seinem Bestand von **Gott** verursacht. Gott ist die höchste Wahrheit und das höchste Gute, daher muß alles Erkennen und Handeln auf ihn hinstreben, um sich zu vollenden.
Gegen AVERROES lehrt ALBERT die Unsterblichkeit der Individualseelen. Der *aktive Intellekt* ist Teil der **Seele** und das formgebende Prinzip im Menschen. Er ist in den Menschen individuell verschieden, aber als Ausfluß der göttl. Schöpfung am Allgemeinen teilhabend und ermöglicht so allg., objektive Erkenntnis.

> Die Seele ist ein Ganzes, das aber in sich versch. Kräfte enthält, so das vegetative, sensitive und rationale Vermögen.

In seiner **Kosmologie** läßt ALBERT die Schöpfung in hierarch. Stufen von Intelligenzen aus dem göttl. Intellekt hervorgehen, der alle Himmelssphären, den menschl. Geist und schließlich die ird. Materie durchleuchtet. Ursprüngl. Wirklichkeiten, die Gott am Anfang der Schöpfung hervorgebracht hat, sind:

> die erste Materie (das aufnehmende Prinzip bei der Entstehung der Körper), die Zeit, die Bewegung, der oberste Himmel, die Engel.

In seiner **Ethik** betont er den freien Willen des Menschen. Sittl. Aufgabe ist die Formung des triebhaften Begehrens durch die *Vernunft.* Entscheidende Instanz ist das *Gewissen,* das in der grundsätzl. Haltung wie in der Anwendung auf einen konkreten Fall wirkt. Die sittl. Anlage, die den Menschen zum Guten drängt, ist die *Synderesis,* die die Reminiszenz des urspr. guten Lebens vor dem Sündenfall ist.

Thomas von Aquin (1225–74), der einige Jahre Schüler von ALBERTUS MAGNUS war, gilt als der bedeutendste Systematiker des Mittelalters. Seine Leistung liegt in der Verbindung von Aristotelismus und der von Augustinus herkommenden christl. Philosophie.
Im 19. Jh. wurde sein Werk von der Kath. Kirche zur Grundlage der christl. Philosophie erklärt.

Unter seinen umfangreichen Werken sind bes. zu erwähnen die ›Summe gegen die Heiden‹ (›Summa contra gentiles‹) und die ›Summe der Theologie‹ (›Summa theologiae‹), sowie versch. ›Quaestiones‹.
Die *Quaestionenform,* die sich auch in der ›Summe der Theologie‹ findet, folgt dem Schema von Disputationen an der Universität:

> Für eine Frage werden Argumente dafür (»pro«) und dagegen (»sed contra«) vorgebracht, denen die *eigene* Antwort (»responsio«) folgt. Danach werden die einzelnen Argumente (»ad 1, ad 2, . . .«) im Hinblick auf die Antwort untersucht.

Glaube und **Vernunft** können sich nicht widersprechen, da beide von Gott stammen. Daher können auch Theologie und Philosophie nicht zu versch. Wahrheiten gelangen. Sie unterscheiden sich aber in der Methode:
Die Philosophie geht von den geschaffenen Dingen aus und gelangt so zu Gott, die Theologie nimmt von Gott ihren Anfang.
Da die Offenbarung den Menschen solche Wahrheiten mitteilt, die zu seiner Heilserwerbung notwendig sind, bleibt Raum für eine eigenständige Erforschung der Dinge, die durch die Offenbarung nicht erklärt werden. Für die Theologie leistet die Philosophie wichtige Dienste, indem sie die Grundlagen des Glaubens vernünftig sichern und verteidigen kann, denn

> die Glaubenssätze sind zwar übervernünftig, aber nicht widervernünftig.

THOMAS' **Ontologie** nimmt ihren Ausgangspunkt bei der Vielheit der uns sinnfälligen **Seienden** (ens): Steine, Tiere, Menschen usw. Bei der Frage nach den dem Seienden zugrundeliegenden *Prinzipien* fällt grundlegend die Differenz von **Wirklichkeit** (*actus; Akt*) und **Möglichkeit** (potentia; *Potenz*) ins Auge. Allem Seienden kommt es zu, sein oder auch nicht sein zu können, d. h. veränderlich zu sein.

> Betrachten wir einen rohen Stein, so ist dieser der Möglichkeit nach eine Statue, der Wirklichkeit nach ist er sie nicht.
> Hat der Bildhauer ihn geformt, ist er die Statue der Wirklichkeit nach, seine Potenz ist aber immer noch, z. B. zu Staub zu zerfallen.

Wenn die Seienden veränderbar sind, stellt sich die Frage nach dem Prinzip ihrer *Einheit,* aufgrund dessen sie in der Veränderung dieses bestimmte Seiende, diese Substanz sind.
Dieses Prinzip ist die **Form.**
Wenn die Form die Bestimmtheit ist, so bedarf sie als ergänzendes Prinzip des Bestimmbaren. Das selbst unbestimmte, aber bestimmbare (formbare) ist die **Materie.**
Die Materie ist auch der Grund der *Vielheit,* denn dieselbe Form kann in versch. Individuen auftreten.

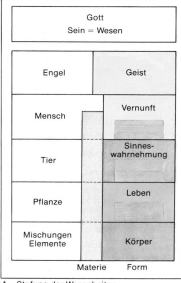

Gott
Sein = Wesen

Engel	Geist
Mensch	Vernunft
Tier	Sinneswahrnehmung
Pflanze	Leben
Mischungen Elemente	Körper

Materie   Form

A   Stufung der Wesenheiten

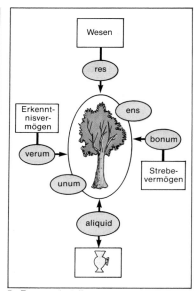

B   Transzendentalien

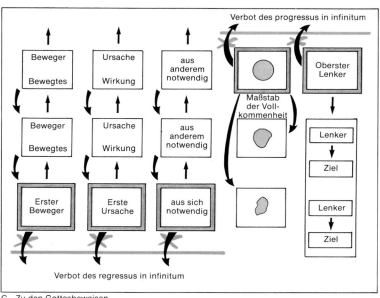

C   Zu den Gottesbeweisen

Form und Materie sind nicht selbständig Seiendes, das auseinandertreten könnte, sie sind das, *wodurch* (quo est) ein Seiendes ist, *was* es ist (quod est). **Substanz** ist das Ganze aus Form und Materie.

Dieses »Was« des Seienden ist sein **Wesen** (essentia; oder seine »Washeit«: quiditas). Das Wesen ist wirklich in den individ. Substanzen, es wird gedacht in der Form der Allgemeinbegriffe.

Wesen bezieht sich auf das Ganze von Form und Materie, ist aber von der Substanz unterschieden, insofern diese Bestimmungen annehmen kann, die zufällig sind (*Akzidentien; z.B.* Sokrates ist kahl), die dem Wesen nicht anhängen.

Thomas nimmt nur eine weitere entscheidende Differenzierung vor, die zwischen Wesen und **Sein**. Ich kann das Wesen von etwas kennen, ohne zu wissen, ob es ist (existiert).

Das Sein ist das Prinzip, wodurch Seiendes erst Seiendes ist.

Der *Seinsakt* (actus essendi) macht das Seiende zum Seienden. Das Sein verhält sich daher zum Wesen, wie der Akt zur Potenz.

Das Sein ist eine Aktualität, die sich im Wesen festlegt und damit begrenzt.

Die Frage nach den Begriffen, die jedem Seienden als Prädikate zugesprochen werden können, führt Thomas zur Liste der **Transzendentalien:**

Jedem Seienden kommt das *ens* zu im Hinblick auf den Seinsakt.

Weiterhin bezeichnet *res* (Realität) den Sachgehalt unter der Sicht des Wesens.

Aufgrund seiner inneren Ungeteiltheit ist das Seiende *eines* (unum).

Es ist *etwas* (aliquid) im Unterschied zu anderem.

Die Transzendentalien *wahr* (verum) und *gut* (bonum) nehmen Bezug auf die Übereinstimmung zweier Seiender, nämlich den *Seele* mit einem anderen Seienden. So ist »gut« die Bestimmung der Übereinstimmung mit dem *Strebevermögen;* »wahr« die Übereinstimmung mit dem *Erkenntnisvermögen.* Thomas' Definition von *Wahrheit* lautet daher: »Wahrheit ist die Übereinstimmung von Sache und Verstand (veritas est adaequatio rei et intellectus).«

Ein Grundgedanke der thomist. Ontologie ist die vollständige *Ordnung* allen Seins. Jedem Seienden ist von Gott seine Stellung und sein Ziel in der Seinsordnung zugewiesen.

Allem Geschaffenen kommt die Differenz von Sein und Wesen zu. Nur in **Gott** fällt sein Sein mit seinem Wesen zusammen.

Gottes Sein ist die Vollkommenheit schlechthin, derart daß seiner Einfachheit weder etwas hinzugefügt noch abgesprochen werden kann.

Alles Geschaffene wird in seinem Sein von Gott erhalten. Die geschaffenen Geister *(Engel)* unterscheiden sich von Gott, indem

bei ihnen bereits ihr Sein etwas anderes ist als ihr Wesen, obwohl dieses ohne Materie ist (also reine Form). Durch das Hinzukommen der Materie entstehen individuell versch. Substanzen, in denen Sein und Wesen, Form und Materie sich unterscheiden.

Die immaterielle, unsterbl. *Seele* des Menschen behält deswegen Individualität, weil ihr als Form eines Leibes die Bestimmung der Vereinzelung auch nach der Trennung vom Körper bleibt.

Thomas gibt 5 **Beweise** (quinque viae) für die Existenz Gottes an. Da die Erkenntnis des Menschen (als leibl. Wesen) bei seinen Sinnen anhebt, lehnt Thomas apriorische Gottesbeweise ab. Seine Beweise gehen daher von der Erfahrung aus. Sie basieren auf dem Verbot eines regressus in infinitum (eines Fortschreitens ins Unendliche).

– Alle Bewegung und Veränderung verlangt ein Bewegendes. Da eine Reihe von bewegten Bewegern aber nicht ins Unendliche zurückgehen kann, weil es sonst keinen Anfang der Bewegung gäbe, muß es einen *ersten Beweger* geben, der selbst unbewegt ist, und das ist Gott.

– Jede Wirkung hat eine Ursache. Da aber nichts Ursache seiner selbst ist (weil es sonst logisch sich selbst vorausgehen müßte) und die Reihe der Ursachen nicht ins Unendliche gehen kann, muß es eine *erste selbst nicht verursachte Ursache* geben: Gott.

– Wir finden Dinge, die sein oder nicht sein können. Wäre es so beschaffen, so kann auch einmal alles nicht sein, dann aber könnte nichts zu existieren beginnen. Folglich gibt es Dinge, die notwendig sind, und zwar aus sich heraus oder durch ein anderes. Da die Reihe der aus einem anderen notwendigen Dinge nicht ins Unendliche gehen kann, muß es ein *erstes durch sich notwendiges* geben: Gott.

– In allen Dingen gibt es ein Mehr oder Weniger. Dies kann nur ausgesagt werden, wenn es ein Maß gibt, das diese Bestimmung in *Vollkommenheit* enthält: Gott.

– Vernunftlose Dinge bedürfen, um ein Ziel zu erreichen, eines Erkennenden, der das Ziel setzt (z.B. bedarf der Pfeil des Schützen). Die zielgerichtete Einrichtung der Welt bedarf daher *Gottes als des obersten Lenkers,* der die Zwecke setzt.

Gott hat die Welt im Ganzen vollkommen geschaffen, somit stammt das **Übel** in der Welt nicht von ihm. Da alles, was Sein hat, von Gott kommt, kann dem Übel kein eigentl. Sein zukommen. Thomas bestimmt es daher als einen *Mangel* (privatio), als Abwesenheit eines Guten, das einem Sein zukommen soll. Wird das Übel als Mangel verstanden, so bedarf es immer eines Subjekts, dem es fehlt: das Gute. Das Übel kann deshalb nicht alles Sein aufzehren, da es sonst selbst aufheben würde.

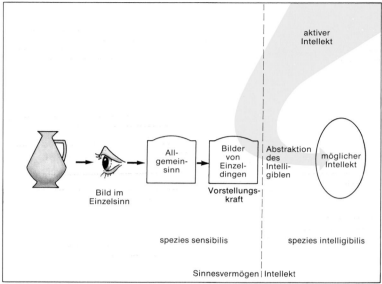

A   Erkenntnislehre

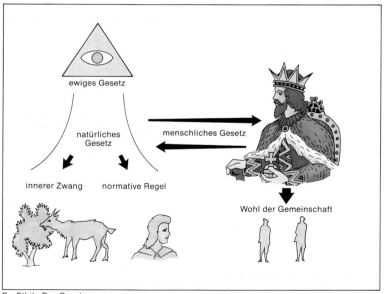

B   Ethik: Das Gesetz

Der **Mensch** ist die substantielle Verbindung von *Seele* (Form) und *Körper* (Materie). Beide sind nicht zu trennen, sondern bilden die Einheit der Substanz des Menschen, der somit immer seelisch-leiblich bestimmt ist. Obwohl die Seele auch als *anima separata* nach dem Tod vom Körper getrennt fortbestehen kann, somit unsterblich ist, benötigt sie als menschl. Seele den Leib, weil sie für das Erkennen der sinnl. Wahrnehmung bedarf.

Der Mensch steht damit sozusagen im Mittelpunkt der Schöpfung:

Durch seine Vernunft nimmt er an der Welt des reinen Geistes teil, durch seinen Körper an der Welt des Materiellen.

Die Form der Menschenseele steht in der Folge einer hierarch. Stufung, die von den unbelebten Körpern über Pflanzen und Tiere zum Menschen übergeht.

Die **Seele** enthält in sich versch. Vermögen: das *vegetative* (Lebenskraft), *sensitive* (Sinneswahrnehmung), *appetitive* (triebhaftes Streben), *motive* (Ortsbewegung) und *rationale* (Verstand).

Das **Sinnesvermögen** unterteilt sich weiter in die Einzelsinne, den Allgemeinsinn (der die Gegenstände versch. Einzelsinne umfaßt), die Vorstellungskraft (die die sinnl. Einzelbilder bewahrt), das sinnliche Urteilsvermögen (ein einfaches, auf die konkrete Situation gehendes Urteilsvermögen) und das aktive Gedächtnis.

Der **Verstand** teilt sich in den *möglichen* (intellectus possibilis) und den *aktiven* (intellectus agens) Intellekt. Damit wird zwischen der Erkenntnisfähigkeit des Menschen und der wirklich vollzogenen Erkenntnis unterschieden. Der *Erkenntnisvorgang* selbst läßt sich so darstellen:

Ein Körper erzeugt zunächst ein Bild in einem einzelnen Sinnesorgan, von dort gelangt es in den Allgemeinsinn, um dann als Einzelbild (species sensibilis) in der Vorstellungskraft festgehalten zu werden. Hierbei verbleiben wir in der Sphäre des *Sinnlichen*. Da die mögl. Intellekt aber auf das *Allgemeine* (species intelligibilis) geht, tritt der aktive Intellekt in Kraft. Er *abstrahiert* die allg. Form vom sinnlich einzelnen und ermöglicht so die Erkenntnis im mögl. Intellekt.

Die transzendentale Bestimmung »gut« (vgl. S. 83) ist Gegenstand der Ontologie und der **Ethik.**

Gut ist ein Seiendes, das für ein anderes eine Vervollkommnung darstellt und somit Ziel seines Strebens.

Wie für ARISTOTELES gilt daher auch für THOMAS: Gut ist, wonach ein jedes seinem Wesen nach strebt.

Das oberste Ziel des Menschen, dem die Einzelziele dienen, ist das Glück (beatitudo). Da der Mensch seiner Form nach durch die *Vernunftseele* bestimmt ist, erlangt er dieses in der vernunftgemäßen Betätigung der Seele.

Die **Tugenden** unterscheidet THOMAS in theolog. und die natürl. Kardinaltugenden. Die ersteren sind dem Menschen nur unter der Gnade Gottes zugänglich (Glaube, Liebe, Hoffnung), wobei die Liebe alle menschl. Akte auf ihr letztes, göttl. Ziel hin ordnet. Die Kardinaltugenden werden bestimmt als die bestmöglich. Verfassung der natürl. Vermögen. So ist der Vernunft die Weisheit und Klugheit, dem Willen die Gerechtigkeit, dem Streben die Tapferkeit und dem Begehren die Mäßigkeit zugeordnet.

Die Tugenden bestimmen die innere Haltung des Menschen; die äußere Ordnung und die Handlungen werden durch **Gesetze** geleitet. Der oberste Gesetzgeber ist Gott, da er die Ordnung für die gesamte Welt gibt.

Das *ewige Gesetz* (lex aeterna) ist die göttl. Weisheit, die alles lenkt. Die Teilnahme am ewigen Gesetz durch die menschl. Vernunft ist das *Naturgesetz* (lex naturalis).

Die Willensfreiheit wird durch das göttl. Gesetz nicht beeinträchtigt. Nur bei der nicht vernunftbegabten Natur wirkt das Gesetz als innere Notwendigkeit. Für den Menschen hat es den Charakter einer normativen Regel. Er nimmt in der Weise an der göttl. Vorsehung teil, daß er

für sich und andere selbst vorsehen kann.

Aus dem Naturgesetz entspringen die allg., obersten Prinzipien des Handelns. Aus der Erkenntnis, daß gut ist, wonach alles strebt, ergibt sich der *oberste Grundsatz* der prakt. Vernunft:

das Gute ist zu tun, das Böse zu meiden.

Da das Naturgesetz nur die Prinzipien angibt, bedarf es für das ins einzelne gehende Einrichtung der Gemeinschaft des *menschlichen Gesetzes* (lex humana) in der staatl. Ordnung. Dieses muß im Naturrecht gegründet und um des Gemeinwohls willen gegeben sein.

Die Bedeutung der von THOMAS VON AQUIN vollzogenen Verbindung von Aristotelismus und christl. Philosophie wird deutlich, wenn man die geistige Situation an der Universität betrachtet, in der Aristotelismus und Theologie unvereinbar zu werden schien.

Die ausführl. Aristoteles-Rezeption des 13. Jh. führte bei dem u.a. von SIGER VON BRABANT (1240–84) und BOETHIUS VON DACIEN vertretenen sog. »radikalen Aristotelismus« (*lat. Averroismus*) zur entschiedenen Ablehnung der Vermengung von Theologie und Philosophie. Philosoph. Argumente bleiben auch dort bestehen, wo sie mit der Theologie in Widerspruch geraten. Die damit behauptete *Autonomie* der Philosophie und die Unvereinbarkeit einiger aristotel. Lehren mit dem christl. Dogma führte zeitweilig zu einem kirchl. Verbot best. Schriften sowie der Verurteilung einer Reihe philosoph. Thesen durch den Bischof von Paris (1277).

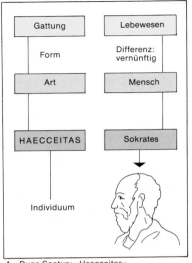

A Duns Scotus: »Haecceitas«

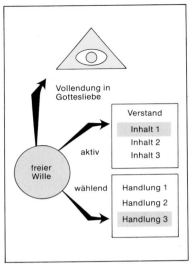

B Duns Scotus: Primat des Willens

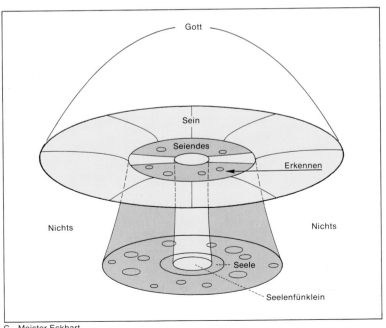

C Meister Eckhart

Johannes Duns Scotus (1265–1308) vertritt die sog. »jüngere Franziskanerschule«. Seinen Beinamen »doctor subtilis« erhielt er aufgrund seiner scharfsinnigen Argumentationen und der krit. Prüfung der Lehren seiner Vorgänger.

Unser natürl. *Wissen* ist sicher, wo es auf die sinnl. Anschauung zurückgreifen kann. Von den übernatürl. Dingen ist aber auf diese Weise nur eine unscharfe, mittelbare Erkenntnis möglich. Daher benötigt der Mensch die Offenbarung für den Bereich, der der natürl. Vernunft nicht zugänglich ist. Gegenstand der Metaphysik ist nicht Gott, sondern das Sein.

Die Metaphysik kommt zu einem abstrakten Gottesbegriff, die Theologie zu einem konkreten.

Das **Sein** als solches ist der allgemeinste Begriff, weil er von allem Seienden im gleichen Sinne eindeutig *(univok)* ausgesagt werden können muß. Daraus folgt, daß es in sich keine weitere Bestimmung enthält.

Das Sein wird daher auch von Gott und der Welt gleich ausgesagt, nicht aber analog. Im Unterschied zu Thomas ist für ihn nicht die Materie das individualisierende Prinzip, sondern die *Individuelle* ist eine eigene Seinsweise (weder Form noch Materie):

die »*haecceitas* (Diesheit)«. Diese bestimmt das Individuum, indem sie die Art (letzte Form) zur »letzten Wirklichkeit des Seienden«, dem Individuum, macht.

Bei den *Transzendentalien* (den Prädikaten, die allem Seiendem zukommen) unterscheidet Duns Scotus zwischen *passiones convertibiles,* die so umfassend sind wie das Sein:

eines, wahr, gut,

und den *passiones disjunctae,* die nur paarweise mit dem Sein übereinstimmen:

begrenzt-unbegrenzt, notwendig-zufällig etc.

Duns Scotus vertritt die Lehre vom Vorrang des freien **Willens** gegenüber dem Intellekt.

Zwar kann auch der Wille nur anstreben, was der Verstand erkennt hat, aber er verhält sich eigenständig wählend gegenüber den vom Verstand vorgelegten Inhalten.

Die Bedeutung des Willens überträgt Duns Scotus auch auf **Gott.** Die gesamte Schöpfung geht aus dem göttl. Willen hervor, jedoch will Gott nur, was logisch widerspruchsfrei ist. Auch die *moralische* Ordnung hängt vom göttl. Willen ab:

etwas ist dadurch gut, daß Gott es will.

Dem Primat des Willens entspricht die Bedeutung der Liebe. Die Vollendung des Menschen findet sich in der höchsten *Gottesliebe,* die auch Grundlage aller Sittlichkeit ist.

Unser Handeln ist gut, wenn es aus Liebe zu Gott getan wird.

Duns Scotus unterscheidet zwischen *Geboten,* die absolut gelten und die auch Gott nicht ändern kann, weil er sonst in Selbstwiderspruch gerät (dies sind die ersten sich auf Gott beziehenden Gebote des Dekalogs), und Geboten, die Gott ändern könnte, wenn es die Lebensverhältnisse des Menschen erfordern würden (z. B. Monogamie).

Auch letztere gelten für den Menschen aber unbedingt, solange Gott nichts anderes befiehlt.

Im 14. Jh. erreicht die Tradition der mittelalterl. **Mystik,** der es um die Innerlichkeit der Gotteserfahrung und die Vereinigung mit dem Göttlichen geht, ihren Höhepunkt. Als ihr bedeutendster Vertreter gilt **Meister Eckhart** (um 1260–1328), der ebenso beeinflußt ist von der Überlieferung der scholast. Theologie und Philosophie. Myst. Erfahrung und philosoph. Reflexion prägen sein Werk gleichermaßen.

Eckhart hat lat. und dt. Werke verfaßt, wobei die dt. Predigten im Hinblick auf den Hörerkreis in bes. eindringl., zugespitzter Sprache gehalten sind.

In seiner ersten ›Pariser Quaestio‹ beantwortet Eckhart die Frage nach dem Verhältnis von *Erkennen* und *Sein* in Gott mit einer Überordnung des Erkennens (intellegere):

Gott ist, weil er erkennt.

So heißt es im Johannesevangelium:

»Im Anfang war das Wort«

und nicht: im Anfang war das Sein. Eckhart betont damit die urspr. Aktivität des Erkennens, das hervorbringt, ohne selbst erschaffen zu sein.

Natürlich ist Gott aber auch *Sein.* Eckhart will deutlich machen, daß Gott nicht Sein hat, wie das geschaffene Seiende, sondern Sein *ist,* und daß alles Seiende im Sein Gottes ist. Gott erhält alles im Sein und ohne ihn sind die Dinge nichts.

Im Innersten seiner *Seele* findet der Mensch den Grund, mit dem er an Gott teilhat:

im *Seelenfünklein* (scintilla animae).

In ihm kann die Vereinigung mit Gott stattfinden, wenn der Mensch sich ganz diesem Innersten hingibt und so lebt. Die Seele ist empfangsbereit für Gottes Wesen, denn sie ist der Ort der **Gottesgeburt** im Menschen. Gott spricht sein eigenes Wesen aus im Sohn, der sein Wort ist, und der Sohn spricht in der Seele:

»Der Vater gebiert seinen Sohn im ewigen Erkennen, und ganz so gebiert der Vater seinen Sohn in der Seele wie in seiner eigenen Natur, und er gebiert ihn der Seele zu eigen . . .«

Was Gott seinem Sohn gab, das gibt er dem Menschen, insofern dieser gerecht und gut ist. In dem Guten wird die Gutheit wiedergeboren, als Wort Gottes. Zwischen dem erzeugenden Guten (Gott Vater) und dem erzeugten Guten besteht ein Unterschied in der Person, nicht in ihrer Natur.

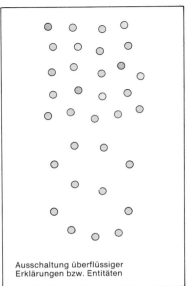

Ausschaltung überflüssiger
Erklärungen bzw. Entitäten

A »Ockhams Rasiermesser«

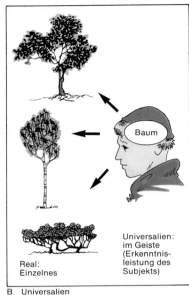

Real:
Einzelnes

Universalien:
im Geiste
(Erkenntnis-
leistung des
Subjekts)

B Universalien

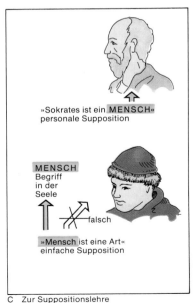

»Sokrates ist ein MENSCH«
personale Supposition

MENSCH
Begriff
in der
Seele

falsch

»Mensch ist eine Art«
einfache Supposition

C Zur Suppositionslehre

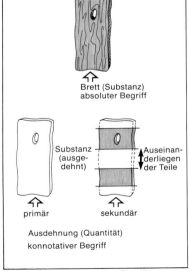

Brett (Substanz)
absoluter Begriff

Substanz
(ausge-
dehnt)

Auseinan-
derliegen
der Teile

primär   sekundär

Ausdehnung (Quantität)
konnotativer Begriff

D Absolute und konnotative Begriffe

Wilhelm von Ockham (um 1280–um 1348) begründet am Ausklang des Mittelalters eine Gedankenbewegung, mit der Grundlagen neuzeitl. Denkens vorbereitet werden. Die von OCKHAM ausgehende Strömung bildet den »neuen Weg« (via moderna) im Gegensatz zum »alten Weg« (via antiqua) der bei ALBERT, THOMAS und DUNS SCOTUS anknüpfenden Schulen.

Als Grundlage von OCKHAMS theoret. Philosophie werden v. a. 2 Prinzipien hervorgehoben:

– Das **Omnipotenzprinzip** besagt, daß Gott aufgrund seiner Allmacht die Dinge auch hätte anders schaffen können und daß er jederzeit das, was er mittelbar durch Zweitursachen (natürl. Wirkungszusammenhänge in der Welt) hervorbringt, auch unmittelbar selbst bewirken kann. Daraus ergibt sich, daß wir sowohl die Existenz von Dingen, als auch den Zusammenhang von Ursache und Wirkung nicht aus notwendigen Gründen erkennen können.
Kein Seiendes A impliziert von sich aus notwendig die Existenz von B. Es kann lediglich behauptet werden, daß B auf A naturlicherweise regelmäßig folgt (z. B. Rauch auf Feuer).
Die geschaffene Welt ist somit für den Menschen ein Zusammenhang von kontingenten Fakten. Ihre Erkenntnis ist daher nicht aus vorangehenden Gründen möglich, sondern aufgrund von Erfahrung und Studium dessen, was faktisch vorhanden ist und geschieht.

– Das sog. **Ökonomieprinzip** *(»Ockhams Rasiermesser«)* lautet:
»Eine Vielheit ist ohne Notwendigkeit nicht zu setzen (pluralitas non est ponenda sine necessitate).«
Alle zur Erklärung einer Sache nicht wendigen Begründungen sind überflüssig und daher wegzuschneiden.
Dieses method. Prinzip enthält zugleich Metaphysikkritik auf sprachl. Grundlage. Es wendet sich gegen die fälschl. Glauben, daß jedem sprachl. Ausdruck auch eine Realität entsprechen müsse, der die unbegründete Vermehrung von Entitäten aufgrund bloßer sprachl. Gegebenheiten zur Folge hat.

In der **Universalienfrage** zeigt sich OCKHAMS nominalist. Standpunkt. Real ist nur das einzelne. OCKHAM benötigt daher auch kein Individuationsprinzip, da alles Seiende von Gott individuell geschaffen ist. Alles Allgemeine existiert nur im Geist (in mente).
»Daran halte ich fest, daß es kein auf welche Weise auch immer außerhalb der Seele existierendes Allgemeines gibt, sondern alles, was allgemein ist und von mehreren aussagbar, existiert im Geiste . . .«
Die Allgemeinbegriffe sind eine Leistung des Erkenntnisvermögens, mit dem sich der Mensch auf etwas bezieht.

Begriffe sind *Zeichen,* die auf etwas anderes verweisen. So ist das Universale ein Zeichen, das sich auf Vieles beziehen kann.
Der Begriff ist ein in der Seele Vorkommendes, das etwas anderes bedeutet, wofür es im Satz steht *(supponiert).*
Um die Bedeutung eines Terminus zu verstehen, muß man wissen, wofür er supponiert. OCKHAM unterscheidet hier 3 Arten:
Personale Supposition liegt vor, wenn der Terminus für das steht, was er bezeichnet,
z. B. steht »Mensch« in dem Satz »Sokrates ist ein Mensch« für einen einzelnen Menschen.
In der *einfachen* Supposition steht der Begriff für sich selbst,
z. B. »Mensch ist eine Art«, womit nicht behauptet wird, daß der einzelne Mensch eine Art ist.
In der *materialen* Supposition steht der Terminus für das Wort oder Schriftzeichen,
z. B. »Mensch ist ein geschriebenes Wort«.
Ein Satz ist wahr, wenn Subjekt und Prädikat für dasselbe supponieren.

OCKHAM unterscheidet zwischen *absoluten* und *konnotativen* Begriffen.
Absolute Begriffe bezeichnen direkt reales einzelnes.
Konnotative Begriffe bedeuten etwas in erster und zweiter Hinsicht. Sie setzen die zusammenstellende und ordnende Tätigkeit des Geistes voraus, und stehen daher nicht für eigenständige Dinge.
So stellt OCKHAM fest, daß sich nur zwei der aristotel. Kategorien (vgl. S. 47), Substanz und Qualität, direkt auf Reales beziehen. Dagegen bezeichnet z. B. die Quantität die Substanz und sekundär das Ausgedehntsein, das aber nichts von der Substanz verschiedenes ist.
Bei der Erfassung eines Sachverhalts unterscheidet OCKHAM zwischen *intuitiver* und *abstraktiver Erkenntnis.*
Die intuitive Erkenntnis erfaßt zweifelsfrei die Existenz eines Gegenstandes. Sie bezieht sich auf sinnlich Wahrnehmbares und auf die innere Selbsterfahrung.
Abstraktive Erkenntnis ermöglicht Aussagen aufgrund von Begriffen auch in Abwesenheit des Objekts, sagt dafür aber nichts über die tatsächl. Existenz des Gegenstandes aus. Sie ist somit immer auf die intuitive Erkenntnis verwiesen.
So läßt sich z. B. die Unsterblichkeit der Seele aus Vernunftgründen nicht erweisen, da sie keine Erfahrungsgrundlage hat.

Ab 1328 greift OCKHAM (kirchen)**politische** Themen auf. Er verteidigt vor allem das Recht des franziskan. Verzichts auf Eigentum und vertritt die Unabhängigkeit der weltl. (kaiserl.) Macht von der päpstlichen. Dabei betont er, daß
die Legitimation der weltl. Herrschaft auf der freien Zustimmung der Bürger beruht.

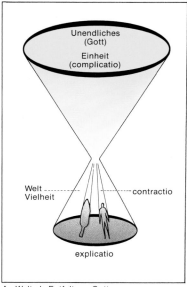

A Welt als Entfaltung Gottes

B Mathematische Symbolisierung

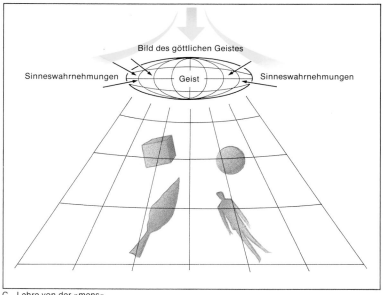

C Lehre von der »mens«

Nikolaus von Kues (lat. **Cusanus,** 1401–64) steht mit seinem Denken im Übergang vom Mittelalter zur Neuzeit. Er ist beeinflußt vom Neuplatonismus und der Mystik, wobei er sich in großem Umfang mathemat. Spekulationen bedient. Seine Philosophie enthält viele Gedanken, die dem neuzeitl. Welt- und Menschenbild zugrundeliegen.

Die **Welt** stellt sich uns dar als die Vielheit endlicher und in ihre Gegensätze zerfallener Dinge. Diese sind in ihren Eigenschaften bestimmt aufgrund ihrer Unterschiede zueinander. In der Welt herrscht so ein beständiges Anderssein (aliud esse).

Der *Verstand* (ratio) vermag die Dinge zu erkennen, indem er Bekanntes mit Unbekanntem vergleicht und aufgrund von *Ähnlichkeiten* sich Begriffe bildet.

Da es in der Welt aber immer nur ein Mehr oder Weniger an Ähnlichkeit gibt, ein vollkommener Maßstab jedoch nicht gegeben ist, wird nichts so gewußt, daß es nicht noch besser gewußt werden könnte.

Nikolaus bedient sich des Beispiels eines Vielecks, das sich mit zunehmender Eckenzahl dem Kreis nähert, ihn aber nie erreicht.

Im Streben nach Wissen gelangen wir so zur Erkenntnis unseres letztendl. Nichtwissens. Über dieses Nichtwissen wird der Mensch kraft seiner *Vernunft* (intellectus) belehrt, denn durch sie vermag er die Einheit aller Gegensätze im Unendlichen zu berühren.

Der Mensch findet sich so im Zustand eines *belehrten Nichtwissens* (docta ignorantia).

Die Einheit der Welt in ihrer Vielheit gründet in **Gott,** dem *Unendlichen,* in dem alle Gegensätze der endl. Dinge aufgehoben sind. Den Zusammenfall der Gegensätze in Gott *(coincidentia oppositorum)* versucht Nikolaus anhand eines mathemat. Beispiels zu verdeutlichen:

Je größer der Umfang eines Kreises ist, um so mehr nähert sich der Bogen einer Geraden an, bis im Unendlichen beide zusammenfallen, die Gegensätze aufgehoben sind.

Eine andere Formulierung, die Nikolaus verwendet, lautet, daß Gott zugleich das Größte *(Maximum)* und Kleinste *(Minimum)* ist, denn da nichts außerhalb Gottes ist, gibt es weder Größeres noch Kleineres; Gott ist aller endl. Größe Maß.

Das Wesen Gottes eröffnet sich nicht dem Verstand, denn für diesen gilt der Satz des Widerspruchs, sondern wird nur berührt von der der Einheit sich nähernden Vernunft.

In Gott ist alles Sein *eingefaltet* (complicatio), die Vielheit der Welt ist seine *Ausfaltung* (explicatio).

»Alles nämlich, was irgendwie ist oder sein kann, ist im Ursprung [Gott] selbst eingefaltet, und alles, was geschaffen ist oder geschaffen werden wird, wird von dem entfaltet, in dem eingefaltet es ist.« Alle Geschöpfe sind »eingefalteterweise in Gott Gott, wie sie ausgefaltet in der Schöpfung der Welt Welt sind.«

Der letzte Satz macht klar, daß Nikolaus keinen Pantheismus vertritt, denn die Dinge sind in Gott und in der Welt nicht von gleicher Seinsweise. In der Welt ist die Unendlichkeit zu unterschiedenen Einzeldingen zusammengezogen *(contractio).*

Gott wird auch als das »possest« (Können-Sein) bezeichnet,

weil er alles ist, was er sein kann

und nichts als bloße Möglichkeit besteht, während in der Welt Sein und Möglichkeit auseinanderfallen, so daß die Dinge hinter ihrer Möglichkeit zurückbleiben.

Nikolaus betont die schöpfer. Tätigkeit des menschl. Erkennens. Der menschl. **Geist** (mens) zeichnet im Erfassen der Welt die Welt neu. So wie Gott in seinem Erkennen das Seiende schafft, schafft der Mensch das begriffene Sein.

»Denn wie Gott der Schöpfer des wirklich Seienden und der natürl. Formen ist, so ist der Mensch Schöpfer des gedanklich Seienden und der künstl. Formen; diese sind nichts als Ähnlichkeiten seines Geistes, so wie die Geschöpfe Ähnlichkeiten des göttl. Geistes sind.«

Der menschl. Geist ist *Bild* des göttl. Geistes. Auch in ihm liegen die Urbilder der Dinge bereit, aufgrund derer er erkennen kann. Aber er weiß um die Dinge nicht, wie sie in ihrem gotterschaffenen Sein wißbar sind, sondern wie sie vom Menschen gewußt werden.

Der Geist schafft die Welt als erkennbare neu, indem er sie sich anmißt.

Daher leitet Nikolaus das lat. »mens« von »mensurare« (messen) ab.

Eine bes. Stellung nehmen die *mathematischen* Formen ein, die erkannt werden können, wie sie an sich sind, da sie der menschl. Geist selbst hervorgebracht hat.

So wie die Welt Selbstoffenbarung Gottes ist, so ist alles Gewußte Selbstoffenbarung des in sich einkehrenden Geistes.

Nikolaus vergleicht den Geist mit einem *Kosmographen.* Dieser verfertigt eine Karte der Welt aufgrund der ihm von Boten (Sinneswahrnehmungen) berichteten Daten. Aber er zeichnet sie aufgrund der von ihm festgelegten Formen, Maßstäbe und Proportionen.

Er erkennt die Welt aufgrund der von ihm gezeichneten Karte nach seinem Maß. Diese Gedanken weisen auf eine neuzeitl. *perspektivische* Welterkenntnis.

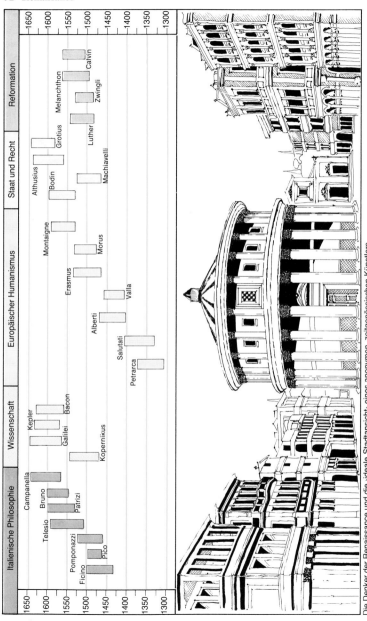

Die Denker der Renaissance und die ideale Stadtansicht eines anonymen, zeitgenössischen Künstlers

Italienische Philosophie	Wissenschaft	Europäischer Humanismus	Staat und Recht	Reformation
Campanella	Kepler	Montaigne	Althusius	
Bruno	Bacon		Bodin	Melanchthon
Telesio	Galilei	Erasmus	Grotius	Calvin
Patrizi		Morus		Zwingli
Pomponazzi	Kopernikus	Alberti	Luther	
Ficino		Valla	Machiavelli	
Pico		Salutati		
		Petrarca		

1650 1600 1550 1500 1450 1400 1350 1300

Die **Renaissance** (frz. »Wiedergeburt«) ist eine **Zeit des Übergangs:** die sich auflösende Tradition des Mittelalters trifft zusammen mit der beginnenden Ausformung der Neuzeit. Sie ist keine Zeit der großen philosoph. Systeme, sondern der experimentierenden, die Möglichkeiten auslotenden Neuorientierung.

Die philosoph. Neubesinnung ist zu sehen auf dem Hintergrund der *kulturgeschichtlichen* Umwälzungen, die es rechtfertigen, die Renaissance auch als ein Zeitalter der Erfindungen und Entdeckungen zu bezeichnen:

Die Verbesserung der *nautischen Technik* (Kompaß) führt zu den großen Entdeckungsreisen (KOLUMBUS, VASCO DA GAMA), die die europ. Expansion zur Folge haben und damit die Erweiterung der Kenntnisse über fremde Länder und Völker. KOPERNIKUS begründet das *heliozentrische* Weltbild. Die Erfindung des *Buchdrucks* mit bewegl. Lettern durch GUTENBERG ermöglicht es, geschriebenes Gedankengut in einer bisher unbekannten Menge und Schnelligkeit zu verbreiten. L. B. ALBERTI entdeckt das Prinzip der *Perspektive* in der Malerei.

Die Entwicklung des *Handels-* und *Geldwirtschaft* führt zu sozialen Umwälzungen ebenso wie die Änderung in der *Kriegstechnik,* die die Stellung des Ritterstandes untergräbt. Während die mittelalterl. Welt sich in ihrer hierarch. Ordnung der Stände und der Vorherrschaft der Kirche geschlossen zeigte, vollzieht sich nun der Aufbruch zu einer dynam. Gesellschaft.

Die von PETRARCA und BOCCACCIO begründete Geistesbewegung des **Humanismus** entzündet sich an der Abneigung gegen die erstarrte Tradition der Scholastik. Das Denken des Mittelalters erscheint dem Humanisten in theolog. und logischen Spitzfindigkeiten festgefahren zu sein, und daher wird eine *Wiedergeburt* des Menschen aus dem *antiken* Geist heraus gefordert.

Die vorwiegend literarisch ausgerichtete Bewegung geht vom Italien des 14. Jh. aus und verbreitet sich dann über ganz Europa. Philosophisch bedeutende Vertreter sind F. PETRARCA, C. SALUTATI, L. B. ALBERTI, L. VALLA in Italien, in den Niederlanden ERASMUS VON ROTTERDAM, TH. MORUS in England und MICHEL DE MONTAIGNE in Frankreich.

Im Zentrum humanist. Denkens steht der *Mensch* und die zugeordneten Themen *Natur, Geschichte, Sprache.*

Aus den »Bemühungen um das Menschsein« (lat. *studia humanitatis*) unter Berufung auf den antiken Begriff der *humanitas* leitet sich die Bezeichnung für die gesamte Geistesbewegung ab.

Dabei meinen studia humanitatis bes. den Aspekt der umfassenden geistigen und künstler. Bildung, wie sie im Leitbild des *uomo universale* zum Ausdruck kommt, dessen Grad an Bildung zugleich Maßstab für die moral. Qualität ist.

Die **italienische Philosophie** der Renaissance ist bes. geprägt durch die Wiederentdeckung PLATONS und PLOTINS, deren Kenntnis der griech. Gelehrte PLETHON nach Italien bringt und durch den COSIMO DE MEDICI zur Neugründung der *Platonischen Akademie* in Florenz (1459) angeregt wird. Die bed. Vertreter des Renaissance-*Platonismus* sind MARSILIO FICINO und PICO DELLA MIRANDOLA.

Durch die Übersetzungen und Schriften FICINOS verbreitet sich die Kenntnis PLATONS in ganz Europa. Seine Philosophie lehnt sich bes. an die neuplaton. Emanationslehre und die Bedeutung des Schönen an.

Auch der *Aristotelismus*, mit Zentrum in Padua, findet in dieser Zeit eine Erneuerung. Zu seinen Vertretern gehören PIETRO POMPONAZZI und JACOPO ZABARELLA.

Eine Blüte erlebt auch die *Naturphilosophie.* Neben GIORDANO BRUNO, dem umfassendsten Denker der Zeit, sind hier zu nennen B. TELESIO, F. PATRIZI und T. CAMPANELLA.

Eine der erfolgreichsten Leistungen der Renaissance liegt in der Ausbildung der Grundlagen der modernen **Naturwissenschaften** aufgrund eines neuen Wissenschaftsbegriffs und Methodenbewußtseins.

Für J. KEPLER und G. GALILEI handelt Wissenschaft von *quantitativen,* zahlenmäßig bestimmbaren Verhältnissen, unter Zurückstellung der traditionellen Wesensfrage.

F. BACON sieht den Fortschritt der Zivilisation begründet in der Entwicklung von Wiss. und Technik im Dienst der menschl. Wohlfahrt.

In den neuen **Staats-** und **Rechtsphilosophien,** wie sie von J. BODIN, H. GROTIUS und J. ALTHUSIUS vertreten werden, spielen die Begriffe des Naturrechts, des Herrschaftsvertrages und der Souveränität eine zentrale Rolle. In seiner Sonderstellung weist N. MACHIAVELLI auf die faktische Trennung von Moral und Politik hin.

Mit der von MARTIN LUTHER ausgelösten **Reformation** treffen die geistigen Umwälzungen schließlich auch die christl. Kirche. Die weltl. Haltung der Päpste und die Überspannung ihres Machtanspruchs, mangelnde theolog. Bildung der niederen Klerus, kirchl. Mißstände und allg. Sittenverfall waren Gründe für die Forderung nach einer Erneuerung. Die Folgen der Reformation sind tiefgreifende Veränderungen im geistig-religiösen Bereich, in der polit. Landschaft Europas und im wirtschaftl.-sozialen Gefüge. Großen Einfluß gewinnt sie auch in der von ULRICH ZWINGLI und JOHANN CALVIN (»Calvinismus«) in der Schweiz geprägten Form (*Prädestinations*lehre; sittenstrenges Arbeitsethos).

$$U^2 = C a^3$$

$$s = \frac{a}{2} t^2$$

$$s = \frac{1}{2} g t^2$$

Das Buch der Natur
ist in mathematischen Zeichen geschrieben

A   Kepler und Galilei

RATIO

allg. Formen der Natur

Generalisation

Klassifizieren

Tabellen

Vergleichen

EMPIRIE

Experiment

Beobachtung

B   Francis Bacon: Induktion

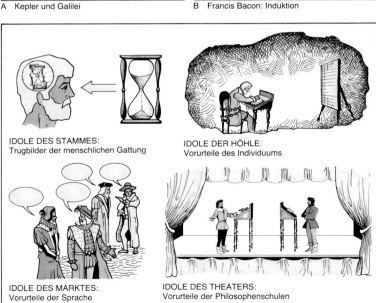

IDOLE DES STAMMES:
Trugbilder der menschlichen Gattung

IDOLE DER HÖHLE:
Vorurteile des Individuums

IDOLE DES MARKTES:
Vorurteile der Sprache

IDOLE DES THEATERS:
Vorurteile der Philosophenschulen

C   Francis Bacon: Idolenlehre

Eine der bed. Leistungen der frühen Neuzeit liegt in der Herausbildung eines neuen *Wissenschaftsbegriffs,* der in einem naturwissenschaftl. *Methodenbewußtsein* gründet. Vernunft und Erfahrung sind die alleinigen Grundlagen sicherer Erkenntnis.

»In den Naturwissenschaften, deren Folgerungen wahr und notwendig sind, können 1000 Demosthenes und 1000 Aristoteles nicht der Sache zum Trotz wahr machen, was falsch ist.« (GALILEI)

Die Emanzipation aus der Abhängigkeit von überlieferten Autoritäten, bes. der Naturphilosophie des ARISTOTELES, und die Entwicklung einer auf das *Quantitative* ausgerichteten Methode verändern das Bild vom Kosmos und der Natur entscheidend.

Nikolaus Kopernikus (1473–1543) kann als Symbolfigur der neuzeitl. Wende gelten. In seinem Werk ›De revolutionibus orbium coelestium‹ ersetzt er das bis dahin gültige *geozentrische* Weltbild des PTOLEMAIOS (2. Jh.), mit der Erde als ruhendem Mittelpunkt des Weltalls, durch das *heliozentrische* mit der Sonne als Zentralgestirn, um das die Erde sich bewegt:

ein wichtiger Schritt für den Durchbruch vom geschlossenen mittelalterl. zu einem *offenen dynamischen* Weltbild.

Johannes Kepler (1571–1630) führt die Methode der quantitativen Erkenntnis der Natur weiter.

Seine auf ausführl. Berechnungen beruhenden Gesetze zur Planetenbewegung korrigieren die bei KOPERNIKUS noch falschen Voraussetzungen, wie die der (wegen der Idealität der Kreisfigur seit der Antike angenommenen) Kreisbahn der Planeten.

Bed. ist seine Verbindung von mathemat. und dynam. (physikal.) Beschreibungen in der Astronomie.

Galileo Galilei (1564–1642) wurde berühmt durch seine Fall- und Bewegungsgesetze und sein Eintreten für die kopernikan. Lehre. Für ihn ist das Wesen der Wirklichkeit durch *Zahlenverhältnisse* bestimmt. Nur wer die mathemat. Zeichen zu lesen und in Gesetze zu fassen versteht, erlangt objektive Erkenntnis.

»Das Buch der Natur ist in mathemat. Sprache verfaßt, und die Buchstaben sind Dreiecke, Kreise und andere geomet. Figuren.«

An wiss. Erkenntnis sind Vernunft und Beobachtung gleichermaßen beteiligt. Kennzeichnend für seine **Methode** sind:

die Zerlegung des zu Beschreibenden in einfache Elemente (*Analyse* der Erscheinungen); das Aufstellen von *Hypothesen;* die Überprüfung anhand von *Experimenten* (auch Gedankenexperimente); *Deduktion* von Folgesätzen; das Aufstellen von mathemat. formulierten *Naturgesetzen.*

Grundlegend für das neuzeitl. Wissenschaftsverständnis ist die Ablösung des *Wesens*begriffs durch den *Funktions*begriff. Die Ausrichtung auf das quantitativ Meßbare und in gesetzl. Zusammenhängen Beschreibbare, unter Zurückstellung der Wesensbestimmung der Dinge, ermöglichte den Fortschritt der Naturwissenschaften.

Für **Francis Bacon** (1561–1626) ist das Ziel der Wiss. die *Beherrschung der Natur* zum Nutzen der Gesellschaft. Wissen bedeutet Macht. BACON sieht seine Aufgabe daher in einer *systematischen* Grundlegung und Darstellung aller Wissenschaften.

Ihre Einteilung folgt der Gliederung des menschl. Vermögens in:
– Gedächtnis (memoria): *Geschichte,*
– Phantasie (phantasia): *Poesie,*
– Verstand (ratio): *Philosophie.*

Oberste Wiss. ist die *Prima Philosophia,* die die allen Wiss. gemeinsamen Grundlagen zum Gegenstand hat.

Um zu einer wahren Einsicht in die Natur der Dinge zu gelangen, muß der Mensch sich zunächst von allen Vorurteilen freimachen, die eine objektive Erkenntnis verhindern.

Erkenntnis ist wirkliches Abbild der Natur ohne verfälschende Vorstellungen. Diese Vorurteile nennt BACON **Idole** (Trugbilder), von denen er in seinem ›Novum Organum‹ 4 Arten unterscheidet:
– *idola tribus:* Trugbilder des Stammes. Sie entstehen aus der Natur der *menschl. Gattung,* weil der Verstand und unsere Sinne die Wirklichkeit nur nach menschl. Maß erfassen. Der Verstand ist ein unebener Spiegel, der dazu neigt, seine eigene Natur mit der der Dinge zu vermischen und diese dadurch zu entstellen.
– *idola specus:* Trugbilder der Höhle. Sie liegen im *Individuum* selbst und entstehen aus dessen Veranlagung, Erziehung, Gewohnheit, Neigung.
– *idola fori:* Trugbilder des Marktes. Die *Sprache* selbst führt uns zu Irrtümern durch falsche Beilegung von Bedeutungen. Die Worte stellen sich vor die Dinge. Daraus entstehen Streitigkeiten über bloße Worte und Namen.
– *idola theatri:* Dies sind die Irrtümer, die mit den Lehren der *Philosophenschulen* tradiert werden aufgrund der Anwendung verkehrter Beweisverfahren und des bloßen Erdichtens von Theorien.

Dagegen ist die richtige Methode, um zu wahrer Erkenntnis zu kommen und Trugbilder aufzulösen, die **Induktion.**

Dieses *methodisch-experimentelle* Vorgehen setzt an beim Sammeln und Vergleichen von Beobachtungen, um dann im Zuge sukzessiver Verallgemeinerung die allg. Formen der Natur zu erfassen.

Dabei geht die Induktion nicht von zufälligen Erfahrungen aus, sondern arbeitet planmäßig mit geordneten Wahrnehmungen (Tabellen) und gezielten Experimenten.

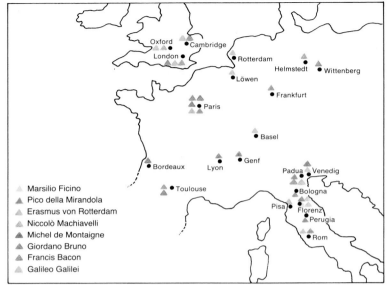

Marsilio Ficino
Pico della Mirandola
Erasmus von Rotterdam
Niccolò Machiavelli
Michel de Montaigne
Giordano Bruno
Francis Bacon
Galileo Galilei

Oxford
Cambridge
London
Rotterdam
Helmstedt
Wittenberg
Löwen
Frankfurt
Paris
Basel
Bordeaux
Lyon
Genf
Padua
Venedig
Toulouse
Bologna
Pisa
Florenz
Perugia
Rom

A Wirkungsstätten von Renaissance-Philosophen

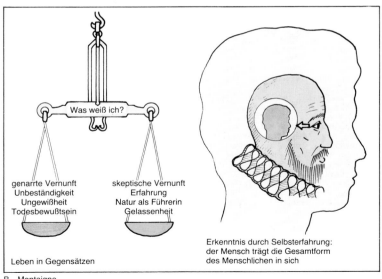

Was weiß ich?

genarrte Vernunft
Unbeständigkeit
Ungewißheit
Todesbewußtsein

skeptische Vernunft
Erfahrung
Natur als Führerin
Gelassenheit

Leben in Gegensätzen

Erkenntnis durch Selbsterfahrung:
der Mensch trägt die Gesamtform
des Menschlichen in sich

B Montaigne

Als Begründer des **Humanismus** (vgl. S. 93) gilt Francesco Petrarca (1304–74). Bes. die Abneigung gegen die erstarrte Universitätsbildung des Mittelalters führt bei ihm zur Wiederentdeckung der antiken Philosophie und Literatur. Die Werke der klass. Antike gelten als vorbildlich in Inhalt und Form.

Die gesamte Strömung hat einen überwiegend literar. Charakter, den die Bewunderung für die antike Beredsamkeit kennzeichnet. Das Gebiet der *Sprache* (Grammatik, Rhetorik, Dialektik) wird daher zu einem zentralen Gegenstand humanist. Denkens, wohl auch angeregt durch die philolog. Arbeit an der Neuherausgabe antiker Texte.

In den ›Dialektischen Disputationen‹ von Lorenzo Valla (1407–57), einer Untersuchung über Begriff, Satz und log. Schlüsse, wird deutlich, wie die Logik von der Sprache her erschlossen und angegangen wird. Verbunden ist damit eine Kritik an der Scholastik: Sie täuscht durch ihre absurden Wortbildungen, denen nichts Reales entspricht. Daher gilt es,

> zu den *Sachen selbst* zurückzukehren und das Zusammenspiel von Wort und Sache zu begreifen.

Hauptgegenstand der Philosophie aber soll der *Mensch* sein, seine geschichtl. und polit. Lebensbedingungen und die freie Entfaltung seiner schöpfer. Kräfte.

Daher die Bezeichnung »Humanismus« als Bemühung um das Menschsein (studia humanitatis).

Das Ideal des Humanismus ist der *uomo universale,*

> der über den Ständen stehende, allseitig gebildete Mensch, der in der Erweiterung seiner Kenntnisse seine Bestimmung als lernfähiges Wesen erfüllt.

Orientiert am Ideal antiker Humanität ist damit verbunden die *moralische* Haltung, wie sie sich etwa zeigt in den Tugenden des Maßes, der Gerechtigkeit, ästhet. Empfindens, der Harmonie mit der Natur, wobei bes. auch die sozialen Tugenden in der bürgerl. Gemeinschaft eine große Rolle spielen. Bedeutendster Vertreter des nordeurop. Humanismus ist **Erasmus von Rotterdam** (1469–1536). Sein Bemühen gilt der Verbindung von *christl. Philosophie* und *antiker Humanität.*

Das Leben zeigt sich nur in seiner Vielfältigkeit und Gegensätzlichkeit, daher ist eine menschl. Weisheit gefordert, die Gegensätzliches verbindet und nichts ausschließt.

Diese Offenheit fordert auch im Bereich der Religion *Toleranz,* die einhergeht mit der Idee eines humanistisch gebildeten, weltbürgerl. Christentums.

In seiner satir. Schrift ›Lob der Torheit‹ kritisiert er überlegen die Grundschwächen der Menschen und seiner Zeit.

Im Zusammenhang mit seinem krit.-philolog. Verständnis erwächst das Bewußtsein der Unabhängigkeit der Vernunft gegenüber jegl. Autorität.

So ist auch in Fragen des Glaubens jeder allein seinem Gewissen verantwortlich.

Obwohl viele seiner Gedanken die Reformation beeinflußt haben, distanziert er sich später von dieser, was bes. im Streit mit Luther über die Frage der *Willensfreiheit* zum Ausdruck kommt, die Erasmus mit Nachdruck vertritt.

Der mit ihm befreundete Thomas Morus (1478–1535) ist bes. bekannt durch seine Schrift ›Utopia‹, in der er ein utop. Staatsideal entwirft, aufgebaut auf religiöser Toleranz, allg. Eudämonie und Abschaffung des Privateigentums.

Ein anderer Ansatz als in der ital. Renaissance zeigt sich bei den bedeutendsten Vertretern des *franz. Humanismus*

Michel de Montaigne (1533–92). Mit seinen ›Essais‹ begründet er diese durch ihre ungebundene, subjektive Form bestimmte literar. Gattung.

Montaignes Wahlspruch: *Que sais-je?* (Was weiß ich?) kennzeichnet seinen *skeptischen* Ausgangspunkt. Die Welt zeigt sich in ständigem Werden und in Mannigfaltigkeiten zersplittert, so daß die Vernunft genarrt wird, wenn sie glaubt, etwas Unveränderliches, Ewiges erfassen zu können:

> »Letzten Endes gibt es überhaupt kein beständiges Sein, weder in unserem Wesen noch im Wesen der Dinge. Auch wir und unser Urteil und alle sterbl. Dinge fließen und wogen unaufhörlich dahin.«

Daher ist für ihn Naturwissenschaft nichts als sophist. Poesie und die Tradition der Philosophie von Anarchie beherrscht.

Auch das menschl. Leben zeigt sich nur in seiner Unsicherheit, Ungewißheit und ständigen Bedrohung durch den Tod (Grundgedanken der späteren Existenzphilosophie).

Die skept. Haltung führt aber nicht zur Resignation, sondern befreit von Verstellungen und erzieht zur *Unabhängigkeit* des Urteils und innerer Sicherheit. Die eigene *Erfahrung* erweist sich dann als die beste Erkenntnisquelle und das eigene Selbst als der geeignetste Gegenstand. In der Selbstbeobachtung seines *Inneren* findet der Mensch die ihm eigene Natur und entdeckt zugleich die Gesamtform des Menschlichen überhaupt.

> »Jeder Mensch trägt die Gesamtform der menschl. Natur in sich.«

Die – im stoischen Sinn verstandene – ordnende *Natur* wird zum Maßstab und zur Führerin für ein den Gegebenheiten gemäßes Leben.

A   Pico della Mirandola: die Stellung des Menschen (nach Carolus Bovillus, 1509)

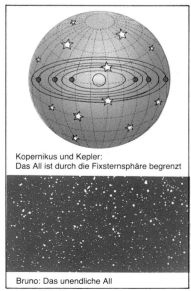

Kopernikus und Kepler:
Das All ist durch die Fixsternsphäre begrenzt

Bruno: Das unendliche All

B   Das Weltall

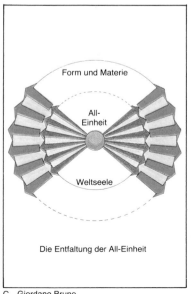

Form und Materie

All-Einheit

Weltseele

Die Entfaltung der All-Einheit

C   Giordano Bruno

Der Renaissance-**Platonismus,** mit dem Hauptvertreter MARSILIO FICINO (1433–99), betont bes. die Bestimmung des Menschen als *geistiges* Wesen.

Die unsterbl. Seele des Menschen ist die Mitte und das Band der Welt, denn sie ist das verbindende Mittlere zwischen den Sphären des bloß Körperlichen und denen des reinen göttl. Geistes. Wenn sie sich kraft der Vernunft vom Körperlichen frei macht, kann sie wieder in ihren göttl. Ursprung eingehen.

FICINOS Schüler GIOVANNI PICO DELLA MIRANDOLA (1463–94) begründet in seiner ›Rede über die Würde des Menschen‹ die aus der Geistbestimmtheit entspringende *Freiheit:*

Am Ende der Schöpfungstage hatte Gott bereits alle Eigenschaften vergeben, so daß für den Menschen nichts Eigenes mehr blieb, daher sprach er zum Menschen:

»Du bist durch keinerlei unüberwindl. Schranken gehemmt, sondern du sollst nach deinem eigenen freien Willen . . . deine Natur dir selbst vorherbestimmen. Ich habe dich zur Mitte der Welt gemacht, damit du von dort um dich schaust, was es alles in dieser Welt gibt. . . . Es steht dir frei, in die niedere Welt des Viehes zu entarten. Es steht dir ebenso frei, in die höhere Welt des Göttlichen dich durch den Entschluß deines eigenen Geistes zu erheben.«

Der Mensch, bestimmt durch seinen Geist, kann alle von Gott geschaffenen Formen betrachten und ist frei, sich sein eigenes Wesen zu schaffen. Er steht in der Mitte der Welt. Dieses Konzept ist bedeutend durch die Betonung der freiheitl. *Subjektivität,* dennoch hat der Platonismus die Tendenz, sowohl die Leiblichkeit des Menschen als auch seinen gesellschaftl. Bezug in den Hintergrund zu stellen zugunsten einer kontemplativen Lebensanschauung.

PIETRO POMPONAZZI (1462–1525) als bedeutendster Vertreter des **Aristotelismus** betont die Zusammengehörigkeit von Seele und Körper. Die *Seele* des Menschen bedarf, um zu erkennen, der Mitwirkung von Sinneseindrücken, sie ist daher ohne Körperliches nicht denkbar. Alles Wissen beruht auf Erfahrung, daher können wir auch nur über die erfahrbaren Zusammenhänge in der Natur etwas wissen und nichts über dahinterliegende Seinsgründe. Die Unsterblichkeit der Seele ist aus Vernunftgründen nicht zu beweisen. Auch für die Moral ist dies unerheblich, da die Tugend nicht wegen eines jenseitigen Lohns angestrebt werden soll.

BERNARDINO TELESIOS (1509–1588) **Naturphilosophie** nimmt Wärme und Kälte als aktive, Materie als passives Prinzip der Natur an, aus deren Zusammenwirken alles entsteht. Die natürlichen Dinge erkennt der Mensch kraft der ihm innewohnenden materiellen Seele. Alles Wissen, Begriffe und Urteile,

auch die der Logik und Mathematik, beruhen letztlich auf Sinneswahrnehmung. Die göttlichen Dinge erkennt der Mensch mit Hilfe seiner von Gott eingehauchten Geistseele.

Eine umfassende Metaphysik gestaltet **Giordano Bruno** (1548–1600). Er ist beeinflußt u. a. vom Neuplatonismus, NIKOLAUS VON KUES und KOPERNIKUS. Sein Weltbild bringt ihn in Konflikt mit der Inquisition, was zu seiner Verurteilung und Hinrichtung führt.

BRUNO nimmt das heliozentr. Weltbild des KOPERNIKUS auf, läßt aber die von diesem angenommene, das Weltall begrenzende, Fixsternsphäre fallen und faßt den Gedanken der *Unendlichkeit* des Universums. Dieses besteht aus einer unendl. Anzahl anderer Welten, die genauso wie die Erde bewohnt sein können. Während die einzelnen Welten in Veränderung begriffen und vergänglich sind, ist das Weltall im ganzen ewig und unbewegt, da es nichts außer sich hat, sondern selber alles Sein ist.

Grund dafür ist, daß der *unendliche Gott* auch nur Unendliches erschaffen kann:

»Wir wissen sicher, daß dieser Raum als Wirkung und Erzeugnis einer unendlichen Ursache und eines unendlichen Prinzips auf unendliche Weise unendlich sein muß.«

In der *All-Einheit* des göttl. Urgrundes ist alles Sein *eingefaltet* (complicatio), in ihm fallen alle Gegensätze zusammen. Die Einzeldinge der Welt sind dessen *Entfaltung* (explicatio). So ist die Gegenwart des Göttlichen in allen Formen der Natur. Gott ist nicht außerhalb der Welt, sondern in ihr.

In den entfalteten Einzeldingen geht aber die Einheit der Gegensätze verloren. Da bei ihnen somit auch Möglichkeit und Wirklichkeit auseinanderfallen, sind sie nie alles, was sie sein können, und daher unvollkommen, wandelbar und vergänglich.

Die in der Natur wirkende Ursache ist die *Weltseele.* Der ihr entspringende Geist ist der »innere Künstler«, der die *Materie* von innen heraus zur Vielfalt der Natur gestaltet.

Der Materie wird die *Form* aber nicht von außen aufgedrückt, sondern sie enthält diese in sich und treibt sie hervor.

Materie und alle Teile der Welt sind vom Geist durchdrungen und daher beseelt.

In seinem Spätwerk entwickelt BRUNO den Gedanken der

Monaden, die als kleinste und einfachste Einheiten das Wesen der Dinge enthalten und die Elemente der Natur sind.

Der menschl. Geist strebt, gemäß dem Wesen des Universums, nach der Erkenntnis des Unendlichen. Die Unendlichkeit ist das Zentrum, das er umkreist, aber nie zu erreichen vermag. Die Bewegung des Geistes ist daher getragen von »heroischer Leidenschaft«, die zur Steigerung des Bewußtseins und in Stufen zur Verähnlichung mit dem Göttlichen führt.

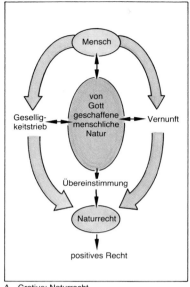

Mensch

von Gott geschaffene menschliche Natur

Geselligkeitstrieb

Vernunft

Übereinstimmung

Naturrecht

positives Recht

A Grotius: Naturrecht

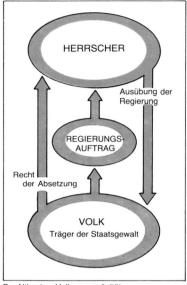

HERRSCHER

Ausübung der Regierung

REGIERUNGS-AUFTRAG

Recht der Absetzung

VOLK
Träger der Staatsgewalt

B Althusius: Volkssouveränität

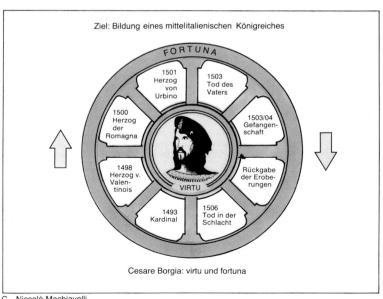

Ziel: Bildung eines mittelitalienischen Königreiches

FORTUNA

1501 Herzog von Urbino

1503 Tod des Vaters

1500 Herzog der Romagna

1503/04 Gefangenschaft

1498 Herzog v. Valentinois

Rückgabe der Eroberungen

1493 Kardinal

1506 Tod in der Schlacht

VIRTU

Cesare Borgia: virtu und fortuna

C Niccolò Machiavelli

Ein grundlegendes staatstheoret. Problem ist die Frage nach der **Staatsgewalt**. JEAN BODIN (1530–96) bestimmt den Begriff der *Souveränität*, die den Staat kennzeichnet. Sie ist die absolute und dauernde, höchste (Befehls-) Gewalt. Inhaber der Souveränitätsrechte (Gesetzgebung, Kriegführung, Gerichts- und Finanzhoheit) ist
der absolute Herrscher, der niemandem verantwortlich ist als nur dem göttl. Gebot und dem Naturrecht. Die ihm übertragene Gewalt ist unwiderruflich.
Er muß allerdings Freiheit und Eigentum der Bürger achten.
Einen anderen Standpunkt vertritt JOHANNES ALTHUSIUS (1557–1638). Für ihn liegt die Souveränität allein beim *Volk* und dieses beauftragt den Herrscher lediglich widerruflich mit der Ausübung der Regierung.
Das Volk hat daher das Recht, den Herrscher auch wieder abzusetzen.
In seinem Werk ›Über das Recht des Krieges und Friedens‹ stellt HUGO GROTIUS (1583–1645) allg. Überlegungen zum Begriff des **Naturrechts** an. Er unterscheidet zwischen dem *positiven*, d. h. gesetzten, jeweils geltenden Recht und dem unveränderl., normativen Naturrecht. Das positive Gesetz hat nur Geltungsanspruch, wenn es in Übereinstimmung mit dem Naturrecht steht.
»Das natürl. Recht ist ein Gebot der Vernunft, das anzeigt, daß einer Handlung, wegen ihrer Übereinstimmung oder Nichtübereinstimmung mit der vernünftigen Natur selbst, eine moral. Notwendigkeit oder Häßlichkeit innewohne.«
Grundlagen des Naturrechts sind der *Geselligkeitstrieb* des Menschen, der ihn zu einer geordneten Gemeinschaft treibt, und seine *Vernunft,* kraft derer er erkennen kann, was mit der – von Gott geschaffenen – Natur des Menschen übereinstimmt. Die inhaltl. Füllung des Naturrechts kann ermittelt werden zum einen aus evidenten Prinzipien, die sich aus der Natur des Menschen ergeben, zum anderen aus der Betrachtung dessen, worin die kultivierten Völker in ihren Ansichten übereinstimmen.

Mit seiner Schrift ›Il principe‹ (›Der Fürst‹) schlägt **Niccolò Machiavelli** (1469–1527) eine neue Richtung der polit. Philosophie ein, indem er die seit der Antike übl. Zusammengehörigkeit von Politik und Ethik aufbricht. Ihm geht es nicht um einen auf eth. Idealen aufgebauten Staat, *was wirklich ist.*
».. . denn zwischen dem Leben, wie es ist, und dem Leben, wie es sein sollte, ist ein so gewaltiger Unterschied, daß derjenige, der nur darauf sieht, was geschehen sollte, und nicht darauf, was in Wirklichkeit geschieht, seine Existenz viel eher ruiniert als erhält. Ein Mensch, der immer nur das Gute möchte, wird zwangsläufig zugrunde

gehen inmitten von so vielen Menschen, die nicht gut sind.«
In einer Zeit, die MACHIAVELLI von polit. Krisen erschüttert und innerem Zerfall bedroht sieht, möchte er den Weg weisen zu einem dauerhaft geordneten Staatswesen, dessen Organisation das sittl. Bewußtsein der Bürger festigt. Grundlage dafür ist die Tüchtigkeit und der *Machtwille* des *Herrschers.* Er beschreibt daher die Eigenschaften des Regenten, der befähigt ist, den Staat zu ordnen und sich an der Macht zu erhalten. Wirkungsreich wird dabei die von MACHIAVELLI vorgenommene Trennung von *Politik* und *Moral.*
Der Herrscher muß im Notfall auch bereit sein, Böses zu tun. Im Interesse der Machterhaltung ist es nicht dienlich gut zu sein, wohl aber gut zu scheinen, um beim Volk geachtet zu sein.
Als Vorbild gilt ihm CESARE BORGIA. Glück und Unglück der Menschen hängen von ihrer Tatkraft *(virtù)* und den zufälligen äußeren Umständen *(fortuna)* ab. Der Herrscher soll daher in der Lage sein, sich den äußeren Erfordernissen anzupassen und darüberhinaus die Tatkraft besitzen, das wankelmütige Schicksal zu bezwingen.

Der auf dem zeitgeschichtl. Hintergrund erfolgte Umbruch der Denkweise trifft schließlich mit der **Reformation** auch die christl. Kirche und führt zu ihrer Spaltung. Die angesichts der kirchl. Mißstände drängende Erneuerung kommt zum Durchbruch kraft der persönl. Glaubenserfahrung **Martin Luthers** (1483–1546).
LUTHER geht von der völligen Sündhaftigkeit und Verderbtheit der menschl. Natur aus, weshalb es dem Menschen auch nicht möglich ist, durch eigene Willensanstrengung oder gute Werke Rechtfertigung vor Gott zu erlangen, sondern allein durch die *Gnade (sola gratia)* Gottes und durch den *Glauben (sola fide).* Die von der kath. Kirche beanspruchte Mittlerfunktion wird somit abgewiesen, denn
der einzelne steht im Glaubensakt in einem unmittelbaren, persönl.-verantwortl. Verhältnis zu Gott.
Als alleinige Autorität wird das Wort Gottes in der *Schrift* anerkannt *(sola scriptura).* An die Stelle der hierarch. Struktur der Kirche tritt der Gedanke der *Gemeinde* und des Priestertums aller Gläubigen.
Die Verankerung des Glaubens allein in der eigenen *Innerlichkeit* führt dazu, daß der Mensch in zwei eigenständigen Welten lebt: der innerl., geistigen und der äußerl., staatl. Gemeinschaft.
Im Zuge der sittenstrengen Ausformung des Protestantismus bei JOHANN CALVIN (1509–64), demzufolge der berufl. und wirtschaftl. Erfolg in der Gemeinde als Zeichen der Auserwähltheit vor Gott gilt, entwickelt sich eine für die neuzeitl. kapitalist. Gesellschaften typ. *Arbeitsethik.*

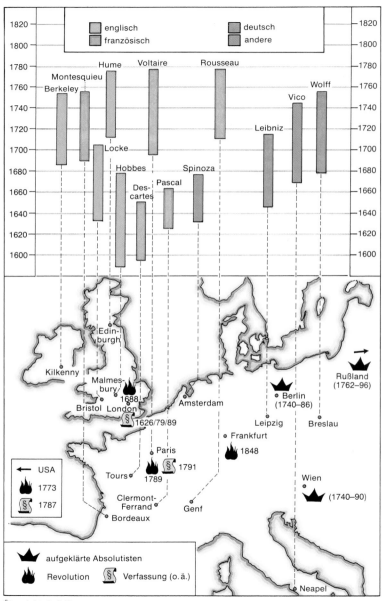

Übersicht: Aufklärung

Als geistige histor. Epoche bezeichnet man v. a. das 17. und 18. Jh. als **Aufklärung**. Eine klass. **Definition** von Aufklärung gibt I. KANT (1783):

»Aufklärung ist der Ausgang des Menschen aus seiner selbst verschuldeten Unmündigkeit. Unmündigkeit ist das Unvermögen, sich seines Verstandes ohne Leitung eines anderen zu bedienen.«

Aufklärung ist also bestimmt durch den Gebrauch der *Vernunft* und die eigenständige Leistung des denkenden *Individuums*. Charakterist. für die Aufklärung ist somit ferner eine Distanz zu Tradition und Autorität, die Hochschätzung der *Freiheit* und die positive Bewertung der Fähigkeit zu einer vernünftigen Lösung aller Fragen.

Diese Neubegründung wird in zwei Richtungen versucht:
1) Der **Rationalismus** (v. a. in Frankreich und Deutschland): Seine Hauptvertreter behaupten die Möglichkeit, aus reinen Prinzipien des *Denkens* den Aufbau der Wirklichkeit zu erkennen. Die log. Ordnung der Welt ermöglicht es, sie deduktiv zu erfassen. Vorbild ist die Methode der Mathematik, aus wenigen, sicheren Axiomen zu schließen.

Die Wirklichkeit besteht aus zwei (DESCARTES), einer (SPINOZA) oder vielen (LEIBNIZ) Substanzen und ist von Gott vollkommen eingerichtet.
2) Der **Empirismus** (v. a. in Großbritannien, später auch in Frankreich z. T. als Materialismus): Von FR. BACON (S. 95) über HOBBES, LOCKE, BERKELEY bis HUME sieht er die Grundlage der Erkenntnis in der (Sinnes-) *Erfahrung*. Wirklich sind nur einzelne Gegenstände und Phänomene. Der richtige Vernunftgebrauch kann diese ordnen und induktive Schlüsse aus ihnen ziehen.

Die Wirksamkeit dieses Ansatzes liegt v. a. in der Entstehung der Naturwissenschaft, aber auch in der Betonung des einzelnen in der Rechts- und Staatsphilosophie.
Viele Philosophen der Aufklärung weisen bed. Leistungen auch auf anderen Gebieten auf, als Mathematiker, Physiker, Politiker oder Diplomaten.

Die Skepsis gegen Überlieferung und Autorität führt zu einer krit. Haltung gegen die **Religion**:

Die Prüfung durch die Vernunft versucht, den »Aberglauben« aus ihr auszuscheiden und durch eine rationalere Frömmigkeit zu ersetzen.

Bes. Anliegen der Aufklärer ist die *Toleranz* unter Religionsgemeinschaften. Eine typ. Erscheinung ist der *Deismus:*

Gott hat die Welt perfekt erschaffen, greift aber danach nicht mehr in sie ein.

Der Einsatz der Mathematik und die Methode der Beobachtung führen zum Durchbruch in der **Naturwissenschaft.** Bedeutendstes Beispiel ist NEWTON:

Seine Mechanik (1687) ist umfassende quantitative Naturerklärung, die streng kausal und ohne unnötige Hypothesen funktioniert.

In die Zeit fällt eine Fülle von wiss. Entdeckungen. Der Fortschritt in der Bewältigung der Natur begründet in der Aufklärung z. T. einen *Fortschrittsglauben.*

Gesellschaftlich ist das Zeitalter bestimmt durch den Aufstieg des *Bürgertums*, begünstigt durch wirtschaftl. Entwicklungen. Dieser Prozeß wird begleitet vom *Liberalismus:* Als Wirtschaftstheorie fordert er freies Gewerbe und Handel.
Seine Devise:

»Laissez faire, laissez passer.« (Laßt machen, laßt gehen.)

Dazu kommt die philosoph. Fundierung der Rechte des einzelnen gegenüber dem Staat und dem Mitbürger.

In England entstehen wichtige Rechtstexte, die diese Freiheiten garantieren: z. B. ›Habeas-Corpus-Akte‹ (1679) und ›Declaration of Rights‹ (1689).

Wichtige Ergebnisse in der Rechtsphilosophie sind neue Formulierungen von *Naturrecht* und *Menschenrechten*, z. B.

›Virginia Bill of Rights‹ (USA 1776): »Alle Menschen sind von Natur aus frei ... und besitzen ... angeborene Rechte, nämlich das Recht auf Leben und Freiheit, dazu die Möglichkeit, Eigentum zu erwerben und zu behalten sowie Glück und Sicherheit anzustreben und zu erreichen.«

Für die Organisation des **Staates** hat das Denken der Aufklärung tiefgreifende Folgen. Die Philosophie formuliert wichtige Prinzipien
– Vertragstheorie: Die Herrschaft ist als Vertrag zwischen Volk und Regierung anzusehen.
– Volkssouveränität: Die Staatsgewalt liegt beim Volk.
– Gewaltenteilung: Um Machtmißbrauch auszuschließen, soll die Gewalt in versch., (sich gegenseitig) kontrollierende Organe aufgeteilt sein. Der klass. Ausdruck dieser Forderung findet sich bei LOCKE und MONTESQUIEU.
– die Forderung nach demokrat. Beteiligung aller an der Macht.

Die Durchsetzung gelingt auf versch. Wegen. In England setzt sich die konstitutionelle *Monarchie* durch (Königreich bei demokrat. Rechten, die durch verfassungsartige Texte garantiert sind). Auf dem Kontinent ergibt sich der *»aufgeklärte Absolutismus«* nach dem Prinzip:

»Nichts durch das Volk, alles für das Volk.«

In Frankreich versucht die *Revolution* von 1789 die Verwirklichung der neuen Ideen über den Staat und die Rechte seiner Bürger.

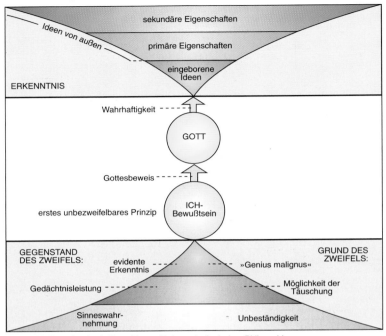

A Das Ich-Bewußtsein als Umschlagpunkt der cartesianischen Philosophie

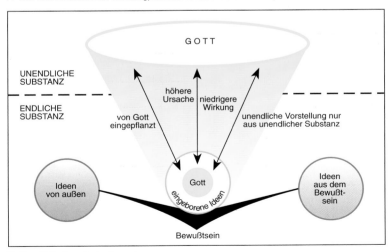

B Zum Gottesbeweis des Descartes

Bei **René Descartes** (RENATUS CARTESIUS; 1596–1650) verbinden sich die *Skepsis* der *Tradition* gegenüber mit der *Hochschätzung der Vernunft* (lat. ratio) zu einem aufklärer. Werk. Der Mathematiker DESCARTES nimmt die Erfolge der exakten Naturwiss. und die Methode der Mathematik auf. Weitere aufklärer. Momente seiner Philosophie sind die starke Betonung des *Subjekts* und der Wille zu größtmögl. *Gewißheit.* Mit seinem skept. Rückzug auf das erkennende Subjekt begründet DESCARTES einen Hauptzug der neuzeitl. Philosophie.

Die Grundzüge seiner **Methode** legt DESCARTES in der ›Abhandlung über die Methode des richtigen Vernunftgebrauchs‹ dar. Demnach gilt es,
– unter Vermeidung aller Vorurteile nur das als wahr anzuerkennen, was sich klar und deutlich erkennen läßt (»clare et distincte percipere«).
– Problemstellungen soweit als möglich in Teile zu zerlegen.
– vom einfachsten Objekt »gleichsam stufenweise« zum komplizierten zu schreiten.
– durch Aufzählung die Vollständigkeit des Systems sicherzustellen.
Diese der Mathematik entlehnte Methode solle zur Untersuchung beliebiger Objekte angewendet werden.
Ziel ist es, zu den »einfachen Naturen« zu gelangen (*analytische* Methode):
Sie müssen unmittelbar evident einzusehen sein (Intuition).
Von solcher Erkenntnis (»certe et evidenter cognoscere«) sollen folgerbare Sätze deduziert, d. h. abgeleitet, werden.

Eigentl. **Ausgangspunkt** der cartesian. Philosophie ist der **Zweifel:**
DESCARTES sucht seiner Methode gemäß nach einem Ansatzpunkt, der nicht mehr anzuzweifeln ist.
Von diesem ausgehend will er dann mit zwingenden Schlüssen zu komplexeren, aber unbestreitbaren Wahrheiten gelangen.
In der ersten der (sechs) ›Meditationes de prima philosophia‹ nimmt DESCARTES den »Umsturz aller seiner Meinungen« vor:
Er untergräbt alle Fundamente seines Denkens und zweifelt nicht nur an der Sinneswahrnehmung an, sondern auch die Gedächtnisleistung und schließlich die evidentesten Dinge:
»Wäre es nicht sogar möglich, daß ich mich irre, sooft ich zwei und drei addiere?«
Denn es könnte auch Gott oder ein böser und listiger Geist, der »*genius malignus*«, den Menschen in allem täuschen wollen.
DESCARTES stößt bei diesem Zweifel schließlich auf das Evidenteste und Unzweifelhafte: das **Selbstbewußtsein.** Selbst im Zweifel muß das Ich vorausgesetzt sein:
»Alsbald machte ich die Beobachtung, daß während ich so denken wollte, alles sei

falsch, doch notwendig *ich,* der das dachte, irgend etwas sein müsse, und da ich bemerkte, daß diese Wahrheit ›ich denke, also bin ich‹ so fest und sicher wäre, daß auch die . . . Skeptiker sie nicht zu erschüttern vermöchten, so konnte ich sie meinem Dafürhalten nach als das erste Prinzip der Philosophie, die ich suchte, annehmen.«
Das *Selbstbewußtsein des Subjekts* ist also das Fundament, auf dem DESCARTES alle weitere Philosophie aus einem Guß aufbauen will.

Dieses Ich wäre aber in der Gewißheit des Selbstbewußtseins gefangen, wenn es nicht den durch Zweifel zerstörten Bezug zur Außenwelt wiederherstellt. Dies gelingt DESCARTES im Rahmen unumstößl. Urteile durch den **Gottesbeweis.** Dabei geht er von den Vorstellungen (ideae) seines Bewußtseins aus und schließt sich damit indirekt an das ontol. Argument der ANSELM VON CANTERBURY (S. 73) an. Ideen können entweder aus dem Bewußtsein selbst stammen, aus der Außenwelt oder von einer höheren Instanz ins Bewußtsein gepflanzt sein:
Bei der Idee Gottes fällt die Außenwelt aus, denn sie kann überhaupt keine klaren Vorstellungen liefern.
Auch aus sich heraus kann das Bewußtsein keine Vorstellung Gottes haben:
»Zwar habe ich eine Vorstellung von Substanz, weil ich selbst Substanz bin; dies kann jedoch nicht die Vorstellung von der unendl. Substanz sein, da ich selbst endlich bin. Eine solche Vorstellung kann nur aus einer wahrhaft unendl. Substanz hervorgehen.«
Gestützt wird dies durch das Argument, daß die Ursache stets mehr Seinsgehalt berge als die Wirkung:
Deshalb kann nicht das ontol. Geringere, die Idee, Ursache des Höheren, der göttl. Substanz, sein.
Die Idee Gottes ist eine »*idea innata*«, eine eingeborene Idee. Der Begriff solcher Ideen besagt einerseits die psychogene. Darstellung, solche Vorstellungen seien von Gott in die Seele eingepflanzt. Andererseits qualifiziert er sie auch als die sichersten Vorstellungen überhaupt: Diese einheitl. Ideen sind unabhängig von der Außenwelt im Bewußtsein zu finden. So kommt ihnen höchste Klarheit und nach DESCARTES höchste Gewißheit zu. Ferner schließt die Idee Gottes auf die Eigenschaften des *absolut Substantiellen* und *aktual Unendlichen* ein. Vielmehr gehört die **Wahrhaftigkeit** zum »ens perfectissimum«, dem vollendeten Sein:
Lug und Trug entspringen einem Mangel.
Deshalb zerschlägt sich auch die Hypothese vom »*genius malignus*«:
Die Wahrhaftigkeit Gottes garantiert die Richtigkeit der Welt und ihrer Erkenntnis.
Bes. die unmittelbare Evidenz, das *natürliche Licht,* erhält daraus ihre letzte Begründung.

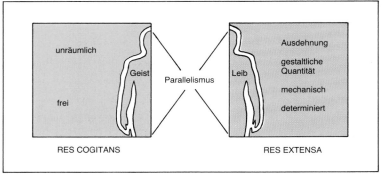

A   Descartes' Dualismus

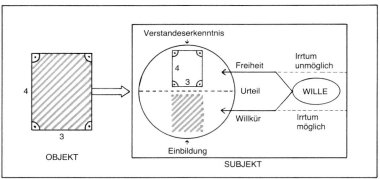

B   Wille, Urteil und Irrtum

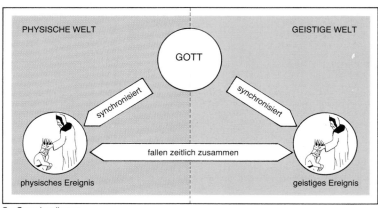

C   Occasionalismus

DESCARTES untersucht das Ich, das ihm aus dem Zweifel bleibt und kennzeichnet es als **res cogitans,** d. h. als denkendes Ding. In ihm fallen »Geist bzw. Seele bzw. Verstand bzw. Vernunft« zusammen. Die res cogitans ist demnach ein Ding,

»das zweifelt, einsieht, bejaht, verneint, will, nicht will, das auch bildlich vorstellt und empfindet«.

Sein Gegenstück ist die **res extensa,** die die äußere Körperwelt darstellt. Diese äußeren Dinge sind v. a. durch *Ausdehnung* (lat. extensa = ausgedehnt) und *Bewegung,* ferner durch Gestalt, Größe, Anzahl, Ort und Zeit bestimmt. Diese sind die *primären Eigenschaften* der Körper. Sie sind ferner *rational,* weil quantitativ und mathematisch erfaßbar. Dem entspricht die Trennung DEMOKRITS (S. 33) von *primären* und *sekundären* Eigenschaften. Sekundär sind dann nur vorgestellte Eigenschaften: Farbe, Geruch, Geschmack u. a., die *qualitativ* sind. Die sinnl. Erfassung des Qualitativen bleibt *Einbildung* (imaginatio), des Mathematisch-Quantitativen dagegen ist echte (Verstandes-)*Erkenntnis* (intellectio).

Die Sinneswahrnehmung vermittelt uns nur subjektive und undeutl. Eindrücke von der Außenwelt, sie liefert also kein wirkl. Abbild der Natur. Nur über die primären Eigenschaften der Dinge kann der Verstand sichere physikal. Aussagen machen. Von den nur subjektiven Wahrnehmungen, wie z. B. der Farbe, gilt:

»... daß wir in den Gegenständen etwas wahrnehmen, von dem wir nicht wissen, was es ist, das aber in uns eine best. Empfindung bewirkt, die die Empfindung der Farbe genannt wird.«

Die entscheidende Rolle, die DESCARTES der Vernunft (lat. ratio) zuweist, begründet die Bezeichnung »**Rationalismus«,** die seine und die ihm folgende Philosophie trägt.
Aus DESCARTES' Forderung, nur Klares und Evidentes könne wahr sein, folgt:

Wahr kann nur das log. und rational *Erfaßte* sein.

Mithin ist also die *Verstandestätigkeit* einziger Garant der Wahrheit.
In der Lehre von den beiden Substanzen, der res cogitans und der res extensa, liegt ein scharfer **Dualismus:**

Außer dem ungeschaffenen und vollendeten Sein Gottes gibt es in der Welt die zwei völlig getrennten Reiche von ausgedehnten Körpern und reinem Denken.

Dem Dualismus von geistiger und materieller Welt entspricht die durch die aufblühende Naturwissenschaft bewirkte *Entgeistung* der phys. Welt:

Die Körper stehen unter der Wirkung natürl. Gesetze, wie den mechanischen von Druck und Stoß.

Der Geist aber ist *frei.* Die niedrigste Form dieser **Freiheit** ist das willkürl. Urteil aus der Indifferenz:

Der schrankenlose Wille fällt über die Vorstellungen der Vernunft seine Entscheidung.

Tut er dies über Gegenstände, die die Vernunft noch nicht ganz erfaßt hat, entsteht daraus der *Irrtum.* Dem ist nur durch eine Enthaltung des Urteils bei ungenügender Kenntnis zu begegnen.
Höher bewertet DESCARTES die Freiheit, die sich aus der Zustimmung zu einem evidenten Urteil ergibt:

»Sähe ich immer klar, was wahr und gut ist, ich würde niemals schwanken, wie ich zu urteilen oder zu wählen habe: So könnte ich wohl völlig frei, aber niemals indifferent sein.«

In der **Anthropologie** DESCARTES' wirkt sich der Dualismus von körperl. und geistiger Substanz aus:

Der Mensch hat Anteil an beiden Welten.

DESCARTES will die Harmonie der beiden im Menschen durch die Lehre von den *Lebensgeistern* wahren; sie gewährleisten den Übergang vom Körperlichen zum Geist und umgekehrt.

In der Zirbeldrüse im Gehirn überführen sie die physikal. Impulse der Nervenbahnen in den Geist.

DESCARTES postuliert dabei einen strengen *Parallelismus* beider im Menschen vereinter Substanzen: Einem bestimmten Körperzustand soll ein seelischer entsprechen. Mit hoher Wahrscheinlichkeit gibt der Reflex im Geist auch das *Nützlichste* für den Körper an.

Bei Durstgefühl ist z. B. mit hoher Wahrscheinlichkeit günstig zu trinken.

Garant für die Nützlichkeit des Systems ist die Konstruktion des gütigen Gottes.

Vom Leib-Seele-Problem DESCARTES' geht die philosoph. Schule der **Occasionalisten** aus. Ihre Vertreter, v. a. A. GEULINCX (1624–69) und N. MALEBRANCHE (1638–1715), behaupten, daß die Verbindung der getrennten Substanzen von Geist und Körper nur durch das unmittelbare Eingreifen Gottes erfolgen kann:

Gott sorgt dafür, daß bei der richtigen Gelegenheit (lat. occasio) der körperliche und der geistige Prozeß parallel laufen; der Geist etwa wird über ein gleichzeitig stattfindendes phys. Ereignis informiert.

Auch die Theorie von J. O. DE LAMETTRIE (1709–51) geht auf cartesian. Gedanken zurück:

DESCARTES sieht das Tier als komplizierte Maschine, der Mensch unterscheidet sich nur durch den Geist von ihr. LAMETTRIE läßt diesen Unterschied fallen und erklärt auch den Menschen zur Maschine.

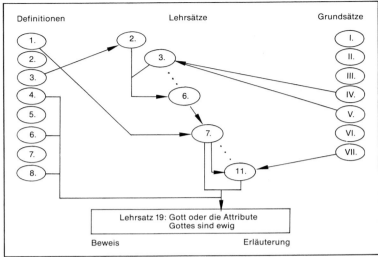

A Zur Geometrischen Methode (Beispiel: ›Ethik‹ I, 19)

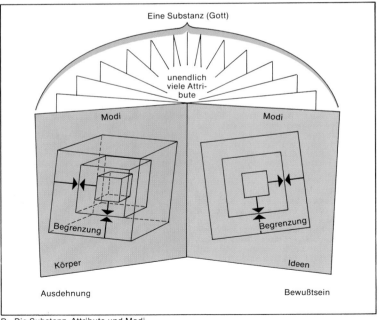

B Die Substanz, Attribute und Modi

Baruch (Benedictus) **de Spinoza** (1632–77) gilt den einen als gottbegeisterter, lauterer, tiefer Philosoph, anderen dagegen als gottloser, dunkler Pantheist.

Der Ausdruck Lehre paßt zum Werk Spinozas, denn es strahlt abgeklärt eine erhabene Ruhe aus.

Der ›Traktat zur Verbesserung des Verstandes‹ (1677), als eine Art Propädeutik zur Ethik angesehen, diente der method. Vorbereitung seiner Lehre. Das Hauptwerk, die ›Ethik‹ (1677), ist nach **geometrischer Methode** (lat. »more geometrico demonstrata«) dargestellt wie schon seine erste Schrift ›Prinzipien der Philosophie Descartes'‹ (1663).

Jeder Abschnitt besteht aus Definitionen, Axiomen, Lehrsätzen mit Beweisen, Folge- und Hilfssätzen, Anmerkungen und Postulaten (Abb. A).

Die mathemat. Ordnung dient (wie bei den ›Summen‹ des Mittelalters oder auch im ›Tractatus logico-philosophicus‹ Wittgensteins) nicht der äußeren Form. Sie bringt zum Ausdruck, daß auch in der Philosophie, wie in der Mathematik,

aus obersten Prinzipien alle übrigen Sätze *deduzierbar* sind.

Spinoza will zeigen, daß diese Darstellungsform eine andere, höhere Wahrheitsnorm als die gewöhnlich geltende beansprucht:

sie *unterläßt* die menschl. Frage nach dem *Zweck.*

Denn nichts habe mehr zur Besessenheit der Menschen beigetragen, als dieser Zweckdenken: alles in der Natur sei als Mittel zu dem für die Menschen Nützlichen zu betrachten.

So ist die ›**Ethik**‹ in 5 Abschnitte geteilt, die »Von Gott«, »Von der Natur und dem Ursprung des Geistes«, »Von den Affekten«, »Von der menschl. Unfreiheit« und »Von der Macht des Verstandes oder der menschl. Freiheit« handeln.

Mit **Gott** statt dem Menschen zu beginnen, bedeutet:

wenn die Gottesvorstellung falsch ist, kann das Menschenbild nicht richtig sein.

»Gott« wird in Definitionen als *Substanz* vorgestellt. Diese ist bestimmt als

»dasjenige, dessen Begriff des Begriffs eines anderen Dinges nicht bedarf, um daraus gebildet zu werden«.

Die Substanz wird konstituiert durch die *Attribute,* d. h. Eigenschaften, die der Verstand als wesentlich erfaßt. Die Zustände der Substanz nennt Spinoza *Modi.*

Als *endlich* definiert Spinoza, was durch anderes von gleicher Natur beschränkt wird.

»Z. B. ein Körper heißt endlich, weil wir immer noch einen größeren dazu denken können ... Indessen, kein Körper wird durch einen Gedanken begrenzt [weil nicht von gleicher Natur].«

Gott dagegen ist *absolut unendliches* Sein, das keinerlei (einschränkende) Verneinung in sich schließt, also aus unendlich vielen Attributen besteht. Spinoza leitet daraus ab, daß Gott notwendig existiert, daß er die einzige Substanz ist und daher unteilbar.

Ausgedehnte und bewußte Dinge sind demnach entweder Attribute Gottes oder Zustände von Attributen Gottes.

Spinoza bestimmt also zuerst, wer die unendl. Substanz ist, und dann, wer die endl. Modi sind (*Welt* und *Mensch*). Der Unterschied kann auch mit anderen Begriffen als Substanz und Akzidens ausgedrückt werden:

natura naturans und *natura naturata;*

die schaffende **Natur** ist nicht identisch mit der geschaffenen Natur. Aber:

»Alles, was ist, ist in Gott und nichts kann ohne Gott sein noch begriffen werden.«

Spinoza antwortet auf die Frage, ob das nicht Pantheismus sei, u. a. folgendes:

»Wenn es aber Leute gibt, die meinen, daß Gott und die Natur (worunter sie eine Masse oder eine körperl. Materie verstehen) eines und dasselbe seien, so sind sie ganz und gar im Irrtum.«

Die Gleichung »Gott oder [auch] Natur« **(Deus sive natura)** heißt:

Gott ist die schaffende Natur (naturans) und alles, was ist, ist durch ihn geworden (naturata) und wird durch ihn im Sein erhalten.

Auch jede *Erkenntnis* muß somit Gottes Attribute oder Modi erfassen, »und nichts anderes«.

Nach der Darlegung des ersten und letzten Grundes der Wirklichkeit folgt jetzt die **Metaphysik des Menschen.** Grundlegend ist Spinozas These, daß Ausdehnung und Bewußtsein die Attribute der *einen* Substanz sind, die wir erfassen können. Daraus folgt:

»Die Ordnung und Verknüpfung der Ideen ist dieselbe wie die Ordnung und Verknüpfung der Dinge.«

Die *Wirklichkeit* von Dingen und Ideen besteht nach Spinoza nur, wenn sie in Gottes Attribute inbegriffen sind. *Körper* allgemein sind Modi Gottes unter dem Attribut der Ausdehnung, *Ideen* unter dem Attribut des Bewußtseins.

Für den Menschen wird das Verhältnis von Körper und Geist somit als *Parallelismus* gefaßt: Sie sind zwei »Aspekte« des einen Individuums.

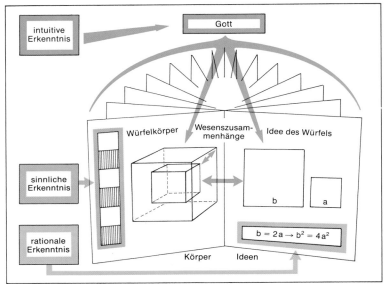

A Zu Spinozas Erkenntnislehre

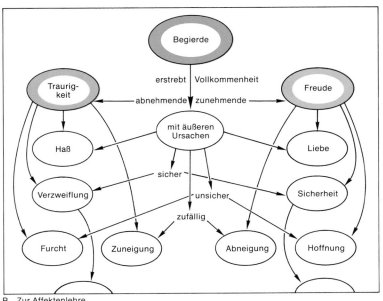

B Zur Affektenlehre

Nach SPINOZAS **Erkenntnislehre** sind die Ideen des menschl. Geistes dann adäquat und wahr, wenn sie auf Gott bezogen werden. Jede wahre Idee ist in Gott, da Ideen Modi des denkenden Attributs Gottes sind. Wahre Ideen sind klar und deutlich. Sie schließen die *Gewißheit* ihrer Wahrheit ein, da die Wahrheit ihr eigener Maßstab ist und kein anderes Kriterium außer sich hat (veritas norma sui et falsi est.)

»Die Adäquatheit der Idee enthält . . . den Bezug auf die real existierende Sache . . . vermittelt durch die Ideen in Gott . . . Nur sofern unser Denken im Grunde Denken Gottes ist, können unsere Ideen adäquat sein.« (W. RÖD)

SPINOZA unterscheidet drei **Weisen** von Erkenntnis:

– die *sinnliche,* die durch Affektionen entsteht und verworrene und ungeordnete Gattungsbegriffe hervorbringen kann.
– die *rationale,* in der mit Gemeinbegriffen folgernd operiert wird.
– die *intuitive,* die »sub specie aeternitatis«, d. h. in Beziehung auf das Absolute, erkennt.

Nur die erste Erkenntnisart kann Quelle des Irrtums sein.

Im dritten Teil handelt die Ethik von den **Affekten,** die Spinoza darstellt wie eine Art »Mechanik der Leidenschaften«:
    »als wenn von Linien, Flächen und Körpern die Rede sei«.
»Ordine geometrico demonstrata« heißt hier: die menschl. Handlungen sind nach allg. Gesetzen miteinander verknüpft.

Das erste und oberste Prinzip dafür lautet:
    »Jedes Ding strebt, so viel an ihm liegt, in seinem Sein zu beharren (conatus sese conservandi).«

SPINOZA nimmt 3 Grundaffekte an:
    die *Begierde,* die der (Selbsterhaltungs-)Trieb mit Bewußtsein seiner selbst ist, ferner die *Freude* und die *Traurigkeit.*
Aus diesen Grundaffekten werden die anderen abgeleitet; z. B. wird definiert:
    »Liebe ist Freude, begleitet von der Idee einer äußeren Ursache.«

Ethisch will die Erkenntnis der wahren Natur der Affekte die Möglichkeit erkunden, ein beständiges und vollkommenes Leben führen zu können.

SPINOZA sieht gar oder schlecht als das, was die »Macht«, d. h. die Wirklichkeit des Menschen fördert bzw. hemmt.

Die wahre *Freiheit* besteht als Einsicht in das unabhängige Notwendige. In dem Maße, in dem die Vernunft adäquat erkennt, befreit sie sich von Affekten, die sie von ihrer Vervollkommnung trennen.

    Der Mensch erkennt alles als notwendig in Gott gegründet und wird frei, indem er

sich in den von Gott bestimmten Lauf der Welt gibt.

Größte Aktivität besteht also in der richtigen Erkenntnis, deren höchste Form die *Gotteserkenntnis* ist.

    Die wahre Religiosität besteht in der Gottesliebe (amor Dei intellectualis).

Zu den Gelegenheitsschriften SPINOZAS gehört der ›**Theologisch-politische Traktat**‹ (1670). In ihn ist eine frühere Verteidigungsschrift eingegangen, die sich gegen den Vorwurf des Atheismus wendet.

Hauptzweck der Schrift ist die *Trennung* der Philosophie von der Theologie.

Dies führt Spinoza methodisch durch, indem er eine Reihe von Grundsätzen für die *Bibelinterpretation* anwendet und damit die mod. histor.- philolog. Bibelkritik begründet.

Er tut dies als theolog. Exegese, sondern als philosoph. Kritik am konkreten Stoff eines weltgeschichtl. bedeutsamen Textes.

Die Einleitung bereitet die naturrechtl. Darstellung des Staates vor. Hierbei ist seine Absicht, zu verteidigen
    »die Freiheit zu philosophieren und zu sagen, was man denkt«.

Dies geschieht einerseits durch die Abgrenzung zur Theologie, andererseits durch die Aufforderung an die staatl. Gewalt, den inneren Frieden dadurch zu sichern, daß volle *Gedankenfreiheit* garantiert werde.

    »Die Menschen sind in der Regel so beschaffen, daß ihnen nichts so unerträglich ist, als wenn Ansichten, die sie für wahr halten, als Verbrechen gelten, und wenn ihnen das, was sie zu Frömmigkeit in ihrem Verhalten gegen Gott und die Menschen bewegt, als Missetat angerechnet wird. Dann verabscheuen sie die Gesetze und erlauben sich alles gegen die Behörden, und sie halten es für nicht schimpflich, sondern für höchst ehrenvoll, um dieser Ursache willen Empörungen anzustiften und jeden möglichen Frevel zu versuchen.«

SPINOZAS Philosophie ist hervorgehoben durch die eindrucksvolle Übereinstimmung von Leben und Lehre, d. h.
    unbedingte Wahrhaftigkeit der Lebensführung gehen zusammen mit der Reinheit der Gedanken seiner Lehre.

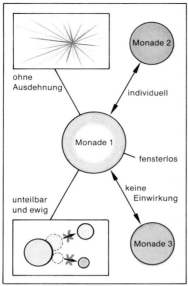

A Eigenschaften der Monaden

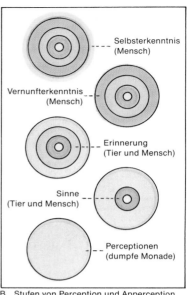

B Stufen von Perception und Apperception

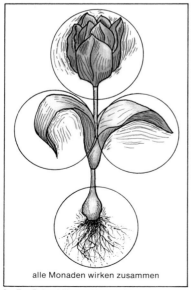

alle Monaden wirken zusammen

C Zur Prästabilierten Harmonie

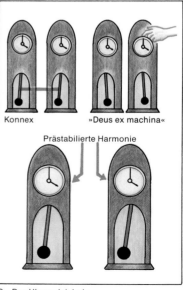

D Das Uhrengleichnis

Gottfried Wilhelm Leibniz (1646–1716) kann als Universalgelehrter gelten: Diplomat, Jurist, Historiker, Mathematiker, Physiker und Philosoph in einer Person. FRIEDRICH D. GR. nannte ihn »eine Akademie für sich«.

In der **Logik** wird er durch den Gedanken des *Kalküls* zum Ahnherrn der mod. Logistik: Möglichst einfache, allg. Ideen sollen sich in universellen Symbolen ausdrücken lassen, die wiederum zu Vernunftwörtern verknüpft werden.
Weitere Regeln sollen die Verknüpfung solcher Ausdrücke nach Vorbild mathemat. Rechenregeln ermöglichen.
Ziel ist es, Irrtümer künftig in »Rechenfehler« aufzulösen bzw. Streitfragen aufgrund von Rechnung zu klären.

Kernstück der LEIBNIZschen Philosophie ist seine Lösung metaphys. Probleme durch den Begriff der **Monade.** *Substanz* kann nicht ausgedehnt sein (gegen DESCARTES' »res extensa«; S. 107), denn sonst wäre sie teilbar. Daher ist Kriterium der Substanz ihre Wirkung, ihre *Kraft.* Solche »Kraftpunkte« nennt LEIBNIZ Monaden.
»Die Monaden sind also die wahrhaften Atome der Natur und, mit einem Worte, die Elemente der Dinge.«
Diese elementaren Substanzen weisen folgende Merkmale auf:
– sie haben keine Gestalt, denn dies würde *Teilbarkeit* implizieren.
– sie können als Substanzen weder *erzeugt* noch *vernichtet* werden.
– sie sind *individuell:* keine Monade ist mit der anderen identisch.
– als selbst-ständige Wesen sind sie *»fensterlos«.* Keine Substanz oder Bestimmung kann aus ihnen heraus oder in sie hineinwirken.
Dennoch sind sie in ständiger, innerer Veränderung: ein innerer Trieb zur Vervollkommnung, sog. *Begehrungen* (frz. appétitions), bewirkt den kontinuierl. Übergang von einem Zustand in den anderen. Diese Zustände nennt LEIBNIZ **»Perzeptionen«.**
Diese »Informationen« und deren »Programm« geben das Verhältnis der Einzelmonade zu allen anderen Monaden der Welt an, wie ein Punkt, in dem sich unendlich viele Winkel treffen.
Da eine Monade fensterlos ist und dennoch mit allen anderen Monaden in Beziehung steht, muß man annehmen:
»daß jede Monade ein lebendiger, der inneren Tätigkeit fähiger Spiegel ist, der das Universum aus seinem Gesichtspunkt darstellt.«
Daraus folgt, daß jede Monade den Zustand jeder anderen kennt. Doch sie ist sich dessen nicht *bewußt.* LEIBNIZ unterscheidet nämlich zwischen versch. *Stufen* der Perzeption (Abb. B):

– die einfache, sog. »nackte Monade« enthält zwar alle Informationen über den Zustand aller anderen, ist sich dessen aber nicht bewußt.
– davon unterscheidet sich die *Apperzeption,* bei der die Perzeption vom Bewußtsein dieses Zustandes begleitet wird.
Demgemäß ergibt sich ein Kontinuum, das von der Materie über die Tierseele bis zum reflexiven Geist des Menschen reicht. LEIBNIZ spricht deshalb von der begrenzten Leistung der Tiere, die auf Erfahrung beruht, wie er auch beim Menschen ein *Unbewußtes* annimmt: die »petites (kleinen) perceptions«.
Das Zusammenspiel aller Monaden erklärt LEIBNIZ aus der *prästabilierten Harmonie.* Monaden schließen sich zu Verbänden, zu »Aggregaten« zusammen. Vorbild hierfür ist der Organismus:
Eine »Zentralmonade« umgibt sich mit unendlich vielen anderen, als deren *Entelechie* sie wirkt.
Generell steht ferner jede Monade mit jeder in Beziehung. Da Monaden keine Fenster haben, aber jede mit jeder zusammenwirkt, muß die Welt von Gott so eingerichtet sein, daß sich die perspektiv. Zustände aller Monaden entsprechen.
LEIBNIZ' bekanntestes Bild ist das der Uhren, in dem er die prästabilierte Harmonie auf das Verhältnis von Seele und Körper anwendet (Abb. D):
Um zwei Uhren zu synchronisieren, könnte man entweder sie nachträglich verbinden oder sie immer wieder aufeinander einstellen oder sie einer perfekt eingestellten Eigengesetzlichkeit überlassen. Nur letzteres kommt bei LEIBNIZ in Betracht.
Die prästabilierte Harmonie löst hier nur das im Gefolge DESCARTES' umstrittene Leib-Seele-Problem. Sie ist letztlich der Kern von LEIBNIZ' System. Gott hat von Anfang an alle Monaden so geschaffen, daß sie im Einklang miteinander stehen:
»Die Abfolge der Perzeptionen in den einzelnen Monaden, gleichsam ihr Programm, hat Gott von Ewigkeit her festgelegt. Man könnte heute sagen, daß alle Monaden von Gott programmiert sind.« (R. SPECHT)
Auf die **Erkenntnis** gewendet, schließt LEIBNIZ' System die reine Empirie als Quelle aus. Zur empirist. Formel, nichts sei im Verstand, was nicht vorher in den Sinnen gewesen sei, fügt LEIBNIZ hinzu: ausgenommen der Verstand selbst, d. h. angeborene Ideen und Erkenntnisstrukturen.
Die reine Aneinanderreihung von Erfahrungsdaten ergibt nur *wahrscheinliche* Ergebnisse, auf Vernunfterkenntnis gegründete dagegen klare und deutliche. LEIBNIZ unterscheidet Vernunftwahrheiten, die notwendig sind und deren Gegenteil unmöglich ist, von Tatsachenwahrheiten, die nur zufällig sind und deren Gegenteil möglich ist.

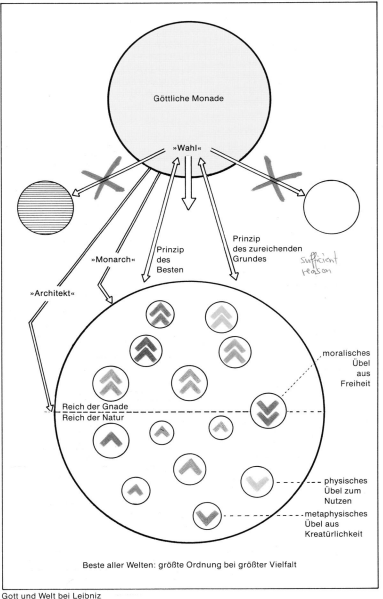

Göttliche Monade

»Wahl«

»Monarch«

Prinzip
des
Besten

Prinzip
des zureichenden
Grundes

sufficient reason

»Architekt«

moralisches
Übel
aus
Freiheit

Reich der Gnade
Reich der Natur

physisches
Übel zum
Nutzen

metaphysisches
Übel aus
Kreatürlichkeit

Beste aller Welten: größte Ordnung bei größter Vielfalt

Gott und Welt bei Leibniz

In Analogie zu Vernunft- und Tatsachenwahrheiten geht LEIBNIZ von zwei Reichen aus: dem der *Zweckursachen* = dem der Seelen) und dem der *Wirkursachen* = dem der Körper), die harmonisch verbunden sind.
Ebenso harmoniert das Reich der *Natur* mit dem der *Gnade*, d. h. der Gemeinschaft geistiger und moral. Wesen unter göttl. Führung.
Gott wirkt überall, etwa als Urheber der prästabilierten Harmonie, doch haben die Geister bes. enge Verbindung zu ihm durch *bewußte* Teilhabe an Gottes Größe und Güte: sie können das System des Universums erkennen und es teilweise auch nachahmen.
LEIBNIZ erkennt somit
»Gott als Architekt der Maschine des Universums und . . . als Monarch des Gottesstaates der Geister«.

Gottes Existenz erweist sich ferner als Konsequenz des Prinzips vom *zureichenden Grunde*, das LEIBNIZ nebst dem vom *ausgeschlossenen* Widerspruch als Grundlage aller Vernunfterkenntnis nennt. Es besagt,
»daß keine Tatsache wahr und existierend, keine Aussage richtig sein kann, ohne daß ein zureichender Grund vorliegt, weshalb es so und nicht anders ist, wenngleich diese Gründe in den meisten Fällen uns nicht bekannt sein mögen«.
Der letzte zureichende Grund muß Gott sein.
Daraus folgert LEIBNIZ ferner, daß es nur eine göttl. Substanz gibt und diese auch *vollkommen* ist.
Unendlich viele Welten sind möglich, die nach dem Grade ihrer Vollkommenheit zur Existenz kommen könnten. Doch nach dem *Prinzip des Besten* hat Gott nur die einzig existierende, damit auch die beste aller möglichen geschaffen. Sie hat im Vergleich zu allen anderen den höchsten Grad an innerer Angemessenheit:
»Hierdurch erhält man die größtmögliche Mannigfaltigkeit, die indes mit der größten nur möglichen Ordnung Hand in Hand geht, d. h. man erhält so viel Vollkommenheit, als nur möglich ist.«

Wie dennoch in der bestmöglichen Welt das *Übel* besteht, ist Kernfrage der *Theodizee* (1710). Sie enthält die **Rechtfertigung** Gottes angesichts des Übels. LEIBNIZ unterscheidet 3 Arten:
– das *metaphysische Übel*; es entsteht aus Kreatürlichkeit; alles Geschaffene ist unvollkommen, denn sonst wäre es wie sein Schöpfer göttlich.
– das *physische Übel* (z. B. Schmerz, Leid) rechtfertigt sich aus seiner Funktion; es kann nützlich sein (z. B. zur Erhaltung des Individuums) oder als Strafe zur Besserung dienen.
– das *moralische Übel*, d. h. die Sünde, die Folge der menschl. Freiheit und Grund für die christl. Erlösung ist.

Gott hat diese Übel nicht gewollt, sondern zugelassen, und das Gute überwiegt sie bei weitem.

Christian Wolff (1679–1754) kommt das Verdienst zu, durch seine dt. Schriften (›Vernünftige Gedancken von . . .‹) die dt. philosoph. Sprache wesentlich mitgeformt zu haben. Sein System besteht aus einer Um- und Weiterbildung der Gedanken LEIBNIZ', so daß man von der »LEIBNIZ-WOLFFSCHEN Philosophie« spricht. Sie wird durch WOLFFS Schüler zur wirkungsreichsten Lehre der dt. Aufklärung.
Philosophie definiert WOLFF als
»Wissenschaft aller möglichen Dinge, wie und warum sie möglich sind«.
Sie tritt als **System** auf, dessen Grundlage die *Ontologie* bildet. Ihre Prinzipien sind, wie bei LEIBNIZ, das vom zureichenden Grund und das vom ausgeschlossenen Widerspruch, wobei WOLFF ersteres auf letzteres zurückführt. Es ist Aufgabe der Ontologie als »erste theoretische Vernunftwissenschaft«,
die widerspruchsfreie Begründung für die Möglichkeit von Gegenständen und ihre Ordnung zu klären.
Die spezielle *Metaphysik* untersucht »Gott, Seele und Welt« als Theologie, Psychologie und Kosmologie.
In der *Ethik* formuliert WOLFF aus der Vollkommenheit der Natur das Gesetz:
»Tue, was dich und deinen Zustand vollkommener macht, und unterlaß, was dich und deinen Zustand unvollkommener macht.«
Als oberstes Ziel in der Politik nennt WOLFF die allgemeine Wohlfahrt.

Weitere wichtige Gestalten der **deutschen Aufklärung:**
– SAMUEL REIMARUS (1694–1768) relativiert die Offenbarungsreligion zugunsten einer deist. *Vernunftreligion:*
Gottes einziges Wunder ist die sinnvolle Schöpfung. Die bibl. Wunder gehen auf die Erfindung der Apostel zurück. Die natürl. Religion garantiert Seligkeit.
– Im Rahmen einer *Geschichtsphilosophie* sieht GOTTHOLD EPHRAIM LESSING (1729–81) eine Analogie von Erziehung und Offenbarung:
»Was die Erziehung bei dem einzelnen Menschen ist, ist die Offenbarung bei dem Menschengeschlechte.«
Die Offenbarung war ursprüngl. Gottes »Elementarbuch« für die Menschen, das jetzt durch die Vernunft erhellt wird.
Seine Kritik des religiösen Dogmatismus ist verbunden mit dem Gedanken der natürl. Religion und der religiösen Toleranz.
– MOSES MENDELSSOHN (1729–86) setzt sich für die Emanzipation des *Judentums* ein:
In ›Jerusalem‹ fordert er Toleranz für das Judentum als gleichwertige Religion.

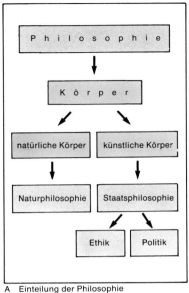

A   Einteilung der Philosophie

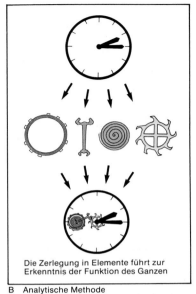

Die Zerlegung in Elemente führt zur
Erkenntnis der Funktion des Ganzen

B   Analytische Methode

Naturzustand	Gesellschaftsvertrag	Staat

ÜBERGEORDNETER WILLE ⟹ HÖCHSTE STAATSGEWALT

Wille, der als Wille aller gilt

Kampf aller gegen alle

Frieden zum Zweck
der Selbsterhaltung

Unterwerfung unter die
unteilbare Staatsgewalt

C   Entstehung des Staates: der Gesellschaftsvertrag

Thomas Hobbes (1588–1679) geht es um die Ausbildung eines philosoph. Systems, das, frei von metaphys. Annahmen, auf der Grundlage der Naturwiss. und Mathematik seiner Zeit aufgebaut ist. Seine Hauptwerke sind ›Elemente der Philosophie‹ und ›Leviathan‹, das mit seiner wirkungsreichen Theorie vom Gesellschaftsvertrag ein Klassiker der Staatsphilosophie ist.

Für HOBBES ist Philosophie die rationale Erkenntnis von Ursache-Wirkung-Zusammenhängen, wobei Wirkungen immer Vermögen von Körpern sind.

Philosophie ist somit *Ursachenforschung.* Ihr Gegenstand sind *Körper,* deren Erzeugung und Eigenschaften begrifflich erfaßt werden können. Körper sind natürliche, dazu gehört auch der Mensch, oder künstliche, das ist der Staat.

Aufgabe der Philosophie ist die *Analyse* komplexer Erscheinungen auf ihre *Elemente* hin, um auf die universalen Prinzipien zurückzuführen. Erstes Prinzip der Erklärung der Zusammenhänge in der Natur ist die *Bewegung.* Alle Vorgänge sind *mechanistisch* erklärbar.

Seine *Erkenntnistheorie* geht davon aus, daß gewissen Vorstellungsinhalten denkunabhängige Dinge entsprechen. Die äußeren Objekte lösen einen mechan. Reiz auf die Sinnesorgane aus, der dann durch die Reaktion der inneren »Lebensgeister« die entsprechende Vorstellung im Gehirn erzeugt.

Das direkte Erfahrungsobjekt sind nicht die Dinge selbst, sondern die *Vorstellungen.*

Diesen werden Zeichen (Namen) zugeordnet, die für das Individuum die Funktion von Merkzeichen, in der Kommunikation die von Mitteilungszeichen haben.

Die philosoph. Logik hat es also mit in Sätzen gefaßten Vorstellungsinhalten zu tun.

Wahrheit bezieht sich nur auf *Aussagen,* nicht auf Dinge.

Die Wahrheit eines Satzes wird festgestellt durch Analyse der Begriffe aufgrund ihrer festgelegten Definition und ihrer Verknüpfung.

Auch in seiner Theorie der Affekte und Werte nimmt HOBBES an, daß Emotionen und Willensakte durch vom Objekt ausgehende Reize erzeugt werden und mechanisch determiniert sind.

Lust entsteht durch die Steigerung der Vitalbewegung der Lebensgeister (s. o.) und das diese erzeugende Objekt wird als Gut empfunden.

Daraus ergibt sich als fundamentalster Wert die *Selbsterhaltung:*

Jeder Organismus strebt danach, seine Vitalbewegung zu erhalten, d. h. den Tod zu meiden.

Da die eigene Selbsterhaltung oberster Wert ist, handelt jedes Individuum *egoistisch; es* gibt keinen übergeordneten Maßstab,

jeder entscheidet selbst, was für ihn gut ist.

Diese Gedanken leiten direkt zur **Staatsphilosophie** über. Auch hier setzt HOBBES bei den Elementen eines Staatsgebildes an, den Individuen und deren Natur. Die traditionelle Vorstellung, daß der Mensch von Natur aus ein staatenbildendes Wesen ist, lehnt HOBBES ab. Im *Naturzustand,* außerhalb von Gesetz und Staat, ist

der einzige Grund des Zusammenschlusses von Menschen ihr eigener Vorteil, gemäß ihrer natürl. Veranlagung.

Im Naturzustand ist jeder Mensch gleich und hat daher ein Recht auf alles, d. h. alles zu haben und zu tun, was er will. Jeder Mensch hat die Freiheit, seine natürl. Vermögen zu gebrauchen und alle Mittel anzuwenden, um sich zu erhalten. Da jeder seinen eigenen Nutzen vom Nachteil des anderen erstrebt, und immer mehrere dasselbe begehren, so ist klar,

»daß der natürl. Zustand der Menschen, bevor sie zum Staat zusammentraten, der Krieg gewesen ist, und zwar . . . der Krieg aller gegen alle (bellum omnium contra omnes)«.

Dieser Krieg würde ewig dauern. Das Leben ist grausam, elend und kurz, denn niemand kann erwarten, sich lang am Leben zu erhalten. Da aber der Selbsterhaltungstrieb fundamental ist, entsteht das Verlangen nach einem gesicherten Frieden. Das erste *natürl. Gesetz* lautet daher:

»daß man den Frieden suche, soweit er zu haben ist«.

Von diesem ersten Grundsatz leiten sich weitere ab.

Sicherheit ist nur zu erlangen, wenn man das Recht aller auf alles nicht beibehält, sondern einzelne Rechte überträgt oder aufgibt, was aufgrund eines alle bindenden Vertrages geschieht.

Die Befolgung der natürl. Gesetze kann aber nur gewährleistet werden, indem die einzelnen ihren Willen einem einzigen Willen unterordnen. Die Menschen schließen einen *Gesellschaftsvertrag* des Inhalts, daß

jeder mit jedem anderen sich verpflichtet, dem Willen des einen, dem er sich unterworfen hat, keinen Widerstand zu leisten.

Dies ist die Entstehung des *Staates,* der definiert ist als die Institution, deren Wille vermöge des Vertrages aller als ihrer aller Wille gilt. Der Inhaber dieser höchsten Staatsgewalt kann eine Person oder eine Versammlung sein. Ihre Macht ist unumschränkt, unveräußerlich und unteilbar.

Diesen Staat vergleicht HOBBES mit dem bibl. »Leviathan« als Symbol für eine große unüberwindl. Macht oder

»des sterbl. Gottes, dem wir unter dem unsterbl. Gottes unseren Frieden und Schutz verdanken«.

Die oberste Pflicht für den Inhaber der Staatsgewalt ist das Wohl des Volkes. Um der Einheit des Ganzen wegen muß die Kirche dem Staat untergeordnet sein.

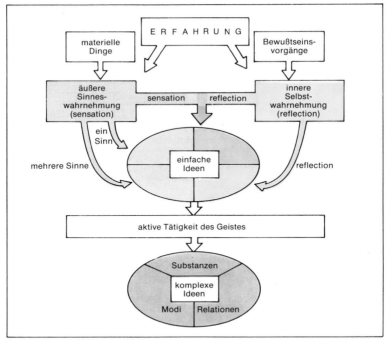

A   Entstehung und Arten von Ideen

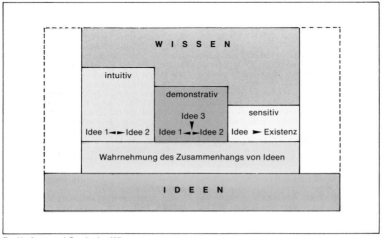

B   Umfang und Grade des Wissens

John Locke (1632–1704) ist einer der Hauptvertreter des engl. *Empirismus,* d. h. einer Philosophie, die die *Erfahrung* zu ihrer Grundlage macht:

Jedes Wissen ist abhängig von der Erfahrung und unterliegt ihrer Kontrolle.

Seine Gedanken über Staat, religiöse Toleranz und Pädagogik übten großen Einfluß auf die Aufklärung und den polit. Liberalismus aus.

Im Zentrum von LOCKES Philosophie steht seine **Erkenntnistheorie,** die im ›Essay concerning Human Understanding‹ (›Versuch über den menschl. Verstand‹) entwickelt wird. Ihr kommt die Aufgabe zu, Ursprung und Grundlagen der menschl. Erkenntnis darzulegen sowie die Grenzen der Erkenntnisfähigkeit des Verstandes aufzudecken.

In seinem Bewußtsein findet jeder Mensch best. Vorstellungen vor, die LOCKE als **Ideen** bezeichnet.

»Alles, was der Geist in sich selbst wahrnimmt oder was unmittelbares Objekt der Wahrnehmung, des Denkens oder des Verstandes ist, das nenne ich Idee.«

Woher aber nun kommen die Ideen? Sie stammen ausschließlich aus der Erfahrung.

LOCKE bestreitet die Theorie, daß der Mensch angeborene Ideen habe, die vor aller Erfahrung in ihm seien (sog. Innatismus, z. B. bei DESCARTES).

Bei der Geburt gleicht der Verstand einem unbeschriebenen Blatt (»white paper oder tabula rasa«).

Alle best. Vorstellungen entstehen erst mit der Zeit aus der Erfahrung. Das Vermögen, Vorstellungen überhaupt bilden zu können, ist aber vorgängig vorhanden.

Die Erfahrung hat 2 Quellen:

die *äußere Sinneswahrnehmung* (sensation) und die *innere Selbstwahrnehmung* (reflection), die sich auf Akte des Denkens, Wollens, Glaubens etc. bezieht.

Die aus diesen beiden Quellen entstehenden Vorstellungen sind entweder einfach oder komplex.

Die *einfachen* Ideen untergliedern sich weiter in Ideen, die

– nur durch einen Sinn wahrgenommen werden (z. B. Farben, Töne),

– durch mehrere Sinne erfaßt werden (Raum, Bewegung),

– der Reflexion entspringen (innere Bewußtseinsvorgänge),

– an denen Reflexion und Sensation beteiligt sind (Zeit, Lust).

In bezug auf diese einfachen Vorstellungen verhält sich der Geist passiv:

sie werden direkt durch vom Objekt ausgehende Reize verursacht.

Bei der Sinneswahrnehmung unterscheidet LOCKE zwischen

den primären Qualitäten, die den äußeren Dingen als solchen eigen sind (z. B. Ausdehnung, Gestalt, Dichte, Zahl) und

den sekundären, subjektiven Qualitäten, wie Farbe, Geschmack, Geruch, die nur Empfindungen im Subjekt darstellen.

Der Geist hat aber auch die aktive Fähigkeit, durch Vergleichen, Trennen, Verbinden und Abstrahieren *komplexe* Ideen zu erzeugen, deren Bestandteile aber wiederum einfache Ideen sind.

Drei Arten von komplexen Ideen werden gebildet: Substanzen, Modi und Relationen.

Substanzen sind entweder für sich selbst bestehende Einzeldinge oder Spezies (wie z. B. Mensch, Pflanze).

Modi sind komplexe Ideen, die nicht für sich bestehen, sondern an Substanzen vorkommen (so ist Tag ein einfacher Modus der Zeit). Daneben gibt es gemischte Modi, zu denen auch die Moralbegriffe gehören (z. B. Gerechtigkeit).

Relationen sind Ideen wie die von Ursache und Wirkung.

Das IV. Buch des ›Essay‹ handelt von der Bestimmung des **Wissens:**

»Der Geist hat bei allem Denken und Folgern kein anderes unmittelbares Objekt als seine eigenen Ideen. . . . Daher ist es offenbar, daß es unsere Erkenntnis lediglich mit unseren Ideen zu tun hat. Die Erkenntnis scheint mir nichts anderes zu sein als die Wahrnehmung des Zusammenhangs und der Übereinstimmung oder der Nichtübereinstimmung und des Widerstreits zwischen irgendwelchen von unseren Ideen.«

Der Umfang unseres Wissens ist daher begrenzt: Er reicht nicht weiter als unsere Ideen und inwieweit wir Übereinstimmung bzw. Nichtübereinstimmung zwischen ihnen wahrnehmen können. Auch können wir nicht alle unsere Ideen und ihre mögl. Beziehungen überblicken. Daher kann unser Wissen die Wirklichkeit der Dinge nur beschränkt erfassen und nur so, wie unsere Wahrnehmung es ermöglicht.

Je nach dem Grad der Klarheit unterscheidet LOCKE versch. Grade des Wissens:

– Den höchsten Grad hat das *intuitive* Erkennen. Hierbei nimmt der Geist die Übereinstimmung oder Nichtübereinstimmung zweier Ideen unmittelbar durch sich selbst wahr (z. B. ein Kreis ist kein Dreieck).

– Beim *demonstrativen* Wissen erkennt der Geist die Übereinstimmung oder Nichtübereinstimmung von Ideen zwar, aber nicht unmittelbar, sondern durch die Vermittlung anderer Ideen. Hierher gehören die aufgrund von Beweisen schlußfolgernden Verfahren.

– Schließlich gibt es ein *sensitives* Wissen von der Existenz einzelner endl. Wesen außer uns.

Wahrheit bezieht sich für LOCKE nur auf Sätze, denn sie besteht in der richtigen Verbindung oder Trennung von Zeichen, im Hinblick auf die Übereinstimmung mit den bezeichneten Dingen.

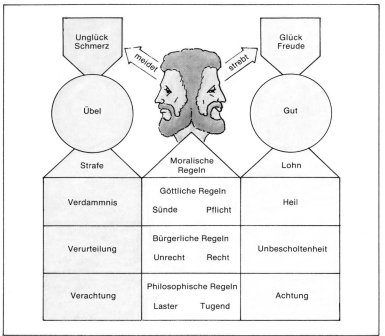

A Moralische Regeln

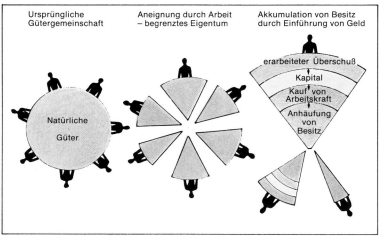

B Entstehung von Privateigentum

Da unser Wissen begrenzt ist und sichere Gewißheit auf den meisten Gebieten nicht zu erlangen ist, gewinnt für die tatsächl. Lebensführung die *Wahrscheinlichkeit* eine große Rolle, um mangelndes Wissen zu ergänzen. Sie betrifft Sätze, von denen wir aufgrund eigener Erfahrung oder dem Zeugnis anderer Anlaß haben, sie für wahr zu halten.

Das Verhalten des Geistes gegenüber solchen Sätzen nennt man Glauben, Zustimmung oder Meinung.

Der Inhalt der **praktischen Philosophie** ist bei LOCKE alles das,

»was der Mensch selbst als ein Wesen, das nach Vernunft und Wissen handelt, zur Erreichung irgendeines Zweckes, insbes. seiner Glückseligkeit, zu tun hat«.

Gut und *Übel* werden im Hinblick auf die Erzeugung von *Freude* oder *Schmerz* bestimmt. Das menschl. Streben ist auf die Erlangung von Freude (Glück) und die Vermeidung von Schmerz ausgerichtet, und diese bilden somit die Kriterien des Handelns. Daher müssen die normgebenden Prinzipien, also die moral. Gesetze, mit Lohn oder Strafe verbunden sein.

»Das moralisch Gute oder Üble ist demnach nur die Übereinstimmung oder Nichtübereinstimmung unserer willentl. Handlungen mit einem Gesetz, wodurch wir uns nach Willen und Macht des Gesetzgebers Gutes oder Übles zuziehen.«

Die 3 Arten *moralischer Gesetze* sind
– das *göttliche* Gesetz: der Maßstab von Sünde und Pflicht, so wie er von Gott dem Menschen unmittelbar auferlegt ist und mit jenseitiger Strafe oder Lohn verbunden wird.
– das *bürgerliche* Gesetz: die vom Staat auferlegten Regeln, die die Strafbarkeit von Handlungen festlegen.
– das Gesetz der *öffentlichen Meinung* oder des Rufes, von LOCKE auch philosoph. Gesetz genannt, weil sich die Philosophie am meisten damit beschäftigt hat: das Kriterium für Tugend und Laster, die Achtung oder Verachtung nach sich ziehen.

LOCKES **Staatsphilosophie** ist in den ›Zwei Abhandlungen über die Regierung‹ niedergelegt. Um die Frage nach dem Ursprung des Staatsgebildes zu beantworten, bedient er sich, wie HOBBES, der Annahme eines Naturzustandes und des Abschlusses eines Gesellschaftsvertrages.

Im *Naturzustand,* vor dem Zusammenschluß der Menschen zum Staat, herrscht vollkommene *Freiheit* und *Gleichheit* aller. Der einzelne hat die unbeschränkte Verfügungsgewalt über sich selbst und sein Eigentum.

Dennoch untersteht jeder dem *Naturgesetz,* zu dessen oberster Regel die Erhaltung der von Gott geschaffenen Natur gehört.

So verbietet das Naturrecht, Leben, Gesundheit, Freiheit und Besitz anderer zu schädigen oder zu vernichten.

Daher könnte der Naturzustand, im Gegensatz zu HOBBES, friedlich sein, wenn nicht immer einzelne das Naturgesetz mißachteten. Da Gleichheit unter allen besteht, hat nun jeder das Recht, Richter zu sein, und denjenigen, der den Friedenszustand durchbrochen hat, selber abzuurteilen und zu bestrafen.

Da jeder aber Richter in eigener Sache wäre, würde dies faktisch zu einem dauernden Kriegszustand führen, wenn es keine übergeordnete Instanz gäbe, in deren Hände die Rechtsprechung und Durchsetzung für alle verbindlich gelegt ist.

Zum Zwecke des Friedens und der *Selbsterhaltung* schließen die Menschen sich daher aufgrund eines *Gesellschaftsvertrages* zu einer Gemeinschaft zusammen, indem sie das Recht der Gesetzgebung, der richterl. Gewalt und der exekutiven Gewalt an eine übergeordnete Instanz geben.

Die staatl. Gewalt ist aber an das Naturgesetz gebunden, bes. sind das Selbsterhaltungsstreben der einzelnen, seine Freiheit sowie sein Besitz zu achten und das Wohl des Ganzen ist verpflichtende Norm.

Um die Gefahr einer absoluten Herrschaft zu vermeiden, gilt die *Gewaltenteilung.*

Verletzt der Herrscher die Gesetze, so hat das Volk das Recht, ihn durch eine *Revolution* abzusetzen.

In bezug auf die Religionsausübung fordert LOCKE staatl. *Toleranz.*

Die Zugehörigkeit zu einer Glaubensgemeinschaft soll jedem freistehen und der Staat sich in ihre Inhalte nicht einmischen.

Ein bes. Aspekt ist LOCKES Rechtfertigung des **Privateigentums.** Im Naturzustand herrscht Gütergemeinschaft. Die Güter der Natur müssen aber, um nutzbar zu sein, und damit der Selbsterhaltung zu dienen, angeeignet werden. Die Umwandlung in Privateigentum geschieht aufgrund von *Arbeit.*

Jeder Mensch hat ein Eigentum an seiner Person und das, was er durch seine Arbeit der Natur abgewinnt, und ihr daher etwas ihm eigenes hinzufügt, wird ebenso zu seinem Eigentum.

Da aber jeder nur soviel anzuhäufen berechtigt ist, wie er auch verbrauchen kann, entstehen zunächst keine großen Besitztümer.

Dies ändert sich mit der Einführung des *Geldes,* die mit Zustimmung aller geschieht.

Da es ermöglicht, mehr zu erwirtschaften, als man verbrauchen kann, kommt es zur Anhäufung von Besitztümern, bes. auch Ländereien.

Da die Einführung des Geldes mit allg. Einverständnis erfolgte, ist auch die daraus entspringende ungleiche Verteilung von Besitz bereits im Naturzustand stillschweigend als rechtens angesehen.

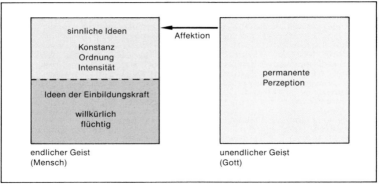

A Ideen und Geist

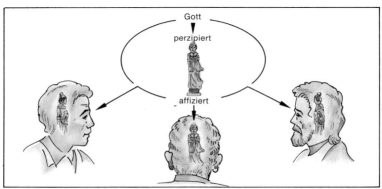

B Gott koordiniert die Wahrnehmungen

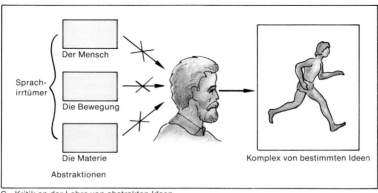

C Kritik an der Lehre von abstrakten Ideen

Der irische Philosoph, Theologe und Bischof **George Berkeley** (1685–1753) entwickelt in der Auseinandersetzung mit den Lehren von DESCARTES, MALEBRANCHE und LOCKE seine Theorie des *Immaterialismus.*

BERKELEY geht von der LOCKEschen Voraussetzung aus, daß nur Ideen (Vorstellungen) unmittelbare Objekte des Bewußtseins sein können. Von den **Ideen** gibt es 2 Klassen:

– Ideen, die sich willkürlich verändern lassen und damit der *Einbildungskraft* des Subjektes entspringen.

– Ideen, die nicht vom Subjekt willkürlich erzeugt werden können, sondern von außen empfangene *Sinneswahrnehmungen* sind.

Als Ursprung dieser zweiten Klasse werden gewöhnlich materielle Dinge der Außenwelt angenommen. Gegen diesen »Materialismus« wendet sich BERKELEY, indem er zu zeigen versucht, daß keine materiellen Dinge hinter den Ideen angenommen zu werden brauchen, sondern das Sein der Objekte nichts anderes als *sinnliches Wahrgenommensein* ist.

»Sage ich: der Tisch, an dem ich schreibe, existiert, so heißt das: ich sehe und fühle ihn; wäre ich außerhalb meiner Studierstube, so könnte ich seine Existenz in dem Sinne aussagen, daß ich, wenn ich in meiner Studierstube wäre, ihn perzipieren könnte, oder daß irgendein anderer Geist ihn gegenwärtig perzipiert. ... Das Sein solcher Dinge ist Perzipiertwerden [Wahrgenommenwerden]. Es ist nicht möglich, daß sie irgendeine Existenz außerhalb der Geister oder denkenden Wesen haben, von denen sie perzipiert werden.«

BERKELEYS Grundthese lautet daher:

Esse est percipi aut percipere (Das Sein der Objekte ist Wahrgenommenwerden, das Sein der Subjekte Wahrnehmen).

Es existieren nur **Ideen** und **Geist,** keine Materie. Der Geist ist von den Ideen unterschieden als das Wahrnehmende, d. h. das, worin sie existieren. Seine Tätigkeit besteht im Wollen, Imaginieren, Erinnern, Feststellen von Verhältnissen in bezug auf Ideen.

Der Ursprung der Behauptung von Materie liegt für BERKELEY u. a. in der falschen Annahme der Existenz von *abstrakten* Ideen. Dagegen behauptet er, daß es unmöglich sei, eine Idee ohne konkrete Bestimmungen vorzustellen.

Es gibt keine Idee von Bewegung ohne zugleich etwas Langsames oder Schnelles, keine Idee von Ausdehnung ohne Farbe, Größe, d. h. irgendeine sinnl. Eigenschaft, vorzustellen.

Die Annahme der Existenz abstrakter Ideen ist nur möglich, weil die Sprache allgemein verwendbare Ausdrücke kennt. Nun nimmt man Wörter als Namen und meint, daß einem Namen für etwas Allgemeines auch die Existenz eines Allgemeinen entsprechen müsse.

Die Annahme von Materie besagt so nichts anderes als die abstrakte Idee eines »Dings ohne Bestimmungen«, was nach BERKELEY nicht vorstellbar ist.

An der Existenz einer vom Subjekt unabhängigen äußeren Wirklichkeit, die in den Sinneswahrnehmungen gegeben ist, hält BERKELEY fest. Da diese aber nicht materiell ist und alle Ideen nur in einem Geist sind, müssen die »Gegenstände« der sinnl. Ideen in einem anderen Geist vorhanden sein, der sie perzipiert.

»... der wirkliche Baum, der unabhängig von meinem Geist existiert, wird wahrhaft erkannt und aufgefaßt von dem unendl. Geist Gottes. ... Die durch den Urheber der Natur den Sinnen eingeprägten Ideen heißen wirkl. Dinge. ... sie haben desgleichen eine gewisse Beständigkeit, Ordnung und Zusammenhang und werden nicht aufs Geratewohl hervorgerufen.«

»Dinge« sind also für Berkeley nichts anderes als *Komplexe* von Ideen, die durch **Gott** perzipiert und durch *Affektion* unseres Geistes in uns hervorgerufen werden. Die Ordnung und Verknüpfungen, die Gott dabei anwendet, heißen *Naturgesetze.*

Die Wirklichkeit der Außenwelt, die wir durch unsere Sinneswahrnehmung erfahren, wird also von BERKELEY nicht geleugnet, nur ihre materielle Beschaffenheit.

»Daß die Dinge, die ich mit meinen Augen sehe und mit meinen Händen betaste, existieren, wirklich existieren, bezweifle ich nicht im mindesten. Das einzige, dessen Existenz ich in Abrede stelle, ist das, was die Philosophen Materie oder körperl. Substanz nennen.«

Da Ideen nicht auf Ideen wirken, muß BERKELEY die Tatsache, daß in versch. Subjekten Ideen in ähnl. Weise entstehen, z. B. beim Betrachten desselben Objekts, daß diese sich verständigen können und überhaupt Wirkungen auf Objekte und untereinander ausüben können,

durch das Eingreifen Gottes erklären: er muß die versch. Wahrnehmungen und Handlungen untereinander koordinieren.

Für die Naturwissenschaft ergibt sich aus BERKELEYS Ansatz, daß sie es nicht mit Wirkungen von materiellen Dingen untereinander zu tun hat, sondern mit der Beobachtung und Beschreibung von Gesetzlichkeiten, die der permanenten Ordnung entsprechen, mit der Gott Ideen entstehen läßt und miteinander verknüpft.

BERKELEYS Absicht war es, mit seiner Lehre die Moral und den Glauben zu festigen, da er im Materialismus eine Ursache für den Atheismus erblickte.

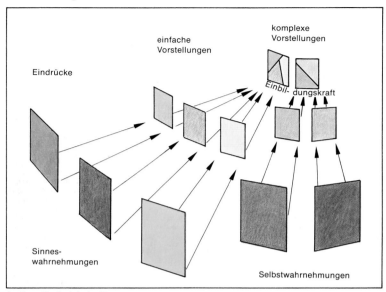

A Bewußtseinsinhalte (Perzeptionen)

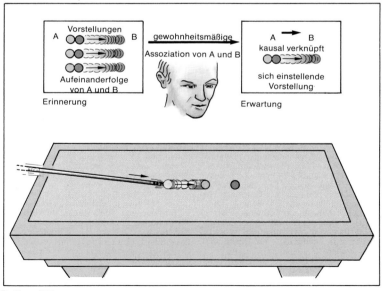

B Kausalität

David Hume (1711–76) sieht sein Grundanliegen darin, »in die Wissenschaft vom Menschen die empir. Untersuchungsmethode einzuführen«, d. h. sich auf Erfahrung und Beobachtung zu stützen. Dabei vertritt er eine gemäßigte Skepsis, die die Erkenntnismöglichkeiten des Menschen kritisch begrenzt. Sein Hauptwerk ist der umfangreiche ›Traktat über die menschl. Natur‹, ihm folgen kürzere Abhandlungen über Erkenntnis, Moral, Politik und Religion.
KANT sagt von HUME, daß dieser ihn erst aus seinem »dogmat. Schlummer« erweckt habe.

Unmittelbarer Gegenstand unserer Erfahrung sind nur unsere *Bewußtseinsinhalte* (Perzeptionen). Diese unterscheiden sich in 2 Klassen:
Eindrücke (impressions) und **Vorstellungen** (ideas). Eindrücke sind alle unsere Sinneswahrnehmungen und inneren Selbstwahrnehmungen (Affekte, Emotionen, Wollen), wie sie direkt in der Seele in Erscheinung treten. Vorstellungen sind Abbilder von Eindrücken, die wir haben, wenn wir uns mit diesen in Form von Nachdenken, Erinnern, Einbilden beschäftigen.
Beide Klassen unterscheiden sich durch den Grad ihrer *Intensität,* so z. B. wie zwischen der Schmerzempfindung bei einer Verletzung und der Erinnerung daran.
Aus den Eindrücken entstehen die *einfachen* Vorstellungen. Somit
ist es nicht möglich, etwas vorzustellen oder zu denken, was nicht irgendwann in der unmittelbaren Wahrnehmung gegeben war.
Jedoch hat der Mensch die Fähigkeit, aufgrund seiner *Einbildungskraft* (imagination) aus diesen einfachen Vorstellungen *komplexe* Vorstellungen zu bilden, die so nicht einem unmittelbaren Eindruck entspringen.
Die Verbindung von Vorstellungen folgt dem Gesetz der **Assoziation,** das die Tendenz bezeichnet, von gewissen Vorstellungen zu anderen überzugehen, und zwar gemäß der Prinzipien:
Ähnlichkeit, Berührung in Zeit oder Raum, Ursache und Wirkung.
Ein Begriff hat nur dann Bedeutung, wenn die Komponenten der ihm entsprechenden Vorstellung auf Eindrücke zurückzuführen sind. Und dies trifft bei metaphys. Begriffen nicht zu, weshalb sie aus der Philosophie auszuschließen sind.
»Haben wir daher Verdacht, daß ein philosoph. Ausdruck ohne Sinn und ohne entsprechende Vorstellung gebraucht wird, was allzu häufig geschieht, so brauchen wir bloß nachzuforschen: Von welchem Eindruck stammt denn die Vorstellung angeblich her?«
Die Frage ist nun, wie wir zu den Urteilen kommen, die über unsere unmittelbare Wahrnehmung und Erinnerung hinausge-

hen. HUME unterscheidet hier zunächst zwischen Urteilen über *Begriffsbeziehungen* (Vernunftwahrheiten) und Urteilen über *Tatsachen* (Tatsachenwahrheiten).
Erstere gehören in den Bereich der Mathematik und Logik; hier ist absolute Gewißheit möglich, da das Gegenteil einer begriffl. Wahrheit logisch unmöglich ist. Dafür enthalten diese Urteile keine Aussage über die Realität ihrer Gegenstände. Bei Aussagen über Tatsachen kann das Gegenteil zwar falsch sein, aber es ist immer logisch möglich.
Aussagen über Tatsachen beruhen auf Erfahrung unter dem Gesetz der Assoziation von Vorstellungen mit Hilfe der Beziehung von **Ursache und Wirkung:**
»Alle Denkakte, die Tatsachen betreffen, scheinen sich auf die Beziehung von Ursache und Wirkung zu gründen.«
Sehe ich z. B. eine Billardkugel auf eine andere zurollen, so wird die erwartete Wirkung aufgrund bisheriger Erfahrung erschlossen.
Jedoch ist nach HUME das Verhältnis von Ursache und Wirkung keine wesensnotwendige Verknüpfung, die den Objekten inhäriert, und ist daher auch rein rational, unabhängig von der Erfahrung, nicht zu erkennen.
»Mit einem Wort, jede Wirkung ist ein von ihrer Ursache verschiedenes Ereignis. . . . Notwendigkeit ist etwas, das im Geist, nicht in den Objekten besteht.«
Wir nennen A und B kausal verknüpft, wenn deren Aufeinanderfolge mehrfach beobachtet wurde, so daß der Vorstellung von A die von B assoziativ aufgrund unserer *Gewohnheit* folgt. Damit kann aber nur eine Aussage über die gewohnheitsmäßige Aufeinanderfolge von Vorstellungen getroffen werden, nicht über das Wesen der Dinge.
Die Einsicht in die wahren Ursprünge und Ursachen aller Vorgänge bleiben dem Menschen völlig verborgen.

Die Aufgabe der **Moralphilosophie** liegt für HUME darin, auf der Basis empir. Methoden die tatsächlich bestehenden moral. Wertungen zu erklären, ohne spekulative Voraussetzungen. In der Moral spielen *Vernunft* und *Gefühl* eine Rolle, jedoch ist das moral. **Empfinden** (moral sentiment) grundlegender:
»Da nun die Tugend ein Endzweck ist und um ihrer selbst willen . . . lediglich um der durch sie gewährten unmittelbaren Befriedigung willen erstrebt wird, muß notwendig irgendein Gefühl vorhanden sein, an das sie rührt, eine innere Neigung, ein inneres Empfinden . . . das zwischen moralisch Gutem oder Bösem unterscheidet.«
Handlungen werden als positiv bewertet, wenn sie nützlich oder angenehm sind, für das Individuum selbst oder für andere bzw. das Ganze der Gemeinschaft. Die subjektiven Empfindungen dabei beruhen auf den 2 Prinzipien *Selbstliebe* und *Sympathie.*

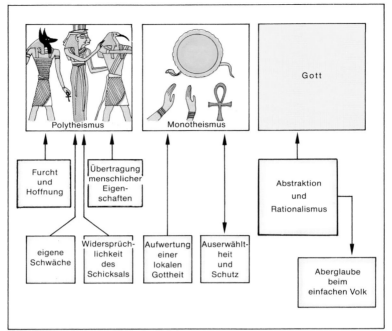

A   David Hume: Naturgeschichte der Religion

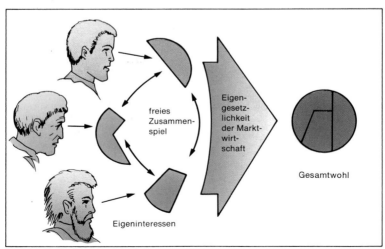

B   Adam Smith: Wohlstand der Nationen

Der einzelne verfolgt nicht nur seine Eigeninteressen, sondern ist als soziales Wesen fähig, an den Gefühlen und Interessen anderer Anteil zu nehmen, da er in das Ganze einer Gemeinschaft eingebettet ist. Zur Grundlage der Moral gehört daher die Sympathie, durch die Gefühle von einer Person auf die andere übertragen werden.

Damit wird die notwendige *Intersubjektivität* moral. Werte ermöglicht und begründet. Ein moral. Urteil entsteht, wenn die persönl. Billigung oder Mißbilligung einer Handlung Anspruch auf Allgemeingültigkeit erheben kann. Dies wird erreicht durch Abstraktion von bes. Umständen und durch Korrektur von Einseitigkeiten, die aus rein partikulären Interessen entspringen. So entwickelt sich innerhalb einer Gesellschaft ein allg. übergeordneter Bewertungsmaßstab.

In seiner **Staatstheorie** lehnt Hume die rationalist. Naturrechts- und Vertragstheorien ab. Zu einer Rechtsordnung kommt es, weil natürlicherweise eine Knappheit an Gütern herrscht, die der Mensch braucht, und

> weil dem Menschen das Streben eigentümlich ist, das, was er einmal erworben hat, auch zu behalten.

Deshalb ist eine Ordnung erforderlich, die Frieden und Sicherheit gewährleistet. Der einzelne unterwirft sich,

> weil er, auch wenn er im einzelnen Nachteile in Kauf nehmen muß, insgesamt den größeren Nutzen daraus zieht.

Die Bedingungen für die Aufrechterhaltung der staatl. Ordnung sind die Tugenden der *Gerechtigkeit* und der (Vertrags-)Treue.

> Auch hier spielt wieder die Sympathie eine bed. Rolle, aufgrund derer das Individuum auf das Wohlergehen des ganzen Staates ausgerichtet ist.

In seiner krit. **Religionsphilosophie** will Hume das Zustandekommen der versch. geschichtl. Gottesvorstellungen aufdecken und ihre Haltbarkeit hinterfragen. Religion bedeutet ihm nicht ein Phänomen transzendenten Ursprungs, sondern ein Produkt menschl. Geistes.

> Ursprung der Religion sind psych. Gegebenheiten, bes. *Furcht* und *Hoffnung,* die aus dem Bewußtsein der Schwäche und der Ungesichertheit des Daseins entspringen.

Ursprünglich sind alle Religionen *polytheistisch.* Der Mensch hat die Neigung, Dingen und anderen Lebewesen Eigenschaften zuzusprechen, die ihm von sich selbst vertraut sind. Entsprechend

> sieht er in der Natur Mächte am Werk, die ihm ähnlich, jedoch wesentlich überlegen sind und vergöttlicht diese.

Der Übergang zum *Monotheismus* erfolgt zunächst nicht aus rationalen Gründen, sondern aus dem Bedürfnis, eine lokale Gottheit, von der man sich bes. abhängig glaubt, gegenüber anderen aufzuwerten, um in ihren bes. Schutz zu gelangen.

Der Monotheismus geht immer einher mit einer Zunahme der Intoleranz.

Im Laufe der Zeit wird der Gottesbegriff abstrakter und rationaler, dadurch übersteigt er aber die Fassungskraft der Menge, weshalb nun wieder der Aberglaube blüht.

In den ›Dialogen über natürl. Religion‹ unterwirft Hume die rationalen »Gottesbeweise« einer grundlegenden Kritik, die zugleich eine fundamentale Weltanschauungsanalyse darstellt.

Adam Smith (1723–90) betont wie Hume die Abhängigkeit moral. Wertungen vom **Gefühl.** Eine bes. Rolle kommt dabei der *Sympathie* zu, durch die wir selbst (schwächer) nachempfinden, was der andere fühlt, indem wir uns im Geist an seine Stelle versetzen.

Handlungen und Haltungen werden moralisch gebilligt, wenn man mit den Gefühlen des Handelnden sympathisieren kann, d. h. sie als dem Gegenstand angemessen empfindet, in der Weise, daß man selbst so empfinden würde, und wenn man mit den Gefühlen (z. B. Dankbarkeit) derer, die von den *Folgen* der Handlung betroffen sind, sympathisieren kann.

Unsere eigenen Handlungen bewerten wir, indem wir uns fragen, ob ein unparteiischer »Zuschauer« mit unseren Motiven sympathisieren würde.

Durch Abstraktion und Verallgemeinerung gelangt man von der individ. Billigung bzw. Mißbilligung zu einem übergeordneten Maßstab für allg.-gültige moral. Urteile.

Bekannt wurde Smith v. a. durch seine ›Untersuchungen über Natur und Ursprung des Volkswohlstands‹, einem Klassiker der **Nationalökonomie.** Er nimmt an, daß die Eigeninteressen jedes einzelnen nach Verbesserung seiner Situation durch ein in der Natur wirkendes (teleologisches) Ordnungsprinzip zur Optimierung des Gesamtwohles führen, wenn man diesen Kräften freies Spiel läßt. Er lehnt daher dirigist. Maßnahmen in der Wirtschaft ab:

> »Jeder glaubt nur sein eigenes Interesse zu verfolgen, tatsächlich erfährt so aber indirekt auch das Gesamtwohl der Volkswirtschaft die beste Förderung. Der einzelne wird hierbei von einer unsichtbaren Hand geleitet, um ein Ziel zu verfolgen, das er keineswegs intendiert hat.«

Die Grundlage des Wohlstandes liegt in der *Arbeit* begründet, aus der sich auch der Wert einer Ware ergibt. Basis der Produktivität sind der menschl. Tauschtrieb und die *Arbeitsteilung.*

Für die Entwicklung der Moralphilosophie der engl. Aufklärung sind Shaftesbury und Hutcheson von Bedeutung durch die Prägung des Begriffs der *»moral sense«* als eines Gefühls der unmittelbaren Billigung bzw. Mißbilligung von Gutem bzw. Schlechtem.

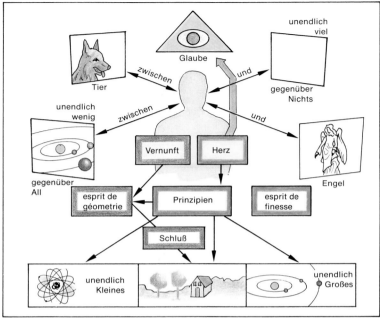

A   Zu Pascals ›Pensées‹

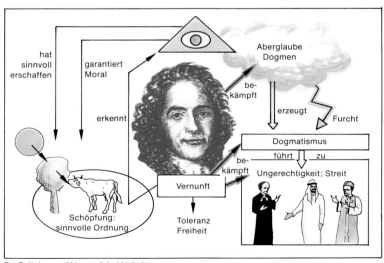

B   Religion und Vernunft bei Voltaire

Als genialer Mathematiker und Physiker steht **Blaise Pascal** (1623–62) unter dem rationalist. Einfluß DESCARTES'. Nach seinem endgültigen Bekehrungserlebnis (1654), das er im ›Mémorial‹ festhält, stellt er sein Leben in den Dienst am *Glauben:*
> »Gott Abrahams, Gott Isaaks, Gott Jakobs, nicht der Gott der Philosophen und Gelehrten.«

Die cartesian. Abstraktion wird auf die religiöse Einzelexistenz hin verlassen.

PASCAL engagiert sich für den *Jansenismus,* eine stark von der Gnadenlehre geprägte kath. Strömung.

Sein geplantes Werk, eine Apologie des Christentums, ist fragmentarisch als ›Pensées‹ (›Gedanken‹) überliefert. Darin zeichnet PASCAL das Bild des Menschen, der zwischen Unendlichkeiten steht, zwischen unendlich Großem und Kleinem. Da sich aber der Bereich der Vernunft nur auf Endliches erstreckt, wird das **Herz** (frz. coeur) zur eigtl. Erkenntnisinstanz:
> »Wir erkennen die Wahrheit nicht nur durch die Vernunft, sondern auch durch das Herz; in der Weise des letzteren kennen wir die ersten Prinzipien.«

Solche ersten *Prinzipien* (Gewißheit der Außenwelt; Raum; Zeit etc.) können von der Vernunft nur im Nachhinein bestätigt werden.

Der am Herzen orientierte Geist ist der Geist des Feinsinns **(»esprit de finesse«),** der an der Vernunft gebundene der der Geometrie.

Beide Arten müssen zusammenwirken, denn der Mathematiker ist auf Definitionen und Prinzipien angewiesen, der Feinsinnige auf die rationalen Argumente. Die Glanztat der Vernunft ist also ihre Selbstbeschränkung.

Das Herz muß auch die wichtigste Entscheidung, die für oder gegen den **Glauben,** treffen. PASCALS Ausdruck ist die Wette:
> In der Entscheidung, ob Gott ist oder nicht, setzt der Mensch, wenn er auf Gott setzt, Endliches (seine nichtige Existenz) ein, um Unendliches (seine ewige Seligkeit) zu gewinnen.

Ist diese entscheidende Wahl erfolgt, wird er sein Leben nur noch demütig in Gott gründen. Dies ist PASCALS Ausweg aus dem Elend des Daseins; der Mensch ist ein unglückliches **Zwischenwesen:** Wegen seines Geistes fast ein Engel, wegen seiner Niedrigkeit fast ein Tier.
> »Der Mensch ist nur ein Schilfrohr; aber er ist ein denkendes Schilfrohr.«

Der publizist. wirksamste Vertreter der franz. Aufklärung ist **Voltaire** (eigtl. FRANÇOIS MARIE AROUET; 1694–1778). Sein Nachlaß umfaßt Satiren, Romane, Dramen, histor. Werke und v.a. Briefe. Durch sein *publizist.* und *polit. Engagement* (Aufenthalt

bei FRIEDRICH D. GR.) verleiht er dem Gedankengut der Aufklärung große Wirkung.

Philosophisch übernimmt er, wie viele seiner Zeitgenossen, v.a. Elemente des engl. Geisteslebens.
> Die ›Lettres anglaises‹ (englische Briefe) loben die Fortschrittlichkeit engl. Politik und Philosophie.

VOLTAIRES Denken orientiert sich stark an LOCKE (S.119 ff.) und v.a. an NEWTON. Mit ihnen nimmt VOLTAIRE den Kampf gegen **Dogmatismus** und für die Freiheit des Menschen auf.

Mit seinen empirisch orientierten engl. Vorbildern bekämpft er *Vorurteile,* bes. die der rationalist. Philosophie.

Diese krit. Stellung *gegen* alle *Metaphysik* faßt VOLTAIRE zusammen:
> »Wir sollten ans Ende fast aller Kapitel über Metaphysik die zwei Buchstaben setzen . . .: N.L.. non liquet, es ist nicht klar.«

Bes. scharf greift VOLTAIRE das *Dogmatische* der **Religionen** an: Hier sieht er die Wurzel der Intoleranz, die Unfreiheit, Verfolgung und Ungerechtigkeit erzeugt. Sein Schlachtruf:
> »Écrasez l'infâme« (Zerschlagt die Infame [die Kirche nämlich]).

Den Großteil der histor. Religionen sieht VOLTAIRE als *Aberglauben* an. Sie sind zu läutern zugunsten einer vernünftigen Religion, die die Moral fördert.
> Daß Gott ist, ergibt sich aus der Schöpfung, doch seine Attribute = die Inhalte religiöser Dogmen) bleiben unerkennbar.

VOLTAIRE rückt in die Nähe einer *deistischen* Position. Nach dieser, typ. aufklärer. Gottesvorstellung ist Gott Schöpfer der natürl. Ordnung, greift aber nicht mehr in diese Ordnung ein.
> »Wenn es Gott nicht gäbe, müßte man ihn erfinden, aber die ganze Natur ruft uns zu, daß er existiert.«

> »Die **Enzyklopädie** war als Werk, was Voltaire als Gestalt war.« (R.-R. WUTHENOW)

Nach ihrem Vorbild, dem Wörterbuch des Kritikers von Metaphysik und Religion P.BAYLE (1647–1706), ist die Enzyklopädie eine der wichtigsten publizist. Waffen für die Aufklärung. Für dieses Mammutunternehmen, 1751–80 in 28 Bdn. erschienen, konnten viele hervorragende Geister der Zeit zur Mitarbeit bewegt werden:
– DENIS DIDEROT (1713–84): ein vielseitig gebildeter Philosoph, der sich vom Theisten zum Pantheisten wandelte. Als Hrsg. und Autor ist er ein Motor der Enzyklopädie.
– JEAN LE ROND D'ALEMBERT (1717–83), dessen Vorwort zur Enzyklopädie das Projekt sofort bekannt machte. Als Philosoph gilt er als früher Vertreter des *Positivismus.*
– PAUL (BARON) D'HOLBACH (1723–89), der als Atheist einen determinist. *Sensualismus* vertrat.

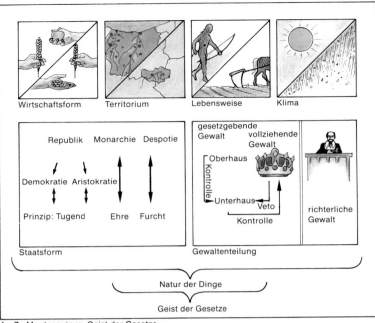

Wirtschaftsform   Territorium   Lebensweise   Klima

Republik   Monarchie   Despotie

Demokratie   Aristokratie

Prinzip: Tugend   Ehre   Furcht

Staatsform

gesetzgebende Gewalt   vollziehende Gewalt

Oberhaus

Kontrolle

Unterhaus   Veto

Kontrolle

richterliche Gewalt

Gewaltenteilung

Natur der Dinge

Geist der Gesetze

A   Zu Montesquieus ›Geist der Gesetze‹

ricorso	corso	Zeitalter	Sprache	Überlieferung
		Menschen	prosaisch	Historie
		Heroen	poetisch	Sagen
		Götter	anschaulich	Mythen

B   Zu Vicos ›Ideale Ewige Geschichte‹

Charles de Montesquieu (1689–1755) erlangte seine Wirkung v. a. durch die Übertragung des aufklärerischen Gedankenguts auf die Gesellschaftsordnung und deren Basis, das **Recht.**
Montesquieus ›Persische Briefe‹ (1721) prangern die Zustände in seiner franz. Heimat indirekt an. Wie Voltaire hält er die engl. Gesellschaft für nachahmenswert.

Sein Hauptwerk ›De l'esprit des lois‹ (Vom Geist der Gesetze; 1748) orientiert sich besonders an englischen Vorbildern, vor allem an Locke.
Ansatzpunkt ist der Vergleich der Rahmenbedingungen einer Gesellschaft mit deren rechtl. Ausstattung. Montesquieu geht vom *Naturrechtsgedanken* aus. Daraus ergibt sich, daß das positive Recht nicht willkürlich zur Eindämmung eines kriegerischen Naturzustandes (gegen Hobbes, S. 117) gesetzt wird. Vielmehr gibt es natürliche Anhaltspunkte, die Montesquieu als **Natur der Dinge** bezeichnet. Aus diesen ergibt sich der
Geist der Gesetze:
»Versch. Faktoren bestimmen die Menschen . . . woraus sich ein allg. Geist bildet.«
Diese **Faktoren** sind natürl. Gegebenheiten:
– Das *Territorium* hat Einfluß auf die Verfassung: ein geograph. großes Gebiet neigt zu monarch. Verfassung, ein kleines ist leichter für die republikanische zu gewinnen.
– Das *Klima* führt u. a. zu einer größeren Konstanz der bestehenden Ordnung in warmen Klimazonen.
– Dazu kommen gesellschaftl. und histor. Faktoren wie *Religion,* die *Sitten,* die *Geschichte,* die *Wirtschaftsform* und v. a. die *Maximen* der Regierung.
Alle Faktoren lassen sich wiederum in unterschiedl. Gewichtung für jeweils einen rechtl. Zustand feststellen.
Montesquieu unterscheidet 3 **Staatsformen,** die unter jeweils einem Prinzip stehen:
– die *Despotie,* deren Prinzip die Furcht ist.
– die *Monarchie,* die auf der Ehre basiert.
– die *Republik,* die entweder eine Demokratie oder eine Aristokratie ist; sie besteht aufgrund der Tugend.
Gut ist eine Staatsform, wenn sie gemäßigt ist, denn nur dann garantiert sie Freiheit. Der Freiheit dient auch eine Beschränkung der Macht durch die Macht, die **Gewaltenteilung** in:
– *gesetzgebende Gewalt:* soll die Exekutive kontrollieren und besteht aus zwei Kammern, ein kontrollierendes Oberhaus (frz. corps des nobles) und ein gesetzgebendes Unterhaus.
– *vollziehende Gewalt* mit Vetorecht gegen die Legislative.
– *richterliche Gewalt,* die strikt von der Exekutive zu trennen ist.

In Italien unternimmt **Giambattista Vico** (1668–1744) einen großangelegten Versuch, die **Geschichte** zum eigentl. Feld menschl. Erkenntnis zu machen.
In seinem Hauptwerk ›Principi di una scienza nuova‹ (Prinzipien einer neuen Wiss. über die gemeinschaftl. Natur der Völker) geht er von der These »verum et factum reciprocantur« aus:
Erkenntnis soll heißen, wir kennen die Art, wie ein Ding *entsteht.* So haben wir vorzüglich Erkenntnis über die Dinge, die wir selbst geschaffen haben (Wahrheit als »Tat-Sache«).
Daraus folgt für Vico, das Betätigungsfeld des menschl. Geistes sei die Kultur.
Erkenntnis ist möglich in der Mathematik, deren Begriffe von Menschen abhängen. Die Ergebnisse der Physik sind nur wahrscheinlich.
Vico versucht demnach, allg. Gesetze in der Geschichte zu finden:
Das Ziel ist die **»storia ideal' eterna«,** die ewige ideale Geschichte.
Dabei stößt er auf das **Gemeinsinn** (ital. senso comune):
Alle Völker stimmen unabhängig voneinander in wesentl. Ideen überein.
Dies weist auf eine Anlage im allg. menschl. Geist, die in der Vorsehung wurzelt. Die Struktur der Geschichte gibt also auch Aufschluß über die Struktur der menschl. Natur.
Vicos Material ist v. a. die *Sprache* und ihre Überlieferung. *Etymologie* (Wortgeschichte) und das riesige Reservoir von *Mythen* und *Poesie* sind Zeugnisse der histor. Entwicklung. Diese vollzieht sich in festgelegten **Stadien:**
»Der Charakter der Völker ist erst roh, dann streng, später mild, darauf verfeinert, zuletzt sittenlos.«
Der **Aufstieg** (corso) der Völker kennt 3 Stufen:
1) Zeitalter der *Götter:* alle Macht liegt in der Hand der Götter und der Religion; die Menschen sind roh und ihre Sprache ist anschaulich (z. B. Hieroglyphen).
2) Zeitalter der *Heroen:* strenge Sitten der »Göttersöhne« herrschen über die Menschen, deren Sprache sich zur Poesie entwickelt.
3) Zeitalter des *Menschen:* Zum vollen Selbstbewußtsein gelangt, lösen sich die Menschen von Götter- und Heroenkult; sie vertrauen auf die eigenen Fähigkeiten, die durch die prosaische Sprache gestützt werden.
Schließlich verliert die Gesellschaft sich im Luxus und im *Abstieg (ricorso)* führt zum Zerfall. Dann setzt wieder der *corso* ein.
So setzt nach dem Zerfall des Röm. Reiches mit den Barbaren der Aufstieg ein, führt über die Theokratie zum Heroenzeitalter der mittelalterl. Lehensherrschaft und schließlich zur Renaissancekultur.

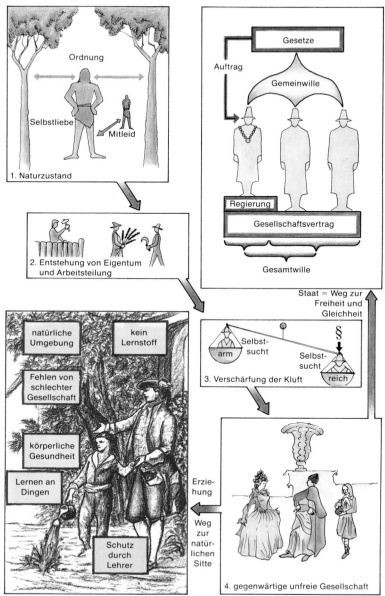

1. Naturzustand
Ordnung
Selbstliebe
Mitleid

Gesetze
Auftrag
Gemeinwille
Regierung
Gesellschaftsvertrag
Gesamtwille

2. Entstehung von Eigentum und Arbeitsteilung

Staat = Weg zur Freiheit und Gleichheit

natürliche Umgebung
kein Lernstoff
Fehlen von schlechter Gesellschaft
körperliche Gesundheit
Lernen an Dingen
Schutz durch Lehrer

Selbstsucht
arm
Selbstsucht
reich
3. Verschärfung der Kluft

Erziehung
Weg zur natürlichen Sitte

4. gegenwärtige unfreie Gesellschaft

Rousseaus Theorie von der Verderbnis der Kultur und seine Gegenmittel

Jean Jacques Rousseau (1712–78) nimmt in der Aufklärung eine Übergangsstellung ein: einerseits spitzt er ihren Ruf nach Freiheit zu, andererseits ist er schon Wegbereiter des romant. Protests gegen die Aufklärung.

ROUSSEAU setzt einen **freien Naturzustand** des Menschen voraus. In diesem lebt der Mensch als starker Einzelgänger ganz in der natürl. **Ordnung**. Er kann sich völlig auf sein *Gefühl* verlassen. Im Gegensatz dazu stellt die Reflexion eine Quelle sozialer Übel dar und der Entzweiung des Menschen mit sich selbst. Von daher scheint es,

»daß der Zustand der Reflexion wider die Natur ist und daß ein grübelnder Mensch ein entartetes Tier ist«.

ROUSSEAU nimmt als grundlegend die *Selbstliebe* (frz. amour de soi) an, aus der sich alle Gefühle, v. a. das Mitleid, ableiten.

Aus den natürl. Verhältnissen entstehen primitive gesellschaftl. Ordnungen, die aber die bestehende *Gleichheit* und *Freiheit* nicht verletzen.

Mit der Entwicklung der **Kultur** (Sprache, Wissenschaft, Kunst) und der Gesellschaftsformen löst sich die natürl. Gleichheit auf.

Die urspr. gute Selbstliebe schlägt um in *Selbstsucht* (amour propre).

Ein bedeutender Einschnitt ist dabei die Einführung von Arbeitsteilung und Privateigentum, da die Besitzverhältnisse die Menschen in den Konkurrenzkampf treiben.

Die Kultur legt den Menschen Ketten an, unterstützt von der *Rechtsprechung*,

»die dem Schwachen neue Fesseln und dem Reichen neue Macht gab«.

Vernunft und *Wissenschaft* schwächen das natürl. Gefühl für die Sitten. *Luxus* verweichlicht die Menschen, die Manieren machen sie unredlich.

Dagegen setzt ROUSSEAU sein Ideal der Freiheit. Ein Weg ist sein **Erziehungsideal.**

In ›Emile‹ (1762) stellt er exemplarisch seine Pädagogik vor:

sie soll v. a. verhindern, daß der Zögling unter den schlechten Einfluß der Gesellschaft gerät.

Das Ziel ROUSSEAUS dagegen ist Herzensbildung und der Weg dahin weitgehend »*negative Erziehung*«. Der Erzieher sollte nicht indoktrinieren, wie ROUSSEAU es der zeitgenöss. Bildung vorwirft.

Das Kind soll selbst an Erfahrungen lernen. Die Erziehung hat sich dabei der kindl. Entwicklung anzupassen.

Deshalb soll im ersten Abschnitt das *Kind* sich seine Unabhängigkeit erhalten und an den Dingen selbst lernen. Mit Beginn der Jugend soll der Zögling in Kunst, Literatur und Religion geschult und seinem Bedürfnis nach Gesellschaft Rechnung getragen werden. Der Lehrer hat für ein gesundes Umfeld zu sorgen, in dem das Kind auch physisch gekräftigt wird.

Das Erlernen eines Handwerks gehört ebenso zum Beginn eines einfachen und glücklichen Lebens wie die Lektüre des ersten Buches: DEFOES ›Robinson Crusoe‹.

ROUSSEAUS zweiter Weg zur Wiederherstellung der Freiheit ist seine **Gesellschafts-** und **Staatsphilosophie.** Grundlegend ist der Gedanke des **Gesellschaftsvertrages** (›Contrat social‹, 1762), in dem sich die Angehörigen einer Gemeinschaft unterstellen:

»Jeder von uns unterstellt der Gemeinschaft seine Person und alles, was sie ist, unter der höchsten Leitung des Gemeinwillens.«

Indem sich jeder dem Gemeinwillen, der **volonté générale**, unterordnet, garantiert er damit seine Freiheit und die Gleichheit aller. Denn in den Gemeinwillen geht zugleich sein eigener ein. Er unterstellt sich somit nur seinem *eigenen* Gesetz.

Die Aufgabe der natürl. Freiheit ermöglicht das Erreichen rechtl. Freiheit.

Analog bei der Übertragung des *Eigentums*: Die (fiktive) Abgabe an das Ganze sichert erst das gesetzl. Eigentum. Die Eigentümer werden zu »Verwaltern des Sachguts«.

Aus dem Gesellschaftsvertrag entspringt die **Volkssouveränität.**

Gesetze sind nur dann gültige Gesetze, wenn sie in Übereinstimmung mit dem Gemeinwillen ergangen sind. Andernfalls sind sie nur individ. Erlasse.

Ferner sind die Fälle auszuscheiden, in denen ein Sonderwille zur Durchsetzung gelangt. Auch eine Abweichung der *volonté de tous* (Summe der Einzelwillen) ändert nichts an der Gültigkeit der volonté générale als oberste Richtschnur.

Der Volkswille äußert sich in *Gesetzen* und diese wiederum sind von der *Exekutive* auszuführen.

»Man sieht sofort ein, daß man weder länger zu fragen braucht, wem die Gesetzgebung zusteht – denn sie besteht in den Akten des Allgemeinwillens –

noch ob der Regierungsführer über den Gesetzen steht – denn er ist Mitglied des Staates –

noch ob das Gesetz ungerecht sein kann – denn niemand ist ungerecht gegen sich selbst –

noch wie man zugleich frei und doch den Gesetzen unterworfen ist – denn sie sind nur Register unserer Willensentscheidung.«

ROUSSEAU hat als Staatsideal kleine **Demokratien** im Sinn, in denen sich eine Volksversammlung leicht einrichten läßt. Die Bürger sollen an Sitten nach einfach und nach Recht und Vermögen möglichst gleich sein.

Auch eine gemeinsame Staatsreligion soll es geben: ihre wenigen positiven Dogmen enthalten u. a. die Heiligkeit von Gesellschaftsvertrag und Gesetzen.

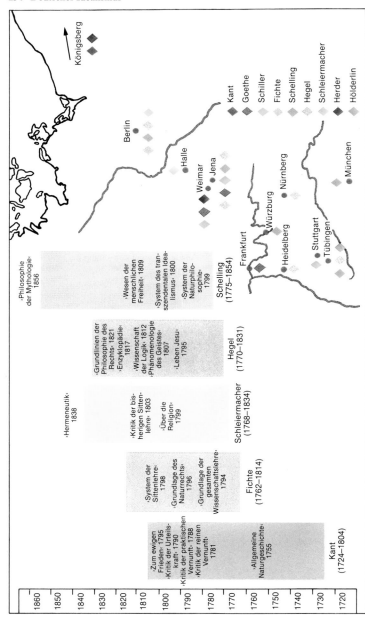

Übersicht: Deutscher Idealismus

Den **geschichtlichen Hintergrund** des **Deutschen Idealismus** bilden Vorbereitung, Verlauf und Folgen der *Französischen Revolution* im weitesten Sinn; Napoleons Herrschaft mit den Koalitionskriegen, der franz. Besetzung und den Befreiungskriegen; der *Wiener Kongreß* und seine Folgen.

Die Ideen der *Aufklärung* von Vernunft und Freiheit scheinen sich in der Revolution zunächst zu verwirklichen. Dies sichert ihr anfangs den Beifall eines großen Teils der dt. Gebildeten. Die Stimmung ändert sich weitgehend, als die Revolution in Terror umschlägt.

Die Situation verhilft dem dt. *nationalen Selbstbewußtsein* zu einem Durchbruch (z.B. Fichtes ›Reden an die dt. Nation‹ von 1806). Dieses Nationalgefühl ist in Deutschland stark an der *Kultur* orientiert:

> In der Weimarer Klassik und der Romantik steht die Literatur in Blüte.
> Wilhelm von Humboldts Bildungsreform und die Gründung der Berliner Universität, die polit. Reformen, die Stein und Hardenberg dort realisieren (z.B. Bauernbefreiung 1807), machen Preußen zu einem mod. Staat.

Wichtiger Inhalt des Wiener Kongresses ist die *Restauration* (Wiederherstellung des Zustandes von 1792). Die liberalen Ideen werden eingeschränkt. Die ›Karlsbader Beschlüsse‹ haben eine Verfolgung der »Demagogen« zum Ziel.

Immanuel Kant (1724–1804) schafft die Voraussetzungen für den dt. Idealismus. Den Kern seines Werkes bilden die drei ›**Kritiken**‹. Daneben hinterläßt er Schriften zu einer Fülle von anderen Themen:

> u.a. zur Frage der Aufklärung, zur Pädagogik und ein kleines Buch ›Zum ewigen Frieden‹.

Die *vorkritischen* Werke stehen z.T. noch unter dem Einfluß der »Schulphilosophie« seiner Zeit (z.B. Leibniz, Wolff). Seine ›Allg. Naturgeschichte und Theorie des Himmels‹ (1755) stellt den Versuch dar, eine Kosmologie auf der Grundlage der Newtonschen Mechanik zu errichten.

Hume reißt Kant »aus seinem dogmat. Schlummer« und Rousseau lehrt ihn Zweifel gegenüber der Vernunft.

> Er unternimmt eine Kritik »des Vernunftvermögens überhaupt, … mithin die Entscheidung der Möglichkeit oder Unmöglichkeit einer Metaphysik überhaupt und die Bestimmung sowohl der Quellen, als des Umfangs und Grenzen derselben«.

Dies geschieht in der ›Kritik der reinen Vernunft‹. Ihr folgen die ›Kritik der prakt. Vernunft‹ und die ›Kritik der Urteilskraft‹.

Johann Gottlieb Fichte (1762–1814) sieht in Kants Postulat des »Ding an sich« eine Unstimmigkeit, die er überwinden will. So versucht er das »Nicht-Ich«, das der Vernunft als Gegenstand der Erkenntnis gegenübersteht, als Setzung des *absoluten Ich*, d.h. aus der freien Tätigkeit des Ich entspringend, zu begreifen.

Friedrich Wilhelm Joseph Schelling (1775–1854) ist in seinen Anfängen von Fichte geleitet, wendet sich dann aber verstärkt der Ausarbeitung einer *Naturphilosophie* zu. Die Frage nach der Einheit der Gegensätze führt ihn zur Konzeption einer *Identitätsphilosophie*, in der das Absolute als Indifferenzpunkt der Gegensätze fungiert. Dieser Standpunkt veranlaßte Hegel zu der berühmten Kritik:

> »Dies eine Wissen, daß im Absoluten alles gleich ist … oder sein Absolutes für die Nacht auszugeben, worin, wie man zu sagen pflegt, alle Kühe schwarz sind, ist die Naivität der Leere an Erkenntnis.«

Die späte Philosophie Schellings wird zunehmend esoterischer, weniger am Begriff als an der intuitiven Anschauung orientiert.

Georg Wilhelm Friedrich Hegel (1770–1831) studiert im Tübinger Stift zusammen mit Schelling und Hölderlin.

Sein »absoluter Idealismus« markiert den Schluß- und Höhepunkt der Bewegung.

Das Wissen des Geistes von sich selber bildet die Grundlage für das gewaltige spekulative *System* Hegels. In ihm ordnet er eine ungeheure Stofffülle an, die er aus allen Wissensgebieten zieht: Kunst, Religion, Recht und aus der Geschichte.

Die starke Betonung der Vernunft veranlaßt eine Reihe von anderen Denkern zur *Kritik*.

Johann Georg Hamann (1730–1788) verweist kritisch auf die Sprachgebundenheit und damit Geschichtlichkeit der Vernunft. Er betont stärker die Bedeutung der sinnl. Empfindung. Die letzte Quelle der Gewißheit liegt für ihn im Glauben.

Auch Friedrich Heinrich Jacobi (1743–1819) sieht im Glauben den unmittelbaren Zugang zur Realität. Nicht die Tätigkeit des Verstandes, sondern das Gefühl und die Vernunft, die er als Vermögen der übersinnl. Erfassung von Ganzheiten begreift, führen zur Erkenntnis.

Johann Gottfried Herder (1744–1803) sieht im Menschen den »ersten Freigelassenen der Schöpfung«. Seine Freiheit und Weltoffenheit ermöglichen ihm, seine eigene Natur erst zu schaffen, bedingt aber zugleich die Notwendigkeit, die *Humanität* durch die Erziehung zu erwerben.

> Seine bes. Stellung gewinnt der Mensch vor allem durch seine *Sprache,* die Medium seiner Bewußtseinsbildung ist.

In seinen ›Ideen zur Philosophie der Geschichte der Menschheit‹ sieht er die Entwicklung des Menschen als organ. Wachstum zur Humanität, wobei versch. Völker aus ihrer eigenen Kultur heraus begriffen werden sollen.

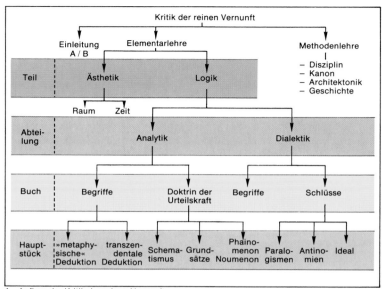

A Aufbau der Kritik der reinen Vernunft

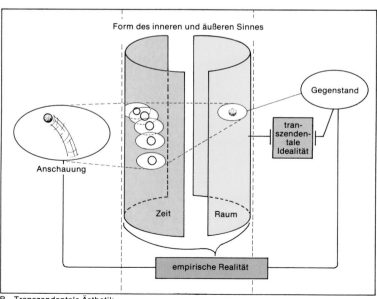

B Transzendentale Ästhetik

Immanuel Kant (1724–1804) wurde geboren und starb in Königsberg. KANTS ›Kritik der reinen Vernunft‹ (KrV) gilt als epochemachender Text der Neuzeit. Das Werk erscheint in zwei versch. Auflagen 1781 bzw. 1787 (zit. als A und B). Vereinfacht stellt KANT seine Lehre 1783 in den ›Prolegomena zu einer jeden künftigen Metaphysik‹ dar. Sie enthält eine krit. Sichtung menschl. **Erkenntnisvermögens.** Die Hauptfrage ist: »Wie sind synthet. Urteile a priori möglich?«

KANT sucht somit die Begründung für Urteile, die nicht aus der Erfahrung (a posteriori) stammen. Solche Urteile sollen auch nicht *analytisch* sein. Ein analyt. Urteil erweitert nicht das Subjekt, sondern entfaltet es nur: »Ein Kreis ist rund« ist demnach ein analyt. Urteil, denn »Rundsein« ist schon im Kreis enthalten. Dagegen ist »7 + 5 = 12« ein synthet. Urteil a priori: »12« ist weder in »7« noch in »5« enthalten.

Synthet. Urteile a priori sind als Prinzipien in allen theoret. Wissenschaften enthalten.

Die Antwort auf die Frage nach ihrer Möglichkeit in der Metaphysik entscheidet über die Möglichkeit der Metaphysik als Wissenschaft.

KANT will die *Rezeptivität* der Sinnlichkeit (sie nimmt nur auf) mit der *Spontaneität* des Verstandes in Einklang bringen.

Die sinnl. Erfahrung, die Begriffe erweitern könnte, gilt dem Rationalismus nur als ungenaues Denken. Der Empirismus dagegen leitet alles aus der Erfahrung ab, verkennt also die spontane Fähigkeit des Verstandes.

Die Lösung findet KANT in der **kopernikanischen Wende** der Metaphysik:

Die Erkenntnis richtet sich nicht nach den Gegenständen, sondern die Gegenstände nach der Erkenntnis.

In diesem **transzendentalen Idealismus** hebt KANT den Rationalismus und den Empirismus auf.

Als Stationen der Erkenntnis gibt KANT an: »So fängt denn alle menschl. Erkenntnis mit Anschauungen an, geht von da zu Begriffen und endigt mit Ideen.«

Dies bestimmt auch den Aufbau der ›Kritik‹ (Abb. A).

Der erste Teil, die **transzendentale Ästhetik,** untersucht das a priori der *Anschauung.*

KANT erweist für Raum und Zeit den Anschauungscharakter; beide können nicht zum »Stamm« der Verstandeserkenntnis gehören.

Der **Raum:** er muß allen Anschauungen schon zugrunde liegen.

Ich kann mir weder etwas ohne räuml. Ausdehnung vorstellen, noch den Raum selbst als geteilt oder nicht existierend.

Er liegt also a priori unserer sinnl. Wahrnehmung zugrunde. Daher auch die Möglichkeit *reiner* (aprior.) *Geometrie.*

Die **Zeit:** auch sie läßt sich aus der Sinnlichkeit nicht aufheben. Ohne sie ist Dauer, Folge usw. nicht vorstellbar.

Sie ist die Form des inneren Sinnes, d. h., in ihr sind unsere Vorstellungen geordnet.

Für beide, Raum und Zeit, gilt, sie haben
– *empirische Realität:*
 »objektive Gültigkeit in Ansehung aller Gegenstände, die jemals unseren Sinnen gegeben werden mögen«.
– *transzendentale Idealität:* sie existieren nicht als Bestimmungen der Dinge an sich, sondern als Bedingungen unserer Anschauung. Daher auch der *Lehrsatz des transzendentalen Idealismus,*
 »daß alles, was im Raume oder der Zeit angeschaut wird, . . . nichts als Erscheinungen, d. i. bloße Vorstellungen sind«.

In der **Analytik der Begriffe** untersucht KANT die Elemente des *Verstandes,* die a priori gegeben sind; er nennt sie **Kategorien.**
Ihre Deduktion geschieht auf zwei Weisen.
Die erste Ableitung ergibt sich aus den Urteilsformen der traditionellen Logik, denn die Tätigkeit des Verstandes ist stets Urteilen (s. S. 138, Abb. A).
Die zweite, sog. **transzendentale Deduktion** gründet sich auf die »synthet. Einheit des Mannigfaltigen in der Apperzeption«. Alle Erfahrung steht unter einer einheitl. Ordnung. Bedingung dieser Ordnung ist die Kategorie: sie bringt das Mannigfaltige gegebener Vorstellungen unter eine Apperzeption.

Grundlage dieser *Einheitsfunktion* ist stets das »Ich denke«.

Es ist auch der Ursprung der Begriffe, die a priori sind und deren Funktion in der Verknüpfung liegt. Diese *Begriffe* bleiben aber »leer«, solange ihnen die Grundlage durch die Anschauung fehlt. *Erkenntnis* heißt demnach ihre Anwendung auf *Erfahrung.*

Kategorien sind also notwendig, die Erfahrungen in die Einheit des Subjekts zu ordnen.

Objekt der Erfahrung kann nur sein, was unter diese Ordnung gebracht ist. Die Summe all dieser Objekte nennt KANT »Natur«, deren Gesetzgeber der Verstand mit seinen Kategorien ist.

In der **Analytik der Grundsätze** (Doktrin der Urteilskraft) untersucht KANT die Elemente, die die Begriffe mit den Anschauungen verbinden. Mannigfaltige Anschauungen müssen unter allg. Begriffe *subsumiert* werden. Die Fähigkeit dazu nennt KANT *Urteilskraft.*

Dies geschieht zuerst im **Schematismus:**
KANT ordnet jeder der (eigtl. leeren) Kategorien ein Schema zu, das sie auf die Anschauung bezieht.

Bindeglied zwischen den Kategorien und der Anschauung ist die *Zeit.*

Sie ist sowohl äußerer als auch innerer Sinn und liegt somit aller Erfahrung zugrunde.

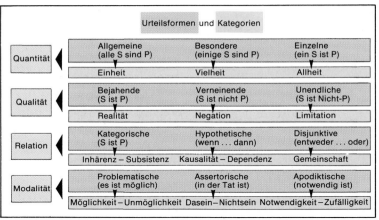

A   Leitfaden bei der Entdeckung der reinen Verstandesbegriffe

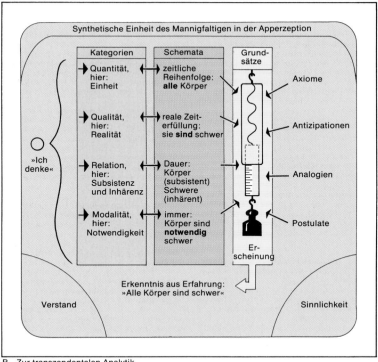

B   Zur transzendentalen Analytik

Die **Schemata** der einzelnen Kategorien:
- der Quantität liegt das *Zählen* zugrunde, also die zeitl. *Reihenfolge.*
- die Qualität besteht aus dem Grad an *Erfüllung* der Zeit, von real bis nicht-real.
- der objektive Bezug der Relation besteht durch die *Zeitordnung* (Dauer, Zeitfolge, gleichzeitig).
- die Modalität ergibt sich aus dem Zeitinbegriff:
  Ist etwas *irgendwann*, ist es möglich, ist es zu *einer* Zeit, ist es wirklich, ist es *immer,* notwendig.

Daran folgt das **System der Grundsätze.** Die Grundsätze geben an, unter welchen Bedingungen Erfahrung möglich ist, und sind somit die obersten Gesetze der »Natur«. Sie enthalten die Gründe für alle anderen Urteile in sich und sind somit aprior. Voraussetzung wiss. Erfahrung.
Diese Grundsätze sind
- *Axiome der Anschauung,* deren Prinzip die extensive Größe ist: alle Gegenstände unserer Erfahrung müssen quantitative Größen in Raum und Zeit sein. Sie sind immer Aggregat, d. h. Ganze aus Teilen.
- *Antizipationen der Wahrnehmung:* alle Gegenstände mögl. Erfahrung müssen eine intensive Größe haben, d. h. »ein Grad des Einflusses auf den Sinn«.
- *Analogien der Erfahrung:* begründen den notwendigen Zusammenhang von Erscheinungen in der Erfahrung. Darunter fallen 3 Grundsätze:
  1) Die Beharrlichkeit der *Substanz.* Beharrliches ist notwendig als Substrat, an dem die Zeit erscheint und damit auch Folge und Gleichzeitigkeit ermöglicht.
  2) Der Wechsel in der Zeit ist durch die Substanz zwar ermöglicht, aber nicht hinreichend erklärt. Nur durch den Grundsatz der *Kausalität* werden diese als notwendig erfahrbar.
  3) Sind Dinge gleichzeitig, dann muß für sie der Grundsatz der *Wechselwirkung* gelten.
- *Postulate des empirischen Denkens überhaupt:*
  »1. Was mit den formalen Bedingungen der Erfahrung . . . übereinkommt, ist *möglich.*
  2. Was mit den materialen Bedingungen der Erfahrung (der Empfindung) zusammenhängt, ist *wirklich.*
  3. Dessen Zusammenhang mit dem Wirklichen nach allgemeinen Bedingungen der Erfahrung bestimmt ist, ist . . . *notwendig.*«

Mit den Grundsätzen ist der Raum mögl. objektiver Erfahrung angegeben:
  Als Objekte oder allg. als »Natur« kann uns nur erscheinen, was nach den Prinzipien a priori der Sinnlichkeit und des reinen Verstandes geformt ist.

Denn nur durch die Anwendung dieser Prinzipien kann uns etwas in der synthet. Einheit des Mannigfaltigen gegeben sein. Die uns erfahrbare Welt ist also keine Welt des »Scheins«, sondern der Erscheinung, die notwendig ist:
  denn sie gehorcht *Gesetzen,* den Gesetzen unseres Erkenntnisvermögens.

Die transzendentale Analytik schließt konsequent mit der Gegenüberstellung von **Phaenomenon** und **Noumenon:**
  KANT hat den Bereich der (richtigen) Verstandestätigkeit auf die Welt der Erscheinungen (Phänomene) beschränkt, d. h. sie an die Dinge für uns gebunden.
Die Dinge für sich (Noumena) bleiben unerkennbar. Ihre Welt ist »problematisch«, d. h. möglich. Sie hat ihre Funktion in der Beschränkung der Sinnlichkeit und des Menschen selbst, da er Noumena nicht mit Kategorien erkennt.

In der zweiten Abteilung der transzendentalen Logik untersucht KANT die metaphys. Probleme, die die *Vernunft* im engeren Sinne betreffen:
die transzendentale Dialektik.
Die Vernunft ist nach KANT der Sitz des *Scheins:*
  Die Vernunft führt dialektisch immer weiter vom empir. Gebrauch der Kategorien weg, der die Erkenntnisgrenze darstellen.
Diese natürl. und unvermeidl. Illusion entsteht generell aus der Tätigkeit der Vernunft, die Bedingung für ein Bedingtes zu suchen und in einem Unbedingten zu finden. Der Weg dazu besteht im *Schließen.* In letzter Instanz operiert die Vernunft immer mit *Ideen,* unter denen alle Erscheinungen und Begriffe subsumiert werden.

Der Hauptteil der transzendentalen Dialektik besteht nun darin, den »dialektischen **Schein**« der »vernünftelnden Schlüsse« aufzudecken.
Als transzendentale Ideen – im Anschluß an die Schulphilosophie seiner Zeit (S. 115) – sieht KANT die *Seele,* die *Welt* und *Gott* an:
  »Folglich werden alle transzendentalen Ideen sich unter drei Klassen bringen lassen, davon die erste die absolute . . . Einheit des denkenden Subjekts, die zweite die absolute Einheit der Reihe der Bedingungen der Erscheinung, die dritte die absolute Einheit der Bedingungen aller Gegenstände überhaupt enthält.«
KANT bemüht sich um den Nachweis, daß diese Ideen als *Objekt* betrachtet zu Widersprüchen führen. Diesen Nachweis führt er in den Hauptstücken über
- die Paralogismen (Seele),
- die Antinomie (Welt),
- das Ideal (Gott)
der reinen Vernunft.

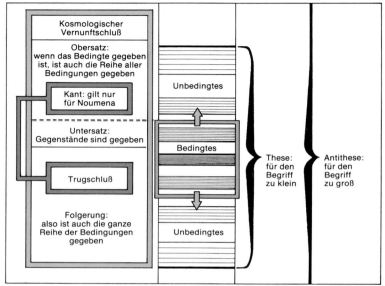

A Zu den Antinomien aus der »Dialektik«

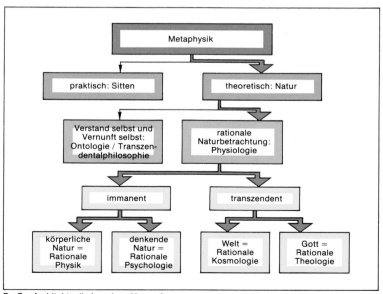

B Zur Architektonik der reinen Vernunft

Die **Paralogismen** (Fehlschlüsse) der rationalen Psychologie beruhen auf der unzulässigen Verknüpfung von *Subjekt* und *Substanz:* das Ich ist Subjekt und damit nach der trad. Psychologie *Substanz*. Dagegen unterscheidet KANT zwischen dem Ich der Apperzeption (als Subjekt) und der angebl. Substanz der Seele (als Objekt):

> »Die Einheit des Subjekts ... ist nur die Einheit im Denken, wodurch allein kein Objekt gegeben wird, worauf also die Kategorie der Substanz, ... die Anschauung voraussetzt, nicht angewandt, mithin dieses Subjekt gar nicht erkannt werden kann.«

Deshalb gibt es auch keine Erkenntnis von der Seele als *einfache, unsterbliche* und *immaterielle* Substanz.

Antinomien sind Widersprüche. Sie entstehen aus den Scheinbeweisen, die die Vernunft sich für 2 widersprechende Thesen über die *Welt* geben kann. KANT stellt 4 Thesen (mit Beweis) 4 Antithesen (mit Beweis) gegenüber:
1. Die Welt hat einen Anfang in Raum und Zeit *und* sie hat keinen.
2. Jedes Ding in der Welt besteht aus einfachen Teilen *und* es besteht aus nichts Einfachem.
3. Es gibt neben Kausalität noch Freiheit *und* es geschieht alles nach Naturgesetzen.
4. Es gibt als Teil oder Ursache der Welt ein notwendiges Wesen *und* es existiert nicht.

Den Schlüssel zu ihrer **Auflösung** findet KANT im Vergleich der antinom. Thesen mit der Erfahrungserkenntnis. Bei der 1. Antinomie z. B. ergibt sich:

> »Die Welt habe keinen Anfang, so ist sie für euren Begriff zu *groß*, denn dieser ... kann die ganze verflossene Ewigkeit niemals erreichen ... Setzet: sie habe einen Anfang, so ist sie wiederum für euren Verstandesbegriff ... zu *klein*.«

Nach dem transzendentalen Idealismus sind uns nur *Wahrnehmungen* und deren Fortschritt gegeben.
Dies läßt das *Argument* aller Vernunftschlüsse außer acht:

> »Wenn das Bedingte gegeben ist, so ist auch die ganze Reihe der Bedingungen gegeben: nun sind uns die Gegenstände der Sinne als bedingt gegeben, folglich usw.«

Der Obersatz bezieht sich auf Dinge an sich, der Untersatz auf empir. Dinge:

> deshalb unterliegen beide streitenden Parteien demselben Trugschluß, der beides vermischt.

Die kosmolog. Ideen sind nicht **konstitutiv,** sondern **regulativ** zu gebrauchen. Sie schaffen keine neuen Begriffe von Objekten, sondern ordnen sie zu Einheiten. Dieser Vernunftgebrauch, der das Allgemeine *hypothetisch* nimmt,

> »geht also auf die systemat. Einheit der Verstandeserkenntnisse, diese aber ist der

Probierstein der Wahrheit ... [Diese ist] als bloße Idee die nur projektierte Einheit.«

Im letzten Hauptstück der Dialektik behandelt KANT das **Ideal** der reinen Vernunft, d. h. Gott. Im Mittelpunkt stehen 3 *Gottesbeweise:*
– der *ontologische* aus dem Gottesgedanken,
– der *kosmologische* aus der Notwendigkeit eines höchsten Wesens zur Erklärung irgendeines Daseins,
– der *physiko-theologische* aus der Zweckmäßigkeit der Welt auf ihren Urheber.

KANTS Widerlegungen basieren auf dem Nachweis, daß sie alle noumenale und phänomenale Objekte verwechseln und sich niemals auf Erfahrung gründen können. Das höchste Wesen ist ebenso unbeweisbar wie unwiderlegbar,

> »aber doch fehlerfreies Ideal, ein Begriff, welcher die ganze menschl. Erkenntnis schließt und krönet«.

Der kurze zweite Teil des Werkes bietet die **transzendentale Methodenlehre.** Sie ist die

> »Bestimmung der formalen Bedingungen eines vollständigen Systems der reinen Vernunft«.

Die **Disziplin** weist als »warnende Negativlehre« auf Möglichkeiten des unrichtigen Vernunftgebrauchs. KANT kritisiert
– die *mathematische* Methode, die in der Philosophie durch scheinbare Beweise zum Dogmatismus führt;
– den *polemischen* Gebrauch der Vernunft, der auf dogmat. Thesen mit Gegenthesen reagiert; vielmehr soll die Vernunft unvoreingenommen und kritisch prüfen;
– die *Skepsis,* die als allg. Methode der Philosophie unangemessen ist;
– schließlich *Hypothesen* und *Beweise* in der Philosophie; erstere sind nur als »Kriegswaffen« erlaubt; Beweise müssen direkt und unter Rückgriff auf mögl. Erfahrung gelten.

Der **Kanon** gibt positiv an, was die reine Vernunft leisten muß. Da sie spekulativ keine Gewißheiten begründet, liegt ihr Wert im *praktischen* Gebrauch. Zu dessen Begründung bedarf es dreier *Postulate:*
– Freiheit des Willens,
– Unsterblichkeit der Seele,
– Dasein Gottes.
Letztlich kann Absicht der Vernunft nicht spekulative Erkenntnis sein. Ihr Sinn ist die Stützung des *moralischen* Glaubens:

> »Ich mußte also das Wissen aufheben, um für den Glauben Platz zu bekommen.«

Die **Architektonik** entwirft das *System* der Philosophie (Abb. B).
Der histor. Ausblick ›Die **Geschichte** der reinen Vernunft‹ beschließt die Methodenlehre und damit auch das ganze Werk.

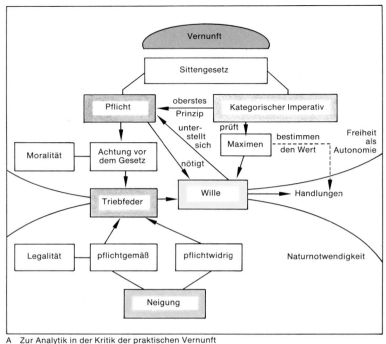

A   Zur Analytik in der Kritik der praktischen Vernunft

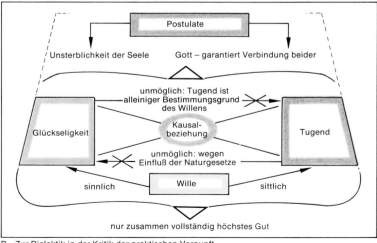

B   Zur Dialektik in der Kritik der praktischen Vernunft

KANTS prakt. Philosophie findet sich v. a. in der ›Grundlegung zur Metaphysik der Sitten‹ (1785) und der ›Kritik der praktischen Vernunft‹ (KpV) (1788).

Die »Analytik« der KpV behandelt die überragende Rolle der Beschaffenheit des **Willens** als Bewertungsmaßstab einer Handlung. Danach kann nichts uneingeschränkt als gut bezeichnet werden als nur ein *guter Wille.*
Der Wert einer Handlung bemißt sich nicht nach dem erstrebten *Zweck.* Das Ziel einer Handlung liegt im Bereich der Naturnotwendigkeit. Handlungen unterliegen empir. Zufälligkeiten und können nach KANT nicht als frei angesehen werden. Daraus folgt, daß allein die vernunftgemäße Beschaffenheit des Willens die sittl. Qualität einer Handlung ausmachen kann.
Den Menschen befreit die **Pflicht** aus der Bestimmung durch zufällige empir. Bestimmungen. Die Pflicht ersetzt die Naturnotwendigkeit
»durch die Notwendigkeit einer Handlung aus Achtung vor dem [moral.] Gesetz«.
Die Pflicht nötigt Wollen und Handeln des Menschen zur Beachtung der moral. Gesetze, die der Vernunft entspringen. Dabei kann auch eine Handlung aus Neigung zufällig mit den Vorschriften der Pflicht übereinstimmen:
Dieses »pflichtgemäße« Handeln nennt KANT *Legalität* im Ggs. zu *Moralität,* die ein Handeln »aus« Pflicht voraussetzt.
Das *Sollen* stellt sich in Form von Imperativen dar. KANT unterscheidet zwischen *hypothetischen* und *kategorischen.* Erstere gelten nur unter Voraussetzung eines angestrebten Zwecks und sprechen somit nur ein bedingtes Sollen aus. Der **kategorische Imperativ** dagegen bringt das Gesetz formal und absolut zur Geltung. Er heißt in der allgemeinsten Formulierung:
»Handle so, daß die Maxime deines Handelns jederzeit zugleich als Prinzip einer allgemeinen Gesetzgebung gelten könnte.«
Maximen sind subjektive Grundsätze. Sie machen als Bestimmungsgründe des Willens dessen Wert und damit den Wert der Handlung überhaupt aus. Sittlich *gut* sind sie erst dann, wenn sie dem formalen Kriterium des kategor. Imperativs genügen. Sie müssen so beschaffen sein, daß sie zugleich für alle vernünftigen Wesen gelten können.
Z. B. genügt dem die Maxime nicht, nach der man lügen dürfte: man müßte damit wollen, daß alle lügen.
Der synthet.-aprior. Satz des kategor. Imperativs ist somit das oberste formale Prinzip, das die Vernunft in prakt. Hinsicht zur »Nötigung« des menschl. Willens formulieren kann:
»In der Unabhängigkeit . . . von einem begehrten Objekte und zugleich doch Be-

stimmung der Willkür durch die bloße allg. gesetzgebende Form, deren eine Maxime fähig sein muß, besteht das alleinige Prinzip der Sittlichkeit.«
Der Aufweis eines formalen, allg.-vernünftigen Prinzips des Handelns wird zum Angelpunkt der Freiheitstheorie KANTS. Nach der Position der ›Kritik der reinen Vernunft‹ war **Freiheit** nur denkmöglich. Der kategor. Imperativ als Vernunftprinzip macht ein Sollen ohne materiale Bestimmungsgründe (z. B. Erziehung, moral. Gefühl, Wille Gottes, Streben nach Glückseligkeit) möglich.
Die *Vernunft* unterstellt sich in der *Pflicht* ihrer eigenen Gesetzgebung. Sie ist *autonom,* d. h. selbst-gesetzgebend.
Zwar steht der Mensch als Sinnenwesen unter der Heteronomie des Naturgesetzes, aber der Wille ist frei durch die Bestimmung der Vernunft, mit der der Mensch an der »intelligiblen« (Verstandes-) Welt teilhat. Somit ist der Wille auch als *positiv* frei erwiesen. Reine Vernunft (unabhängig vom Empirischen und Heteronomen) beweist sich praktisch in der
»Autonomie in dem Grundsatze der Sittlichkeit, wodurch sich den Willen zur Tat bestimmt«.
Der **gute Wille** unterscheidet sich vom »pathologischen« dadurch, daß er nicht sinnlich bedingt ist. Vielmehr liegt seine Triebfeder in der *Achtung* fürs Gesetz. Diese Achtung, die die Selbstliebe als Handlungsmotiv einschränkt, ist das eigtl. moral. Gefühl.
Da der gute Wille auch in einer anderen *Person* als autonom geachtet werden muß, lautet eine andere Formulierung des kategor. Imperativs:
»Handle so, daß du die Menschheit, sowohl in deiner Person als in der Person eines jeden anderen jederzeit zugleich als Zweck, niemals bloß als Mittel brauchst.«

Die ›Dialektik‹ der KpV nennt als Gegenstand der prakt. Vernunft das **höchste Gut.**
Die Befolgung des Sittengesetzes ist alleiniger Bestimmungsgrund des Willens und nicht Streben nach Glückseligkeit. Für den Menschen als Sinnenwesen muß jedoch Glückseligkeit zum vollständigen Gut hinzutreten.
Diese *Antinomie* der prakt. Vernunft löst KANT so auf:
Eine Verbindung kann nur synthetisch als Kausalzusammenhang geschaffen werden, der die Tugend als Ursache setzt. Eudämonie *kann* hinzutreten.
Sicher wird die Verbindung beider zum höchsten und vollständigen Gut erst durch das *Postulat* der **Existenz Gottes,** der die genaue Übereinstimmung der Glückseligkeit mit der Sittlichkeit garantiert.
Da Wesen in der Sinnenwelt niemals »Heiligkeit« erreichen, entsteht der unendl. Progressus der Vervollkommnung auch das Postulat einer **unsterblichen Seele.**

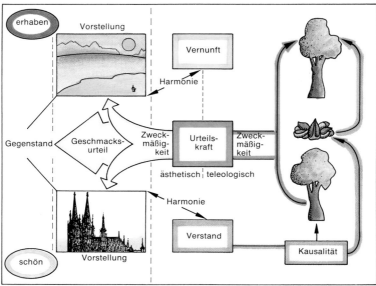

A   Zur Kritik der Urteilskraft

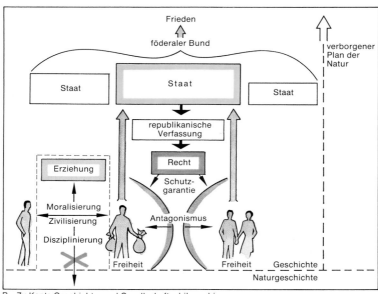

B   Zu Kants Geschichts- und Gesellschaftsphilosophie

Mit der ›Kritik der Urteilskraft‹ schließt KANT 1790 das ganze »kritische Geschäft« ab. Der Untersuchung der **Urteilskraft** kommt dabei die Aufgabe zu, zwischen *Natur* (s. S.137, KrV) und *Freiheit* (s. S.143, KpV) zu vermitteln. Urteilskraft wird vorgestellt als ein Vermögen zwischen Verstand und Vernunft, das ihr entsprechende *Gefühl* von *Lust* und *Unlust* als zwischen Erkenntnis- und dem Begehrungsvermögen liegend.

Allg. ist die Urteilskraft die Fähigkeit, das Besondere unter das Allgemeine zu *subsumieren*.

Die hier untersuchte »*reflektierende* Urteilskraft« muß das Allgemeine erst finden. Ihr Prinzip dazu ist die **Zweckmäßige.**

Ist die Zweckmäßigkeit subjektiv, ist das Vermögen »ästhetische« Urteilskraft, ist sie objektiv, spricht KANT von der »teleologischen« Urteilskraft.

In der krit. Behandlung der **Ästhetik** untersucht KANT das *Schöne* und das *Erhabene*. Im Unterschied zum Schönen bezieht sich das Erhabene auf Unbegrenztes, dessen Vorstellung von der Idee der Totalität begleitet wird. Die Analytik des Schönen zeigt, daß ein *ästhet. Urteil* nach den Kategorien allgemeingültig ist, weil es anderen zumutet, ihm zu folgen, und notwendig, weil es einen Gemeinsinn aller Menschen in Anspruch nimmt. In ihm kommt ein »interesseloses Wohlgefallen« zum Ausdruck, das sich der Relation nach auf die Form der Zweckmäßigkeit bezieht.

»Schönheit ist die Form der Zweckmäßigkeit eines Gegenstandes, sofern sie, ohne Vorstellung eines Zwecks, an ihm wahrgenommen wird.«

Schön ist also, was bei unbegriffl. Vorstellung Lust dadurch weckt, daß es eine Zweckmäßigkeit darstellt. So sind Blumen freie Naturschönheiten durch die Harmonie ihrer Teile, ohne daß der Betrachtung selbst ein Zweck unterliegt.

Geschmacksurteile bergen in sich die *Antinomie:* sie sind nicht beweisbar und beanspruchen doch verbindlich zu sein. Sie beruhen auf einem subjektiven Empfinden, wenden sich aber zugleich an einen überindividuellen Gemeinsinn.

KANT verbindet schließlich das Ästhetische mit dem Sittlichen: Die kategoriale Bestimmung des Schönen dient als Analogie zum sittl. Guten. Das Erhabene verweist auf das mächtige Ganze der Natur, an dem der Mensch sich mißt.

Die Kritik des **teleologischen** Denkens untersucht die Grenzen des Zweckmäßigen in der Natur(forschung).

Das Zweckmäßige ist dabei *heuristisches* Prinzip bei den Lebewesen; bei ihnen ist durch die organische Struktur die Wirkung wieder Ursache.

Ein Baum erzeugt sich und seine Nachkommen, wobei er als Individuum wie als Gattung gleichermaßen Ursache *und* Wirkung des Prozesses darstellt.

Die für ganze Erkenntnis geforderte Kausalität wird im *Biologischen* durch die Zweckmäßigkeit ergänzt.

KANTS **Anthropologie** sieht den Menschen im Gegensatz zum Tier nicht instinktiv, sondern vernünftig bestimmt. Beim einzelnen muß deshalb die *Erziehung* den mögl. Rückfall in die Roheit verhindern. Erziehung soll aufklären, d.h. nicht nur »dressieren«, sondern die Kinder zum Denken führen. Sie geschieht durch

»Bezähmung der Wildheit« (Disziplinierung), Unterweisung zum Erwerb von Geschicklichkeit und Kultivierung.

Wichtig ist die *Moralisierung*, die eine rechte Gesinnung beibringen soll.

Ein weiterer Unterschied zum Tier ist die menschl. **Geschichte.** Hier entsteht die Vervollkommnung durch die Weitergabe von Erreichtem durch Generationen. Dadurch vollzieht die Natur ihren verborgenen Plan, alle ihre Anlagen in der Menschheit zu entwickeln. Das Movens ist der Antagonismus der menschl. Natur, seine »*ungesellige Geselligkeit*«:

Der Mensch erstrebt die Gesellschaft und lehnt sich doch dagegen auf.

Die Errichtung der vollkommen gerechten bürgerl. Gesellschaft ist dann

»höchste Aufgabe der Natur für die Menschengattung, weil die Natur [nur so] ihre übrigen Absichten mit unserer Gattung erreichen kann«.

Aus dem an sich rechtlosen Naturzustand führt nach KANTS **Rechtsphilosophie** ein »ursprüngl. Kontrakt«. Nur der so entstandene *Staat* kann das Recht der einzelnen Bürger auf unangetastete *Freiheit* und Gleichheit garantieren. Der kategor. Imperativ des Rechts lautet:

»Handle äußerlich so, daß der freie Gebrauch deiner Willkür mit der Freiheit von jedermann nach einem allg. Gesetz zusammenbestehen könne.«

Privatrechtlich werden natürl. Institutionen wie Vertragsfreiheit, Ehe und Eigentum gesichert.

Das *öffentliche Recht* stellt alle Bürger unter die gemeinsame Gesetzgebung. Von seinen aufklärer. Vorgängern übernimmt KANT ferner den Gedanken der *republikanischen Verfassung* mit Gewaltenteilung, Volkssouveränität und Menschenrechten.

Das Völkerrecht schließlich soll die Freiheit und den *Frieden* der Völker untereinander sichern.

In ›Zum ewigen Frieden‹ (1795) nennt KANT als Bedingungen:

– die republikan. Verfassung der einzelnen Staaten,

– einen föderalist. Friedensbund der Staaten,

– ein (eingeschränktes) Weltbürgerrecht.

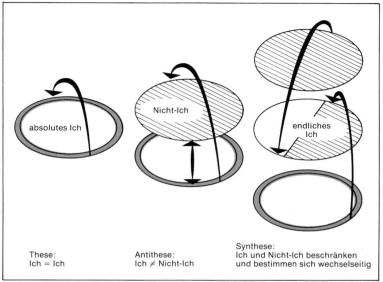

These: Antithese: Synthese:
Ich = Ich   Ich ≠ Nicht-Ich   Ich und Nicht-Ich beschränken
                                                  und bestimmen sich wechselseitig

A   Grundsätze der Wissenschaftslehre (1794)

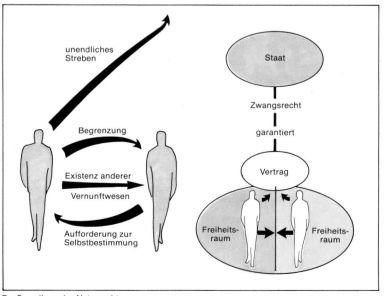

B   Grundlage des Naturrechts

Für **Johann Gottlieb Fichte** (1762–1814) ist Philosophie **Wissenschaftslehre,** d.h. sie handelt nicht wie andere Wissenschaften von Gegenständen, sondern ist Wissenschaft vom Wissen überhaupt.

Ihre Aufgabe ist es daher, Grundsätze aufzustellen, von denen her alles Wissen begründet werden kann, die ihrerseits aber nicht weiter begründet werden können.

In der ›Grundlage der gesammten Wissenschaftslehre‹ (1794) nennt FICHTE die obersten **drei Grundsätze,** die dem Schema von *These, Antithese und Synthese* entsprechen.
Der *erste* Grundsatz lautet:
»Das Ich setzt ursprünglich schlechthin sein eigenes Seyn.«
»Er soll diejenige Thathandlung ausdrücken, welche unter den empir. Bestimmungen unseres Bewußtseyns nicht vorkommt, noch vorkommen kann, sondern vielmehr allem Bewußtseyn zum Grunde liegt, und allein es möglich macht.«
Jedes Wissen von etwas setzt die Setzung des Ich, das weiß, voraus. Das Ich, von dem im ersten Grundsatz die Rede ist, ist nicht empirisch, sondern *transzendental* zu verstehen, d.h. es gibt die Bedingung allen Wissens an. Dieses absolute Ich ist unendl. Tätigkeit.
Der *zweite* Grundsatz folgt dem Satz des Widerspruchs:
Ich ist nicht Nicht-Ich. Oder: »Dem Ich wird schlechthin entgegengesetzt ein Nicht-Ich.«
Da Ich und Nicht-Ich als im Ich gesetzt sich gegenseitig aufheben würden, muß die Synthese, die beide Sätze verbindet, darin bestehen, daß sie sich in der Realität nur teilweise negieren, d.h. sich gegenseitig begrenzen.
Der *dritte* Grundsatz lautet daher:
»Ich setze im Ich dem theilbaren Ich ein theilbares Nicht-Ich entgegen.«
Diese nun endl. Ich und Nicht-Ich beschränken und bestimmen sich somit wechselseitig.
Der Grundsatz enthält in sich wiederum zwei Sätze:
»Das Ich setzt sich als bestimmt durch das Nicht-Ich.« Dieser bildet die Grundlage der *theoretischen* Wissenschaftslehre.
Und: »Das Ich setzt sich als bestimmend das Nicht-Ich« als Grundlage der *praktischen* Wissenschaftslehre.
Im *theoretischen* Teil ist zu klären, wie das Ich zu seinen *Vorstellungen* kommt.
Betrachtet man das Ich als bestimmt durch das Nicht-Ich, so ist das Ich passiv empfangend, das Nicht-Ich aktiv gedacht.
Dies ist die Position des sog. *Realismus.* Der *kritische Idealismus* macht dagegen geltend, daß das Ich sich selber als beschränkt durch das Nicht-Ich setzt und daher der in der Selbstbeschränkung tätige Teil ist.
Die Tätigkeit, durch die dem Ich Vorstellungen entstehen, indem es sich durch das Nicht-Ich begrenzt, nennt FICHTE **Einbildungskraft.**

Der *praktische* Teil geht von dem Widerspruch aus, der zwischen der unendl. Tätigkeit des absoluten Ich und dem endl., durch das Nicht-Ich beschränkten Ich besteht.
Warum begrenzt sich das Ich?
Die Antwort liegt in der Bestimmung des absoluten Ich als unendl. **Streben.** Dieses enthält die Forderung, daß alle Realität durch das Ich schlechthin gesetzt sein solle. Da kein Streben ohne Objekte, bedarf das Ich des Widerstands des Nicht-Ich, um in dessen Überwindung praktisch werden zu können. Gleichzeitig muß das endl. Ich darauf reflektieren, ob es wirklich alle Realität in sich fasse. Der Anstoß der Objekte ist die Bedingung, daß das Streben reflektiert wird und das Ich um sich selber weiß und sich so bestimmen kann.
Der Widerstand des Nicht-Ich ist dem Ich gegeben im *Gefühl* als
»eine Handlung des Ich, durch welche dasselbe etwas in sich aufgefundenes Fremdartiges auf sich bezieht . . .«
Die Wissenschaftslehre statuiert das Vorhandensein einer vom Bewußtsein des endl. Ich unabhängigen Kraft (Nicht-Ich). Diese kann aber bloß gefühlt, nicht erkannt werden. Alle mögl. Bestimmungen dieses Nicht-Ich werden aus dem bestimmenden Vermögen des Ich abgeleitet.
FICHTE bezeichnet die Wissenschaftslehre daher selbst als einen *Real-Idealismus.*

›Das System der **Sittenlehre**‹ (1798) baut auf den Ergebnissen der Wissenschaftslehre auf. Eine Handlung ist sittlich, wenn sie gemäß der absoluten Selbständigkeit des Ich die Überwindung aller Abhängigkeit des Ich von der Natur zur Grundlage hat.

Das Prinzip der Sittlichkeit liegt daher in dem Gedanken, daß das Ich seine »Freiheit nach dem Begriffe der Selbständigkeit, schlechthin ohne Ausnahme, bestimmen solle«.
Grundlage des Handelns ist der *sittliche Trieb.* Er ist gemischt aus dem Naturtrieb, von dem er die Materie hat, auf die er sich richtet, und dem reinen Trieb, der ihn der Form nach bestimmt, nichts anderes als Zweck zu setzen, als die Selbständigkeit des Ich.
Die Handlung wird bestimmt nach dem Begriff der **Pflicht,** so daß sich als kategor. Imperativ ergibt:
»Handle stets nach bester Überzeugung von deiner Pflicht.«
Deren inhaltl. Bestimmung entwirft FICHTE in einer eigenen Pflichtenlehre.

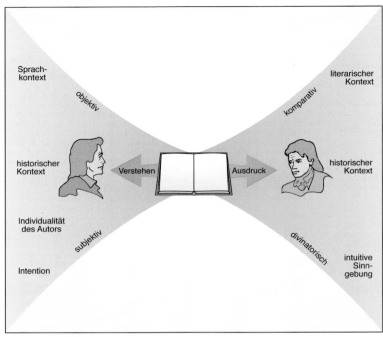

A Schleiermacher: Hermeneutische Methoden

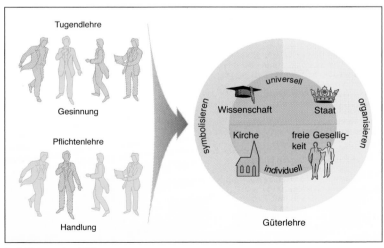

B Schleiermacher: Ethik

Auch FICHTES ›Grundlage des **Naturrechts**‹ (1796) folgt den Prinzipien der Wissenschaftslehre.

Ein vernünftiges Wesen kann sich nicht setzen, ohne sich eine freie Wirksamkeit zuzuschreiben.

Die Möglichkeit des Selbstbewußtseins verlangt, daß das Ich eine Grenze seiner Tätigkeit, d. h. eine Welt außer sich setzt. Der Anstoß zur Selbstbestimmung kann aber nur verstanden werden als eine *Aufforderung,* die von anderen Vernunftwesen an das Ich ergeht. Das Ich kann sich somit nur als selbständig handelnd begreifen,

wenn es andere freie Vernunftwesen außer sich annimmt, die ihren Handlungsspielraum zugunsten seiner Handlungsmöglichkeiten einschränken und es so als Vernunftwesen anerkennen.

Das Ich kann sich somit nicht setzen ohne in einem Verhältnis zu anderen Vernunftwesen zu stehen und dies ist das Rechtsverhältnis.

Der allgemeine **Rechtssatz** lautet daher:

»Ich muß das freie Wesen außer mir in allen Fällen anerkennen als ein solches, d. h. meine Freiheit durch den Begriff seiner Freiheit beschränken.«

Die Bedingung der Möglichkeit des Handelns in der Sinnenwelt ist der *Leib.* Als *Urrecht* der Person gilt daher

das Recht auf Freiheit und Unantastbarkeit des Leibes

und auf Fortdauer der freien Wirksamkeit in der Welt. In der Gemeinschaft muß sich diese Freiheit an der Freiheit des anderen begrenzen.

Der Durchsetzung der Rechtsverhältnisse dient das *Zwangsrecht.* Dieses beruht auf einem freiwilligen Vertrag und bedarf eines gemeinschaftl. *Staatswesens* zur Ausübung der Rechtsgewalt.

FICHTES **Spätphilosophie** (ab 1800) zeigt in verschiedenen Bereichen eine *Wandlung* in seinem Denken. Seine früheren *religionsphilosophischen* Ansichten (›Über den Grund unseres Glaubens an eine göttliche Weltregierung‹, 1798) hatten ihm bei seinen Gegnern den Vorwurf des Atheismus eingebracht, da er Gott mit der moralischen Weltordnung identifizierte. Nun begreift er Gott als das eine, absolute Sein, auf das der Mensch in seinem Wissen und Streben ausgerichtet ist.

In den späteren Fassungen der Wissenschaftslehre versucht er zum Prinzip der Einheit im (göttlichen) unwandelbaren **Absoluten** zu gelangen. Begründet und zweifelsfrei ist Wissen nur, wenn es ein notwendiges Sein gibt, das im menschlichen Wissen zum Dasein kommt. Im tiefsten, philosophisch errungenen Wissen zeigt sich das innere Sein des Absoluten selber.

Friedrich D. E. Schleiermacher (1768–1834) findet heute bes. aufgrund seiner Arbeiten zur **Hermeneutik** Beachtung, die u. a. von DILTHEY aufgegriffen wurden.

Hermeneutik gilt ihm als Kunstlehre oder Technik des *Verstehens,* die auf die Bedingungen reflektiert, unter denen das Verständnis von Lebens-Äußerungen möglich ist.

Da jeder Text zugleich individ. Leistung des Autors ist und einem allg. Sprachsystem angehört, ergeben sich zunächst zwei Weisen der Auslegung.

Die *objektive* (grammatische) Methode versteht einen Text aus der Gesamtheit der Sprache, die *subjektive* aus der Individualität des Autors, die dieser in den Schaffensprozeß einbringt.

Dem folgt eine zweite Unterscheidung zwischen einem *komparativen* Verfahren, das aus dem Vergleich von Aussagen in ihrem sprachl. und histor. Kontext den Sinn erschließt, und einem *divinatorischen,* das den Sinn intuitiv, durch Einleben erfaßt.

Diese Formen müssen zusammenwirken und sich im Verstehensprozeß fortschreitend ergänzen.

Die Aufgabe seiner **Ethik** sieht SCHLEIERMACHER darin, allg. Prinzipien mit der Mannigfaltigkeit konkreten Lebens und individuelle mit universellen Ansprüchen in Einklang zu bringen.

Die Ethik gliedert er in 3 Bereiche:

– Die *Tugendlehre* behandelt das Sittliche als eine Kraft, die im einzelnen Menschen ihren Sitz hat und als Ethos sein Handeln trägt.

– Die *Pflichtenlehre* hat die Handlung selbst zum Gegenstand; ihr allg. Grundsatz ist, daß jeder einzelne das möglichst Größte zur Bewältigung der sittl. Gesamtaufgabe in der Gemeinschaft zu bewirken hat.

– Die *Güterlehre* zeigt die Güter auf, die sich zum einen ergeben aus der Aufgabe, *individuelle* und *universelle* (gemeinschaftliche) Zwecke zu vermitteln, und zum andern aus der Handlungsweise der *Vernunft* im Hinblick auf die Natur:

die Vernunft gestaltet die Natur (*organisieren*) und sie macht die gestaltete Natur zu ihrem Zeichen (*symbolisieren*), in dem sie erkennbar wird.

Das oberste Gut wäre erreicht, wenn die Natur ganz Organ und Symbol der Vernunft ist und Individuelles und Universelles zum Ausgleich kommt.

Die Kombination der Handlungsbereiche führt zu den 4 sittl. Institutionen:

Staat, freie Geselligkeit, Wissenschaft und Kirche. (Abb. B)

Die **Religion** gründet sich nach SCHLEIERMACHER nicht auf Rationalität oder Sittlichkeit, sondern hat ihr eigenes Fundament im *Gefühl* schlechthinniger Abhängigkeit.

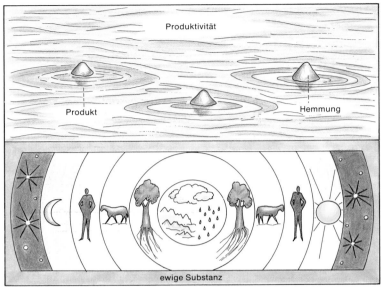

A   Zur Naturphilosophie

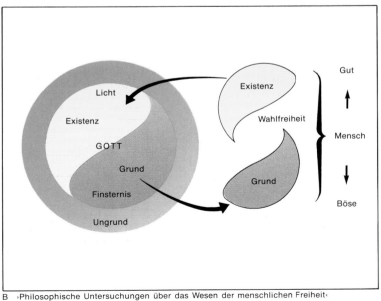

B   ›Philosophische Untersuchungen über das Wesen der menschlichen Freiheit‹

Das Denken von **Friedrich Wilhelm Joseph Schelling** (1775–1854) unterliegt größeren Wandlungen. In den Anfängen ist er von FICHTE geleitet, von dem er sich jedoch durch seine Naturphilosophie abgrenzt, während seine spätere Philosophie den Einfluß der myst.-theosoph. Gedanken JAKOB BÖHMES (1575–1624) erkennen läßt.

Ein Grundproblem SCHELLINGS ist die *Einheit* der Gegensätze von Subjekt und Objekt, von Geist und Natur, von Idealem und Realem.

»Die Natur soll der sichtbare Geist, der Geist die unsichtbare Natur sein. Hier also in der absoluten Identität des Geistes in uns und der Natur außer uns, muß sich das Problem, wie eine Natur außer uns möglich sei, auflösen.«

Im ›System des transzendentalen Idealismus‹ wird das **Selbstbewußtsein** als oberstes Prinzip des Wissens betrachtet. Dieses produziert sowohl sich selbst, als auch durch *unbewußte* Produktion die Welt der Objekte. Das Ich als Subjekt ist mit dem Ich als Objekt identisch, indem es sich denkend zum Objekt macht.

In seiner **Naturphilosophie** ist die Natur als Subjekt absolute *Produktivität,* die Natur als Objekt bloßes *Produkt.* Gäbe es nur reine Produktivität, so würde nichts Bestimmtes entstehen. Daher muß es eine Gegenwirkung als *Hemmung* geben, aus der Gestaltungen hervorgehen.

Der Grund der Hemmung liegt in der Natur selbst, indem sie sich selbst zum Objekt wird.

Diese entgegenwirkenden Kräfte bedingen, daß die Natur stets im *Werden* ist. Das scheinbare Bestehen von Produkten ist in Wirklichkeit ein beständiges Reproduziertwerden, ein dauerndes Vernichten und Neuschaffen.

SCHELLING verdeutlicht dies mit dem Bild eines Stromes, der in sich durch den Widerstand von Körpern bestimmte Wirbel bildet. Die Gegenströmung der Wirbel entsteht doch aus der Kraft des Stromes. Auch diese erhalten sich in der ständigen Erneuerung der entgegenwirkenden Kräfte.

Die gesamte Natur ist von produktivem *Leben* beseelt. Auch das sog. Anorganische ist lediglich noch unerwecktes, schlafendes Leben.

»Auch die sogenannte tote Materie ist nur eine schlafende, gleichsam vor Endlichkeit trunkene Tier- und Pflanzenwelt . . .«

In der Natur findet eine Evolution statt, in der die niederen Formen in die höheren aufgenommen werden, während alles in die ewige Substanz (oder das Absolute) eingebettet ist. SCHELLINGS Problem der Einheit der Gegensätze drängt zur Frage nach dem Prinzip, das die Einheit zugrundeliegt. Ab 1801 konzipiert er daher seine **Identitätsphilosophie,** als deren Grundlage gilt:

»Alles, was ist, ist an sich Eines.«

Die absolute Identität wird auch begriffen als der *Indifferenzpunkt,* an dem sich alle Gegensätze indifferent verhalten.

Da somit wesensmäßig alles Eines ist, muß die Dynamik der Entwicklungsprozesse im Universum erklärt werden aus dem quantitativen Überwiegen einer jeweiligen Seite der aus dem absoluten Einen auseinandergetretenen Gegensätze.

SCHELLINGS Schrift ›Philosoph. Untersuchungen über das Wesen der menschl. Freiheit‹ (1809) kennzeichnet den Übergang von seinem Identitätssystem zur religiöstheosophisch geprägten Periode.

Menschl. **Freiheit** ist das Vermögen zu Gut und Böse. Die Frage nach der Möglichkeit des Bösen läßt sich für SCHELLING nur so beantworten, daß in **Gott** selber eine Entzweiung liegt, die von *Grund* und *Existenz.*

»Da nichts vor oder außer Gott ist, so muß er den Grund seiner Existenz in sich haben.

. . . Dieser Grund seiner Existenz, den Gott in sich hat, ist nicht Gott absolut betrachtet, d. h. sofern er existiert; denn er ist ja nur der Grund seiner Existenz. Er ist die Natur – in Gott; ein von ihm zwar unabtrennliches, aber doch unterschiedenes Wesen.«

Da alles Geschaffene von Gott kommt, zugleich aber von Gott verschieden ist, muß es seinen Ursprung in dem haben, was in Gott nicht er selbst ist, d. h. in seinem Grund.

Der Grund wird als dunkler, unbewußter Grund (Finsternis), als Ungeordnetes, als Eigenwille begriffen, der zum Licht der Existenz (dem Geordneten, Verstand, Universalwillen) verwandelt werden muß.

Während in Gott beide Wesensmerkmale untrennbar sind, treten sie beim Menschen auseinander, worin die Möglichkeit von Gut und Böse liegt.

Da der Mensch als dem Grunde entsprungen ein relativ auf Gott unabhängiges Prinzip in sich hat, hat er die Freiheit zum Guten oder Bösen.

Das Böse entsteht nicht aus dem Grund an sich, sondern wenn der Wille des Menschen sich vom Licht lossagt.

Um aber nicht beim Dualismus von Grund und Existenz stehenzubleiben, muß es ein Vorgängiges geben, das SCHELLING als den »*Ungrund*« bezeichnet. Dieser verhält sich in bezug auf alle Gegensätze indifferent und daher ist auch nichts in ihm, was das Erscheinen der Gegensätze hindert.

In seiner **Spätphilosophie** setzt sich SCHELLING intensiv mit dem *Christentum* auseinander. Das Bestreben, Gott als das wirkliche, nicht bloß gedachte, Absolute zu begreifen, führt ihn in seinen Vorlesungen zur ›Philosophie der Offenbarung‹ zur Unterscheidung einer negativen und einer *positiven Philosophie.* Die negative (meint bes. HEGEL) handelt von dem, was im bloßen Denken gegeben ist, während die positive sich auf die Wirklichkeit bezieht. Damit begrenzt sich die Vernunft selbst, da sie die in der Erfahrung gegebene Wirklichkeit voraussetzt.

A »Lob der Dialektik« nach R. Magritte

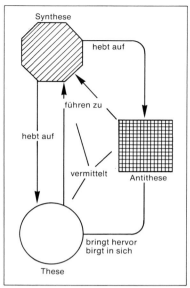

Synthese

hebt auf

führen zu

hebt auf

vermittelt

Antithese

bringt hervor
birgt in sich

These

B Zu Hegels Dialektik

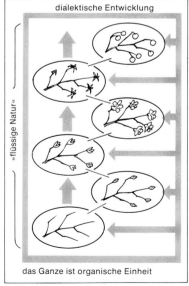

dialektische Entwicklung

»flüssige Natur«

das Ganze ist organische Einheit

C Das Ganze als Wahres

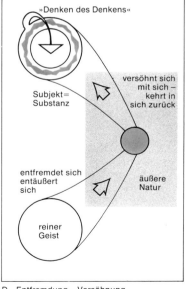

»Denken des Denkens«

Subjekt=
Substanz

versöhnt sich
mit sich –
kehrt in
sich zurück

entfremdet sich
entäußert
sich

äußere
Natur

reiner
Geist

D Entfremdung – Versöhnung

Eine Quelle von **Georg Wilhelm Friedrich Hegels** (1770–1831) intellektueller Herkunft ist der schwäbische Pietismus, eine stark gnostische Richtung innerhalb des Protestantismus.

Von daher sind der »spekulative Idealismus«, die Geschichtsdeutung, die Trias der »dialektischen Methode« und die Bestimmung der »Wahrheit als des Ganzen« zu verstehen.

Ein anderer Einfluß kommt von Rousseau, dem Hegel ein prakt. Interesse in seinem späteren System verdankt.

Mit Aristoteles und Thomas von Aquin wird Hegel als einer der großen Systemdenker genannt. Aristoteles begründet die Metaphysik als Theologie, d. h. Lehre von den ersten, den göttlichen Gründen; Thomas von Aquin ist als Theologe Philosoph; Hegel schreibt nicht nur ›Theologische Jugendschriften‹, sondern seine systemat. Philosophie läßt sich im Grunde als eine Art »Theologie« deuten, genauer gesagt als **Geschichtstheologie**.

Ein Ansatz dazu ist bei Joachim von Fiore (um 1135–1202) zu suchen. Joachim deutet die Geschichte als Abfolge dreier Epochen, die der christlichen Trinität entsprechen: das Reich des Vaters, das im Alten Testament durch das Gesetz repräsentiert wird; das des Sohnes, das durch die Kirche besteht; und ein Reich des Geistes, das noch aussteht.

Hegel faßt die **Dialektik** als die Gesetzmäßigkeit auf, die der Natur des Denkens und der Wirklichkeit selbst zugrundeliegt:

Jede These birgt in sich schon ihre Antithese, beide werden in der Synthese aufgehoben.

»Aufheben« hat den Doppelsinn von »bewahren« und »ein Ende machen« (z. B. ein Gesetz aufheben). Ein so Aufgehobenes ist ein Vermitteltes, das die Bestimmtheit seiner Herkunft noch an sich hat. Die Dialektik zeigt die Widersprüche (z. B. Endliches – Unendliches) als Momente des Übergangs oder des Werdens eines Ganzen, dessen jeweils letzte Stufe die beiden vorherigen hinter sich gelassen hat, ohne deren eigene Bedeutung preiszugeben.

»Dialektik nennen wir die höhere vernünftige Bewegung, in welche solche schlechthin getrennt Scheinende durch sich selbst, durch das, was sie sind, ineinander übergehen.« »Denn die Vermittlung ist nichts anderes als die sich *bewegende Sichselbstgleichheit*, oder sie ist die Reflexion in sich selbst ...«

Auch die Positionen und Phänomene in der Geschichte sind für Hegel nicht zufällige Erscheinungen, sondern notwendige Phasen der Entfaltung eines reicheren Organischen. Die begriffene, d. h. richtig gedeutete, Geschichte bildet die Er-innerung des Geistes.

Der Geist selbst hat sich entfremdet oder entäußert und hat sich wieder mit sich versöhnt oder ist in sich zurückgekehrt. Das Denken Hegels beschreibt den Prozeß, bei dem der Geist sich in die ihm fremde Form der Natur entläßt und durch die Geschichte hindurch im Menschen zu sich kommt.

Am Ende dieses »In-Sichgehens« steht der sich selbst wissende Geist, das *Absolute* als »die Identität der Identität und der Nichtidentität«.

In der Philosophie erkennt der Geist sich selbst als *Subjekt* und als *Substanz*.

Das Subjekt, das sich und die Welt denkt, fällt mit der Substanz der Welt zusammen. Hier findet er die Identität von Sein und Denken, denn die Substanz ist der sich selbst entfaltende Geist als selbstbewußtes *Ganzes*:

»Er ist an sich die Bewegung, die das Erkennen ist, – die Verwandlung jenes Ansichs in das Fürsich, ... des Gegenstands des Bewußtseins in [den] des Selbstbewußtseins, d. h. ... in den Begriff.«

Das **System** ist weniger eine von außen gegebene Form, als eine innere Orientierung am Ganzen. Hegel sieht in ihm die einzig mögliche Darstellungsform des Wahren in der Wissenschaft:

»Daß das Wahre nur als System wirklich ... ist, ist in der Vorstellung ausgedrückt, welche das Absolute als Geist ausspricht. ... Das Geistige allein ist das Wirkliche, ... es ist an und für sich.«

Hegel will mit seiner organischen Darstellung des Ganzen auch Kants Dualismen (z. B. »Ding an sich« und »Erscheinung«; »Glauben« und »Wissen«) überwinden. In der Bewegung des Geistes ist keine Stufe der Entwicklung und der auftretenden Gegensätze entbehrlich, da sie am Ende aufgehoben sein sollen, um im Ganzen und nur zusammen die Wahrheit ausdrücken können:

»Das Wahre ist das Ganze. Das Ganze aber ist nur das durch die Entwicklung sich vollendende Wesen.«

Als Einleitung zu seinem »System der Wissenschaft« veröffentlicht Hegel 1807 die ›Phänomenologie des Geistes‹. Sie ist als erster Teil des Systems konzipiert, bildet jedoch zugleich auch schon den Höhepunkt. Die Phänomenologie stellt eine »Wissenschaft der Erfahrung des Bewußtseins« dar. Hegel schreibt später:

»In [ihr] habe ich das Bewußtsein in seiner Fortbewegung vom ersten unmittelbaren Gegensatz seiner und des Gegenstandes bis zum absoluten Wissen dargestellt.«

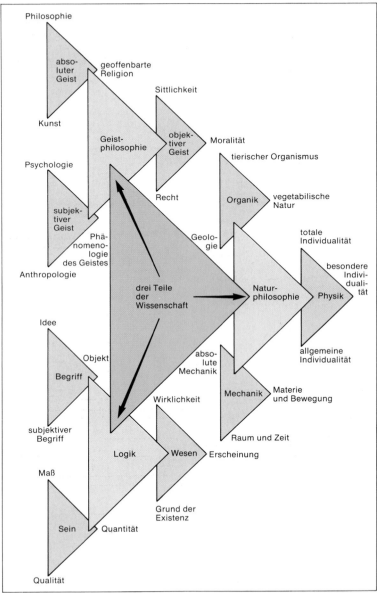

Hegels System der Philosophie nach der ›Enzyklopädie‹

triadic pattern

Die ›Phänomenologie des Geistes‹ untersucht die Folge der Gestalten des erscheinenden Wissens, bis zu dem Punkt, an dem das Bewußtsein nicht mehr über sich hinausgehen kann, weil »der Begriff dem Gegenstand, der Gegenstand dem Begriff entspricht«. Die Selbstprüfung des Bewußtseins, das hierfür seinem eigenen Maßstab folgen kann, gründet in der Frage nach der Entsprechung zwischen dem Ansich des Gegenstandes und der Weise, wie dieses Ansich für das Bewußtsein ist.

Der Weg vom Bewußtsein zum *Begriff der Wissenschaft* führt über Selbstbewußtsein, Vernunft, Geist und Religion (s. S. 156, Abb. A). Der Antrieb ist die Dialektik, deren Kern die *bestimmte Negation* von jeweiligem Gegenstand und jeweiliger Bewußtseinslage ist.

> »Die Systematik, die sich auf diese Weise aufbaut, ist vollständig, wenn der Gegensatz von Subjekt und Objekt, der das natürliche Bewußtsein … charakterisiert, überwunden ist, so daß nun beide, Subjekt und Objekt, als untrennbar eins gewußt werden und die Stufe erreicht ist, auf welcher der Inhalt des Bewußtseins seinem Wahrheitsmaßstab entspricht.« (H. F. FULDA)

Auf dieser letzten Stufe setzt die ›Phänomenologie‹ als Ausdruck des Gestaltwandels vom Selbstbewußtsein zum absoluten Wissen eine Form der Erkenntnis frei, die das Absolute von sich selbst hat.

Diese Erkenntnis nennt HEGEL ›**Logik**‹ (unter dem Titel ›Wissenschaft der Logik‹, 1812–16). Logik ist hier keine Formallehre von den Gesetzen des Denkens in Begriffen, Urteilen und Schlüssen, sondern

> »die Wissenschaft der reinen Idee, der Idee im abstrakten Elemente des Denkens«. »Die Idee ist das Wahre an und für sich, die absolute Einheit des Begriffs und der Objektivität.«

Die ›Logik‹ beansprucht nichts weniger, als das System der reinen Vernunft zu sein, das Reich des reinen Gedankens, das die Wahrheit ist. Das bedeutet,

> »daß ihr Inhalt die Darstellung Gottes ist, wie er in seinem ewigen Wesen vor der Erschaffung der Natur und eines endlichen Geistes ist«.

Im einzelnen behandeln die ersten beiden Bücher die *objektive* (Sein und Wesen), das dritte *subjektive* Logik (Lehre vom Begriff). Die Lehre vom Sein beginnt mit der These, das *reine Sein* und das *reine Nichts* sei dasselbe, weil beide vollkommene Bestimmungslosigkeit sind. Ihre Wahrheit liegt im Übergang des Seins in das Nichts und des Nichts in das Sein.

> »Ihre Wahrheit ist also diese Bewegung des unmittelbaren Verschwindens des einen in dem anderen: *das Werden*.«

1817 veröffentlicht HEGEL die ›Enzyklopädie der philosophischen Wissenschaften‹, den **Grundriß des Systems** der gesamten Philosophie. Der Aufbau gliedert sich im wesentlichen nach Triaden (vgl. Abb.). Ihre 3 Teile sind:

– die *Logik*, die Wissenschaft der Idee an und für sich,
– die *Naturphilosophie*, als die Wissenschaft der Idee in ihrem Anderssein,
– die *Philosophie des Geistes*, als der Idee, die aus ihrem Anderssein in sich zurückkehrt.

Letztere behandelt 3 Stufen des Verhältnisses des Geistes zu sich selbst:

Als *subjektiver Geist*, der sich wiederum dreifach unterschieden zeigt:
– als aus der Natur hervorgehend und unmittelbar bestimmt (Anthropologie),
– als Bewußtsein im Gegensatz zu einer vorgefundenen Natur (Phänomenologie),
– als sich zu seinen eigenen Bestimmungen verhaltend (Psychologie).

Als *objektiver Geist* tritt er aus seiner subjektiven Sphäre heraus, um die äußere Welt nach seinem Willen zu gestalten und in ihr selbst Gehalte hervorzubringen. Er manifestiert sich in Recht, Moralität und Sittlichkeit.

Als *absoluter Geist* konstituiert er sich in der Identität des Sich-selbst-Wissens in Kunst, Religion und Philosophie und gewinnt darin zugleich Unabhängigkeit von seinen endlichen Erscheinungsformen.

In Berlin bietet sich HEGEL die Möglichkeit breiter politischer Wirkung. Der Niederschlag findet sich in der **Rechtsphilosophie** von 1821 (›Grundlinien der Philosophie des Rechts‹). Das Buch enthält über die Titelbeschränkung hinaus

> »das ganze System in dem bestimmten Element der praktischen Vernunft«.

Folgenschwere Berühmtheit erlangt die Vorrede zu diesem Werk in dem Satz:

> »Was vernünftig ist, das ist wirklich; und was wirklich ist, das ist vernünftig.«

Es wird die Formel der Restauration, des politischen Konservatismus, die philosoph. Rechtfertigung des Gottesgnadentums und der Heiligsprechung des Bestehenden. HEGEL avanciert zum »offiziellen preußischen Staatsphilosophen«.

HEGEL versucht später eine Einschränkung: unter Wirklichkeit verstehe ich nicht bloß das Empirische mit dem Zufall des schlecht gemischten Daseins, sondern die mit dem Begriff der Vernunft identische Existenz. Weder der preußische Staat noch irgendeine geschichtl. Erscheinung sei vernünftig bezeichnet worden, vielmehr die ewige Gegenwart, die immer da ist und alle Vergangenheit in sich aufgehoben enthält.

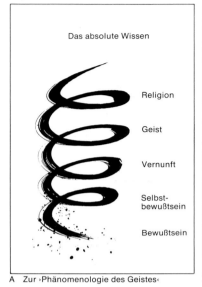

Das absolute Wissen

Religion

Geist

Vernunft

Selbst-
bewußtsein

Bewußtsein

A   Zur ›Phänomenologie des Geistes‹

geoffenbarte
Religion

Kunst

Philosophie

B   Die Manifestationen des absoluten Geistes

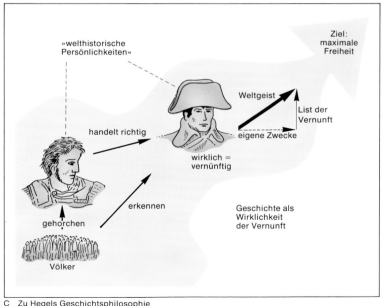

»welthistorische
Persönlichkeiten«

Ziel:
maximale
Freiheit

Weltgeist

handelt richtig

List der
Vernunft

eigene Zwecke

wirklich =
vernünftig

erkennen

Geschichte als
Wirklichkeit
der Vernunft

gehorchen

Völker

C   Zu Hegels Geschichtsphilosophie

Die Rechtsphilosophie gehört zur Sphäre des objektiven Geistes. Sie behandelt als ihre drei Teile:

– das *abstrakte Recht*, als die äußere, objektive Daseinsform, die sich der freie Wille gibt,
– die *Moralität*, als die subjektive, innere Gesinnung,
– die *Sittlichkeit*, als die Einheit von objektiver und subjektiver Sphäre, die in drei Institutionen Gestalt annimmt: Familie, bürgerliche Gesellschaft und Staat.

Der *Staat* ist für HEGEL »die Wirklichkeit der konkreten Freiheit«. Er verbürgt die Einheit des Individuellen mit dem Allgemeinen:

»Das Prinzip der modernen Staaten hat diese ungeheure Stärke und Tiefe, das Prinzip der Subjektivität sich zum selbständigen Extreme der persönlichen Besonderheit vollenden zu lassen und zugleich es in die substantielle Einheit zurückzuführen und so in ihm selbst diese zu erhalten.«

HEGEL sieht die *Aufgabe der Philosophie* darin, »ihre Zeit in Gedanken zu fassen«, der Gegenwart Ausdruck zu verleihen. Das Vorwort zur ›Rechtsphilosophie‹ schließt mit dem berühmten Satz:

»Wenn die Philosophie ihr Grau in Grau malt, dann ist eine Gestalt des Lebens alt geworden, und mit Grau in Grau läßt sie sich nicht mehr verjüngen, sondern nur erkennen; die Eule der Minerva beginnt erst mit der einbrechenden Dämmerung ihren Flug.«

Die Philosophie ist die wissende »Kommentatorin« der vollzogenen geschichtl. Ereignisse, für deren Deutung sie die Kategorien bereithält.

Im letzten Jahrzehnt seines Lebens hält HEGEL noch seine großen Vorlesungen über die Philosophie der Geschichte, der Religion und über Ästhetik, die er im System abrundet. Der **Geschichtsphilosophie** liegt das Prinzip zugrunde,

»daß die Vernunft die Welt beherrscht, daß es also auch in der Weltgeschichte vernünftig zugegangen ist«. »Das Ziel der Weltgeschichte ist also, daß der Geist zum Wissen dessen gelange, was er wahrhaft ist, und dies Wissen gegenständlich mache, es zu einer vorhandenen Welt verwirkliche, sich als objektiv hervorbringe.«

Der Handlungen einzelner Menschen, der »welthistorischen Persönlichkeiten« bedient sich der *Weltgeist* zur Verwirklichung seiner Zwecke.

Diese Persönlichkeiten »sind in der Welt die Eindrucksvollsten und wissen am besten, um was es zu tun ist; und was sie tun ist das Rechte. Die Anderen müssen ihnen gehorchen, weil sie das fühlen. Ihre Reden, ihre Handlungen sind das Beste, was gesagt, was getan werden konnte.«

Doch diese wähnen nur, ihre Zwecke zu verfolgen, in Wahrheit bedient sich die *List der Vernunft* ihrer für die allg. Ziele. Sie sind nur die Geschäftsführer des Weltgeistes. Es geht nicht um das Glück des Einzelnen; beim Gang des Weltgeistes durch die Geschichte wird manch unschuldige Blume zertreten.

»Die Weltgeschichte ist nicht der Boden des Glücks. Die Perioden des Glücks sind leere Blätter in ihr.«

Die **Ästhetik** HEGELS sieht in der Kunst die Erscheinung des Absoluten in der Form der Anschauung. *Kunstschönheit* steht »in der Mitte zwischen dem Sinnlichen als solchem und dem reinen Gedanken«.
Es liegt in der Natur der Kunst, sich in objektives Dasein zu übersetzen. Das innere Wesen der Religion kann im Kult und im Dogma verdunkelt werden, das Wesen der Kunst dagegen kann sich in der *Objektivität* nur reiner und vollkommener enthüllen.

HEGELS **Religionsphilosophie** kulminiert in dem Satz:

»Der Inhalt der christlichen Religion als der höchsten Entwicklungsstufe der Religion überhaupt fällt ganz und gar zusammen mit dem Inhalt der wahren Philosophie.«

Die Philosophie ist der Beweis für die Wahrheit, daß Gott Liebe, Geist, Substanz und ewig in sich zurückkehrender Prozeß sei.
Der Mensch weiß nur von Gott, insofern Gott im Menschen von sich selbst weiß.
Dieses ist das Wissen des Wissens, das Selbstbewußtsein Gottes im unendlichen Bewußtsein. HEGELS gnostische Theosophie identifiziert menschliches Wissen mit der Vollendung der Wirklichkeit Gottes. Das ist der höchste Anspruch, den je eine Philosophie erhoben hat.

HEGELS Werk ist vor allem im 19. Jh. von außergewöhnlicher **Wirksamkeit** gewesen. Seine Vielschichtigkeit bewirkte, daß die Spannbreite der Interpretation von theistisch-idealistisch bis atheistisch-materialistisch reichen konnte. Dementsprechend bildeten sich die Lager der *Rechts-* und der *Linkshegelianer*. Im *Marxismus* wird die Dialektik zur maßgebenden Methode der Erklärung sozialer, ökonomischer und historischer Prozesse. Die Kritik an HEGELS System bildet für viele der folgenden Philosophen, wie z. B. KIERKEGAARD, ein treibendes Moment in der Herausstellung ihres eigenen Denkens.

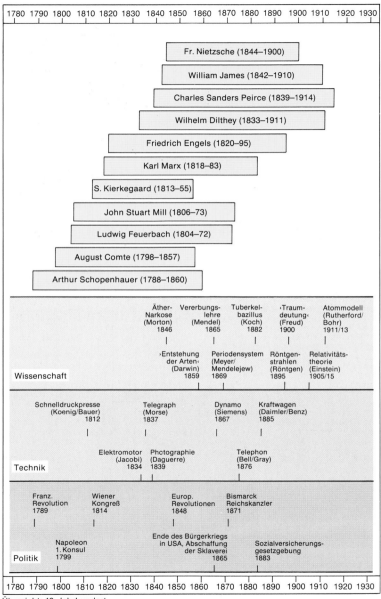

Übersicht: 19. Jahrhundert

Das **19. Jahrhundert** wird im allg. als eine Zeit des Übergangs von der Neuzeit zur mod. Welt betrachtet. So führen auch philosophiegeschichtlich vielfach die im 19. Jh. aufgegriffenen Gedankenfäden unmittelbar in die Gegenwart.

Das **politische** Klima ist beeinflußt von den Folgen der *Französischen Revolution.* Bes. wirksam ist das Streben nach souveränen *Nationalstaaten,* unter der Idee der Selbstbestimmungsrechts der Nation (Volk).

Der *Liberalismus* zielt auf die Herrschaft der Vernunft und Verwirklichung individueller Freiheit (Menschenrechte), sowie einer freien Wirtschaft.

Gegen die kapitalist. Gesellschaftsordnung wendet sich der *Sozialismus.* Er erstrebt eine Gesellschafts- und Eigentumsordnung, die Wohlstand und Gleichberechtigung auch für die sozial schwachen Klassen gewährleistet.

Bestimmend für das geistige Klima der Zeit ist der gewaltige Fortschritt der **Naturwissenschaften** und **Technik**. Auf ihn gründet sich der optimist. Glaube an die nahezu unbegrenzte Gestaltbarkeit der Welt durch den Menschen.

Beispielhaft dafür ist das Berufsbild des Ingenieurs, der das theoret. Wissen in die prakt. Anwendung umsetzt.

Die neuen Möglichkeiten der Technik führen zunächst in England zur sog. *industriellen Revolution.*

Mit ihr entstehen die Klassen der Unternehmer und Proletarier.

Die Hebung des nationalen Lebensstandards bei gleichzeitiger Verelendung der Industriearbeiter durch überlange Arbeitszeiten und schlechte Löhne führt zu starken sozialen Spannungen.

Eine nachhaltige Veränderung des Bildes vom Menschen bewirken die Werke von CHARLES DARWIN (›Die Entstehung der Arten‹, 1859), der die *Evolution* alles Lebendigen aufzeigt, und SIGMUND FREUD (›Traumdeutung‹, 1900), der die *unbewußten* Antriebe des Seelenlebens aufdeckt.

In der Philosophie folgt dem gewaltigen Gedankengebäude des Dt. Idealismus nach dem Tod HEGELS (1831) eine Gegenbewegung, die einhergehend mit einer **Idealismuskritik** neue Wege beschreiten will.

Der *Linkshegelianismus* (u. a. L. FEUERBACH) distanziert sich von HEGELS Religions- und Staatsphilosophie und nimmt eine religionskrit. und polit.-liberale Positionen ein, mit einer Tendenz zum *Materialismus.* KARL MARX faßt seine Kritik an der bisherigen Philosophie in dem berühmten Satz zusammen:

»Die Philosophen haben die Welt nur verschieden interpretiert; es kommt darauf an, sie zu verändern.«

In Dänemark richtet SÖREN KIERKEGAARD seinen Angriff gegen die Existenzlosigkeit des abstrakten Denkens, wobei er mit seiner Kritik vor allem HEGEL im Auge hat:

»Was ist abstraktes Denken? Es ist das Denken, bei dem es keinen Denkenden gibt. … Was ist konkretes Denken? Es ist das Denken, bei dem es einen Denkenden gibt … bei dem die Existenz dem existierenden Denker den Gedanken, Zeit und Raum gibt.«

KIERKEGAARDS Verteidigung des konkreten Subjekts als Grundlage allen Denkens gegenüber der Auflösung in ein Abstrakt-Allgemeines gab der *Existenzphilosophie* des 20. Jh. entscheidende Anregungen.

ARTHUR SCHOPENHAUER sieht der Welt nicht ein vernünftiges Prinzip zugrundeliegen, sondern den *Willen* als vernunftlosen und blinden Drang, aus dessen beständigem Streben die Erscheinungen als Objektivationen hervorgehen.

Der Aufstieg der **Naturwissenschaften** im 19. Jh. veranlaßt viele Philosophen, die Neubegründung der Philosophie in Analogie zur Methode der Naturwiss. zu versuchen.

FRANZ BRENTANO erklärt programmatisch:

»Die wahre Methode der Philosophie ist keine andere als die der Naturwissenschaften.«

Der *Positivismus* (COMTE) sieht daher den Fortschritt der Menschheit darin, das Denken in das positive, d. h. wiss. Stadium zu bringen.

Die Eigenheit der **Geisteswissenschaften** wird dagegen im *Historismus* und bes. bei DILTHEY betont:

Er versucht mit der Entwicklung einer spezif. geisteswiss. Methode, diesen ihr eigenständiges Fundament gegenüber den Naturwiss. zu sichern. Dabei spielt die Betonung der *Geschichtlichkeit* aller menschl. Schöpfungen, im Unterschied zur Natur, eine bes. Rolle.

Im Werk von KARL MARX und FRIEDRICH ENGELS erhält der **wissenschaftliche Sozialismus** seine theoret. Grundlage. Indem Marx die Hegelsche Philosophie, die klass. Nationalökonomie und den Frühsozialismus kritisch aufgreift, entwickelt er eine dialekt.- materialist. Gesamtbetrachtung der Gesellschaft und des Geschichtsverlaufs auf der Grundlage *ökonomischen* Bedingungen.

FRIEDRICH NIETZSCHE unterzieht die traditionellen moral. Werte einer scharfen Kritik, indem er ihre verdeckten Motivationen entlarvt. Sein Spätwerk eröffnet die Vision eines der Umwertung aller Werte folgenden neuen Zeitalters und der Heraufkunft des »Übermenschen«.

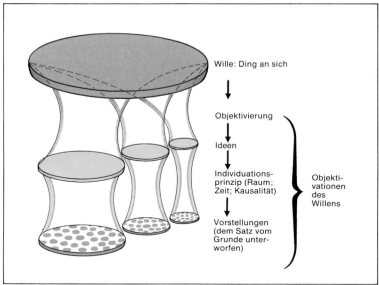

Wille: Ding an sich

Objektivierung

Ideen

Individuations-
prinzip (Raum;
Zeit; Kausalität)

Vorstellungen
(dem Satz vom
Grunde unter-
worfen)

Objekti-
vationen
des
Willens

A Die Welt als Wille und Vorstellung

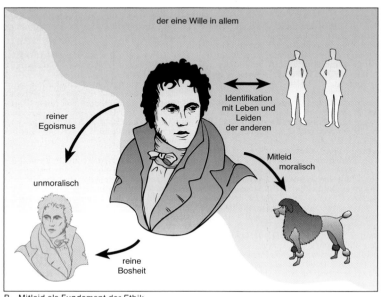

der eine Wille in allem

Identifikation
mit Leben und
Leiden
der anderen

reiner
Egoismus

Mitleid
moralisch

unmoralisch

reine
Bosheit

B Mitleid als Fundament der Ethik

In seinem Hauptwerk ›Die Welt als Wille und Vorstellung‹ entwirft **Arthur Schopenhauer** (1788–1860) eine umfassende Willensmetaphysik. Denkanstöße geben ihm PLATON, KANT und die *ind.* ›Upanishaden‹

KANT aufgreifend geht SCHOPENHAUER von dem aprior. Grundsatz aus, daß für den erkennenden Menschen die ihn umgebende Welt nur als **Vorstellung** gegeben ist, d.h. nur in Beziehung auf ein Vorstellendes, das er selbst ist.

»Die Welt ist meine Vorstellung.«

Die Zerfallenheit in Subjekt und Objekt ist die Form, der alles Erkennen unterliegt:

Objekte sind nur in der Weise gegeben, wie sie durch das Subjekt bedingt sind.

Die Vorstellungen erscheinen in *Raum* und *Zeit* und unterliegen dem **»Satz vom Grunde«**, der besagt, daß alle unsere Vorstellungen gesetzmäßig und der Form nach a priori bestimmbar verbunden sind. Auf diese Weise ist Erfahrung und Wissenschaft möglich.

Die Vorstellungen bilden aber gleichsam nur die äußere Seite der Welt, deren inneres Wesen sich in der Selbsterfahrung des Subjektes offenbart. Wir erfahren unseren Leib in zweifacher Weise:

als Objekt (Vorstellung) und als **Wille**.

Die körperl. Äußerungen sind nichts anderes als die objektivierten Willensakte. Wir können nun annehmen, daß dieses Grundverhältnis auch bei allen anderen Vorstellungen dasselbe ist, deren inneres Wesen somit der Wille ist.

Alle Erscheinungen sind nichts als **Objektivationen** des einen Willens, der als unerkennbares »Ding an sich« der Welt zugrundeliegt.

Dieser Wille ist ein *vernunftloser* und *blinder Drang.*

Er ruht niemals, sondern strebt beständig nach Gestaltung. Da aber alles, was ihm in seinem Streben begegnet, er selbst ist, steht er im Kampf mit sich, aus dem Stufenfolgen seiner Objektivationen hervorgehen.

Auf der untersten Stufe der Natur manifestiert er sich in physikal. und chem. Kräften, auf der Stufe des Organischen als Lebensdrang, Selbsterhaltungs- und Geschlechtstrieb. Beim Menschen schließlich erscheint die Vernunft, die der an sich dumpfe Wille als sein Werkzeug hervorbringt.

Die Vorstellungen, die in Raum und Zeit erscheinend dem Satz vom Grunde unterworfen sind, bilden nur die mittelbaren Objektivationen des Willens.

Unmittelbar objektiviert er sich in den **Ideen**, die den Einzeldingen als Vorbild zugrundeliegen.

Die Ideen besitzen die Form des Objektseins für ein Subjekt, sind aber nicht dem Satz vom Grunde unterworfen. Sie sind die ewigen und unwandelbaren Formen aller Erscheinungen, die durch das Individuationsprinzip von Raum und Zeit aus ihnen in ihrer Vielheit hervorgehen.

Die Schau der Ideen ist nur in einer reinen interesselosen Hingabe möglich, in der das Subjekt sich seiner Individualität entledigt und im Objekt aufgeht. Diese Erkenntnisart ist der Ursprung der **Kunst.**

Das Genie vermag sich den Ideen hinzugeben und daraus seine Werke zu schaffen. Eine bes. Stellung nimmt dabei die *Musik* ein. Sie ist nicht Abbild der Idee, sondern des Willens selbst.

Die Grundlage von SCHOPENHAUERS **Ethik** ist die Unterscheidung von *empirischem* und *intelligiblem Charakter.* Der intelligible Charakter eines Menschen ist eine freie Objektivation des einen Willens und bestimmt die unveränderliche Wesensart des Individuums.

Auf der Grundlage dieses gegebenen Charakters führen die äußeren Einflüsse zu wechselnden Motiven, aus denen die Handlungen mit Notwendigkeit hervorgehen. In ihnen zeigt sich der empir. Charakter, der unfrei ist, da er nur die den Gesetzen der Natur unterworfene Erscheinung des zugrundeliegenden Willens selber ist.

Der Mensch handelt nicht, indem er erkennt und dann will, sondern indem er erkennt, was er will.

Insofern die Handlungen eines Menschen mit Notwendigkeit aus seinem Charakter hervorgehen, hat es für SCHOPENHAUER keinen Sinn eth. Gesetze aufzustellen. Er beschränkt sich daher auf eine Beschreibung dessen, was als moralisch anzusehen ist.

Grundlage der Moral ist das **Mitleid.**

Dies gründet sich auf die Einsicht, daß alle Wesen der eine Wille entspringen und so in ihrem Inneren gleich sind.

Im anderen sehe ich mich selbst, im Leiden des anderen erblicke ich mein eigenes. Durch diese Identifikation wird mir das Wohl des anderen wesentlich wie mein eigenes.

Dies erstreckt sich nicht nur auf Menschen, sondern auf alle Lebewesen. Je weiter der Mensch sich des Lebens bewußt wird, um so mehr erkennt er, daß alles Leben **Leiden** ist. Der Wille strebt nach Befriedigung und Vollendung. Beides bleibt in der Welt versagt:

Keine Befriedigung ist von Dauer und das Streben findet in keinem Ziel ein Ende.

Das Maß des Leidens ist unerschöpflich und wächst mit dem Bewußtsein. Allein

in der Schau der Ideen in der Kunst findet der Wille eine kurzfristige Ruhe.

Aus dieser Erkenntnis heraus gibt es zwei Einstellungen zum Leben.

In der *Bejahung* des Willens nimmt der Mensch bei klarem Wissen das Leben wie es ist und bejaht seinen Lebenslauf mit allem, was eingetreten ist und kommen wird.

In der *Verneinung* des Willens wird die Überwindung des Leidens durch Verlöschen des Lebensdranges gesucht. Diesen Weg sieht SCHOPENHAUER bei ind. und christl. Asketen begangen.

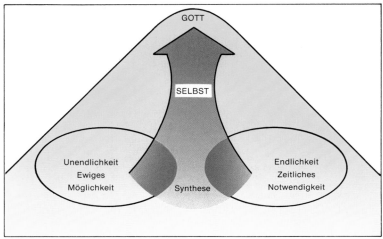

A Das Selbst

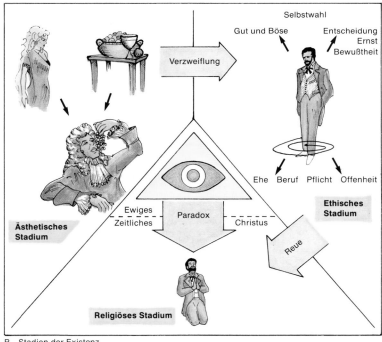

B Stadien der Existenz

Sören Kierkegaard (1813–55) gehört zu den großen eigenwilligen Denkern des 19. Jh. Seine (zum Teil pseudonymen) Schriften enthalten in sehr persönl. Weise Literarisches, klarsichtige philosoph. und psycholog. Analysen und theolog. Auseinandersetzungen. Dabei bleibt der (christl.-)religiöse Gesichtspunkt seines Schaffens, der auf dem biograph. Hintergrund eigener Glaubenskämpfe zu sehen ist, immer maßgebend. Seine Analysen der Existenzweisen des Menschen haben der *Existenzphilosophie* des 20. Jh. die entscheidenden Anstöße gegeben.

KIERKEGAARDS Ausgangsfrage ist:
> wie komme ich als existierendes Subjekt in ein Verhältnis zu Gott?

Dazu bedarf es zunächst, die konkreten Existenzbedingungen des Einzelnen zu begreifen, d. h. »mich selbst in **Existenz** zu verstehen«. Gerade dies hat aber die Philosophie des Dt. Idealismus (bes. HEGEL) nach KIERKEGAARD aus ihrem Denken verbannt und so den Typus des »*abstrakten Denkers*« geschaffen, den KIERKEGAARD scharf kritisiert:
> »Eben weil das abstrakte Denken sub specie aeterni [unter dem Blickpunkt der Ewigkeit] ist, sieht es ab von dem Konkreten, von der Zeitlichkeit, vom Werden der Existenz, von der Not des Existierenden . . .«

Da aber der abstrakte Denker immer auch selbst eine konkrete Existenz ist, wird er zu einer »komischen Figur«, wenn er sich diese Grundlage seines Daseins und Denkens nicht eingestehen will:
> er selbst und sein Denken werden zum Phantom. Dagegen gilt es, *subjektiv* zu werden, d. h. '

> » . . . daß das Erkennen sich zu dem Erkennenden verhält, der wesentlich ein Existierender ist«, denn »die einzige Wirklichkeit, um die ein Existierender nicht bloß weiß, ist seine eigene Wirklichkeit, daß er da ist; und diese Wirklichkeit ist sein absolutes Interesse«.

Gerät so die menschl. Existenz ins Zentrum philosoph. Vergewisserung, so stellt sich die Frage, was ist der Mensch?
> »Der Mensch ist eine *Synthese* von Unendlichkeit und Endlichkeit, von Zeitlichem und Ewigem, von Freiheit und Notwendigkeit, kurz, eine Synthese. Eine Synthese ist ein Verhältnis zwischen zweien.«

Damit ist er aber noch kein **Selbst**, denn:
> »Das Selbst ist ein Verhältnis, das sich zu sich selbst verhält, oder ist das am Verhältnis, daß das Verhältnis sich zu sich selbst verhält.«

Der Mensch erwirbt sein Selbst erst dadurch, daß er sich bewußt zu der Synthese seines Seins verhält.
> Das Selbstsein ist dem Menschen also nicht einfach gegeben, sondern Aufgabe, deren Verwirklichung seiner Freiheit aufgegeben ist.

Darin ist die Möglichkeit enthalten, daß der Mensch sich zu seiner Synthese im *Mißverhältnis* befindet, und sein Selbst unbewußt oder bewußt verfehlt. KIERKEGAARD bezeichnet dies als *Verzweiflung* und beschreibt in ›Die Krankheit zum Tode‹ die versch. Formen, nicht man selbst sein zu wollen.

Da der Mensch sich aber nicht allein als Synthese geschaffen hat, sondern von *Gott* ist, ist dieses Mißverhältnis vor Gott; und dies ist die Definition der *Sünde:*
> vor Gott nicht man selbst sein zu wollen.

Den Weg des Einzelnen hin zum **Glauben,** in dem sich der Mensch »durchsichtig in der Macht gründet, die ihn gesetzt hat«, beschreibt KIERKEGAARD anhand verschied. **Stadien der Existenz** (›Entweder-Oder‹).

Im **Ästhetischen Stadium** lebt der Mensch in der Unmittelbarkeit, d. h. er hat sich noch nicht als Selbst gewählt. Er lebt im und vom Äußerlichen und Sinnlichen, nach der Devise: »Man soll das Leben genießen.«
> Ein Beispiel dafür ist der Don Juan.

Da er aber in der Verwirklichung dieser Lebensform vom Äußerlichen, d. h. von dem, was nicht in seiner Macht steht, abhängig ist, zeigt sich die uneingestandene Grundstimmung des ästhet. Daseins als Verzweiflung darüber, daß ihm die Bedingungen genommen werden können.

Der Sprung in das **Ethische Stadium** findet statt, wenn der einzelne sich in seiner Verzweiflung selbst wählt:
> » . . . denn nur mich selbst kann ich absolut wählen, und diese absolute Wahl meiner selbst ist meine Freiheit, und nur indem ich mich selbst absolut gewählt habe, habe ich eine absolute Differenz gesetzt, die nämlich zwischen Gut und Böse.«

Die eth. Existenz hat sich als Selbstsein gewählt und damit die Unabhängigkeit von Äußerlichem gewonnen, sie ist Subjekt von Entscheidungen, das Leben erhält Ernst und Kontinuität.

Dennoch vermag sich auch dieses Stadium nicht zu vollenden. Denn
> in der Möglichkeit der Schuld erkennt der Ethiker, daß er nicht im Besitz der Bedingungen ist, ethisch ideal zu leben, weil er unter der Sünde steht.

Dies führt zum **Religiösen Stadium.** Der Mensch, der sich als Sünder erkennt, begreift, daß er im christl. Verständnis nicht allein aus der Sünde befreien kann, weil allein Gott die Bedingung der Wahrheit geben kann:
> Inhalt des *Glaubens* ist das *Paradox,* daß das Ewige in die Zeit gekommen ist, d. h. der Gott Mensch geworden ist.

Da aber der Gott zu den Menschen kommen mußte, um ihnen die Wahrheit zu geben, vermag der Mensch nun nicht von sich aus zur Wahrheit zu gelangen, sondern er muß von Gott die Bedingung erhalten. Im Glauben gründet sich der Mensch vorbehaltlos in Gott.

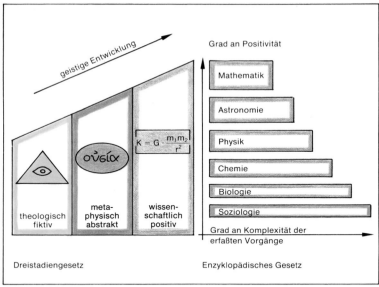

A Comte

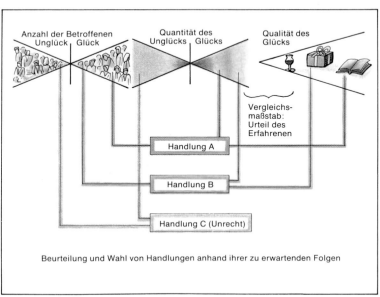

B Mill: Utilitarismus

Auguste Comte (1798–1857) begründet mit seinem Hauptwerk ›Abhandlung über die positive Philosophie‹ das System des **Positivismus,** wobei das Ziel seiner wissenschaftstheoret. Untersuchungen die Frage nach der Entwicklung, Struktur und Funktion von Wissen in der Gesellschaft ist.
Grundlage seiner Theorien ist das sog. **Dreistadiengesetz.** Es betrifft die geistige Entwicklung der Menschheit, die jeder einzelnen Wiss. sowie die des Individuums.

– Im *theologischen* oder *fiktiven* Zustand erklärt der Mensch die Erscheinungen in der Welt mit dem Wirken übernatürl. Wesen.

– Das *metaphysische* oder *abstrakte* Stadium ist im Grunde verkappte Theologie, nur werden hier übernatürliche durch abstrakte (leere) Wesenheiten ersetzt. Es ist unproduktiv, aber auflösend und leitet daher zum nächsten Zustand über.

– Im *wissenschaftlichen* oder *positiven* Stadium wird die Suche nach letzten Ursachen aufgegeben und das Erkenntnisinteresse wendet sich den bestehenden *Tatsachen* zu. Grundlage ist die Beobachtung, von der ausgehend allg. *Gesetzmäßigkeiten* erkannt werden können.

Mit dem letzten Stadium erreicht der menschl. Geist seine höchste Stufe, kann aber in anderen Bereichen noch auf früheren Stadien verharren.
Die Bedeutungen von »*positiv*« sind:
das *Tatsächliche* und das *Nützliche,* womit auch die Überwindung der Trennung von Theorie und prakt. Anwendung ausgesprochen ist; das *Gewisse,* im Unterschied zur Unentscheidbarkeit metaphys. Fragen; das *Genaue;* das *Aufbauende;* das *Relative,* anstelle von Absolutheitsansprüchen.
Den einzelnen Stadien entspricht eine best. *Gesellschaftsform:*
dem theologischen eine kirchlich-feudale, dem metaphysischen eine revolutionäre und dem positiven eine wissenschaftlich-industrielle.
Innerhalb der Wiss. läßt sich eine Rangfolge aufstellen mit der Mathematik an der Spitze, dann Astronomie, Physik, Chemie, Biologie, bis zur Soziologie. Diese Hierarchie gibt die Höhe des erlangten Positivitätsgrades wieder, sowie die Reihenfolge, in der die Wiss. aufeinander aufbauen.
Dabei nimmt die Komplexität der Vorgänge, mit denen sie zu tun haben, nach unten hin zu.

Die **Soziologie,** die als Wiss. von der Gesamtheit menschl. Verhältnisse die größte Bedeutung hat, ist noch nicht bis zum Stand einer positiven Wiss. vorgedrungen. Sie muß daher in diesem Sinne aufgebaut werden,
damit aufgrund der sicheren Vorhersage gesellschaftl. Entwicklungen die sozialen Lebensbedingungen verbessert werden können.

Die von ihm später proklamierte *positive Religion* gründet sich auf die Liebe zur Menschheit als dem höchsten Wesen, wofür COMTE den Ausdruck *Altruismus* prägt.

John Stuart Mill (1806–73) ist beeinflußt von den Gedanken COMTES, seines Vaters JAMES MILL und der utilitarist. Ethik JEREMY BENTHAMS (1748–1832), deren Theorien er kritisch weiterentwickelt.
In seinem ›System der deduktiven und induktiven Logik‹ will MILL eine allg. und einheitl. Methodologie für *alle* Wiss. begründen.
Die von ihm dabei entwickelte **induktive Logik** schließt von der Analyse in der Erfahrung gegebener, regelmäßig wiederkehrender Ereignisfolgen auf allg. Gesetzmäßigkeiten. Die induktive Logik gilt ihm auch als Grundlage der sog. deduktiven Wissenschaften (Mathematik, formale Logik).
Im Sinne der Einheit der Methode sind auch in den Geisteswiss. nur kausal-gesetzmäßige Beschreibungen anzuwenden.
Von seinen *sprachanalytischen* Unterscheidungen ist im späteren bes. bedeutsam die zwischen der
Denotation (Gegenstände, auf die der Ausdruck zutrifft) und
Konnotation (Sinn) von Ausdrücken (z. B. Roß und Mähre für Pferd).
In der Schrift ›Utilitarismus‹ verteidigt MILL diese Form der Ethik gegen ihre Kritiker.
Ziel des **Utilitarismus** ist
das »größtmögliche Glück für die größtmögliche Anzahl von Menschen«.
So wie jeder einzelne von Natur aus nach individ. Glück strebt, so ist das Wohl aller ein Gut für die Gesamtheit der Menschen. Die moral. Richtigkeit einer Handlung ist an den zu erwartenden Folgen zu bemessen,
wobei der Maßstab die Förderung des *Glücks* (Lust) und die Minderung des Unglücks (Leiden) der von den Folgen Betroffenen ist.
Im Unterschied zu BENTHAM betont MILL jedoch, daß hierbei nicht nur die *Quantität* des Glücks (Lust) zu berücksichtigen ist, sondern vor allem die *Qualität,* denn nicht jeder dieser Zustände ist gleich wertvoll.
Dabei ist der Maßstab, mit dem Qualität mit Quantität verglichen wird, das Urteil derer, die aufgund ihrer Erfahrung die beste Vergleichsmöglichkeit besitzen.
In ›Über die Freiheit‹ vertritt MILL entschieden die individ. **Freiheit** und gesellschaftl. Pluralismus gegenüber der Tyrannei der Masse und öffentl. Meinung. Hierzu unterscheidet er Handlungen, die primär selbstbezogen, von denen, die primär auf andere bezogen sind. Letztere
finden ihre Grenze an der Freiheit der anderen und nur hierbei sind auch Einmischungen des Staates erlaubt.
Keinerlei Beschränkung darf die Meinungs- und Diskussionsfreiheit unterworfen sein.

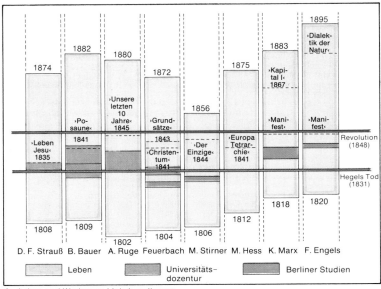

A   Leben und Werke von Linkshegelianern

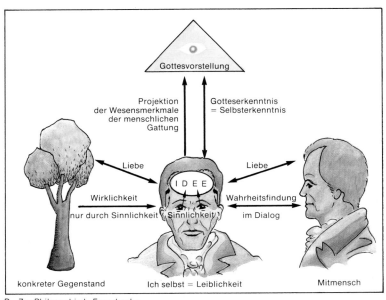

B   Zur Philosophie L. Feuerbachs

Differenzen zwischen den Schülern HEGELS treten bes. in der Reaktion auf D. F. STRAUSS' Buch ›Das Leben Jesu‹ (1835) hervor. Die für die christl. Religion elementare Frage nach der hist. Wahrheit der Evangelien beantwortet STRAUSS durch Anwendung der histor. Methode und den Aufweis von Widersprüchen negativ. Die Kernstücke des Neuen Testaments sind damit als histor. Fakten unglaubwürdig. STRAUSS interpretiert sie als Sammlung *mythischer* Vorstellungen des jüd. Volkes.

Dieses Ergebnis übertrug er auch auf das *Dogma.*

In der Reaktion auf die Thesen STRAUSS' spalten sich die Schüler HEGELS:

Die *Alt-* oder *Rechtshegelianer* tradieren Hegels System mit seiner Synthese zwischen Religion und Philosophie im wesentlichen weiter.

Die *Jung-* oder *Linkshegelianer* suchen neue Wege, das System umzudeuten oder umzukehren, in Verbindung mit dem Willen zu einem revolutionären Umsturz des Bestehenden.

Als polit. *Gegner der Monarchie* stehen die Linkshegelianer außerhalb der Universitäten und leben z. T. im Exil. Ihre *Schriften* sind meist polemisch, nehmen auf Zeitgeschichte Bezug und haben die *Hegelkritik* in versch. Form zur Grundlage.

MARX und ENGELS (S. 168 ff.), die in ihren Berliner Jahren zur Bewegung zu zählen sind, konzentrieren sich auf die Wirklichkeit der Arbeitswelt.

MAX STIRNER lehnt in seinem Hauptwerk ›Der Einzige und sein Eigentum‹ (1844) alles Überindividuell-Systematische ab und verkündet einen fast anarch. Individualismus.

Die Voraussetzungen dieser Entwicklung waren

– das *Selbstbewußtsein* der Philosophie HEGELS als Schlußakkord der abendländ. Geistesgeschichte, die einen radikalen Neuanfang verlangt.

– das gärende polit. Klima in Deutschland während des *Vormärz:*
MOSES HESS, von frühsozialist. Theorien beeinflußt, war von der geschichtl. Notwendigkeit einer kommunist. Umwälzung überzeugt.

– die von HEGEL geschaffene Harmonie von Philosophie und Religion, von Vernunft und Wirklichkeit:
In seinem Hauptwerk ›Die Posaune des jüngsten Gerichts über *Hegel* den Atheisten und Antichristen‹ behauptet B. BAUER, der Atheismus sei schon im Werk HEGELS angelegt. Da das Christentum eine Form der *Entfremdung* des Menschen darstellt, werde es in der Zeit nach HEGEL zugunsten der Freiheit weichen.

Der bedeutendste der eigtl. Linkshegelianer ist **Ludwig Feuerbach** (1804–72):
in ›Das Wesen des Christentums‹ (1841) will er die Religion auf ihre anthropolog. Grundlage zurückführen.

FEUERBACH sieht den Kern der Religion in der Hypostasierung des *Selbstbewußtseins* des Menschen als Gattungswesen. Er projiziert die Wesenseigenschaften als unbegrenzte Ideale von sich weg und schafft sich somit die Götter:

»Das Bewußtsein Gottes ist das Selbstbewußtsein des Menschen, die Erkenntnis Gottes die Selbsterkenntnis des Menschen.«

Dieses projizierte Wesen wird um so göttlicher (idealer), je mehr der Mensch seine Positiva auf es verlagert:

»Damit Gott bereichert wird, muß der Mensch ärmer werden.«

Umgekehrt offenbart die Religion »die verborgenen Schätze des Menschen«, was FEUERBACHS Haltung zu ihr ambivalent gestaltet. Er will

die »Erneuerung des eigentlich religiösen = anthropologischen) Prinzips« und nicht die »totale Negation« der Religion.

Andere Schriften versuchen eine materialist. Umkehr der Philosophie HEGELS, die auf MARX einen großen Einfluß ausübt.
Grundlage einer neuen Philosophie soll eine Hinwendung zum *Konkret-Individuellen* sein. Zu ihm kann der Mensch nur gelangen, wenn er das Denken aufgibt, das FEUERBACH für einen Wesenszug der neuzeitl. Philosophie hält.

Gefordert ist der Mensch als ganzer, mit »Kopf« und »Herz«. Zur Erfassung der Wirklichkeit gehört die Liebe und die Empfindung, die das einzelne zum »absoluten Wert« erhebt.

FEUERBACHS bes. Augenmerk richtet sich auf die *Sinnlichkeit;* durch die Sinne wird die Wirklichkeit vermittelt:

»Wahrheit, Wirklichkeit und Sinnlichkeit sind identisch.«

In der sinnl. Wahrnehmung gibt sich der Gegenstand zu erkennen, wobei FEUERBACH betont, daß

sich das Wesen eines Dinges oder des Menschen von seinem Gegenstand her bestimmt, wie das Licht für das Auge konstitutiv ist.

Vom purem Sensualismus hebt sich FEUERBACH dadurch ab, daß er den Menschen zum wichtigsten Sinnesobjekt des Menschen macht. Damit eröffnet sich auch die Möglichkeit der Wahrheitsfindung im *Dialog:*

Da dem Menschen mit dem *Du* im sinnl. Erfahrbares gegeben ist, an dem er im Dialog seine Wahrnehmung prüfen kann, kann er sich der Wirklichkeit des Sinnlichen sicher sein.

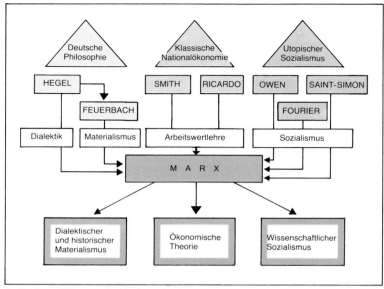

A   Quellen und Elemente des Marxismus (nach Lenin, 1913)

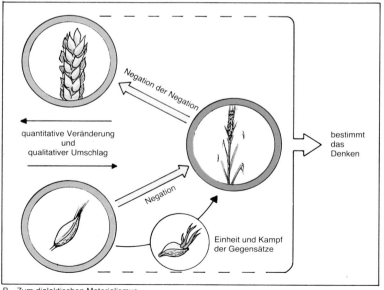

B   Zum dialektischen Materialismus

Karl Marx (1818–83) entwickelte aus der Verarbeitung mehrerer Quellen eine Philosophie, deren prakt. Umsetzung großen Anteil an der Gestaltung der geistigen und polit. Landschaft der Welt hat.

> »Marx war ... Fortführer der geistigen Hauptströmungen des 19. Jahrhunderts: der klass. dt. Philosophie, der klass. engl. polit. Ökonomie und des franz. Sozialismus.« (W. I. LENIN)

Konzeptionelle Grundlage der Marxschen Lehre ist der *Hegelianismus*. Von HEGEL übernahm MARX die Prinzipien der *Dialektik* und das dynam.-evolutionäre Denken. Die hegelian. Elemente bei MARX werden aber im Zuge seiner »Umstülpung des Hegelschen Handschuhs« in anderem Sinne verstanden. Er vollzieht hierin

den letzten Schritt vom *Idealismus* zum **Materialismus,**

wie er schon von L. FEUERBACH vorgezeichnet war. MARX wendet das Subjekt-Objekt-Verhältnis von der Bestimmung des Objekts durch das Subjekt zu einer Bestimmung des Subjekts durch das Objekt.

> »Begreifen besteht aber nicht, wie Hegel meint, darin, die Bestimmungen des log. Begriffs überall wiederzuerkennen, sondern die eigentüml. Logik des eigentüml. Gegenstandes zu fassen.«

Die *Materie* bestimmt das Bewußtsein; sie wirkt auf die Sinne, sie bildet sich im Bewußtsein ab. Die Erkenntnis ist prozessual, stufenweise.

Wahrheit ist in diesem Sinne die Übereinstimmung des Denkens mit dem Objekt.

Eine Ausformung des Materialismus ist der **Dialektische Materialismus** (»DIAMAT«), der v. a. von MARX' Freund **Friedrich Engels** (1820–95) vertreten wird; er besteht im wesentlichen

aus der Beschreibung der objektiven, von der menschl. Erkenntnis unabhängigen *Entwicklung der Materie.*

Diese ist niemals statisch, sondern stets im Werden begriffen, was sich nach 3 Gesetzen vollzieht:

– das Gesetz vom Umschlag von Quantität und Qualität,
– das Gesetz von der Durchdringung der Gegensätze,
– das Gesetz von der Negation der Negation.

Die Materie entwickelt sich *dialektisch* durch den Zusammenprall entgegengesetzter Tendenzen und Kräfte, die sich auf höherer Ebene wieder aufheben. Die Selbstentfaltung der Materie vollzieht sich in »Sprüngen«, diskontinuierlich im »Abbrechen der Allmählichkeit«. ENGELS wählt zur Veranschaulichung das Werden des Gerstenkorns:

> Das Korn fällt in die Erde und wird dort vernichtet (»negiert«). Daraus sproßt die Pflanze und aus dem Negation, dem Absterben, ergibt sich wieder das Korn, allerdings auf höherer Ebene, weil um ein Vielfaches vermehrt.

Auch die beiden anderen Gesetze lassen sich hier verdeutlichen:

> So greifen beim Korn die Gegensätze Korn – Pflanze ineinander und lösen sich gegenseitig ab.

Dies geschieht auch durch die Veränderung der Quantität (hier an Zellen); sie ist Voraussetzung für den Umschlag in qualitativ anderes: vom Samen zur Pflanze. (Abb. B)

Die ganze Materie entwickelt sich in solchem Umschlag der Gegensätze; damit ist auch die Geschichte zu erklären:

der **Historische Materialismus** (»HISTO-MAT«) als Sonderfall des dialektischen.

Der Histor. Materialismus stellt eine Umsetzung von HEGELS Geschichtsphilosophie dar, bekommt aber durch seine ökonom. Grundlage eine andere Prägung.

Von Bedeutung ist dabei auch der Aspekt der **Praxis.** MARX nimmt Anteil am polit. Geschehen und dies macht die Beschäftigung mit den materiellen Gegebenheiten erforderlich:

Der Wille zum polit. Handeln erzwingt die Abkehr vom »Mystizismus« HEGELS zur objektiven Realität.

Die »rücksichtslose Kritik alles Bestehenden« soll Ausgangspunkt zu einer sinnvollen Umgestaltung werden. Darin hebt sich MARX auch gegen FEUERBACH ab: Die elfte der ›Thesen zu Feuerbach‹ lautet:

> »Die Philosophen haben die Welt nur verschieden *interpretiert,* es kommt darauf an, sie zu *verändern.*«

Demgemäß erweist sich die Praxis als ein wesentl. Prüfstein der Wahrheit.

In der Sicht des Materialismus muß der gesellschaftl. Wandel sich aus der Dialektik der Geschichte ergeben.

Wenn die Materie das Bewußtsein bestimmt, dann v. a. in der Form der gesellschaftl. Verhältnisse. MARX sucht die Grundlage der menschl. Entwicklung in den *ökonomischen Prozessen:* sie prägen den Überbau; alle weiteren Elemente der Gesellschaft sind »Ideologischer Überbau«, etwa Philosophie, Religion, Kultur.

> »Es ist nicht das Bewußtsein der Menschen, das ihr Sein, sondern umgekehrt ihr gesellschaftl. Sein, das ihr Bewußtsein bestimmt.«

Bei seiner Analyse der wirtschaftl. Verhältnisse greift MARX auf die Ergebnisse der klass. polit. Ökonomie zurück, wie sie die Engländer **Adam Smith** (1723–90) und **David Ricardo** (1772–1823) begründeten:

SMITH untersucht systematisch die wirtschaftl. Faktoren und sieht in der Arbeitsteilung den Grund für die Blüte einer Wirtschaft.

RICARDO betont die *Werttheorie,* die den Wert einer Ware mit der Arbeit in Verbindung bringt, die zu ihrer Erzeugung notwendig ist.

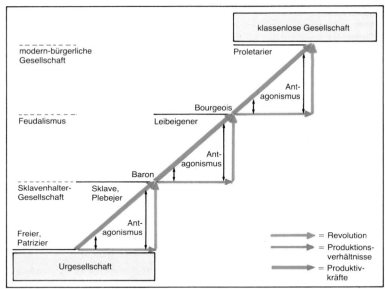

A Zum historischen Materialismus

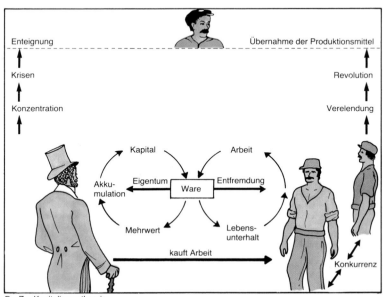

B Zur Kapitalismustheorie

Im **Historischen Materialismus** deutet MARX die menschl. Geschichte nach den Gesichtspunkten der Dialektik unter Zuhilfenahme der ökonom. Theorien.

Im ›*Kommunistischen Manifest*‹ heißt es: »Die Geschichte aller bisherigen Gesellschaft ist die Geschichte von Klassenkämpfen. Unterdrücker und Unterdrückte standen in stetem Gegensatz zueinander, führten einen ... Kampf, der jedesmal in einer revolutionären Umgestaltung der ganzen Gesellschaft endete.«

Klassenkämpfe sind Widersprüche zwischen gesellschaftl. Gruppen, die sich in Revolutionen entladen und neue gesellschaftl. Formationen hervorbringen.

Im Verlauf der Geschichte findet MARX sich ablösenden, progressiven Gesellschaftsformationen vor:
Urgesellschaft, antike Sklavenhaltergesellschaft, Feudalismus und *moderner bürgerl. Kapitalismus.*

Nach der These von Unter- und Überbau der Gesellschaft ist die Schichtung und damit die geschichtl. Entwicklung wesentlich ökonomisch determiniert.

Die wirtschaftl. Strukturen (»reale Basis«) nennt MARX **Produktionsverhältnisse** (Gesamtheit der materiellen Beziehungen der Menschen, z. B. Eigentum), die mit den **Produktivkräften** (Fähigkeiten und Erfahrungen, Produktionsmittel) teils in Einklang, teils im Widerspruch stehen.

Am Beginn einer Epoche sind die Eigentumsverhältnisse an Werkzeug, Maschinen etc. noch widerspruchsfrei mit der Herstellungsart von Gütern verbunden. Im geschichtl. Prozeß wachsen aber *Antagonismen* hervor.

Diese Widersprüche führen zu Klassenkämpfen, in denen sich eine unterdrückte Klasse, durch die Produktionsverhältnisse benachteiligt, gegen die herrschende Klasse erhebt:
»Auf einer gewissen Stufe ihrer Entwicklung geraten die materiellen Produktivkräfte der Gesellschaft in Widerspruch mit den vorhandenen Produktionsverhältnissen ... Aus Entwicklungsformen der Produktivkräfte schlagen sie in Fessel derselben um. Es tritt dann eine Epoche sozialer Revolution ein.«

Nach diesem dialekt. Prinzip gebiert jede Gesellschaftsform innere Widersprüche, die sich durch die Revolution auflösen.

Bes. gründlich untersucht MARX dabei Entstehung und Wesen des **Kapitalismus**, d. h. die Produktionsverhältnisse seiner Zeit. In seinem ökonom. Hauptwerk, ›*Das Kapital*‹, geht MARX von den Grundlagen der engl. Ökonomen aus: dabei ist der Warenwert v. a. als »festgeronnene Arbeitszeit« festgelegt.

Die Geldwirtschaft vertuscht nicht nur den gesellschaftl. Charakter der Arbeit, sondern ermöglicht auch eine *Akkumulation* von Wert im Ggs. zur primitiven Tauschwirtschaft.

Diese Anhäufung ist das Ziel kapitalist. Wirtschaftsweise. Von der Relation Ware–Geld–Ware geht sie über zur Formel Geld–Ware–Geld, wobei die Ware nur den Weg zu einer größeren Geldmenge in der Hand des Kapitalisten darstellt.

Dieser produziert nicht für seinen persönl. Bedarf, sondern zu neuer Produktion. Als Quelle dieses Zuwachses gibt MARX den *Mehrwert* an:
Bei der Schaffung von Ware gibt der Kapitalist nicht alles an die Produzenten, die Arbeiter, aus, sondern behält einen Teil für sich.

Der Kapitalist »kauft« Arbeit auf dem freien Markt. Der Arbeiter arbeitet nicht nur die notwendige Arbeitzeit für seinen Unterhalt, sondern schafft in der »Surplus-Zeit« einen nicht bezahlten Mehrwert.

Dieser Zusammenhang ist die wichtigste Quelle der **Entfremdung.** Im arbeitsteiligen Prozeß verliert der Arbeiter jeden Kontakt mit dem Produkt seiner Arbeit.

Er sieht sich in *Ausbeutung* durch den Kapitalisten und in *Konkurrenz* mit seinesgleichen. Die *anonyme Macht* des Geldes entfremdet ihn von seinem Wesen. Diese Verhältnisse haben

»kein anderes Band zwischen Mensch und Mensch übriggelassen als das nackte Interesse, als die gefühllose ›bare Zahlung‹«.

Signifikant für diese Entfremdung ist auch die **Religion.** FEUERBACHS (S. 167) Projektionsthese folgend, erklärt MARX sie für den Spiegel unwürdiger Zustände. Sie ist »der Geist geistloser Zustände, ... das Opium des Volkes«.

MARX bestätigt die *Utopischen* oder *Frühsozialisten* wie C. H. D. SAINT-SIMON (1769–1825) und C. FOURIER (1772–1837). Wie sie postuliert er die *Abschaffung des Privateigentums.* Gegen die Frühsozialisten behauptet MARX gemäß dem Histor. Materialismus die *notwendige* Entwicklung zum Kommunismus.

Durch die innere Mechanik des Kapitalismus läßt sie sich wissenschaftlich ableiten, weshalb MARX von **»Wissenschaftlichem Sozialismus«** spricht. Die fortschreitende Konzentration des Kapitals wird

zu einer Akkumulation bei immer weniger Kapitalisten führen, das *Proletariat* wird immer weiter verarmen *(»Verelendungstheorie«).*

Zykl. Krisen zeigen die Widersprüchlichkeit des Systems an, das schließlich durch die proletar. Revolution ganz gesprengt wird. Wie einst die *Bourgeoisie,* das Bürgertum, die Herrschaft der Feudalherren abwälzte,

wird sich in diesem letzten Klassenkampf die Klasse der Proletarier durchsetzen.

Mit dieser Revolution werden die Produktionsmittel vergesellschaftet und die Arbeit kollektiviert. Schließlich heben sich nach ihr die Klassen auf und damit sogar der Staat.

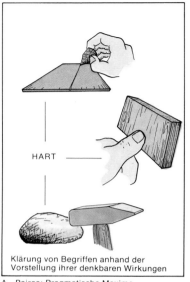

HART

Klärung von Begriffen anhand der
Vorstellung ihrer denkbaren Wirkungen

A   Peirce: Pragmatische Maxime

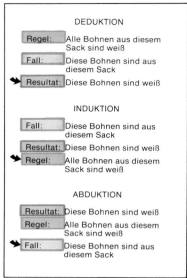

DEDUKTION

Regel: Alle Bohnen aus diesem
Sack sind weiß

Fall: Diese Bohnen sind aus
diesem Sack

Resultat: Diese Bohnen sind weiß

INDUKTION

Fall: Diese Bohnen sind aus
diesem Sack

Resultat: Diese Bohnen sind weiß

Regel: Alle Bohnen aus diesem
Sack sind weiß

ABDUKTION

Resultat: Diese Bohnen sind weiß

Regel: Alle Bohnen aus diesem
Sack sind weiß

Fall: Diese Bohnen sind aus
diesem Sack

B   Peirce: Abduktion (Hypothese)

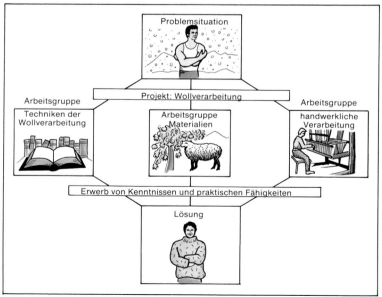

Problemsituation

Projekt: Wollverarbeitung

Arbeitsgruppe
Techniken der
Wollverarbeitung

Arbeitsgruppe
Materialien

Arbeitsgruppe
handwerkliche
Verarbeitung

Erwerb von Kenntnissen und praktischen Fähigkeiten

Lösung

C   Dewey: Problem- und projektorientiertes Lernen

K.-O. APEL sieht im **Pragmatismus** die dritte philosoph. Richtung neben Marxismus und Existenzphilosophie, in der Theorie und Praxis faktisch vermittelt werden soll. Der Pragmatismus will aufgrund wissenschaftlich geklärten und auf experimentelle Erfahrung gegründeten Denkens und Sprechens Antworten geben für die konkrete Lebenspraxis.

Sein Begründer **Charles Sanders Peirce** (1839–1914) formuliert den **pragmatischen Leitsatz** so:
> »Überlege, welche Wirkungen, die denkbarerweise prakt. Relevanz haben könnten, wir dem Gegenstand unseres Begriffes in unserer Vorstellung zuschreiben. Dann ist unser Begriff dieser Wirkungen das Ganze unseres Begriffes des Gegenstandes.«

Diese Maxime dient als Methode der *Begriffsklärung,* nach der der Bedeutungsgehalt eines Begriffes in seinen denkbaren *Handlungsfolgen* besteht.

Die Klärung und ggf. Korrektur von Begriffen erfolgt durch *experimentelle* Auseinandersetzung mit der Wirklichkeit.

Ebenso ist der Sinn von Überzeugungen aus den Verhaltensgewohnheiten, die sie festlegen, zu klären. Die pragmat. Maxime darf aber nicht so verstanden werden, als erfolge die Sinnklärung aus der Beschreibung der faktisch eintretenden Folgen. Vielmehr erfolgt dies durch die Vorstellung der im *Gedankenexperiment* begrifflich erschlossenen prakt. Konsequenzen.

Die so gewonnenen Ergebnisse müssen sich bewähren in einem *kommunikativen Prozeß* miteinander Handelnder und Forschender. Auf diese Weise wird sich *Wahrheit* herausbilden als Übereinstimmung aller Mitglieder einer »unendlichen Forschergemeinschaft«.
> »Diejenige Überzeugung, die dazu bestimmt ist, zuletzt die Zustimmung aller Forscher zu finden, stellt das dar, was wir unter der Wahrheit verstehen, und der Gegenstand, der in dieser Überzeugung repräsentiert würde, ist der reale.«

Für die *Logik* der Wiss. ist PEIRCES Entdeckung der **Abduktion** (erklärende Hypothese) als eines dritten Schlußmodus neben Deduktion und Induktion bedeutend.

Die Abduktion schließt von dem Resultat und der Regel auf den Fall.

Dieses Verfahren wird bei jeder wiss. *Hypothesenbildung* faktisch angewendet. Im Unterschied zur Deduktion ist der Schluß nur wahrscheinlich (wie bei der Induktion), erweitert aber das Erkenntnis, da er eine neue Idee im Denken hervorbringt und daher neue wiss. Erkenntnis ermöglicht.

Für die Entwicklung der *Semiotik* entscheidend ist PEIRCES Auffassung von der *triadischen* (dreistelligen) Relation des **Zeichens.**

Ein Zeichen (Repräsentamen) steht in Relation zu einem Gedanken, der es interpretiert (Interpretant), und es ist ein Zeichen für ein Objekt durch eine Qualität, die es mit seinem Objekt in Verbindung bringt. Diese triad. Relation ist nicht auf eine Zweierbeziehung reduzierbar. Ein Zeichen ist also durch die Interpretation mitbestimmt und daher ist jede Erkenntnis des Seienden ein Zusammenspiel von Gegebenem (Objekt) und Auslegung durch ein interpretierendes Bewußtsein.

Bei **William James** (1842–1910) erhält der Pragmatismus, im Unterschied zu PEIRCE, eine subjektivist. Prägung.

Die jedem Erkennen und Handeln zugrundeliegenden **Überzeugungen** unterliegen keinem allgemeingültigen Wahrheitskriterium, sondern sind Ausdruck prakt. Interessen des Subjekts.

Ihre Echtheit bemißt sich daraus, ob sie für den einzelnen lebendig, d.h. sein Leben wirklich bestimmend, unumgänglich und bedeutungsvoll sind.

Das Kriterium für *Wahrheit* ist die *Bewährung in der Praxis* durch den erzielten Nutzen, d.h. inwieweit für den einzelnen ein befriedigender Umgang mit der Wirklichkeit zustande kommt.

So ist z. B. auch die »Hypothese von Gott« wahr, wenn sie für den individ. Lebensvollzug befriedigend ist.

Insofern die Interessen und Lebensumstände der Menschen verschieden sind, bestehen auch mehrere »Wahrheiten« nebeneinander. Da sich die Lebensumstände verändern, muß auch die Wahrheit dynamisch gesehen werden.

John Dewey (1859–1952) unternimmt den entschiedensten Versuch, den Pragmatismus in der *Pädagogik* und *Politik* wirksam werden zu lassen.

Der von ihm erkenntnistheoret. vertretene **Instrumentalismus** betont, daß Erkennen nicht rein passiv ist, sondern selbst schon ein Handeln darstellt.

Erkennen ist Instrument erfolgreichen Handelns. Es dient der Beherrschung von Situationen und der Lösung prakt. Probleme.

Denken und Erkennen läßt sich dadurch erklären, wie es best. Handlungszusammenhängen funktioniert.

DEWEY entwickelt weitreichende Vorschläge zur Reform der *Pädagogik,* die er selbst an seiner »Laborschule« erprobt.

Der Schüler soll vom Objekt des Lehrens zum Subjekt des Lernens werden. Der Unterrichtsstoff wird nicht vorgegeben, sondern Probleme sollen als solche erfahren und als Projekt in der Gruppe gelöst werden.

Erziehung ebenso wie eine demokrat. Staatsform sollen Prozesse der Selbstverwirklichung sein.

Wert	Wahrheit	Schönheit	unper-sönliche Heilig-keit	Sittlich-keit	Glücks-gemein-schaft	persön-liche Heilig-keit
Gut	Wissen-schaft	Kunst	das All-Eine	Gemein-schaft freier Personen	Liebes-gemein-schaft	die Götter-welt
Subjekt-verhalten	Urteilen	Anschauen	Vergottung	autonomes Handeln	Zuneigung	Frommsein
Gebiet	Logik	Ästhetik	Mystik	Ethik	Erotik	Religions-philosophie

A   Rickert: System der Werte

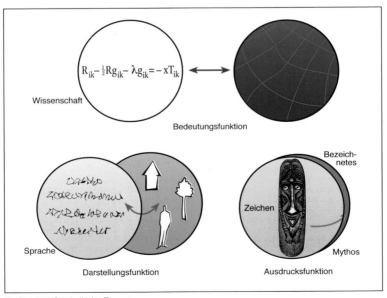

B   Cassirer: Symbolische Formen

Seit der Mitte des 19.Jh. erlebt KANT (S. 136–43) eine Neubelebung und Weiterentwicklung. Die versch. Strömungen, die sich auf ihn berufen, werden unter der Bezeichnung **Neukantianismus** zusammengefaßt; ca. 1880–1930 ist er die führende dt. Philosophie. Frühe Vertreter sind F. A. LANGE, dessen ›Geschichte des Materialismus‹ KANT auf die Naturwiss. bezieht, und O. LIEBMANN, in dessen Buch ›Kant und die Epigonen‹ jedes Kapitel mit dem Satz schließt: »Also muß auf KANT zurückgegangen werden.«

Die logizistische **Marburger Schule** mit den Gründern COHEN und NATORP sowie CASSIRER arbeitet v. a. auf theoret. Gebiet.
HERMANN COHEN (1842–1918) hebt in ›Logik der reinen Erkenntnis‹ KANTS Zweiteilung von Verstand und Sinnlichkeit zugunsten des ersteren auf:
> Erkenntnis ist überhaupt nur möglich durch *reines* Denken.

Er interpretiert KANT von dessen Satz aus
> »daß wir von den Dingen nur das a priori erkennen, was wir selbst in sie legen«.

Erkenntnis aus dem »Ursprung« ist nur möglich, wenn der Erkenntnisgegenstand vom Denken selbst produziert wird. Dies geschieht in unendlich vielen Schritten.
Konstitutiv sind *Urteile,* die COHEN in 4 Klassen teilt:
> die der Denkgesetze (z. B. Widerspruch), der Mathematik (z. B. Mehrheit), der mathemat. Naturwissenschaft (z. B. Gesetz) und der Methodik (z. B. Möglichkeit und Notwendigkeit).

Ernst Cassirer (1874–1945) sieht im *Symbol* den universalen Ausdruck der kulturellen, geistig schöpfer. Tätigkeit des Menschen und sucht in seiner ›Philosophie der symbolischen Formen‹
> »eine Art Grammatik der symbol. Funktion als solcher, durch welche deren bes. Ausdrücke . . ., wie wir sie in der Sprache und in der Kunst, im Mythos und in der Religion vor uns sehen, umfaßt und generell mitbestimmt würden«.

Symbol bezeichnet ein Sinnliches, das durch die Art seines Gegenseins die Verkörperung eines Sinnes darstellt. Die drei Grundfunktionen der symbol. Repräsentation sind die *Ausdrucksfunktion,* in der Zeichen und Bezeichnetes unmittelbar miteinander identifiziert werden (die Welt des *mythischen* Denkens); die *Darstellungsfunktion,* bei der der Symbolcharakter bewußt ist, die sich aber noch auf Gegenständliches bezieht (die alltägliche *Sprache*); die *Bedeutungsfunktion,* in der mathemat. oder logische Zeichen sich nur auf abstrakte Relationen beziehen *(Wissenschaft).*

Die **Badische** oder **Südwestdeutsche Schule** (WINDELBAND, RICKERT, LASK) ist stark *werttheoretisch* orientiert:

WILHELM WINDELBAND (1848–1915) sieht die Philosophie als
> »kritische Wissenschaft von den allgemeingültigen Werten«.

HEINRICH RICKERT (1863–1936) entwirft ein Wertsystem (Abb. B), das auf seiner Aufteilung in Objektwelt und Wertwelt beruht. Beide sind vereint in der Welt der Sinnverwirklichung, die entsteht,
> »sofern wir wertende Subjekte, d. h. frei zu den Werten Stellung nehmende Subjekte sind«.

Eine bed. Leistung liegt ferner in der Unterscheidung von *Natur- und Geisteswissenschaft,* die nach der Methode erfolgt:
Naturwissenschaft ist nach WINDELBAND *nomothetisch* und sucht allg. Gesetze, die Geisteswissenschaft ist *idiographisch* und sucht die jeweils bes. Tatsachen, v. a. die historischen.
Bei RICKERT heißt es entsprechend generalisierend bzw. individualisierend. Der Wert spielt auch dabei eine große Rolle:
> »Nach RICKERT läßt sich . . . der Begriff des Historisch-Individuellen nur so bilden, daß man von einem Wertgesichtspunkt ausgeht, in dessen Licht das Individuelle erst in seiner einzigartigen Bedeutung in den Blick kommt.« (H.-L. OLLIG)

Im 19. Jh. führt der Aufstieg der Naturwiss. zum Versuch, die Metaphysik auf empir. Basis **induktiv** aufzubauen.
Zwei wichtige Autoren sind
– **Gustav Theodor Fechner** (1801–87): Seine *Psychophysik,* eine Vorstufe der experimentellen Psychologie darstellt, untersucht die Wechselwirkung zwischen Psychischem und Physischem. Zugrunde liegt die Annahme eines Parallelismus. FECHNER postuliert die *Beseeltheit* phys. Vorgänge aber nicht nur beim Menschen, sondern bei allem körperl. Sein. In diesem Sinne versteht er die *Metaphysik* als komplementär zu den Einzelwissenschaften. Sie soll als Wissenschaft vom Ganzen die gefundenen Einzelergebnisse verallgemeinern. Ihr Ziel ist eine Gesamtdeutung der Wirklichkeit.
– **Rudolf Hermann Lotze** (1817–81) sucht ebenfalls in der Philosophie eine Synthese von mod. Wiss. und idealen oder religiösen Aussagen. In ›Mikrokosmos‹ untersucht LOTZE die Stellung des Menschen in der Welt, die er nach Analogie zum Menschen deuten will. Dazu bedient er sich der Unterscheidung von Kausalität, Sinn und Zweck und erhält dadurch eine »Welt des Mechanismus« (Wirklichkeit), eine der Wahrheit und eine Welt der *Werte.*
Hierbei sieht er in den Gesetzen des Mechanismus nur die Bedingungen für die Verwirklichung des Guten.
Methodisch bindet er seine metaphys. Ergebnisse aber an *analytisch-deskriptive* Untersuchungen.

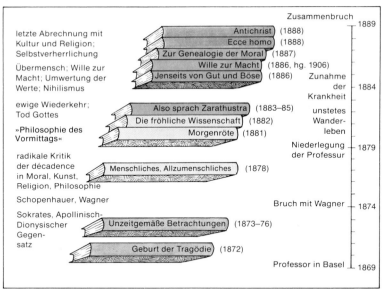

letzte Abrechnung mit
Kultur und Religion;
Selbstverherrlichung

Antichrist (1888)
Ecce homo (1888)
Zur Genealogie der Moral (1887)

Übermensch; Wille zur
Macht; Umwertung der
Werte; Nihilismus

Wille zur Macht (1886, hg. 1906)
Jenseits von Gut und Böse (1886)

ewige Wiederkehr;
Tod Gottes

Also sprach Zarathustra (1883–85)
Die fröhliche Wissenschaft (1882)

»Philosophie des
Vormittags«

Morgenröte (1881)

radikale Kritik
der décadence
in Moral, Kunst,
Religion, Philosophie

Menschliches, Allzumenschliches (1878)

Schopenhauer, Wagner

Sokrates, Apollinisch-
Dionysischer
Gegen-
satz

Unzeitgemäße Betrachtungen (1873–76)

Geburt der Tragödie (1872)

Zusammenbruch — 1889

Zunahme
der
Krankheit — 1884

unstetes
Wander-
leben

Niederlegung — 1879
der Professur

Bruch mit Wagner — 1874

Professor in Basel — 1869

A Nietzsches Leben und Werk

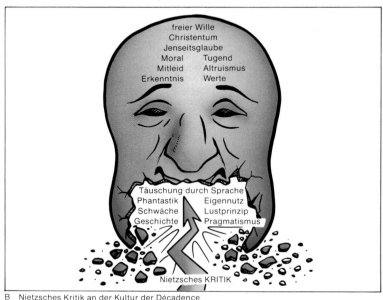

B Nietzsches Kritik an der Kultur der Décadence

Friedrich Nietzsche (1844–1900) ist als eigenwilliges Genie in die Geistesgeschichte eingegangen: leidenschaftl. Engagement, radikaler Erneuerungswille, durchdringende Scharfsicht und Magie kennzeichnen sein Werk, das sich in drei (verzahnte) Schaffensperioden gliedern läßt.

Erste Periode (1869–76)

NIETZSCHE, Sohn eines sächs. Pastors, genießt eine klass.-philolog. Ausbildung und wird Prof. für klass. Philologie in Basel.

1871 verfaßt er ›Die Geburt der Tragödie aus dem Geiste der Musik‹. Die urspr. Kräfte des Griechentums, das Apollinische und Dionysische, sind in der antiken Tragödie verschmolzen und zur harmon. Synthese gekommen:

Apollinisch steht für das Maßvoll-Vernünftige, *Dionysisch* für das Rauschhaft-Rasende.

Der Untergang der Tragödie ist die Entstehung der griech.-rationalen Philosophie, verkörpert v. a. durch SOKRATES. Bei EURIPIDES schon ist der Übergang vollzogen:

»Die Gottheit, die aus ihm redete, war nicht Dionysos, auch nicht Apollo, sondern ein ganz neugeborener Dämon, genannt Sokrates.«

Eine Erneuerung der trag. Kultur erhofft sich NIETZSCHE von RICHARD WAGNER (1813–83), von dessen Musik und Persönlichkeit NIETZSCHE zu dieser Zeit noch ganz in Bann geschlagen ist.

1871–76 setzt sich NIETZSCHE mit der Kultur seiner Zeit auseinander: in den 4 ›Unzeitgemäßen Betrachtungen‹ über

D. F. STRAUSS (S. 167) als Bsp. für das Bildungsphilistertum; über die ›histor. Krankheit‹ des Vorrangs geschichtl. Denkens (HEGEL, E. v. HARTMANN), über SCHOPENHAUER als Vorbild des gelassenen Philosophen; und über WAGNER.

Zweite Periode (1876–82)

Diesen Teil seiner philosoph. Entwicklung charakterisiert NIETZSCHE selbst als **»Philosophie des Vormittags«**. Es entstehen die vier Werke ›Menschliches-Allzumenschliches‹ (Teil I und II), ›Morgenröte‹ und ›Die fröhliche Wissenschaft‹.

Stilistisch findet NIETZSCHE im *Aphorismus* seine optimale sprachl. Form. Inhaltlich verbindet die vier Werke v. a. der Kampf gegen die **»décadence«**, ihre **Moral** und ihre **Religion**, das Christentum.

NIETZSCHE bezieht eine Position skept. Rationalität und ist bewegt von leidenschaftl. Willen zur *Wahrhaftigkeit*.

Gegen die Moral und traditionelle philosoph. Problemstellungen führt NIETZSCHE durch immer neue Einzelbeobachtungen v. a. ins Feld:

– die Bedeutung der *Sprache*:

Die Sprache verschleiert, daß der Mensch mit seiner Rede nur scheinbar das Wesen der Dinge erfaßt, aber in Wirklichkeit nur eine zweite Welt neben der ersten erfindet. So schreibt NIETZSCHE:

»Was ist also Wahrheit? Ein bewegliches Heer von Metaphern . . . die nach langem Gebrauch einem Volke als fest, kanonisch und verbindlich dünken: die Wahrheiten sind Illusionen, von denen wir vergessen haben, daß sie welche sind.«

– die unzulässige Verbindung von Sein und *Wert:*

Das Vertrauen in die Gültigkeit von vernünftigen Urteilen ist selbst wieder ein moral. Phänomen.

– die *Relativität* der Moral:

Moral. Urteile sind nicht zeitlos absolut, sondern nachweisbar geschichtl. und sozial relativ.

NIETZSCHE wirft der Moralphilosophie vor, sie nehme die fakt. Verschiedenheit nicht zur Kenntnis.

– die praktischen Widersprüche der Moral.

– die Geschichtlichkeit der Moral:

NIETZSCHE meint, aufdecken zu können, wie sich die Tugenden aus langer Übung konventioneller Vorurteile ergeben haben.

– die *genealogische Argumentation:*

Histor. und psycholog. Aufdeckung der *Motive* führt zur Ablehnung traditioneller Wertmaßstäbe. Rückhaltlos durchdringt NIETZSCHE die Masken des tugendhaften und/oder religiösen Menschen und widerlegt so den Anspruch auf objektive Begründung. So führt eine »falsche Psychologie« in der Ausdeutung der Motive und Erlebnisse« zum Christentum, genau wie sich bei angeblich ethisch begründeten Handlungen – meist unlautere – Motive nachweisen lassen.

»Die Moralen sind nur eine Zeichensprache der Affekte.«

Wirklich sieht NIETZSCHE nur pragmat. Überlegungen mit dem Ziel des Lustgewinns am Werk, wenn auch auf Umwegen. Mitleid wird als Selbstschutz entlarvt, Nächstenliebe als Selbstliebe usw.

Dem **Christentum** hält NIETZSCHE vor,

– es hätte wesentl. Anteil an der Verweichlichung des Menschen;

– es bestehe dogmatisch aus unglaubl. Relikten einer paradoxen antiken Vorstellungswelt;

– es vertröste auf ein Jenseits, das es nicht gibt und an das schon seine Zeitgenossen nicht mehr glauben;

– die Heuchelei, in der die Christen nicht nach dem leben, das sie zu glauben vorgeben.

Dies gipfelt in der ›Fröhlichen Wissenschaft‹ in der Darstellung des Tollen Menschen, der Gott sucht. Hier zeichnet NIETZSCHE die Vision einer Welt, die ohne Horizont, ohne Oben und Unten zu schlingern beginnt, denn

»Gott ist tot! Gott bleibt tot! Und wir haben ihn getötet!«.

A Drei Wandlungen des Geistes

B Wille zur Macht und Übermensch

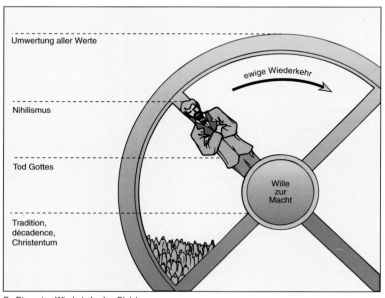

C Die ewige Wiederkehr des Gleichen

Dritte Periode (1883–88)

Mit den Werken ›Also sprach Zarathustra‹ (1883/85), ›Jenseits von Gut und Böse‹ und ›Der Wille zur Macht‹ (1901 erstmals hg.) aus Studien der 80er Jahre) erreicht NIETZSCHES Philosophie ihren Höhepunkt in der **Verkündigung** eines neuen Zeitalters:

Das krit. Moment wird beibehalten, aber der Diagnose folgt die Therapie durch NIETZSCHES neuentstehende Gedankenwelt.

NIETZSCHE selbst drückt dies im Bild von den drei Verwandlungen des Geistes aus:

Erst wird der Geist zum Kamel, das geduldig die Last der alten Moral trägt, dann zum Löwen (das »ich will«), der gegen den Drachen der Werte (das »du sollst«) kämpft.

»Freiheit sich schaffen und ein heiliges Nein auch vor der Pflicht . . . dazu bedarf es des Löwen.«

Schließlich wird er zum Kind, das das Spiel des Schaffens spielt. (Abb. A)

Die Diagnose der abendländ. Kultur stellt NIETZSCHE mit dem Wort **Nihilismus:**

»Die radikale Ablehnung von Wert, Sinn und Wünschbarkeit.«

Die obersten Werte sind entwertet, das Lügengebäude des schwächl. christl. Denkens und der Philosophie in der Nachfolge des SOKRATES fällt in sich zusammen. Die griech.-christl. Tradition trägt diesen Keim zum *Nichts* immer schon in sich, dessen Früchte NIETZSCHE nur feststellt. Er glaubt sich in dieser Vision seinen Zeitgenossen voraus:

Die *Schwachen* werden an diesem Faktum verzweifeln, die *Starken* (die Übermenschen) werden darin das Fanal zu einer Neuordnung, zu einer *Umwertung der Werte* sehen.

NIETZSCHES Therapie liegt in der **Verkündigung,** die sich um den Willen zur Macht gruppiert:

»NIETZSCHES Philosophie erreicht ihren Gipfel in der Doppelvision vom Übermenschen und von der ewigen Wiederkunft; ihr Schlüsselbegriff ist der Wille zur Macht.« (W. KAUFMANN)

V. a. im Zarathustra verherrlicht NIETZSCHE den **Übermenschen** (Abb. B):

Er zeichnet sich durch vollkommene Freiheit gegen die traditionellen Werte aus. Sein Handeln richtet sich nach irdischem Maßstab:

Er strebt nach Stärke, Vitalität und Macht. Ihm stehen die Herdenmenschen gegenüber, die sich noch dem Diktat eines (erdachten) Gottes beugen und einer Moral der Schwäche und des Mitleids huldigen.

Die *wenigen* Übermenschen sind stark genug, die bitteren Konsequenzen ihrer Freiheit und ihrer Ausrichtung auf das Vital-Rohe zu tragen. Ihr letzter Prüfstein ist die Fähigkeit, den Gedanken der ewigen Wiederkehr auszuhalten.

Die **ewige Wiederkehr des Gleichen** stellt NIETZSCHE in ›Die fröhliche Wissenschaft‹ als »das größte Schwergewicht« so vor:

»Dieses Leben . . . wirst du noch einmal und noch unzählige Male leben müssen . . . Die ewige Sanduhr des Daseins wird immer wieder umgedreht – und du mit ihr, Stäubchen vom Staube.«

Die ewige Wiederkehr, eine intuitive Gewißheit NIETZSCHES, die ihn wie ein »Dämon« heimgesucht hat, versucht NIETZSCHE später durch log. und naturwiss. Argumente auf eine gedankl. Basis zu stellen. Ihr Sinn besteht in der letzten *Rechtfertigung* des Übermenschen.

Die griffigste Formel für seine Philosophie findet NIETZSCHE in **»Willen zur Macht«.** Angeregt durch die Philosophie SCHOPENHAUERS und SPINOZAS und die zeitgenöss. Biologie erkennt NIETZSCHE im Verhalten der Menschen und in der Richtschnur allen Lebens den Willen zur Selbsterhaltung.

Das *Motiv* aller Gedanken und Handlungen ist der Wille, der im Ggs. zu SCHOPENHAUER nicht blind ist, sondern Ziele hat:

Selbsterhaltung, Steigerung von Lebensgefühl und *-fähigkeit,* Gewinn von *Stärke* und *Macht.*

Und da dieses Prinzip überall waltet, faßt NIETZSCHE zusammen:

»Diese Welt, ein Ungeheuer von Kraft, ohne Anfang, ohne Ende, eine feste eherne Größe von Kraft . . . Diese Welt ist der Wille zur Macht – und nichts außerdem! Und auch ihr selber seid dieser Wille zur Macht – und nichts außerdem!«

Vor diesem Hintergrund geht NIETZSCHE an die **Umwertung aller Werte:**

Die alten Werte sind verblaßt und die neuen richten sich nach dem Prinzip des Willens zur Macht.

Gut und Böse werden sich künftig bestimmen lassen nach dem *Nutzen* einer Handlung für die *Vitalität* und dem *Machtgewinn,* der aus ihr zu ziehen ist:

»Was ist gut? – Alles, was das Gefühl der Macht, den Willen zur Macht, die Macht selbst im Menschen erhöht.

Was ist schlecht? – Alles was aus der Schwäche stammt.

Was ist Glück? – Das Gefühl davon, daß die Macht wächst . . .

Nicht Zufriedenheit, sondern mehr Macht; nicht Friede überhaupt, sondern Krieg; nicht Tugend, sondern Tüchtigkeit.«

1888 verfaßt NIETZSCHE noch eine Reihe von pathet. Schriften, u. a. ›Der Antichrist‹ und ›Ecce homo‹. Im ersteren wütet er nochmals gegen das Christentum. Im letzteren zeigt sich offen seine **Selbstüberschätzung.** Im Rückblick stellt er dar »Warum ich so klug bin«, »Warum ich so gute Bücher schreibe« etc. Dies steigert sich zum Größenwahn, bis er nach einem Zusammenbruch 1889 in geistige Umnachtung fällt.

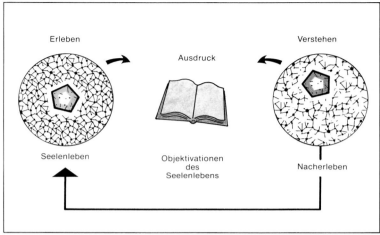

Erleben

Ausdruck

Verstehen

Seelenleben

Objektivationen
des
Seelenlebens

Nacherleben

A   Erleben – Ausdruck – Verstehen

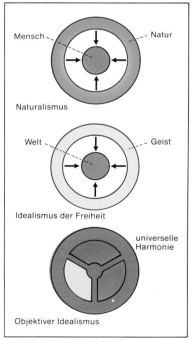

Mensch

Natur

Naturalismus

Welt

Geist

Idealismus der Freiheit

universelle
Harmonie

Objektiver Idealismus

B   Weltanschauungstypen

endlicher
Geist

»Das Licht der Wahrheit ist nur in
gebrochenem Strahl für uns zu erblicken«

C   Wahrheit in den Weltanschauungen

Wilhelm Dilthey (1833–1911) bemüht sich um eine eigenständige systemat. und method. Begründung der Geisteswissenschaften gegenüber den Naturwiss. Mit der Betonung der Geschichtlichkeit aller geistigen Erscheinungsformen steht er dem zeitgenöss. *Historismus* nahe.

Im Verlauf seines Denkens nimmt der Begriff des Lebens zunehmend eine zentrale Rolle ein, wodurch DILTHEY der *Lebensphilosophie* entscheidende Anregungen gibt.

Sein Projekt einer **Grundlegung der Geisteswissenschaften**, auch »Kritik der histor. Vernunft« benannt, verbindet DILTHEY mit
> einer Kritik an der Metaphysik, sofern sie vorgibt, wissenschaftlich endgültige Ergebnisse zu liefern.

Grundlage geisteswiss. Forschens muß vielmehr die Einsicht in die **Geschichtlichkeit** des Menschen und seiner Erzeugnisse sein.

Was der Mensch ist, erfährt er aus seiner Geschichte.

Das histor. Bewußtsein von der geschichtl. Verfaßtheit des Menschen eröffnet erst den von den »Spinneweben dogmat. Denkens« befreiten Zugang zu den geistigen Schöpfungen in ihrer Besonderheit.

Die Geisteswiss. unterscheiden sich von den Naturwiss., insofern sie sich auf eine Wirklichkeit beziehen, die vom Menschen selbst hervorgebracht ist, d. h.
> hier beschäftigt sich der Geist mit den Schöpfungen des Geistes selbst.

Daher ist das Erkenntnisverfahren verschieden:
> Natur *erklären* wir, Geist *verstehen* wir.

Die gesellschaftl. und schöpfer. Leistungen des Menschen sind Ausdruck innerer Vorgänge, des *Seelenlebens*.

Sie lassen sich nur durch Hineinversetzen in die Ganzheit seel. Lebens verstehen. Grundlage der geisteswiss. Erkenntnistheorie ist daher nicht ein abstraktes Erkenntnissubjekt, sondern der ganze Mensch, d. h. »das wollend fühlend vorstellende Wesen«. Entscheidend ist
> die *Erfahrung* der in innerer und äußerer Wahrnehmung gegebenen Tatsachen des Bewußtseins.

Daher nimmt die *Psychologie* eine wichtige Rolle ein. Auf der Basis der Erfahrung lassen sich erst Regelmäßigkeiten, Strukturen, Typen etc. herausarbeiten.

Das Verfahren, mit dem der Mensch Gegenstand der Geisteswiss. wird, ist gegründet in dem Zusammenhang von **Erleben, Ausdruck** und **Verstehen.** Nicht nur individ. Lebensäußerungen werden so verstanden, sondern auch die überindivid. Kultursysteme (Kunst, Wissenschaft, Religion etc.) und Organisationsformen (Staat, Kirche etc.).
> »Es ist der Vorgang des Verstehens, durch den Leben über sich selbst in seinen Tiefen aufgeklärt wird, und andrerseits verstehen

wir uns selber und andere nur, indem wir unser erlebtes Leben hineintragen in jede Art von Ausdruck eigenen und fremden Lebens. ... Die Geisteswissenschaften sind so fundiert in diesem Zusammenhang von Erleben, Ausdruck und Verstehen.«

Erlebnisse sind die strukturellen Einheiten, aus denen sich das Seelenleben aufbaut. In ihnen ist der innere Zusammenhang des Bewußtseins mit seinen Inhalten gegenwärtig.

Ausdruck ist der Niederschlag des Erlebens in äußeren Formen (z. B. Gesten, Sprache, Kunst etc.). Alle diese Äußerungsformen sind somit Objektivationen des Seelenlebens.

Das *Verstehen* ist das Begreifen eines Inneren aufgrund seines äußeren Niederschlags. Verstehen der Objektivationen fremden Seelenlebens ist ein Nacherleben aufgrund der Erfahrung des eigenen Seelenlebens.

Daher kommt der *Selbstbesinnung* eine entscheidende Funktion zu.

In den späteren Schriften gewinnt der Begriff des *Lebens* für DILTHEY zunehmend an Bedeutung.
> »Leben ist nun die Grundtatsache, die den Ausgangspunkt der Philosophie bilden muß. Es ist das von innen Bekannte; es ist dasjenige, hinter welches nicht zurückgegangen werden kann.«

Die geistig-geschichtl. Welt ist Objektivation des Lebens. Um sie zu verstehen, müssen die objektiven Gebilde in die geistige Lebendigkeit, aus der sie hervorgegangen sind, zurückübersetzt werden.

Die Sinndeutung des Lebens im ganzen vollzieht sich in den **Weltanschauungssystemen:** Philosophie, Religion und Kunst.

Dabei unterscheidet DILTHEY zwischen 3 *Grundtypen:*

Im *Naturalismus* wird der Mensch als biolog., auf Trieberfüllung ausgelegtes Wesen begriffen, das den materiellen Bedingungen seiner Existenz unterworfen ist.

Der *Idealismus der Freiheit* betont die freie schöpfer. Selbstentfaltung des Menschen, die in der Unabhängigkeit des Geistes wurzelt.

Im *objektiven Idealismus* wird der Ausgleich zwischen Individuum und dem Weltganzen angestrebt. Die Auflösung der Widersprüche des Lebens wird gesucht in einer universellen Harmonie allen Seins.

Keine der Weltanschauungen ist im Besitz der alleinigen Wahrheit, sondern zeigt von dieser nur einen Aspekt.
> »Die Weltanschauungen sind gegründet in der Natur des Universums und dem Verhältnis des endlich auffassenden Geistes zu denselben. So drückt jede derselben in unseren Denkgrenzen eine Seite des Universums aus. Jede ist hierin wahr. Jede aber ist einseitig. Es ist uns versagt diese Seiten zusammenzuschauen. Das reine Licht der Wahrheit ist nur in verschieden gebrochenem Strahl für uns zu erblicken.«

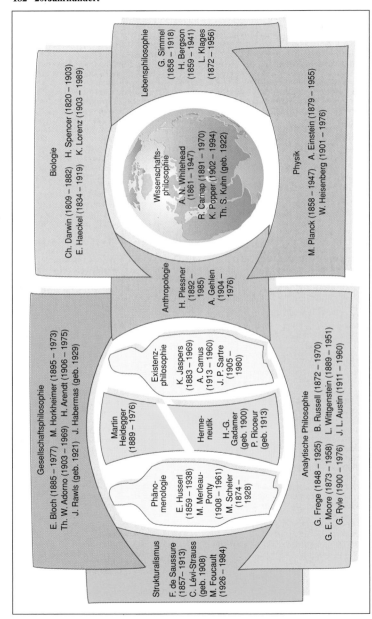

Übersicht 20. Jahrhundert

Lebensphilosophie
G. Simmel (1858 – 1918)
H. Bergson (1859 – 1941)
L. Klages (1872 – 1956)

Biologie
Ch. Darwin (1809 – 1882)   H. Spencer (1820 – 1903)
E. Haeckel (1834 – 1919)   K. Lorenz (1903 – 1989)

Wissenschafts-
philosophie
A. N. Whitehead (1861 – 1947)
R. Carnap (1891 – 1970)
K. Popper (1902 – 1994)
Th. S. Kuhn (geb. 1922)

Physik
M. Planck (1858 – 1947)   A. Einstein (1879 – 1955)
W. Heisenberg (1901 – 1976)

Gesellschaftsphilosophie
E. Bloch (1885 – 1977)   M. Horkheimer (1895 – 1973)
Th. W. Adorno (1903 – 1969)   H. Arendt (1906 – 1975)
J. Rawls (geb. 1921)   J. Habermas (geb. 1929)

Anthropologie
H. Plessner (1892 – 1985)
A. Gehlen (1904 – 1976)

Existenz-
philosophie
K. Jaspers (1883 – 1969)
A. Camus (1913 – 1960)
J. P. Sartre (1905 – 1980)

Martin Heidegger (1889 – 1976)

Herme-
neutik
H.-G. Gadamer (geb. 1900)
P. Ricoeur (geb. 1913)

Phäno-
menologie
E. Husserl (1859 – 1938)
M. Merleau-Ponty (1908 – 1961)
M. Scheler (1874 – 1928)

Strukturalismus
F. de Saussure (1857 – 1913)
C. Lévi-Strauss (geb. 1908)
M. Foucault (1926 – 1984)

Analytische Philosophie
G. Frege (1848 – 1925)   B. Russell (1872 – 1970)
G. E. Moore (1873 – 1958)   L. Wittgenstein (1889 – 1951)
G. Ryle (1900 – 1976)   J. L. Austin (1911 – 1960)

Ein Kennzeichen des **20. Jahrhunderts** ist eine explosionsartige Vermehrung des Wissens in **Technik** und **Naturwissenschaft.** Die moderne *Physik* erweitert das Weltbild der Gegenwart weit über die klass. Physik hinaus: Relativitätstheorie und Quantenphysik zeigen eine neue Sicht der Welt im Bereich bes. großer und bes. kleiner physikal. Gegenstände. Die *Biologie* zeichnet in der Evolutionstheorie neue Menschenbilder vor, wie auch die Psychologie, v. a. die *Psychoanalyse* FREUDS, neue Dimensionen in die Frage nach dem Menschen bringt.

Die Philosophie ist davon in unterschiedl. Formen betroffen:
Einerseits bilden die Methoden und Erkenntnisse der modernen **Logik** eine Grundlage des Fortschritts in Wiss. und Technik (z. B. Computer).
Philosophen wie FREGE und RUSSELL sind an der Entwicklung der Mathematik, der Logik und der Philosophie im 20. Jh. gleichermaßen maßgeblich beteiligt.
Die Naturwiss. wird andererseits zum Maßstab und zum Objekt für die Philosophie.
Dem neuen *Positivismus* gilt die Exaktheit und Überprüfbarkeit der Sätze der Naturwiss. als Ideal. Die *Wissenschaftstheorie*, also die philosoph. Bearbeitung von Methode, Aufbau und Ergebnissen der Einzelwissenschaften, ist insofern charakteristisch für die Gegenwart. Logistik als Methode und Exaktheit als Ziel ersetzen die traditionellen philosoph. Fragestellungen. Die alten Probleme der Metaphysik gelten als undurchschaubare Begriffsverwirrung:
»Die Menschen gewöhnen sich an die ›Entzauberung der Welt‹, . . . die Anpassung des Gefühlslebens an die Erkenntnis ist vollzogen. Auf diese Weise erledigen sich weltanschaul. Probleme von selbst, nicht indem sie eine Antwort finden, sondern indem sie gegenstandslos werden.« (E. TOPITSCH)

Damit eng verbunden ist der »linguistic turn« in der Philosophie des 20. Jh.: die Wende zur **Sprache** als ihrem Gegenstand.
Zunächst wird diese Wendung durch Einführung der **Analyse** vollzogen, wie sie MOORE und RUSSELL entwickeln. Probleme werden so angegangen, daß sie in korrekte und sinnvolle sprachl. Formen überführt werden. Dadurch wird Mißverständliches in unseren Aussagen aufgespürt und beseitigt.
Das daraus entwickelte Ziel, *ideale*, d. h. vollkommen klare *Sprachen* zu schaffen, ist ein Hauptthema der Philosophie, bes. des *Wiener Kreises.*
Später entwickelt sich die Philosophie der *normalen* Sprache (**»ordinary language philosophy«):**
ihr Gegenstand ist die Sprache in ihrer tatsächlich verwendeten Gestalt.

Für *beide* Richtungen ist WITTGENSTEIN einer der wichtigsten Vertreter.

Um den **Menschen** und seine Lebenswelt bemühen sich andere Richtungen:
Der konkrete Lebensvollzug steht im Mittelpunkt der **Existenzphilosophie.** Von KIERKEGAARD ausgehend, wird sie im 20. Jh. v. a. von JASPERS, SARTRE und CAMUS vertreten.
Die von HUSSERL begründete Methode der **Phänomenologie** soll durch den Rückbezug auf die inneren Bewußtseinsvorgänge neue Gewißheit über das Wesen der Dinge und des Menschen erbringen.
Sie wirkte in versch. Bereiche hinein:
MERLEAU-PONTY will mit ihrer Hilfe klären, wie das menschl. Bewußtsein und Verhalten die Welt erschließt und strukturiert.
SCHELER macht sie für die Ethik und Anthropologie fruchtbar.
Bei N. HARTMANN leistet sie einen Beitrag zur Begründung einer neuen Ontologie.
Auch der Existentialismus SARTRES, die Anthropologie PLESSNERS oder die Hermeneutik RICOEURS sind von der Phänomenologie beeinflußt.
Sie stellt auch das Werkzeug bereit, mit dem HEIDEGGER seinen großangelegten Versuch, das Sein neu zu denken, unternehmen konnte. Seine **Fundamentalontologie** will einen Neuanfang darstellen, der nicht in die Seinsvergessenheit der Tradition verfällt.

Die **Gesellschaft** und die **Kultur** werden in der philosoph. Reflexion häufig scharfer Kritik unterzogen:
zum einen seitens der *Lebensphilosophie* in der ersten Hälfte des Jh. BERGSON, SIMMEL und KLAGES versuchen, den Menschen auf seine elementaren Lebenstätigkeiten hinzuweisen, und sehen in der gegenwärtigen Kultur eine Gefahr, die das Humane eher verstellt als fördert.
Zum anderen ist der *Marxismus* zum Träger gesellschaftl. Kritik und der Veränderung geworden. LENIN und MAO gründen auf seiner Basis neue Systeme der Regierung und der Wirtschaft, die die polit. Landkarte der Welt verändern.
Auch die *»Kritische Theorie«* bedient sich Marxschen Denkens für ihre Analysen der Gesellschaft.

Mit den Bedingungen des *Verstehens* beschäftigt sich die **Hermeneutik** (GADAMER, RICOEUR). In ihrer modernen Version wendet sie sich nicht nur schriftl. Zeugnissen und Kunstwerken zu, sondern allen Äußerungsformen individuellen und sozialen Handelns.

Ausgehend von der Sprachwissenschaft SAUSSURES will der **Strukturalismus** (LÉVI-STRAUSS, FOUCAULT) unbewußte Strukturen entschlüsseln, die dem menschl. Denken, Handeln und seiner Gesellschaftsordnung zugrundeliegen.

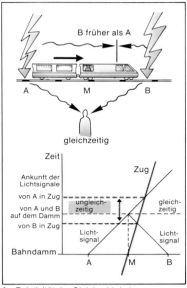

A   Relativität der Gleichzeitigkeit

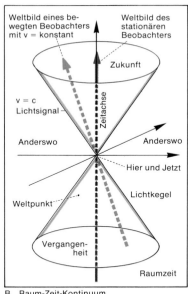

B   Raum-Zeit-Kontinuum

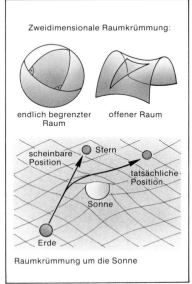

C   Schemata zur allgemeinen
    Relativitätstheorie

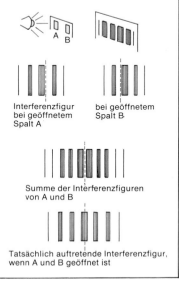

D   Quantenphysik: Doppelspaltversuch

Albert Einstein (1879–1955) leitet im ersten Viertel des Jh. einen grundlegenden Wandel im Weltbild der Physik ein.

Die 1905 formulierte **spezielle Relativitätstheorie** beruht auf zwei Postulaten:
– dem *Relativitätsprinzip:*
»Es ist unmöglich, auf Grund irgendwelcher physikalischer Erscheinungen ein absolutes Bezugssystem zu bestimmen.«
In jedem System, das sich in *gleichförmiger* Bewegung befindet *(Inertialsystem),* gelten die Naturgesetze gleich und alle Systeme sind damit als gleichwertig anzusehen.
– der *Konstanz der Lichtgeschwindigkeit:*
Die Geschwindigkeit des Lichts ist unabhängig von der der Lichtquelle und damit in allen Inertialsystemen gleich.
Daraus ergibt sich eine Relativität der *Gleichzeitigkeit,* wie sich an einem Beispiel zeigen läßt:
Auf einem Schienenstrang schlagen zwei Blitze A und B ein. In der Mitte zwischen ihnen registriert ein Beobachter auf dem Bahndamm die Lichtsignale gleichzeitig.
Auf einen Beobachter in einem fahrenden Zug kommen die Signale mit der gleichen Lichtgeschwindigkeit zu, doch fährt er einem entgegen und registriert dieses daher früher. (Abb. A)
Innerhalb eines Inertialsystems ist Gleichzeitigkeit noch feststellbar. Bei 2 Raumpunkten, die sich in versch., relativ gegeneinander bewegten Inertialsystemen befinden, muß ihre jeweilige Eigenzeit berechnet werden. Der Bezug der Raum-Zeit zweier Systeme wird durch die sog. *Lorentz-Transformation* hergestellt.
Dabei zeigt sich, daß von einem gegebenen Inertialsystem aus gesehen Maßstäbe in einem relativ dazu bewegten System in Bewegungsrichtung verkürzt erscheinen *(Längenkontraktion)* und Uhren langsamer gehen *(Zeitdilatation).*
Die Zeitdilatation läßt sich durch den Vergleich zweier ident. Uhren aufzeigen. Bewegt man eine davon mit sehr hoher Geschwindigkeit, so zeigt sie anschließend eine Zeitverschiebung beim Vergleich mit der in Ruhe verbliebenen Uhr.
Raum und **Zeit** sind also nicht unabhängig voneinander; sie bilden das *Raum-Zeit-Kontinuum:*
Zur Bestimmung eines Ereignisses muß zu 3 Raum-Dimensionen noch die Zeit-Dimension angegeben werden.
Dabei gehört zur Vergangenheit alles, von dem wir im Hier und Jetzt (prinzipiell) wissen können. Zukunft sind alle Ereignisse, auf die wir noch Einfluß nehmen könnten.
Da Signale nur mit der *endlichen* Lichtgeschwindigkeit c übertragen werden, bildet der Lichtkegel die Grenze der »zeitartig« verknüpften Ereignisse (Abb. B).
Außerhalb liegt die Gegenwart, in der Ereignisse »raumartig« verknüpft sind. Von diesen

können wir weder etwas wissen, noch Einfluß auf sie nehmen. Zukunft und Vergangenheit sind durch die endliche Zeitspanne getrennt, die vom Abstand des Beobachters abhängt.
Wegen der Lichtgeschwindigkeit sind z. B. alle Ereignisse auf der Sonne für uns erst nach 8 Minuten relevant. Von einem Hier/ Jetzt Punkt gesehen könnten wir von allem, was länger als 8 Minuten her ist, wissen; alles, was später stattfindet, noch beeinflussen; alles, was innerhalb dieser Spanne liegt, weder wissen noch beeinflussen.
Bei hoher Geschwindigkeit bis c nimmt der Widerstand eines Körpers gegen weitere Beschleunigung zu. Seine kinet. Energie erhöht seine Trägheit und als Masse zu seiner Ruhemasse. Daraus folgt die *Äquivalenz von Energie und Masse* (E = mc²). Die Folge ist, daß kein Körper mit Masse auf Lichtgeschwindigkeit beschleunigt werden kann.

Die Äquivalenz von Trägheit und Gravitation ist das Fundament der **allgemeinen Relativitätstheorie** (1916), die in *beschleunigten* Systemen gelten soll. Einstein deutet die *Gravitation* als Krümmung des Raumes durch Masse, wie sich in der Geometrie Riemanns darstellen läßt.
So werden z. B. Lichtstrahlen in der Nähe großer Massen abgelenkt, d. h. sie folgen der Raumkrümmung als kürzesten Weg.
Die allg. Relativitätstheorie verändert unsere Vorstellung vom *Kosmos.*
Die Gesamtheit aller Massen bewirkt eine *Raumkrümmung,* die zu einer offenen oder geschlossenen Form des Universums führt (Abb. C).
Nach der bisher gängigsten »*Urknall-Theorie*« war das Universum im Anfang in einem extrem kleinen und heißen Punkt zusammengeballt. Mit dem Urknall, bei dem erst Raum und Zeit entstehen, expandiert das Universum entweder unendlich oder zieht sich wieder in den Ursprungszustand zusammen (abhängig von der Gesamtmasse).

Die **Quantenphysik** beschreibt die Vorgänge im *atomaren* Bereich. Sie beruht auf dem Prinzip, daß Wirkungen nur als ganzzahlige Vielfache des von Max Planck (1858–1947) entdeckten Wirkungsquantums übertragen werden. Physikal. Zustände ändern sich nicht stetig, sondern *diskret.*
N. Bohr benutzt die Quantentheorie zur Erklärung des Atomaufbaus und der spezif. Lichtspektren der chem. Elemente. Da das Licht teils wie Wellen verhält, teils wie »Energiepakete«, folgert De Broglie, daß auch Masseteilchen Wellenphänomene zeigen.
Die *Dualität* von Welle und Teilchen ist nach Bohr *komplementär* zu deuten:
als Beschreibungen, die sich gegenseitig ausschließen *und* ergänzen müssen.

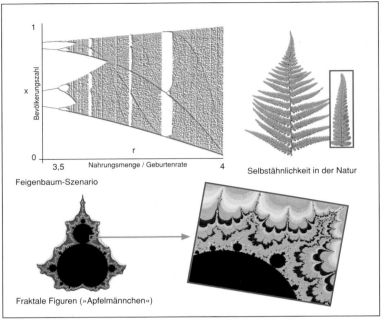

Feigenbaum-Szenario

Selbstähnlichkeit in der Natur

Fraktale Figuren (»Apfelmännchen«)

A Chaostheorie

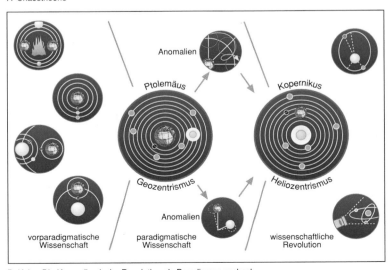

B Kuhn: Die Kopernikanische Revolution als Paradigmenwechsel

Grundlegend für die Mikrophysik ist W. HEISENBERGS **Unschärferelation**. Für die Beschreibung best. Größen von Quantenobjekten gilt, daß sie nicht mit beliebiger Genauigkeit zugleich gemessen werden können.

Je genauer der Impuls z. B. eines Elektrons gemessen wird, um so unbestimmter ist sein Ort, und umgekehrt.

Gleiches gilt für die Größen Zeitpunkt und Energie. Dies ist nicht durch bessere Beobachtung zu beheben.

Die »*Kopenhagener Deutung*« der Quantentheorie nimmt mit M. BORN an, daß die »Wellenfunktion«, die den Zustand eines Quantenobjekts beschreibt, nur die *Wahrscheinlichkeit* für die versch. zu erzielenden Meßergebnisse angibt. Erst durch die Messung wird einer der vorher möglichen Zustände festgelegt (»Reduktion der Wellenpakete«). Was zwischen den Messungen geschieht, läßt sich nicht »an sich« bestimmen.

Die Quantentheorie beinhaltet einen *Indeterminismus,* da die Objekte nicht genau bestimmbaren Eigenschaften an sich besitzen.

So erscheint z. B. im *Doppelspaltversuch* (Abb. D, S. 184) eine Überlagerungsfigur, die nicht der Addition der Teilchen durch die einzelnen Spalten entspricht. Der Gesamtzustand des Systems ist versch. von der Summe der Teilsysteme.

Der *Meßvorgang* in der Quantenphysik wirft erkenntnistheoret. Probleme auf. Die Wechselwirkung von beobachtetem Quantenobjekt und Meßapparat erzeugt ein erneutes Gesamtsystem aus beiden, das seinerseits wieder durch ein anderes Meßgerät beschrieben werden müßte etc. Am Ende steht der Mensch, der ein Ergebnis zur Kenntnis nimmt und dadurch mit Hilfe einer nicht-quantenmechan. Beschreibungsweise festlegt.

Die **Chaostheorie** beschäftigt sich mit *unvorhersagbarem* Verhalten in Systemen, die deterministischen Gesetzen unterworfen sind. Unter bestimmten Bedingungen können dynamische Systeme in einen »chaotischen« Zustand übergehen, in dem ihr Verhalten prinzipiell und nicht aufgrund von Unkenntnis, nicht mehr vorhersagbar ist.

Beispiele sind das Klima, Wachstum von Tierpopulationen oder das Strömungsverhalten von Flüssigkeiten.

Die geringste *Änderung des Anfangszustandes* führt in chaotischen Systemen zu einer völlig unterschiedl. Entwicklung.

Dies wirkt sich z. B. bei der Wettervorhersage aus, indem der Flügelschlag eines Schmetterlings im brasilian. Urwald Auslöser für einen Wirbelsturm in Nordamerika sein könnte.

Ein mathemat. Modell des *Übergangs* von Ordnung zu Chaos ist das sog. »*Feigenbaum-Szenario*« (Abb. A):

Bei zunehmendem Wert r schwingt der x-Wert zunächst zwischen zwei Punkten,

dann vier etc., bis er ein regelloses Punktmuster bildet. Auch im chaotischen Bereich finden sich allerdings »Inseln von Ordnung«.

Ein Beispiel für diese Dynamik ist die Größe einer Tierpopulation in Abhängigkeit von der Nahrung. Wird die Nahrungsmenge über ein best. Maß zunehmend erhöht, so schwankt die Bevölkerungszahl zunächst periodisch zwischen einzelnen Werten, um bei weiterer Erhöhung schließlich unvorhersagbar zu werden.

Das Verhalten chaotischer Systeme läßt sich geometr. durch *fraktale* Figuren darstellen (Abb. A). Die filigranen Ränder dieser Gebilde sind die Grenze des Übergangs zum Chaos. In diesem Bereich schwingt das System zwischen best. Werten. Er besteht aus *selbstähnlichen* Figuren, die bei zunehmender Vergrößerung immer wieder auftauchen.

Das Prinzip der Selbstähnlichkeit findet sich auch im Bauplan der Organismen.

Der Physiker **Thomas S. Kuhn** (geb. 1922) entwirft in seinem Buch ›Die Struktur wissenschaftlicher Revolutionen‹ ein neues Verständnis der **Wissenschaftsentwicklung**. Er kritisiert die bisherige Wissenschaftstheorie (s. S. 183 u. 219), derzufolge die Geschichte der Naturwissenschaft als eine kontinuierliche Anhäufung von Erkenntnissen betrachtet wird, die sich aufgrund genauerer Daten und umfassenderer Theorien vollzieht.

Demgegenüber vertritt KUHN die Auffassung, daß die wiss. Entwicklung *Phasen* durchläuft:

In der *vorparadigmatischen* Periode besteht unter den Forschern kein Konsens bezüglich der Grundlagen des Faches, die Forschung ist daher wenig zielgerichtet.

In der *reifen* (»normalen«) Phase gelingt einer Schule ein entscheidender Durchbruch. Es wird ein **Paradigma** vorbildhaft, dem sich die anderen anschließen. Paradigmen sind begrifflich-methodolog. Systeme eines Forscherkollektivs, die den Rahmen akzeptierter Methoden vorgeben und über die Anerkennung von Problemen und Problemlösungen entscheiden.

In dieser Phase tauchen dann *Anomalien* auf, die mit dem geltenden Paradigma nicht gelöst werden können und die gehäuft zur Krise führen. Es kommt dann zur einer *wiss. Revolution*, ein neues Paradigma tritt an die Stelle des alten.

Kennzeichnend für KUHNS Vorstellung ist, daß altes und neues Paradigma *inkommensurabel* (nicht vergleichbar) sind; das neue Paradigma entwickelt sich nicht kontinuierlich aus dem alten, zwischen beiden besteht ein Bruch.

Es ändert sich das Verständnis dessen, was überhaupt als Problem wahrgenommen wird, es entstehen neue Begriffe und die Wissenschaftler leben in einer »anderen Welt«, weil sich ihre Perspektive ändert.

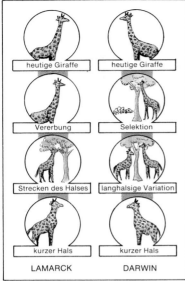

A Evolution nach Darwin und Lamarck

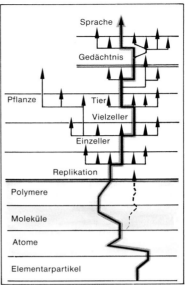

B Evolution auf allen Ebenen

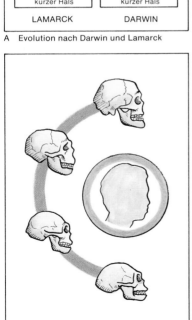

C Ideale Lebewesen treten in der Evolution faktisch nicht auf

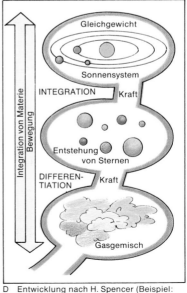

D Entwicklung nach H. Spencer (Beispiel: Entstehung eines Sonnensystems)

Die v.a. im 19. Jh. entstehenden Theorien über eine **Entwicklung** auch im Bereich der Natur sind von Bedeutung nicht nur für die Biologie, sondern auch für die Naturphilosophie, die Anthropologie und die Erkenntnistheorie.

Frühe Theorien erkennen bereits einen Artwandel an und eröffnen damit den Zugang zu umfassenden Aussagen zur **Evolution:**

G. Cuvier (1744–1832) wertet die Zeugnisse der Paläontologie als Anhaltspunkt für *Katastrophen,* nach denen die Lebewesen verbessert neuerschaffen werden.

E. G. de St. Hilaire (1772–1832) erkennt in *homologem* Bauplan gleiche Abstammung.

J. W. v. Goethe (1749–1832) postuliert eine *wandelbare Urform* von Pflanze und Tier.

Bedeutend ist der Ansatz von J. B. Lamarck (1744–1829):

er unterstellt den Organismen einen *Vervollkommnungstrieb,* der nach immer komplexeren Strukturen strebt.

Vorangetrieben wird diese *Evolution* durch den Bedürfnissen folgende Anpassung, die weitervererbt wird.

Z. B. der Giraffenhals: Giraffen hatten ursprünglich kurze Hälse, waren aber gezwungen, diese dauernd zu strecken, um die Blätter hoher Bäume zu erreichen. Dies führt zu einer Verlängerung des Halses, die weitervererbt wird. (Abb. A)

Demnach bestimmt das Verhalten den Körperbau, der Gebrauch das Organ.

Bestimmend wird das Modell von **Ch. Darwin** (1809–82). In seinem Werk ›Die Entstehung der Arten durch natürl. Zuchtwahl‹ (1859) gibt er der Artkonstanz endgültig auf:

Alle Lebewesen haben mehr Nachkommen, als zu ihrer Erhaltung notwendig wäre. Darunter gibt es abweichende Formen mit veränderten Eigenschaften (*Variation,* heute: Mutation), die sich im Kampf ums Dasein (engl. struggle for life) durchsetzen und stärker vermehren. Die Auslese (Selektion) der jeweils an ihre Umwelt am besten Angepaßten führt zur Weiterentwicklung der Art. Aus der Variation/Mutation und der Selektion gehen alle Tier- und Pflanzenarten hervor. (Abb. B)

Der grundlegende Gedanke Darwins wird im 20. Jh. durch eine Fülle von Erkenntnissen (v. a. *Genetik* und *Molekularbiologie*) gestützt und erweitert.

Philosophisch relevant sind u. a. folgende Ergebnisse der mod. Biologie:

– keine Art bleibt ewig unverändert. Die Naturwiss. tendiert zu einer Absage an den »Essentialismus« (Popper), der **konstante Wesenheiten** annimmt. In der Biologie wird die Vorstellung einer *idealen* Tier- und Pflanzenart aufgegeben zugunsten einer dynam. Def. der Spezies, z. B.

»als Gruppen sich untereinander fortpflanzender, natürl. Populationen« (E. Mayr);

– biologisch ist die überragende Stellung des **Menschen** als »Krone der Schöpfung« ins Wanken geraten.

Seit Darwins Werk ›Die Abstammung des Menschen‹ (1871) ist die Entwicklung des Menschen in die natürl. Evolution allen Lebens eingereiht. Auch der Mensch ist nur ein Glied im Lebensstrom.

– Die Untersuchung der chem.-physikal. Grundlagen der Evolution in Genetik und Molekularbiologie führt schließlich zur Stellung der biot. Evolution als Sonderfall einer *kosmischen* Evolution.

Damit wird die traditionelle Kluft zwischen belebter und unbelebter Materie relativiert; Phänomene der Selbstreplikation und Selektion lassen sich vor dem Leben auf Ebene der Moleküle nachweisen (**prä-** oder **a-biotische Evolution**).

– Untersuchungen über allg. Gesetzmäßigkeiten aller evolutionären Vorgänge führen zu **System-** und **Spieltheorien.**

Sie klären das Wechselspiel zwischen *Zufall* (z. B. Mutation) und *Notwendigkeit* (z. B. Selektionsdruck). Allg. Ergebnis ist die Selbstorganisation der Materie, die *poststabil-(is)ierte Harmonie* (R. Riedl):

evolutionäre Prozesse folgen nicht vorgegebenen Gesetzen, sondern ihre Gesetze entwickeln sich mit ihnen.

Damit lehnt die mod. Biologie auch eine durchgängige *Determination* ab. In der Evolution ist nichts streng vorgeplant, weder durch durchgehenden *Kausalnexus,* noch durch vollständige *Finalität.*

Die vom Entwicklungsgedanken v. a. im 20. Jh. vollzogene **Ausweitung** auf Fragen der Anthropologie, der Kultur und des Kosmos hat Vorläufer im 19. Jh.:

– vor Darwin hatte **H. Spencer** (1820–1903) die Entwicklung zum Prinzip erhoben.

In Essays über die Bevölkerung und die Psychologie (1855) vertritt er den Entwicklungsgedanken, den er im ›System der Synthet. Philosophie‹ (1862–96) auf alle Wissensbereiche ausdehnt. Der Titel deutet Spencers Interpretation

»der Phänomene des Lebens, des Geistes und der Gesellschaft in Kategorien von Materie, Bewegung und Kraft«

an. Als oberstes Gesetz findet er das der Entwicklung aus *Integration* und *Differentiation.* Demnach ist Entwicklung allg.

»Integration von Materie und Schwund von Bewegung; während Auflösung Aufnahme von Bewegung und Desintegration von Materie ist.« (Abb. D)

– Nach Darwin hat v. a. E. Haeckel (1834–1919) dessen Theorien verbreitet und sie zu einem *Monismus* ausgedehnt.

Von Haeckel stammt die *biogenetische Grundregel:*

»Die Ontogenese [Entwicklung des Individuums] ist die kurze und schnelle Rekapitulation der Phylogenie [E. der Art].«

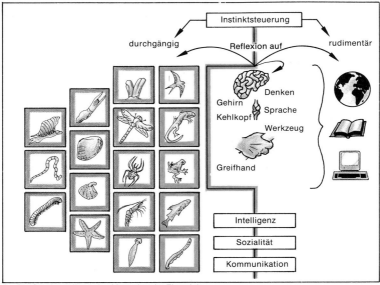

A   Die Sonderstellung des Menschen im Tierreich

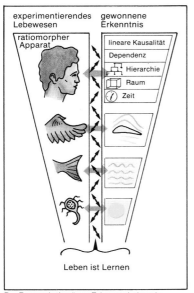

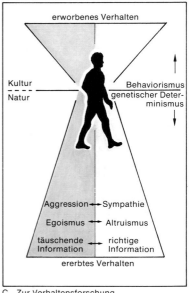

B   Zur evolutionären Erkenntnistheorie

C   Zur Verhaltensforschung

Die Deszendenztheorien der Biologie konnten nicht ohne Wirkung auf die **Anthropologie** i. w. S. bleiben.
Der Vergleich mit dem Tier ergibt beim Menschen **biolog. Besonderheiten:**
– eine verkürzte *Embryonalentwicklung.*
Der Mensch wird höchst unfertig geboren und bleibt somit lange Zeit nicht natürl., sondern kultureller Prägung ausgesetzt.
– eine Fülle von *Mängeln.*
Der Mensch ist mangels biolog. Waffen (Zähne, Krallen, schneller Fortbewegung) etc. auf kulturelle Stützen angewiesen.
– die *Instinktreduktion.*
Im Ggs. zum Tier ist der Mensch nicht durch Instinkte festgelegt. Das Tier ist durch diese in die Umwelt eingepaßt, der Mensch fällt aus der Schöpfung heraus. Positiv liegt hierin begründet, daß der Mensch »weltoffen« (SCHELER) oder »exzentrisch« (PLESSNER) ist.

Auch diese Unterschiede werden in der Biologie auf genet.-evolutionäre Grundlagen gestellt:
»Nur Großhirn, Kehlkopf und Hände sind . . . in progressiver Entwicklung« (R. RIEDL)
Den Menschen zeichnen u. a. seine relativ große Intelligenz, seine bes. handwerkl. Fähigkeiten und seine differenzierte Sprache (»Adamsapfel«) aus.

Neben der organ. Ausstattung, die per se in den Bereich der Biologie fällt, und den u. a. von der Systemtheorie unternommenen Versuchen, die ›*Strategie der Genesis*‹ (R. RIEDL) in allen Bereichen der realen Welt als wirksam aufzuzeigen, untersuchen u. a. **Evolutionäre Erkenntnistheorie** und **Verhaltensbiologie** biolog. Grundlagen menschl. Daseins.

Bahnbrechend für die **Evolutionäre Erkenntnistheorie** ist K. LORENZ' Schrift: ›Kants Lehre vom Apriorischen im Lichte gegenwärtiger Biologie‹ (1941).
Grundlegender Gedanke ist, daß die Vorgegebenheiten unseres Denkens (KANTS »a priori«) der Evolution entspringen.
LORENZ' Untersuchung des »Weltbildapparates« des Menschen basiert auf dem fundamentalen Prinzip: *Leben ist Lernen.* Evolution ist ein erkenntnisgewinnender Prozeß:
»Unsere . . . festliegenden Anschauungsformen und Kategorien passen aus ganz denselben Gründen auf die Außenwelt, aus denen der Huf des Pferdes . . . auf den Steppenboden, die Flosse eines Fisches . . . ins Wasser paßt.«
Da unser Weltbildapparat im Selektionsdruck von Jahrmillionen sich keine existenzgefährdenden Irrtümer hat leisten können, sind seine Vorgaben in wesentl. Übereinstimmung mit der abgebildeten Umwelt.
Andererseits versagen unsere »Welt-Wiedergaben« bei komplexen Zusammenhängen

(z. B. Wellenmechanik und Atomphysik). Unsere ererbten Anschauungsformen von Raum, Zeit, Kausalität beanspruchen daher höchste *Wahrscheinlichkeit,* nicht aber letztl. Sicherheit. So LORENZ:
»Unsere Arbeitshypothese lautet also: Alles ist Arbeitshypothese.«
Nach BRUNSWIK (1934) wird diese ererbte Form der Verrechnung der Außenwelt **»ratiomorpher Apparat«** benannt. RIEDL sieht in ihm folgende Hypothesen am Werk
– *Vergleichshypothese:* wir vermuten bei gleichen Gegenständen gleiche Eigenschaften.
– *Dependenzhypothese:* wir vermuten Ordnungsmuster in der Welt.
Wiederkehr von Strukturen (Normenhypothese) – Stetigkeit in der Kombination gewisser Merkmale (Interdependenz) – jedes Ding an seinem Ort (Hierarchie) – zeitliche Konstanz: Tradierung.
– *Zweckhypothese:* analog zu menschlichen Zwecken unterstellen wir objektiv-allg. Zwecke.
– *Kausalitätshypothese:* wir vermuten für alles eine Ursache, und zwar eine lineare.
Diese nimmt z. B. nicht auf Rückkopplung und Kausalnetze Rücksicht. Umgekehrt erwarten wir bei bekannter Ursache eine best. Folge (Exekutivhypothese).

V. a. im ethisch relevanten Spannungsfeld zwischen angeborenem und erworbenem Verhalten, zwischen Behaviorismus und genet. Determinismus weist die mod. Biologie wichtige Ergebnisse auf.
Vergleichend zwischen Mensch und Tier ermittelt die **Verhaltensforschung** offensichtlich angeborene Verhaltensweisen.
So z. B. das *Kindchenschema:* Auf best. Merkmale (hohe Stirn, große Augen, großer Kopf) reagieren wir mit spontaner Zuneigung.
In vielen Studien haben v. a. I. EIBL-EIBESFELDT und K. LORENZ »moralanaloges Verhalten« beim Tier bzw. ererbte Eigenschaften des Menschen untersucht.
Moral. Phänomene wie Egoismus und Altruismus treten im Tierreich genauso auf wie das der Aggression und deren Kontrollmechanismen.
Aufgrund der *Ambivalenz* der natürl. Ausstattung (z. B. Aggression und Sozialverhalten) muß die fakt. Bestimmtheit durch angeborene Verhaltensweisen als *Ist-Zustand* zur Kenntnis genommen werden,
kann aber nicht als Richtschnur des *Sollens* dienen.
Dies aber tut der *Sozialdarwinismus,* der DARWINS »survival of the fittest« auf die menschl. Gesellschaft überträgt. DARWIN selbst hatte sich dagegen verwahrt,
»den Grund der edelsten Steine unserer Natur im niedrigen Prinzip der Selbstsucht zu suchen«.

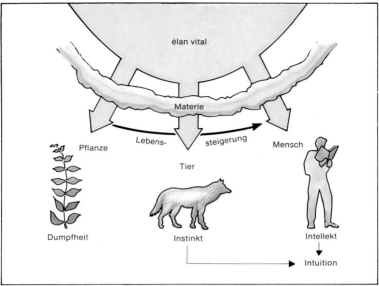

élan vital

Materie

Lebens-   steigerung

Pflanze   Tier   Mensch

Dumpfheit   Instinkt   Intellekt

Intuition

A   Bergson: »élan vital«

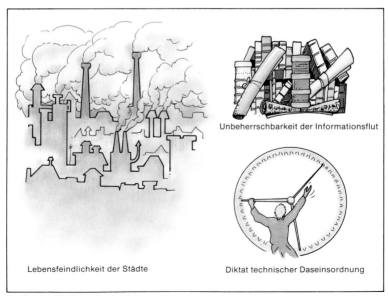

Unbeherrschbarkeit der Informationsflut

Lebensfeindlichkeit der Städte   Diktat technischer Daseinsordnung

B   Simmel: Die Tragödie der Kultur

Henri Bergson (1859–1941) will eine neue Metaphysik begründen. Er geht dabei von den Ergebnissen einzelwiss. Forschung aus, überschreitet diese aber, um zu einer intuitiven Schau zu gelangen.

In seinem Hauptwerk ›Schöpfer. Entwicklung‹ entwirft BERGSON, in der Auseinandersetzung mit der Evolutionstheorie, eine umfassende Philosophie des **Lebens.**

Das Leben ist ein dauernder schöpferischer Prozeß, getragen vom »**élan vital**« (Lebensimpuls), der sich in immer neuen Formen entfaltet und differenziert.

Der der naturwiss. Forschung zugrundeliegende Verstand vermag das Lebendige nicht zu begreifen, da seine stat., abstrahierende und isolierende Betrachtungsweise dem Dynamischen und Einmaligen des Lebens nicht gerecht werden kann. Dies beruht auch auf dem verräumlichten, quantitativen Zeitbegriff der Naturwiss. Er steht im Widerspruch zu der zum Lebensstrom zugrundeliegenden **Dauer** (durée), als dem unteilbaren, schöpfer. Fluß, der das Frühere in sich bewahrt und in das Kommende trägt.

Die Dauer ist erfaßbar im inneren Erleben, das der reinen Qualität und Intensität der Bewußtseinszustände entspricht.

Der »élan vital« differenziert sich in 3 Lebensformen:

Pflanze, Tier und Mensch,

die im Durchdringen der Materie hervorgebracht werden.

Der den Tieren eigene *Instinkt* und der *Intellekt* des Menschen sind Weisen instrumentellen Handelns, wobei der Instinkt dem Leben näher steht und eine urspr. Eingebundenheit zum Ausdruck bringt, sich selbst aber nicht reflexiv begreifen kann. Der Intellekt richtet sich auf das Statische und Materielle und ist im Grunde nur im Bereich der techn. Bewältigung zu Hause.

Die Teilnahme am schöpfer. Lebensimpuls ist nur durch eine Vertiefung des Bewußtseins in der **Intuition** möglich, die Instinkt und Intellekt verbindet.

In seiner Schrift ›Die beiden Quellen der Moral und der Religion‹ unterscheidet BERGSON eine offene und eine geschlossene Form der Moral und Gesellschaft.

Die *geschlossene* Gesellschaft erlegt dem einzelnen eine Totalität von Haltungen auf, innerhalb dieser der Moral als ein System unpersönlicher, von den Erfordernissen der Gemeinschaft diktierter Normen fungiert.

Die *offene* Moral dagegen beruht auf Freiheit, Liebe und gelebtem Vorbild.

Ähnlich steht die in der *statischen* Religion herrschende Verfestigung im Dienste des Erhalts der jeweiligen Gesellschaft. Sie wirkt als Schutz vor Angst und Unsicherheit, während das Wesen der *dynamischen* Religion in der *Mystik* liegt, deren Ziel das Einswerden mit dem Schöpfer ist.

Die Philosophie **Georg Simmels** (1858–1918), Mitbegründers der Soziologie, läßt sich in ihrer letzten Phase der Lebensphilosophie zurechnen.

Leben strebt danach, sich zu erweitern, zu reproduzieren, zu steigern und letztlich die eigene Sterblichkeit zu überwinden. In diesem Prozeß steht es in aktiver Auseinandersetzung mit seiner Umwelt, die ihm Raum und Grenze gibt.

Dabei bringt das Leben sozial-kulturelle **Formen** hervor, die ihren Ursprung in diesem Schaffensprozeß des Lebens haben, aber sich nun von ihm ablösen (»Wendung zur Idee«) und ihre eigene Gesetzlichkeit und Dynamik entfalten, die nicht mehr auf die Eigenschaften ihres Ursprungs zurückzuführen sind.

Nur durch die Teilnahme an dieser »objektiven Kultur« (z. B. Wissenschaft, Recht, Religion) findet der einzelne zu seiner »subjektiven Kultur.«

Gleichzeitig aber entsteht ein dauernder zerstörer. Konflikt, da die objektiven Formen die schöpfer. Weiterentwicklung des Lebens behindern, indem sie ihm ihre eigene, fremde Gesetzlichkeit aufzwingen und sich verfestigen.

Die »*Tragödie der Kultur*« liegt für SIMMEL darin,

»daß die gegen ein Wesen gerichteten vernichtenden Kräfte aus den tiefsten Schichten dieses Wesens selbst entspringen«.

Der menschl. Freiheit ist es aufgegeben, im Streit mit den erstarrten Formen neue Horizonte des Lebens zu eröffnen.

Für die **Ethik** bedeutsam ist SIMMELS Konzeption des »*individuellen Gesetzes*«. Dieses ist nicht von einer allg. Norm abhängig, sondern beruht auf dem individ. Sollen, dem der Lebensverlauf der Person untersteht. Es behält das Merkmal unbedingter Verbindlichkeit, vermag aber die Einmaligkeit und Geschichtlichkeit des Individuums in das Sollen zu integrieren, was einem allg. Gesetz unmöglich ist.

Für **Ludwig Klages** (1872–1956; Hauptwerk: ›Der Geist als Widersacher der Seele‹) zeigt sich das Leben in den Polen von **Seele** und **Leib,** wobei die Seele der Sinn des Leibes, dieser der Ausdruck der Seele ist. Das urspr. Erleben ist gerichtet auf die uns begegnende Wirklichkeit der *Bilder.* Die Urbilder des alles gestaltenden Lebens sind für die Seele das Wirkliche und Wirksame. In diese kosm. Lebenswelt

bricht an der Schwelle zu den frühen Hochkulturen der **Geist** ein, als eine fremde, eigenständige Macht.

Indem dieser alles Lebendige zum bloßen Objekt verwandelt, verbegrifflicht und zergliedert, zerschneidet er die urspr. Harmonie des Lebens und droht, in Verbindung mit einem selbstherrlichen Willen, unsere Lebenswelt zu zerstören.

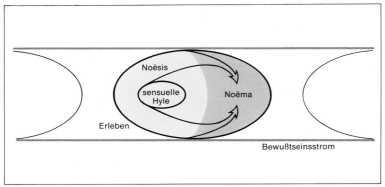

A Intentionales Erlebnis

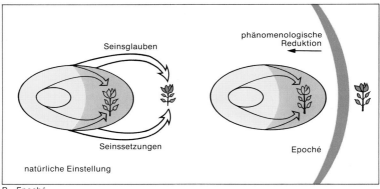

B Epoché

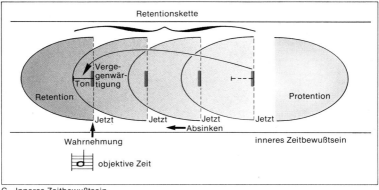

C Inneres Zeitbewußtsein

Edmund Husserl (1859–1938) ist der Begründer der philosoph. Richtung der **Phänomenologie**, die zu den einflußreichsten dieses Jh. gehört. Hinter der Bezeichnung steht die Forderung, sich in der Philosophie aller vorschnellen Weltdeutung zu enthalten und sich vorurteilsfrei an die Analyse dessen zu halten, was dem Bewußtsein erscheint.

HUSSERLS Ziel war es, mittels der phänomenolog. Methode die Philosophie als »strenge Wissenschaft« zu begründen.

In seinen ›Logischen Untersuchungen‹ (1900/01) bricht HUSSERL mit dem damals verbreiteten Psychologismus. Dieser behauptet, daß die Gesetze der Logik nichts anderes seien als der Ausdruck der psych. Gesetzlichkeiten, die ihnen zugrundeliegen und auf die sie zurückzuführen sind.

Dem entgegen steht HUSSERL die *Idealität* der reinen Logik nach, deren Gesetze unabhängig vom fakt. Vorkommen von Denkvorgängen gelten.

Bereits in der 5. und 6.›Log. Untersuchung‹ werden die Grundlagen der phänomenolog. Bewußtseinsanalyse gelegt, die dann in den ›Ideen zu einer reinen Phänomenologie und phänomenolog. Philosophie‹ (1913) entfaltet werden. Alle ihre Feststellungen sollen sich

auf die intuitive anschaul. Selbstgegebenheit der Phänomene des Bewußtseins gründen.

Grundlage ist dabei der Begriff der **Intentionalität,** den HUSSERL in Anlehnung an FRANZ BRENTANO (1838–1917) aufgreift. BRENTANO bezeichnet damit

die Eigenart psych. Phänomene, im Unterschied zu physischen, auf etwas gerichtet zu sein, d. h. immer Bewußtsein *von etwas* zu sein.

HUSSERL baut diesen Begriff aus. Die Intentionalität des Bewußtseins verweist auf

die durchgängige *Korrelation* zwischen den Vollzügen des Bewußtseins (z. B. wahrnehmen, erinnern, lieben), die sich auf einen Gegenstand beziehen (Akte des Vermeinens: **Noësis,** Pl. Noësen) und dem Gegenstand, wie er in diesen Vollzügen erscheint (das Vermeinte: **Noëma,** Pl. Noëmata).

Der vermeinte Gegenstand ist dabei Resultat einer Synthese, in der mannigfaltige Noësen zur Einheit eines Gegenstandsbewußtseins gebracht werden. Noëma ist nicht der Gegenstand in seinem Wirklichsein an sich, sondern der in der sinngebenden Funktion der Bewußtseinsvollzüge intentional enthaltene. Als Unterlage für die Noësen dienen die Empfindungsdaten (sensuelle Hyle).

Daher spielt für Husserl die Analyse der *Wahrnehmung* eine bedeutende Rolle.

Sensuelle Hyle und die Noësen bilden die reellen Gehalte im Erleben, das Vermeinte (Noëmata) ist der irreelle Gehalt (intentionaler Gegenstand).

Ein Grundzug der Intentionalität ist das Streben nach **Evidenz.** Evidenz meint

die *zweifellose* Selbstgegebenheit eines intentional Vermeinten für ein originär erfassendes Bewußtsein.

Um die Phänomene solcherart in den Blick zu bekommen, bedarf es einer grundsätzl. Änderung unserer natürl. Einstellung zur Welt, die HUSSERL **phänomenologische Reduktion** nennt. In der natürl. Einstellung fällen wir beständig Urteile über das Sein der Gegenstände an sich (Seinsglaube). Die phänomenolog. Einstellung dagegen

enthält sich jegl. Urteils über Sein oder Nichtsein der Gegenstände und ermöglicht so die vorurteilsfreie Betrachtung des reinen Bewußtseins,

d. h. dessen, was als Phänomene in der Korrelation von Noësis und Noëma gegeben ist.

HUSSERL bezeichnet dieses Verfahren mit einem Begriff aus der antiken Skepsis als **Epoché** (Enthaltung).

Ein weiterer Grundzug der Phänomenologie ist die **eidetische** (eidos: Wesen) **Reduktion.** Nicht die Einzelfälle intentionalen Erlebens bei best. Menschen sind ihr Gegenstand, sondern die wesensmäßigen Grundgesetze der Erlebnisse. Phänomenologie in diesem Sinn ist *Wesensschau.*

Mit Hilfe der Reduktion ist es nun möglich zu klären, aufgrund welcher Leistungen sich das Bewußtsein selbst und wie sich Gegenständlichkeit, und damit Welt, im Bewußtsein **konstituiert.** Als Hintergrund der Konstitution zeigt sich

die Identität des reinen *Ich,* in dessen Selbstbewußtsein der Zusammenhang der Erlebnisse gründet.

In der Durchführung der phänomenolog. Methode entfaltet HUSSERL eine Fülle von subtilen Analysen. Hervorzuheben ist die Phänomenologie des **inneren Zeitbewußtseins.** Hier stellt HUSSERL, wie sich das Bewußtsein einer objektiven Zeit, innerhalb derer Gegenstände und Ereignisse an einer unverrückbaren Stelle lokalisiert werden, auf das innere Bewußtsein der Zeitlichkeit der Erlebnisse gründet.

Primär ist dabei das *Gegenwartsbewußtsein,* als aktuelles Jetzt der Empfindung, weil es der Ort aller Vergegenwärtigung vergangener und zukünftiger Erlebnisse ist.

Die Gegenwart ist nicht punktuell, sondern zeigt eine Ausdehnung, aufgrund derer das eben Gewesene noch gegenwärtig erlebt wird *(Retention)* und das sogleich Kommende schon erwartet ist *(Protention).*

Das gegenwärtige Jetzt ist durch eine Kette von Retentionen mit Vergangenem verbunden, dessen gegenwärtiges Jetzt es einmal war.

Diese Retentionskette, die als »abgesunkenes« Gegenwärtiges erhalten bleibt, ermöglicht es, in der Erinnerung Vergangenes an seiner Stelle aufzufinden und zu vergegenwärtigen.

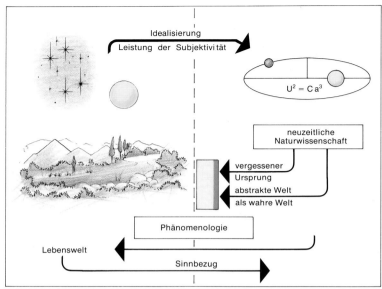

A   Husserl: Die Lebenswelt als Sinnesfundament der Wissenschaft

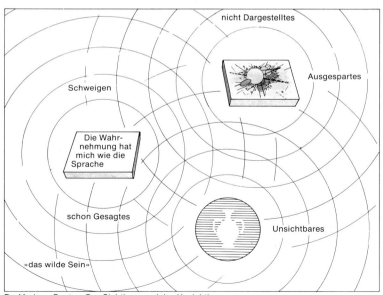

B   Merleau-Ponty: »Das Sichtbare und das Unsichtbare«

Eine weitere wichtige konstitutive Leistung des Bewußtseins, neben Raum und Kausalität, ist die der **Intersubjektivität.** Das Problem, wie das auf seine Erlebnisse bezogene Ich zu der Annahme eines Fremd-Ich kommt, ist deshalb von Bedeutung, weil so die Frage geklärt werden muß,

wie Objektivität im Sinne der Geltung für eine Vielzahl von Subjekten zustandekommt.

Das Bewußtsein der Existenz eines anderen Ich ergibt sich aus der eigenen *Leib*erfahrung. Aufgrund dieser nehme ich wahr, daß die Erscheinungsweise best. Körper nur so zu erklären ist, daß sich in ihnen der Leib eines anderen Ich manifestiert.

Ich lebe so in einer Welt, die von anderen Subjekten miterfahren wird und mit ihnen gemeinsam ist. Die Welt ist somit für jedermann und damit intersubjektiv bestimmt.

In seinem Spätwerk (›Die Krisis der europ. Wissenschaften und die transzendentale Phänomenologie‹, 1936) vollzieht Husserl einen Neuansatz seines Denkens, der um den Begriff der **Lebenswelt** kreist. Lebenswelt ist

die Gesamtheit der mögl. Erfahrungshorizonts, innerhalb dessen ein wahrnehmend-erfahrendes Ich auf Gegenständlichkeit gerichtet ist.

Die Geschichte der Kultur zeigt sich nun nach Husserl als eine Folge von *»Urstiftungen«,* in denen das Bewußtsein einer Kulturgemeinschaft sich auf eine neue Gegenständlichkeit hin übersteigt. Die für uns folgenschwerste Urstiftung ist

die neuzeitl. mathematisierende Naturwiss. seit Galilei und die ihr entspringende Haltung des Objektivismus.

Mit ihr wird die Welt der abstrakten mathemat. Gegenstände zur allein wahren Welt erklärt.

Indem diese Welt aber keinen Bezug zur subjektiv anschaul. Lebenswelt mehr hat, verlieren die Wissenschaften ihre Lebensbedeutsamkeit und führen zu der Sinnkrise der Moderne.

Dabei ist in Vergessenheit geraten, daß die objektiven Wiss. selbst subjektive Erzeugnisse aus einer lebensweltl. Praxis sind, also einer konstitutiven Leistung des Subjekts entspringen. So ist etwa die Geometrie entstanden aus der Idealisierung anschaulich gegebener Wahrnehmungswelt.

Daher hat die objektive Wissenschaft ihren Ursprung und Sinnbezug in der Lebenswelt, der sie angehört. Die Lösung der Sinnkrise kann daher nur die Phänomenologie leisten, die aufzeigt, wie sich die Lebenswelt aus den Leistungen der transzendentalen Subjektivität aufbaut.

Die Phänomenologie fällt bes. in Frankreich auf fruchtbaren Boden. **Maurice Merleau-Ponty** (1908–61) bemüht sich um eine Neubestimmung des Verhältnisses von **Natur**

und **Bewußtsein** im Menschen. Er wendet sich sowohl gegen eine naturalist. Sichtweise, die die menschl. Phänomene von außen kausal erklärt, als auch gegen eine kritizistische, die alles von innen durch das reine Bewußtsein begreifen will. Dagegen weist er auf

eine *»dritte Dimension«,* die den lebendigen Bezug von Natur und Bewußtsein offenlegt.

In ›Die Struktur des Verhaltens‹ zeigt er, daß das Verhalten weder als bloßer Komplex von körperl. Mechanismen, noch als rein geistige Tätigkeit begriffen werden kann. Der mittlere Bereich ist vielmehr zu beschreiben in den Begriffen von *Struktur* und *Gestalt,* die die Wirklichkeit übergreifend organisieren.

»Struktur [ist] die unlösliche Verbindung zwischen einer Idee und einer Existenz, das kontingente Arrangement, durch das Materialien vor unseren Augen einen Sinn annehmen . . .«

Die ›Phänomenologie der Wahrnehmung‹ zeigt, wie unser Verhältnis zur Welt auf den unendlich offenen Horizont der **Wahrnehmung** bezogen ist, vorgängig aller wissenschaftlichen Objektivierung. So nimmt das Bewußtsein keinen unbeteiligten Beobachtungsstandpunkt ein, sondern ist immer *engagiertes* Bewußtsein, weil es auf den Kontakt zur Welt angewiesen bleibt.

Auch hier wird die unlösbare Verknüpfung von Bewußtsein und Körper betont.

Die Erfahrung unseres *Leibes* enthält so eine unaufhebbare **Doppeldeutigkeit** (ambiguïté), weil er weder ein reines Ding noch reines Bewußtsein ist.

In seinem Spätwerk (›Das Sichtbare und das Unsichtbare‹) bewegt sich Merleau-Ponty in Richtung auf eine **neue Ontologie.** Der Zwischenbereich von Subjekt und Objekt wird nun im Sein selbst gesucht. So spricht er z. B. von einem »Leib der Welt«.

Der Mensch steht der Welt nicht gegenüber, sondern ist Teil ihres Leibes, in dem die Strukturen, der Sinn, das Sichtbarden aller Dinge gründen.

Das Sein zeigt sich dem Menschen aber nicht in seiner Fülle, es entzieht sich völliger Transparenz. Diese Grenze der Erfahrung wird verdeutlicht an der Verbindung von Sichtbarem und Unsichtbarem.

Das Unsichtbare ist nicht ein Noch-nicht-gesehen-Sein, sondern eine prinzipielle Verborgenheit, die im Sehen selbst begründet ist.

Ein Gegenstand ist gegeben auf dem Hintergrund dessen, was nicht von ihm gesehen wird (ein in allen Perspektiven zugleich gesehener Gegenstand wäre ein Unding); zu einem Bild gehört, was der Maler ausgespart hat; ein Satz wird verständlich auf dem Hintergrund dessen, was schon gesagt ist, und dessen, wovon er schweigt.

Dieses unendliche Sein hinter uns nennt Merleau-Ponty das *rohe* oder *wilde Sein,* das sich jedem ordnenden Zugriff entzieht.

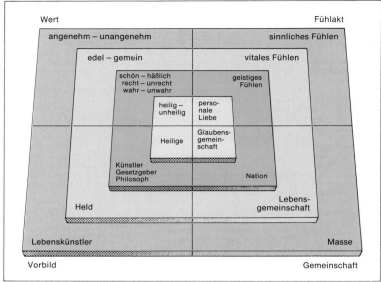

A Rangordnung der Werte

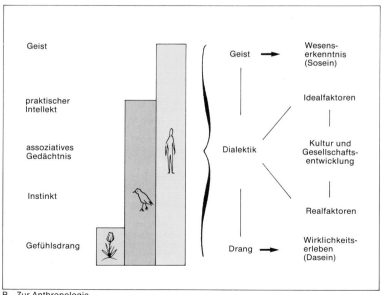

B Zur Anthropologie

Max Scheler (1874–1928) erweitert das Feld der Phänomenologie, indem er sie auf den Gebieten der Ethik, Kulturphilosophie und Religionsphilosophie zur Anwendung bringt.
Sein Verständnis von Phänomenologie verdeutlicht folgendes Zitat:

»An erster Stelle ist Phänomenologie . . . der Name für eine Einstellung des geistigen Schauens, in der man etwas zu erschauen oder zu er-leben bekommt, was ohne sie verborgen bleibt: nämlich ein Reich von ›Tatsachen‹ eigentüml. Art. . . . Das Er-lebte und Er-schaute ist ›gegeben‹ nur in dem er-lebenden und er-schauenden Akt selbst, in seinem Vollzug: es erscheint in ihm, und nur in ihm.«

In seinem Werk ›Der Formalismus in der Ethik und die materiale Wertethik‹ kritisiert er die formale Ethik KANTS und entwickelt im Gegenzug die Grundlagen seiner **Wertlehre.** Er ist der Überzeugung,

»daß dieser Koloß aus Stahl und Bronce [KANTS Sittengesetz] die Philosophie absperrt auf ihrem Wege zu einer konkreten einsichtigen . . . Lehre von den sittl. Werten, ihrer Rangordnung und den auf dieser Rangordnung beruhenden Normen; und damit zugleich von jedem auf wahrer Einsicht beruhenden Einbau der sittl. Werte in das Leben des Menschen«.

Werte sind dem Menschen in Akten des *Fühlens* a priori und ideal gegeben. Sie existieren nicht in einem an sich seienden »Wertehimmel«, sondern sind an die Person als Aktzentrum gebunden, aber doch

als ein ihr wesensnotwendiges *»emotionales Apriori«.*

SCHELER vermeidet KANTS Formalismus, da für ihn die Werte inhaltsbestimmt und an die Person gebunden sind, zugleich aber entgeht er einem Relativismus, indem er eine aprior. Ordnung der Werte behauptet.
Die Werte stehen in einer übergeschichtl. *Rangordnung.* Jeder Wertstufe entspricht

ein bes. Fühlakt, ein Personentyp und eine Gemeinschaftsform, wobei den höheren Werten der Vorzug zu geben ist (Abb. A).

Werte stellen sich an Dingen bzw. Gütern dar, sind aber in ihrer Wertqualität von ihnen unabhängig. In dieser Hinsicht sind sie

vergleichbar mit Farben, die auch an best. Gegenständen vorkommen, aber als Farbqualität von ihnen unabhängig sind.

SCHELER sieht das Wesen des Menschen nicht primär in seinem Denken oder Wollen, sondern in der **Liebe.**
Der Mensch ist ein *ens amans,* ein liebendes Wesen.
Alles Erkennen, alle Wertnahme gründet in der Fähigkeit der Teilnahme am Sein, die in der Liebe gegründet ist. Die Rangordnung der Werte und die wertnehmenden Handlungen bilden den *ordo amoris* eines Menschen.

»Wer den ordo amoris eines Menschen hat, hat den Menschen. Er hat für ihn als moral. Subjekt das, was die Kristallformel für den Kristall ist.«

Wesentlich für SCHELERS Denken ist der Begriff der **Person,** die er als Seinseinheit versch. *Akte (Fühlen, Denken, Wollen, Lieben)* begreift.

»Person ist die konkrete, selbst wesenhafte Seinseinheit von Akten verschiedenartigen Wesens . . .«

Davon unterschieden ist das *Ich,* das durch seine psychophys. Funktionen (z. B. Sinnesfunktionen) bestimmt ist.
Die Person ist einmalig und entzieht sich jeder Vergegenständlichung. Sie erfährt sich nur im Vollzug ihrer Akte und andere Personen im Mit-, Vor- und Nachvollzug von deren Akten.
SCHELER spricht auch von *Gesamtpersonen* (Nation und Kirche), denen er ein eigenes Bewußtsein zuspricht, das auf dem Zusammenhang gemeinsamer Akte beruht.
Eine bes. Stellung nimmt die *göttliche* Person ein, auf die hin die menschl. Person strebt.

Die Gottesidee ist der oberste Wert und die Gottesliebe die höchste Form der Liebe.

Seine zunächst christl. Gottesvorstellung ändert SCHELER später in Richtung auf eine werdende Gottheit.

In seiner späteren Zeit widmet sich SCHELER v. a. dem Projekt einer philosoph. **Anthropologie.** In der Schrift ›Die Stellung des Menschen im Kosmos‹ entwickelt er einen Stufenbau des Psychischen.
Die erste Stufe ist der *Gefühlsdrang,* der allem Lebendigen von der Pflanze bis zum Menschen eigen ist. Danach folgt der *Instinkt, assoziatives Gedächtnis, praktische Intelligenz* (Wahlmöglichkeit, Antizipationsfähigkeit) und schließlich

nur beim Menschen der *Geist.*

Durch ihn ist der Mensch von der Beschränkung auf das Organische entbunden. Zugleich tritt der Geist aber mit dem Prinzip alles Lebendigen, dem Drang, in Widerstreit.
Im Drang gründet alles Wirklichkeitserleben aufgrund der Widerstandserfahrung, die das Reale dem Drang entgegenstellt.

Das in diesem Widerstand erfahrene Sein nennt SCHELER *Dasein.* Der Geist dagegen ermöglicht die Erfahrung des *Soseins* (Wesen).

Die Dualität von Geist und Drang ist für die Entwicklung von Kultur und Gesellschaft entscheidend in Form des Zusammenwirkens von *Idealfaktoren* und *Realfaktoren.*
Der Geist hat an sich keine Kraft, um seine Wesenserkenntnis in die Wirklichkeit umzusetzen.
Erst dort, wo sich seine Ideen mit den Realfaktoren (Triebe, z. B. Selbsterhaltung, Interessen, gesellschaftliche Tendenzen) vereinen, gewinnen sie Wirksamkeit.

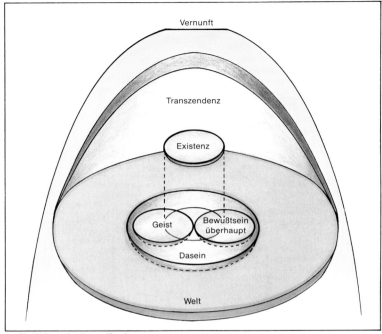

A   Die Weisen des Umgreifenden

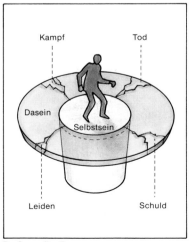

B   Grenzsituationen

C   Chiffren der Transzendenz

Unter den Existenzphilosophen des 20. Jh. ist **Karl Jaspers** (1883–1969) am stärksten von KIERKEGAARD (S. 163) beeinflußt. Er versteht seine Philosophie als Antwort auf die Herausforderung, die mit KIERKEGAARD und NIETZSCHE gestellt wurde. In späteren Jahren trat JASPERS auch als engagierter polit. Schriftsteller hervor.

In seinem ersten großen Hauptwerk ›Philosophie‹ (1932) zeigt JASPERS zunächst die Grenzen der wiss., objektiven Erkenntnis auf:

In den Wissenschaften wird alles Sein auf Objektsein reduziert, d. h. auf von außen Erforschbares.

Damit kann ich aber das Sein, das ich selbst bin, nicht begreifen, weil ich von mir selbst nur von innen wissen kann, im Innewerden meiner eigenen Möglichkeiten. Daher ist es die Aufgabe der *Existenzerhellung,*

jeden einzelnen auf die Ursprünge seines **Selbstseins** hinzuweisen, derer er sich bewußt werden muß und die er nur je selbst verwirklichen kann.

Was der Mensch eigentlich sein kann, ist mit seinem bloßen **Da-sein** noch nicht gegeben, sondern Aufgabe, die er in seiner Freiheit leisten muß.

Existenz = *Selbstsein*) bei JASPERS ist daher all dies, was wesentlich mein Selbst ausmacht,

im Unterschied zu allem, was mir nur äußerlich angehört, austauschbar ist und von Bedingungen abhängt, die ich nicht selbst gesetzt habe.

»Das Sein, das – in der Erscheinung des Daseins – nicht ist, sondern sein kann und sein soll und darum zeitlich entscheidet, ob es ewig ist. Dieses Sein bin ich selbst als Existenz.«

Der Mensch findet sich als Dasein in vorgegebenen Bedingungen natürl., kultureller, histor. Art, die er nicht selbst gesetzt hat. Aber in all dem entscheidet er noch über sich selbst, was er wesentlich ist.

Da der Mensch aber zunächst stets in der fraglosen Geborgenheit seiner äußeren Bedingungen lebt, bedarf es eines bes. Anstoßes, der ihn auf seine eigene Existenz zurückwirft.

Dies sind die **Grenzsituationen:**
Tod, Kampf, Leiden, Schuld.

Im Durchleben der Grenzsituationen wird offenbar, daß der vordergründige Halt an äußeren Lebensbedingungen zerbrechen kann und ich radikal auf mich selbst zurückgeworfen werde. Am stärksten geschieht dies im Bewußtsein des Todes, der das bloße Dasein schlechthin bedroht und zum Prüfstein wird:

Was angesichts des Todes wesentlich bleibt, ist existierend getan; was hinfällig wird, ist bloßes Dasein.

Aber der Mensch kann seine Existenz nicht ohne die Bedingungen des Daseins verwirklichen. Der Ausdruck dafür ist

die **Geschichtlichkeit** als Einheit von Dasein und Existenz, Notwendigkeit und Freiheit, Zeit und Ewigkeit.

Existenz gelangt auch nicht allein zur Selbstverwirklichung, sondern bedarf des anderen. Daher gewinnt die **Kommunikation** eine große Bedeutung.

Nur durch den anderen kommt der Mensch zur Klarheit über sich selbst.

Existentielle Kommunikation ist das gegenseitige Hervortreiben des Selbst im anderen. Wenn Existenz nicht aus dem bloßen Dasein sich begründen kann, so bedarf sie eines anderen Ursprungs.

Dieser wurzelt für JASPERS in der **Transzendenz.**

An ihr findet Existenz ihre Orientierung, und sie ist die Quelle und Möglichkeit ihrer Freiheit.

In seinem zweiten philosoph. Hauptwerk ›Von der Wahrheit‹ (1947) bringt JASPERS seine Gedanken in eine umfassendere Systematik durch die Lehre vom **Umgreifenden.**

Das Umgreifende ist das, was alles einzelne Seiende umgreift, ohne selbst von einem anderen umgriffen zu werden; es ist das Sein selbst.

Die sieben Weisen des Umgreifenden sind:

Dasein ist mein Leben in der es umgebenden Welt. Es ist der Erfahrungsraum, in den alles eintreten muß, was nicht zu sein kann.

Bewußtsein überhaupt ist das Medium des allgemeingültigen, objektiven Denkens.

Geist dagegen lebt in der Teilhabe an ganzheits- und sinnstiftenden Ideen.

Diesen Weisen, die ich selbst bin, steht als Objekt gegenüber die *Welt,* als der Raum, in dem alles, was überhaupt ist, in Erscheinung treten muß.

Diese immanenten Weisen des Umgreifenden werden überschritten und erfüllt von *Existenz* und von der *Transzendenz.*

Transzendenz wird von JASPERS auch bezeichnet als das Umgreifende des Umgreifenden, als der Urgrund allen Seins. Sie ist erfahrbar nur von Existenz durch die *Chiffren* (Symbole), die die Sprache der Transzendenz in der Immanenz sind. Im Lesen der Chiffren (zu solchen kann alles werden, z.B. Natur, Geschichte, das Scheitern) wird die Immanenz transparent auf Transzendenz hin.

Vernunft schließlich ist die in allen anderen Weisen wirkende einheitssuchende und Wahrheit hervortreibende Kraft.

Für JASPERS ist wesentlich, daß alle Weisen des Umgreifenden gleichursprünglich zusammengehören und ineinandergreifen. Jede hat ihren Wahrheitssinn im Angewiesensein auf die anderen.

Unwahrheit entsteht, wenn eine der Weisen isoliert und ihre Geltung absolut gesetzt wird.

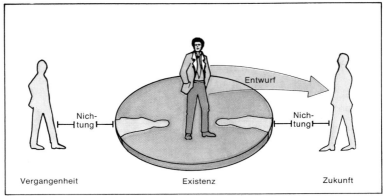

Vergangenheit   Existenz   Zukunft

A Existenz

»Das ›Vom-Anderen-gesehen-Werden‹ ist die Wahrheit des ›Den-Anderen-Sehens‹ «

B Der Blick

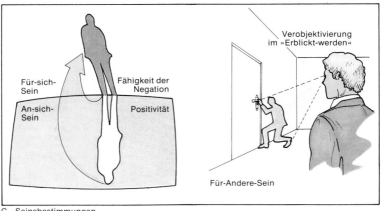

C Seinsbestimmungen

Jean-Paul Sartre (1905–80) Existentialismus ist beeinflußt von der Phänomenologie HUSSERLS, von HEIDEGGER, HEGEL und später vom Marxismus. Wie CAMUS verfaßt er auch Theaterstücke und Romane, wodurch der

Existentialismus bes. in Frankreich zeitweise zu einer »Modeströmung« wird.

SARTRES erstes Hauptwerk ›Das Sein und das Nichts‹ ist der Versuch einer *phänomenolog. Ontologie* und hebt damit an mit der Frage nach dem Sein. Er unterscheidet

An-sich-Sein, als das vom Bewußtsein unabhängige Sein der Dinge, vom **Für-sich-Sein**, als das durch Bewußtsein bestimmte Sein des Menschen.

Das An-sich-Sein bezieht sich weder auf sich selbst noch auf anderes; es ist weiterhin »dicht«, d. h. von keinem Nichtsein unterbrochene Positivität; es ist, was es ist. Erst mit dem Bewußtsein des Menschen wird das *Nichts* gegeben. Das Für-sich hat die Fähigkeit der Nichtung.

»Das Sein, durch das das Nichts in die Welt kommt, ist ein Sein, dem es in seinem Sein um das Nichts des Seins geht: das Sein, durch das das Nichts in die Welt gelangt, muß sein eigenes Nichts sein.«

Das ist die Bestimmung der menschl. *Existenz.* Diese trägt in sich ihre Negation, d. h. sie ist widersprüchlich:

Ein Sein, »das ist, was es nicht ist, und das nicht ist, was es ist«.

Damit soll ausgedrückt werden, daß der Mensch ein Sein ist, das sich über das Gegenwärtige hinaus auf die Zukunft hin entwirft; er ist wesentlich durch seine Möglichkeiten bestimmt. Durch diesen **Entwurf** ist er immer schon über sich hinaus,

er ist, was er *noch* nicht ist.

Der Mensch kann sich auch nicht auf das faktisch Gegebene reduzieren,

er ist nicht *nur,* was er ist, sondern

er ist, wozu er sich macht.

Die Seinsverfassung des Menschen ist daher **Freiheit,** denn er kann gar nicht anders, als sich selbst verwirklichen zu müssen, d. h. aus sich zu machen, was er ist; er ist zur Freiheit verurteilt.

Freiheit ist die Nichtung des An-sich durch den Entwurf.

Die Freiheit wird durch das faktisch Gegebene (z. B. Widerstand der Dinge, Mitmenschen, Leiblichkeit) nicht aufgehoben, denn erst die Freiheit enthüllt dieses als Grenze; es ist Begrenzung nur innerhalb eines konkreten Lebensentwurfs.

Da es für SARTRE keinen Gott gibt, der dem Menschen sein Wesen vorgibt, bestimmt er sich in seiner Existenz selbst:

»Was bedeutet hier, daß die Existenz der Essenz vorausgeht? Es bedeutet, daß der Mensch zuerst existiert, sich begegnet, in der Welt auftaucht und sich *danach* definiert.«

Der Mensch ist in die volle Verantwortung für sich geworfen. Er hat aber auch die Möglichkeit der *Unwahrhaftigkeit* sich selbst gegenüber. Das Zusammenspiel von Faktizität und freiem Entwurf wird dabei so umgedeutet und gehandhabt,

daß man der Verantwortung für sein eigenes Sein ausweichen kann.

Einen wichtigen Stellenwert nimmt die Untersuchung der Bezüge zum Anderen ein. Die Struktur des *Für-Andere-Seins* enthüllt SARTRE an einer Analyse des *Blicks* (der nicht auf das Auge als Sinnesorgan beschränkt ist). Erblickt-Sein meint, daß das Sein des Einzelnen immer schon durch die Gegenwart von Anderen konstituiert ist.

Allein für sich ist der Einzelne hingegeben an sein unmittelbares Tun, er setzt sich nicht in seinem Bewußtsein als der, der er an sich in seinem Tun ist.

Im Erblickt-Werden durch den Anderen erstarrt er jedoch zum Objekt; er ist dem Urteil des Anderen ausgeliefert.

SARTRE verdeutlicht dies am Beispiel eines »Lauschers«.

Hingegeben an seine Neugierde geht er ohne Ich-Bewußtsein in seinen Akten auf. Nun ertappt (erblickt) ihn ein anderer: in diesem Moment ist er festgelegt, als der er ist: ein eifersüchtiger Lauscher.

Um sich selbst zu kennen, bedarf es des Anderen. Das darin liegende Ausgeliefertsein an den Anderen wird überwunden, wenn der Einzelne sich bewußt auf seine Möglichkeiten hin entwirft.

Er erfährt sein Selbstsein in der Weise, nicht der Andere zu sein.

In seiner Schrift ›Kritik der dialekt. Vernunft‹ erweitert SARTRE seine Betrachtungen auf den Bereich der *Gesellschaft,* indem er eine Verbindung von Existentialismus und *Marxismus* anstrebt. Die marxist. Interpretation der Geschichte, unter dem Gesichtspunkt der Widersprüchlichkeit ökonom. Bedingungen und der Entfremdung des Individuums, behandelt die geschichtl. und gesellschaftl. Realität, innerhalb derer der Entwurf der Existenz sich vollzieht. Daher zielt SARTRE auf eine dialekt. Vermittlung von individ. Freiheit und materiellen, ökonom. Bedingtheiten der Gesellschaft. Aufgabe ist es, »eine verstehende Erkenntnis hervorzubringen, die den Menschen in der sozialen Welt wiederfinden und ihn bis in seine Praxis bzw. den Entwurf, der den Menschen auf Grund einer bestimmten Situation mit dem gesellschaftlich Möglichen konfrontiert, verfolgen wird.«

Am Marxismus kritisiert SARTRE die Unterwerfung des Individuums unter das Totalziel einer aprior. Geschichtskonstruktion. Daher muß der Existentialismus in den Marxismus integriert werden, um dessen Dogmatik aufzubrechen.

A   Camus: Der absurde Mensch und der Mensch in der Revolte

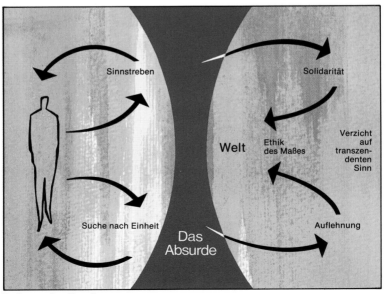

B   Camus: Das Absurde

Der Charakter des Werks von **Albert Camus** (1913–60) läßt sich mit dem Ausdruck »Denken in Bildern« zutreffend beschreiben.

Bei ihm finden sich keine systemat. philosoph. Abhandlungen, sondern philosoph., literar. und polit. Essays, Erzählungen, Dramen und Tagebücher, in denen er seine Gedanken entfaltet.

Das Thema von CAMUS' ›Der Mythos von Sisyphos‹ ist die Erfahrung des **Absurden,** das sich in der unüberbrückbaren Kluft zwischen dem Ich und der Welt manifestiert. Das Bewußtsein des Absurden kann den Menschen plötzlich ergreifen, wenn die Kulissen des Alltags zusammenbrechen und er nun der Fremdheit und Feindseligkeit der Welt unvermittelt gegenüber steht.

»Die Verfremdung ergreift uns: die Wahrnehmung, daß die Welt ›dicht‹ ist, die Ahnung, wie sehr ein Stein fremd ist, undurchdringbar für uns, und mit welcher Intensität die Natur oder eine Landschaft uns verneint. . . . Die Welt entgleitet uns: sie wird wieder sie selbst.«

Der Mensch findet aber in sich die unaufhebbare Sehnsucht nach einer verlorengegangenen Einheit und nach Sinnerfüllung. In dieser Kluft zwischen dem menschl. Streben nach Einheit, Klarheit und Sinn und der Welt, die dies verneint, besteht das Absurde.

»Das Absurde entsteht aus dieser Gegenüberstellung des Menschen, der fragt, und der Welt, die vernunftwidrig schweigt.«

Das Absurde muß als erste Gewißheit und Voraussetzung festgehalten werden. Es hat zur Folge den Verzicht auf jede metaphys. Sinngebung des Daseins und die Forderung an den Menschen,

sich innerhalb einer Welt des menschl. Maßes einzurichten, nichts Jenseitiges zu erhoffen, sondern das Gegebene auszuschöpfen.

Das Schicksal des Menschen ist es, Leiden auf sich zu nehmen in einer Welt ohne Sinn und ohne Gott.

Der Held des Absurden ist daher *Sisyphos.* Die Götter haben ihm zur Strafe für ihre Mißachtung und seinen Lebenswillen eine nie endende sinnlose Aufgabe auferlegt. Aber in der Stunde des Bewußtseins, wenn Sisyphos zum Felsen zurückgeht, um seine Qual aufs neue aufzunehmen, ist er seinem Schicksal überlegen.

»Es gibt kein Schicksal, das durch Verachtung nicht überwunden werden kann. . . . Er macht aus dem Schicksal eine menschl. Angelegenheit, die unter Menschen geregelt werden muß.«

Da es auch im Menschen und Welt nichts Absurdes geben kann, so bleibt ein Wert bestehen, den das Absurde nicht negieren kann, ohne sich selbst aufzulösen, das ist das *Leben* selbst.

Die grundlegende Haltung des Menschen ist daher die *Auflehnung* gegen das Absurde. Um seiner eigenen Identität willen,

muß der Mensch an seinem unbedingten Anspruch auf Einheit und Sinnerfüllung festhalten, auch wenn er weiß, daß dieser nicht einzulösen ist.

Die Auflehnung des Menschen gegen die Bedingungen seines Daseins ist Thema der Essays ›Der Mensch in der **Revolte**‹. Der Einzelne erkennt, daß er mit seinem Schicksal nicht allein ist, er identifiziert sich mit den anderen leidenden Mitmenschen. Daher ist Grundlage jeder Revolte die *Solidarität.* Wenn der Mensch sich im Laufe der Revolte opfert, so zugunsten eines Gutes (Freiheit, Gerechtigkeit), das über sein eigenes Schicksal hinausreicht.

Symbolfigur ist hier *Prometheus,* der den Göttern das Wissen stiehlt, um es den notleidenden Menschen zu bringen.

Fehlformen der Revolte in der Geschichte entstanden dort, wo diese ihren Ursprung im Absurden und der Solidarität verleugnet und Menschen opfert zugunsten eines angeblich absoluten Endzieles, wo sie in Nihilismus und Menschenverachtung mündet.

Wenn ein vorgegebener absoluter Sinn nicht zu erkennen ist, der das Leben leitet, so bedeutet dies,

daß der Mensch innerhalb seiner Möglichkeiten das rechte *Maß* finden muß.

Den Weg dazu findet er im »*mittelmeerischen Denken*«, das CAMUS in der Landschaft des Mittelmeerraumes und des dort entstandenen griech. Denkens verkörpert findet. In dieser Landschaft manifestiert sich der Ausgleich der Gegensätze von Licht und Schatten, von Sonne und Meer. Auch hier greift CAMUS wieder auf die griech. Mythologie zurück:

»*Nemesis* wacht, die Göttin des Maßes, nicht der Rache. Alle, die den Grenzen überschreiten, werden von ihr unerbittlich gestraft.«

Gabriel Marcel (1889–1973) vertritt einen christl. Standpunkt innerhalb der Existenzphilosophie. In ›Sein und Haben‹ stellt MARCEL diese beiden grundsätzl. Einstellungen gegenüber. Im Modus des »*Habens*« äußert sich die vergegenständlichende und besitzergreifende Haltung zur Welt, dem Mitmenschen und mir selbst, der das abstrakte und objektivierende Denken entspricht. So wird der Mensch aber seiner ontolog. Bestimmung nicht gerecht.

Er existiert nämlich ursprünglich nicht in der Abgrenzung, sondern der *Teilhabe* am Mitmenschen und am göttl. Sein.

Dieser wird er gewahr in einer innerlichen, sich dem Sein hingebenden »Andacht«. Die Seinsteilhabe verwirklicht sich in der *Liebe,* die sich dem Anderen vorbehaltlos öffnet und darüberhinaus auf *Gott* als das absolute Du verweist.

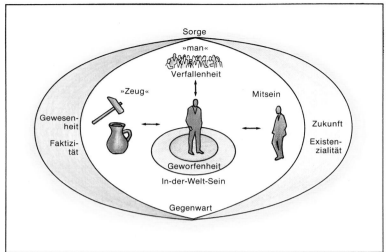

A Dasein

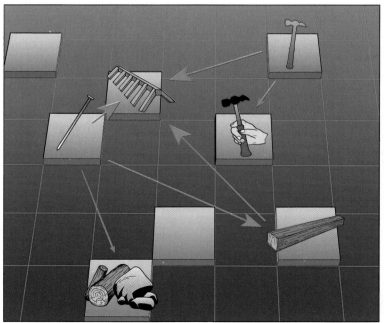

B Verweisungszusammenhang des »Zeug«

Martin Heidegger (1889–1976) gehört zu den einflußreichsten Denkern des 20. Jh. Seine Wirkung erstreckt sich über die Philosophie hinaus auf die Theologie, Psychologie und Literaturwissenschaft.

Auffallend ist der ihm eigentüml. Sprachgebrauch unter Verwendung von neuen Wortdeutungen.

Sein Hauptwerk ›Sein und Zeit‹ (1927) will die Frage nach dem »Sinn von Sein« neu stellen und beansprucht damit, eine *Fundamentalontologie* zu sein. Ausgangspunkt ist dabei der **Mensch,** begrifflich gefaßt als **Dasein,** weil dessen Sein, indem es sich zum Sein verhält, selbst durch Seinsverständnis ausgezeichnet ist.

»Das Dasein ist als verstehendes Seinkönnen, dem es in solchem Sein um dieses als das eigene geht. . . . Dasjenige selbst, zu dem sich an seinem eigenen das Dasein sich so oder so verhalten kann und immer irgendwie verhält, nennen wir Existenz.«

Die *Existenz* (das Sein des Daseins) wird vom jeweiligen Dasein selbst entschieden, in der Wahl seiner eigensten Möglichkeiten. Dabei kann es sich gewinnen oder verlieren, d. h.

im Seinsmodus der *Eigentlichkeit* stehen, wenn es sich selbst verwirklicht, oder in dem der *Uneigentlichkeit,* wenn es sich seine Wahl vorgeben läßt.

Da sich Dasein bestimmt aus je der Möglichkeit, die es ist, muß das Verstehen des Daseins bei seiner Existenz ansetzen. Es kann nicht aus einem allgemeinen vorgängigen Wesen abgeleitet werden. Die Seinscharaktere des Daseins sind nicht durch Kategorien zu erfassen (wie bei dem nicht daseinsmäßigen Sein), sondern durch **Existenzialien.**

Die Grundverfassung des Daseins ist das »*In-der-Welt-sein*«, in der Bedeutung von »vertraut sein mit, gewohnt sein, Umgang haben mit«, was unter dem Existenzial des »*Besorgens*« gefaßt wird. Dabei ist die Weise des Vertrautseins mit der Welt vor allem durch den Umgang mit dem Seienden gekennzeichnet, das HEIDEGGER »*Zeug*« nennt.

Zeug ist durch seine »*Zuhandenheit*« bestimmt, d. h. es steht zur Verfügung für eine Verwendung (z. B. Werkzeug).

Dabei steht das jeweilige Zeug in einem die Welt mitkonstituierenden Verweisungszusammenhang, der im Umgang mit ihm erschlossen wird und das »Wie« der Welt eröffnet. (Abb. B)

Dasein ist weiterhin »*Mitsein*«, als die Bedingung der Möglichkeit, daß Mitdasein begegnen kann. Der Umgang mit anderen wird als (nicht sozialethisch zu verstehende) »*Fürsorge*« gefaßt.

Zumeist befindet sich Dasein nicht im Modus der Eigentlichkeit des Selbstseins, sondern in der »*Verfallenheit an das Man*«. Darin läßt sich das Dasein sein Sein von anderen abnehmen,

indem es sich aus dem versteht, was »man« tut, d. h. in der Durchschnittlichkeit und Alltäglichkeit lebt.

Die Weise, in der sich dem Dasein die Welt, Mitdasein und Existenz urspr. erschließt, ist die »*Befindlichkeit*«.

Diese äußert sich in der Stimmung, die kundtut, wie einem zumute ist (Freude, Trauer, Langeweile, Furcht).

In ihr eröffnet sich dem Dasein auch seine »*Geworfenheit*« in die Welt, als seine Faktizität, die ihm anzeigt, daß er sein Dasein zu übernehmen hat, ohne um den tieferen Grund des »Woher« zu wissen.

Ein zweiter existenzialer Grundmodus des Daseins ist das *Verstehen.* Dieses bezieht sich auf Möglichkeiten, da es an sich den Charakter des Entwurfs hat.

Im Verstehen eröffnet sich dem Dasein sein eigenes Seinkönnen wie auch der Bewandtniszusammenhang der Welt.

Die *Rede* schließlich ist die »bedeutungsmäßige Gliederung der befindl. Verständlichkeit des In-der-Welt-Seins«.

Die Grundstruktur des Daseins ist die »*Sorge*«, als Einheit von:

Existenzialität (Seinkönnen), Faktizität (Geworfensein), Verfallenheit (»Man«).

Dasein existiert, indem es sich auf seine eigentl. Möglichkeiten hin entwirft. Dabei findet es sich immer schon geworfen in seine Welt, die den Rahmen seiner Möglichkeiten faktisch begrenzt.

Vorherrschend ist hier der Modus der Verfallenheit an die Durchschnittlichkeit des Man, aus dem sich das Dasein zu seiner Eigentlichkeit herausreißen muß.

In der *Angst* findet HEIDEGGER eine Grundbefindlichkeit, in der das Dasein vor sich selbst und seine eigensten Möglichkeiten gebracht wird.

Das »Wovor« der Angst ist nicht etwas innerweltlich Bestimmtes (wie bei der Furcht), sondern das In-der-Welt-sein als solches.

In ihr wird das Dasein auf sich selbst zurückgeworfen, befreit von der Herrschaft des Man und daher frei für sein Selbstseinkönnen.

In der Angst eröffnet sich dem Dasein auch seine Endlichkeit und Nichtigkeit, indem es sich als das »*Sein zum Tode*« erfährt. Das »Vorlaufen« in diese äußerste seiner Möglichkeiten

enthüllt dem Dasein seine Verlorenheit an das Man (weil es im Tod keinen Halt an anderen mehr gibt)

und bringt es dahin, selbst zu sein und sich in seiner Ganzheit (zu der das Sein zum Tode gehört) zu begreifen. Um die Möglichkeit seiner Eigentlichkeit weiß das Dasein durch den Ruf des *Gewissens.*

Das Gewissen ruft nichts Bestimmtes zu, sondern das Dasein bringt sich darin selbst vor sein Seinkönnen.

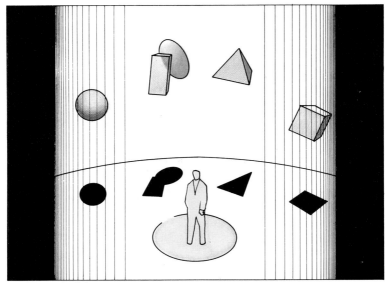

A   Lichtung des Seins

B   Das Herausfordernde und Verstellende der Technik

Die Erfassung des Strukturganzen des Daseins schließt sich in der Beantwortung der Frage, was die Einheit des Daseins in der Sorge erst ermöglicht. Dies ist für HEIDEGGER die **Zeitlichkeit.** Die vorlaufende Entschlossenheit, mit der sich das Dasein auf seine Möglichkeiten hin entwirft, ist nur möglich durch das Phänomen der *Zukunft,* wodurch das Dasein auf sich selbst zukommen kann. Nur aber

> indem sich das Dasein übernimmt, »wie es je schon war«, also in seinem *Gewesensein,* kann es zukünftig auf sich so zukommen, daß es auf sich selbst zurückkommt.

Und nur in seinem *Gegenwärtig-sein* kann ihm Umwelt begegnen und handelnd ergriffen werden. Die Zeitlichkeit als »gewesendgegenwärtigende Zukunft« ermöglicht das Ganzseinkönnen und ist der Sinn der Sorge. Die Zeitigung des Daseins im Modus der Eigentlichkeit ist

> *Vorlaufen* (Zukunft), *Augenblick* (Gegenwart), *Wiederholung* (Gewesenheit).

Von etwa 1930 an vollzieht sich eine Wandlung in HEIDEGGERS Denken, die er selbst als **Kehre** bezeichnet. Wurde in ›Sein und Zeit‹ versucht, die Frage nach dem Sinn von Sein vom Seinsverständnis des Daseins her zu klären, so ist es nun das Sein selbst, das Seinsverständnis ermöglicht, in der Weise, in der es sich entbirgt.

> »Der Mensch ist vielmehr vom Sein selbst in die Wahrheit des Seins ›geworfen‹, daß er, dergestalt ek-sistierend, die Wahrheit des Seins hüte, damit im Lichte des Seins das Seiende als das Seiende, das es ist, erscheine. Ob es und wie es erscheint, ob und wie der Gott und die Götter, die Geschichte und die Natur in die Lichtung des Seins hereinkommen, an- und abwesen, entscheidet nicht der Mensch. Die Ankunft des Seienden beruht im Geschick des Seins. Für den Menschen aber bleibt die Frage, ob er in das Schickliche seines Wesens findet, das diesem Geschick entspricht.«

Ek-sistenz des Menschen bedeutet nun das Stehen in der **Lichtung** des Seins.

Lichtung meint hier, im Sinne von lichten, »etwas leicht, offen machen«.

Das Verhältnis zwischen dem Sein und dem Menschen ist vom Sein selbst gestiftet, dergestalt, daß es das Dasein versammelt als die »Ortschaft und Stätte« der Lichtung.

Das *Sein* selbst ist die Lichtung, während das darin dem Dasein erscheinende (gelichtete) das *Seiende* ist.

Die Weise, wie Seiendes erscheint, wandelt sich im Lauf der Seinsgeschichte.

Wahrheit des Seienden wird von HEIDEGGER nun als **Unverborgenheit** begriffen.

> »Nur diese Lichtung schenkt und verbürgt uns Menschen einen Durchgang zum Seienden ... Dank dieser Lichtung ist das Seiende in gewissen und wechselnden Maßen unverborgen.«

Zur Unverborgenheit gehört jedoch auch das Verbergen, in dem sich das Seiende im Ganzen entzieht. Seiendes versagt sich, indem es nicht in die Lichtung tritt (die Grenzen unserer Erkenntnis),

> es verstellt sich, indem Seiendes Seiendes verdeckt (Irrtum und Täuschung).

Der Mensch hat die Neigung, sich an das scheinbar Nähere, das Seiende, zu halten und dabei das Nächste, das Sein, das sich verbirgt, zu vergessen. Der Mensch als Ek-sistenz hat die Bestimmung, sich vom Sein in Anspruch nehmen zu lassen, offen zu sein für die Unverborgenheit der Lichtung selbst.

Die Wahrheit des Seins ist das Ereignis der Lichtung, das alles gelichtete Seiende trägt.

Der Zugang zum Sein eröffnet sich über die **Sprache,** denn sich lichtend ist das Sein »unterwegs zur Sprache«. Sprache tritt hier als etwas in Erscheinung, das der Mensch nicht beliebig selbst hervorbringt, sondern worin er je schon ist und woraus er spricht.

> »Die Sprache ist das Haus des Seins, darin wohnend der Mensch ek-sistiert, indem er der Wahrheit des Seins, sie hütend, gehört.«

Der Mensch muß daher auf die Sprache hören, um zu vernehmen, was sie ihm sagt. Dies ist der Sinn von Sagen (»sagan«), in der Bedeutung von »zeigen, erscheinen lassen«.

Die Anwesenheit des Seins in der Sprache offenbart sich vor allem im urspr. Sprechen der *Dichtung.*

Dem »Seinsgeschick« unseres Zeitalters geht HEIDEGGER in der Frage nach dem Wesen der **Technik** nach.

Die Technik ist eine geschichtlich bestimmte Weise, in der sich das Sein entbirgt.

Darüber aber verfügt der Mensch nicht, er kann daher dem Anspruch der Technik nicht entgehen. In der mod. Technik erscheint das Seiende in der Weise des

> *»Gestells«,* im Sinne von herausfordern (»jemanden stellen«) und verstellen (andere Zugangsweisen zum Seienden), bezogen sowohl auf die Natur als auch den Menschen (»Herstellen«, »Angestellter«).

Das gestellte Seiende zeigt sich als *»Bestand«,* d. h. es steht zur Verwendung bereit, für das unabsehbare Wirken und Planen der Technik.

Die Gefahr besteht darin, daß der Mensch alles Seiende (einschließlich sich selbst) nur noch als Material für die am Erfolg orientierte Herstellung und Verwertung begreift. Er hält sich

> *nur noch* an das als Gestell gelichtete Seiende und vergißt dabei andere Weisen des Entbergens und die Nähe des Seins.

Das Ende der Seinsepoche wird kommen, wenn der Mensch der Gefahr ansichtig wird und aus der Seinsvergessenheit erwacht.

Symbol:	Junktor für:	Beispiel:	gelesen:
&		P & Q	
∧	Konjunktion	P ∧ Q	P und Q
.		P . Q	
∨	Disjunktion	P ∨ Q	P oder Q
⊃	Konditional	P ⊃ Q	P impliziert Q,
→		P → Q	wenn P dann Q
↔	Bikonditional	P ↔ Q	P genau dann, wenn Q
≡		P ≡ Q	P wenn und nur wenn Q
¬		¬ P	
−	Negation	− P	nicht P
∼		∼ P	

A_1 Aussagenlogik (oder Junktorenlogik)

Symbol:	Bezeichnung:	symbolisieren:
F, G, H	Prädikatenkonstante	Prädikatenausdrücke (».. . ist groß«)
a, b, c	Individuenkonstante	Eigennamen
x, y, z	Individuenvariablen	Platzhalter für Eigennamen
∀	Allquantor	»für alle.. .«/»für jedes.. .«
∧		»(∀x)Fx« = für alle x ist F wahr von x
∃	Existenzquantor	»für einige.. .« oder »es gibt ein.. .«
∨		»(∃x)Gx« = für einige x ist G wahr von x
λ	Klassenoperator	die Klasse der, der Inbegriff der
∈	Kopula	ist Element von, hat die Eigenschaft

A_2 Prädikatenlogik (oder Quantorenlogik)

A Wichtige Symbole und Begriffe der modernen Logik

modus ponens:

$P \to Q$
P
∴ Q

P	Q	[(P → Q)	&	P]	→	Q
W	W	W	W	W	W	W
F	W	W	F	F	W	W
W	F	F	F	W	W	F
F	F	W	F	F	W	F
		(1)	(2)	(1)	(3)	(2)

hypothetischer Syllogismus:

$P \to Q$
$Q \to R$
∴ $P \to R$

B_2 Wahrheitstafel des modus ponens

modus tollens:

$P \to Q$
$\sim Q$
∴ $\sim P$

P	Q	R	[(P → Q)	&	(Q → R)]	→	(P → R)
W	W	W	W	W	W	W	W
W	W	F	W	F	F	W	F
W	F	W	F	F	W	W	W
F	W	W	W	W	W	W	W
F	F	W	W	W	W	W	W
F	W	F	W	F	F	W	W
W	F	F	F	F	W	W	F
F	F	F	W	W	W	W	W
			(1)	(2)	(1)	(3)	(2)

disjunktiver Syllogismus:

$P \lor Q$
$\sim P$
∴ Q

B_1 Wichtige Syllogismen B_3 Wahrheitstafel des hypothetischen Syllogismus

B Syllogismen und Wahrheitstafeln

Die mod. Logik des 20. Jh. wird z. T. *Logistik,* v. a. aber *mathematische* oder *symbolische* Logik genannt, da sie weitgehend mit **Symbolen** arbeitet. Ein Begründer der mod. Logik ist G. FREGE (S. 219), dessen ›Begriffsschrift‹ und ›Die Grundlagen der Arithmetik‹ die Logik tiefgreifend verändern. Er erreicht adäquate Symbolisierung durch Einführung der Quantifizierung und des Prädikatenkalküls. Weitere wichtige *Vertreter:*
GIUSEPPE PEANO (1852–1932), der zeigt, daß mathemat. Aussagen nicht mit Intuition akzeptiert, sondern aus Prämissen hergeleitet werden. (Zu B. RUSSELL s. S. 221)
JAN BROUWER (1881–1966) vertritt einen *intuitionistischen* Mathematikbegriff.
L. WITTGENSTEIN entwickelt die Wahrheitstafeln. Ihm folgen z. B. F. P. RAMSEY, R. CARNAP, K. GÖDEL, L. LÖWENHEIM, TH. SKOLEM, J. HERBRAND und W. VAN O. QUINE.
Mod. Logik ist v. a. *formalisiert:*
In ihr werden Symbole, Regeln für die Kombination von Symbolen und Regeln zum Erreichen gültiger Schlüsse gegeben. Sie will eine konsistente Theorie formaler Schlüsse und Interpretationen erreichen. Die Anwendung ihrer Ergebnisse liegt in Mathematik und Technik, bes. bei Elektronik und Computern.
Mod. Logik arbeitet mit 2 Arten von Kalkül:
dem Aussagenkalkül **(Junktorenlogik),** einem System von Variablen und Verknüpfungen von Aussagen oder Sätzen und
dem Prädikatenkalkül **(Quantorenlogik),** der aus einem System von Individuenvariablen und/oder Konstanten besteht, nebst Quantoren, die an einigen der Variablen und Konstanten als Operatoren fungieren.
Die Bestandteile des **Kalküls** sind:
- *Funktionen,* ähnlich den mathematischen: +, —, = .
Ein solcher Ausdruck heißt *Funktion* einer gegebenen Variable oder Variablen, wenn der Wert des Ausdrucks nur dann bestimmt ist, wenn die Variable einen bestimmten Wert annimmt.
- *Konstanten* treten im Kalkül auf: »p«, »q«, »F«, »G«, »H«. . . .
Eine Konstante ist ein Symbol, das einen Namen für etwas Bestimmtes darstellt, wie einen Einzelgegenstand, eine Eigenschaft, eine Beziehung oder eine Aussage.
- *Variablen* (»x«, »y«, »z«) sind nicht Namen für ein bestimmtes Ding, sondern der unbestimmte Name für etwas aus einer Klasse von Dingen.
- *Junktoren* werden in Verbindung mit einer oder mehreren Konstanten gebraucht, um eine neue Konstante oder Form zu bilden, z. B. »→« (wenn-dann), »∨« (dann und nur dann, wenn), »∨« (oder), »–« (nicht).
Die **Syntax** regelt die Beziehungen der Sprachzeichen untereinander. Innerhalb eines logist. Systems ist danach zu entscheiden, ob ein best. Ausdruck korrekt gebildet ist.

Wenn z. B. x und y dieser Bedingung genügen, dann auch x. y usw.
Ein Ausdruck gilt dann als interpretiert, wenn seinen Symbolen eine Bedeutung zugeordnet wird.

Die **Aussagenlogik** beschäftigt sich nur mit Sätzen oder Aussagen, nicht wie die traditionelle Logik mit Klassen.
Komplexe Sätze (z. B. (p.q): »Die Sonne scheint und es regnet«) bestehen aus einfachen Sätzen als Teilen (p: »Die Sonne scheint«).
In der **Semantik** wird den Aussagen und ihren Verknüpfungen ein Wahrheitswert zugesprochen:
»W« für »Wahr« oder »F« für »Falsch«.
Eine *Wahrheitsfunktion* ist die Funktion, die einer Aussage die Werte W oder F zuordnet. Für die Kombination von Wahrheitsfunktionen entwickelt WITTGENSTEIN die Wahrheitstafeln (Abb. B und S. 214).
Ein Grundbegriff der Aussagenlogik ist die **Tautologie.** Sie besteht aus einem komplexen Satz, der immer wahr ist.
Z. B. »a oder ~a« ist eine Tautologie, denn wenn »a« wahr ist, ist es die ganze Aussage, und wenn »a« falsch ist, dann ist »~a« wahr und die ganze Aussage bleibt wahr.
Einige wichtige Tautologien, d. h. *logisch wahre Sätze,* sind:
- die Abtrennungsregel (klass.: modus ponens): $(p \& (p{\rightarrow}q)){\rightarrow}q$
- der modus tollendo tollens: $({\sim}q \& (p{\rightarrow}q)){\rightarrow}{\sim}p$
- hypothet. Syllogismus: $((p{\rightarrow}q) \& (q{\rightarrow}r)){\rightarrow}(p{\rightarrow}r)$
- reductio ad absurdum: $(p{\rightarrow}(q \& {\sim}q)){\rightarrow}{\sim}p$
- Gesetz der doppelten Negation: $p{\leftrightarrow}{\sim}{\sim}p$

In der natürl. Sprache treten neben dem Subjekt, das z. B. ein Individuum bezeichnet, Prädikate auf, die ihm eine Eigenschaft zuordnen, z. B.
»Aristoteles ist weise.«
Die **Prädikatenlogik** analysiert solche Sätze präzise durch die Verwendung von Symbolen. Der Prädikatenkalkül dient der Vermeidung von log. Unbestimmtheiten. Er bedient sich des Aussagenkalküls und als wichtige Instrumente der Funktoren, die »Quantoren« oder »Quantifikatoren« genannt werden.

Der Aufbau des **Prädikatenkalküls** verlangt:
- *Eigennamen:* »a«, »b«, »c« etc.
- *Eigenschaftskonstanten:* z. B. »F«, »G«, »H«
- *Individuenvariablen:* »x«, »y« etc.
Diese bedeuten keinen best. Gegenstand, sondern fungieren als Platzhalter. Wenn »F« z. B. für »weise sein« steht, dann schreibt man »Fx« = »x ist weise«. »Aristoteles ist weise« wäre »Fa«.
- *Propositionen* »p«, »q«, »r« wie im Aussagenkalkül.

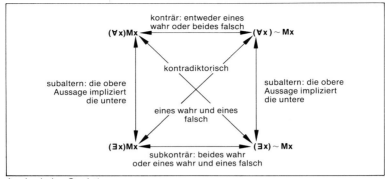

A »Logisches Quadrat«

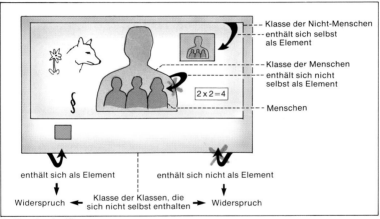

B Paradox der Klassen

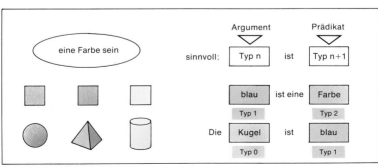

C Beispiel zur Typentheorie

Dazu kommen die **Quantoren**. Der *Allquantor* (∀) drückt aus: »Für alle x. . .« oder »Für jedes x. . .« (∀x) (Mx→Sx) heißt:

»Für jedes x, wenn es ein Mensch ist, dann ist x sterblich.«

Der *Existenzquantor* (∃) bezieht sich auf einzelnes, besagt also »Es gibt (mindestens) ein x. . .«. Z. B. »Aristoteles ist weise« wäre (∃x) (x = a. Fx):

»Es gibt ein x, das Aristoteles ist und er ist weise.«

Die Beziehungen zwischen dem Existenz- und dem Allquantor lassen sich im Logischen Quadrat (Abb. A) ausdrücken.

Dabei wird die Existenz mindestens *eines* Individuums vorausgesetzt.

Ein Vorteil der mod. Prädikatenlogik ist ihre Fähigkeit, **Relationen** adäquat zu behandeln.

Eine dyadische (zweistellige) Relation zwischen »a« und »b« wird geschrieben »aRb«.

Dabei wird »a« Vorgänger, »b« Nachfolger genannt, die Mengen von »a« und »b« Vorbereich und Nachbereich. Zusammen bilden sie das *Feld* von »R«.

R kann *reflexiv* (»aRa«) sein, wenn sich in ihr ein Gegenstand auf sich selbst beziehen kann. *Symmetrisch* nennt man Relationen, für die gilt »aRb« und »bRa«.

Asymmetrisch ist z. B. die Relation »Ehefrau von« (denn die Umkehrung gilt nicht), *symmetrisch* ist z. B. die Relation »Ehegatte«.

Transitive Relationen ergeben sich, wenn gilt »aRb«, »bRc« und »aRc«, also a,b,c zum selben Feld gehören.

Beispiel »ist größer als«:

bei a > b und b > c gilt auch a > c.

Die *Konverse* von »Vater von« z. B. ist »Kind von«.

Identität stellt eine bes. Relation dar: »aIb« oder »a = b«.

Frege interpretiert Identität als Relation zwischen Namen oder Zeichen für Gegenstände. Diese kognitive Identität besteht z. B. in der Aussage

»Morgenstern und Abendstern sind dasselbe« (a = b), was über die triviale Identität von a mit sich selbst (a = a) hinausgeht.

Ein schwieriges Problem stellt die »Identität des Nichtunterscheidbaren« dar. Dieser Ausdruck von Leibniz besagt, daß zwei Dinge identisch sind, wenn sie in allen Eigenschaften übereinstimmen:

(∀F) (Fa ↔ Fb)→a = b.

Quine bevorzugt die »Ununterscheidbarkeit des Identischen« und damit das Prinzip:

»Wenn zwei Objekte identisch sind, gehören sie zur selben Klasse.«

Die Logik *zweiter Ordnung* behandelt Prädikate zweiter Ordnung und ihre *Typen,* ferner *Klassen* und *Klassen von Klassen.*

Russells und Whiteheads **»Typentheorie«** versucht die Probleme zu lösen, die aus un-

terschiedl. Ebenen von Prädikaten und Klassen entstehen, wie das Paradox der Klassen. (Abb. B)

Dabei wird jeder Variable eine Nummer zugeordnet, die ihren Typ bedeutet. Ausdrücke der Form »a ist ein Element von b« sind nur richtig gebildet, wenn die Typennummer von »a« niedriger ist als die von »b«.

Z. B. wird der unterste Typ aus Individuen gebildet, der nächsthöhere aus Eigenschaften von Individuen und jeder folgende aus Eigenschaften von Eigenschaften.

In der »ramified (verzweigten) theory of types« wird auch jeder Variablen eine bes. Ebene zugeordnet und werden spezielle Regeln für Variablenebenen eingeführt.

Ein weiterer Zweig der mod. Logik ist die **kombinatorische Logik:**

sie analysiert best. Prozesse, die mit Variablen verbunden sind, wie etwa die Substitution.

Ihr Ziel ist die Vereinfachung der letzten Grundlagen der mathemat. Logik und die Beseitigung von Paradoxien. Ihre Arithmetik enthält die numer. Funktionen, die teilweise rekursiv und ersetzbar sind. Die Anwendung ist möglich in der Untersuchung log. Kalküle höherer Ordnung, der Informatik und der Linguistik.

Die **Modallogik** untersucht die Verbindungen bei Aussagen unter Berücksichtigung von deren Modalität,

d. h. die log. Verhältnisse von Notwendigkeit (N), Möglichkeit (M) und Unmöglichkeit (~M).

Modallogik wird weitgehend extensional betrieben. Intensional basiert sie auf der strengen Implikation:

Np = ~M~p.

Allg. betrachtet die Logik intensional die Merkmale (Inhalt) eines Begriffs, extensional die Dinge (Umfang), die unter ihn fallen.

Die **»mehrwertige Logik«** rechnet mit mehr als 2 Werten – wahr und falsch – für eine Aussage, wie etwa »unbestimmt«, das von Lukasiewicz eingeführt wird. Es werden auch »n-wertige Aussagenkalküle« mit beliebiger Anzahl von Werten verwendet.

Deontische Logik (oder Deontik) analysiert normative Aussagen unter log. Gesichtspunkten und arbeitet analog zur Modallogik mit »Verpflichtung«, »Verbot«, »Erlaubtsein«. Formalisiert werden hierbei Prinzipien wie:

Nichts kann zugleich verboten und verpflichtend sein.

Diese Logik unterscheidet sich von der Ethik selbst dadurch, daß sie keine **Inhalte** für Verpflichtungen etc. angibt.

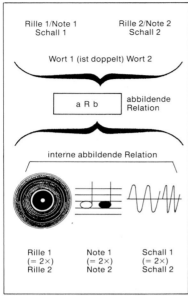

Rille 1/Note 1   Rille 2/Note 2
    Schall 1   Schall 2

Wort 1 (ist doppelt) Wort 2

a R b   abbildende
        Relation

interne abbildende Relation

Rille 1   Note 1   Schall 1
(= 2×)   (= 2×)   (= 2×)
Rille 2   Note 2   Schall 2

A₁   Abbildtheorie: abbildende Relation

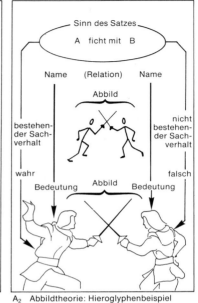

Sinn des Satzes

A   ficht mit   B

Name   (Relation)   Name

Abbild

bestehen-   nicht
der Sach-   bestehen-
verhalt   der Sach-
                               verhalt

wahr   falsch

Bedeutung   Abbild   Bedeutung

A₂   Abbildtheorie: Hieroglyphenbeispiel

ein Satz: (p)

ist

p   w ahr

oder

f alsch

zwei Sätze; p und q
(Kombinationsmöglichkeiten)

p	q	
w	w	(beide wahr)
f	w	(p falsch, q wahr)
w	f	(p wahr, q falsch)
f	f	(beide falsch)

Wahrheitswertkolonne

p	w	f	w	f	mögliche
q	w	w	f	f	Verknüpfungen:
	f	w	w	w	a) nicht beides p und q
	w	w	w	f	b) p oder q
	f	w	w	f	c) p oder q aber nicht beide
	w	w	w	w	d) Tautologie
	f	f	f	f	e) Kontradiktion

B   Wahrheitswerttafeln

Ludwig Wittgenstein (1889–1951) nimmt in der Philosophie der Gegenwart eine Sonderstellung dadurch ein, daß er

>»zwei versch. Philosophien entwickelt hat, von denen die zweite nicht als eine Fortsetzung der ersten aufgefaßt werden kann« (W. STEGMÜLLER).

Die erste ist dargelegt in der einzigen von WITTGENSTEIN selbst herausgegebenen größeren Schrift, dem ›Tractatus logico-philosophicus‹ (1919), die zweite in dem postum erschienenen ›Philosoph. Untersuchungen‹ (1953). Tatsächlich gibt es einen »Bruch« (ca. 1919–26) im Leben des Philosophen, der zwei Lebensabschnitte zu sondern erlaubt. Zwei einflußreiche philosoph. Strömungen berufen sich auf ihn:

die *analytische* Philosophie angelsächs. Prägung und die Sprachphilosophie *(Ordinary Language Philosophy)*.

WITTGENSTEINS Sprache ist einfach und frei von übl. Terminologie, aber er verwendet Begriffe wie Bild, Welt, Substanz, Ethik u. a. in eigenwilliger Weise.

Im ›**Traktat**‹ nähert sich der junge WITTGENSTEIN der Philosophie als Konstrukteur (und nicht so sehr als Mathematiker) von außen. Er zerlegt sie in *Logik* und *Mystik* und setzt die Teile in *numerischen* Sätzen wieder zusammen. Die Hauptsätze stellen das log. Gerüst des Buches dar. Die hinter Dezimalstellen stehenden Sätze interpretieren meist die sieben Kernsätze, sind oft aber wichtiger.

Z. B. lautet Satz 1: »Die Welt ist alles, was der Fall ist.« Dazu folgen die (erklärenden) Sätze:

»1.1 Die Welt ist die Gesamtheit der Tatsachen, nicht der Dinge.« und

»1.11 Die Welt ist durch die Tatsachen bestimmt und dadurch, daß es *alle* Tatsachen sind.« usw.

Der ›Traktat‹ beruht z. T. auf RUSSELLS (S. 221) Sprachanalyse. WITTGENSTEIN baut sie zu seiner **Abbildtheorie** aus:

Die Welt besteht aus *Dingen* und deren »Konfigurationen«, den *Sachverhalten.*

Die Dinge bilden die »Substanz« der Welt, sind als solche einfach, unveränderlich und von Sachverhalten unabhängig. Im Sachverhalt sind die Dinge durch eine Relation verknüpft. Diese *Relationen* bilden das *logische* Gerüst der Welt und damit auch das Gemeinsame von Sprache und Welt.

»Die Grammophonplatte, der musikal. Gedanke, die Notenschrift, die Schallwellen, stehen alle in jener abbildenden internen Beziehung zueinander, die zwischen Sprache und Welt besteht. Ihnen allen ist der log. Bau gemeinsam.«

Die allg. Form eines Sachverhalts ist »aRb«, d. h.

»a steht in einer Beziehung zu b«.

Dies gilt auch für die Form von *Elementarsätzen,* in denen je ein einfacher Sachverhalt *abgebildet* wird. Ein Elementarsatz besteht aus Namen, deren Bedeutung Gegenstände sind und deren Verknüpfung.

»Um das Wesen des Satzes zu verstehen, denken wir an die Hieroglyphenschrift, welche die Tatsachen, die sie beschreibt, abbildet.« (Abb. A_2)

Ein Satz ist dann sinnvoll, wenn er das Bestehen oder Nichtbestehen von Sachverhalten darstellt.

Werden Elementarsätze kombiniert, ergibt sich der **Wahrheitswert** des neuen Satzes aus den Wahrheitswerten der Elementarsätze, aus denen er besteht (Wahrheitswerttheorie).

Eine Aussage ist dann wahr, wenn der »im Satz probeweise zusammengestellte« Sachverhalt besteht.

WITTGENSTEIN stellt die mögl. Kombinationen in Tafeln dar (Abb. B). Dabei erscheinen als Extreme die *Tautologie,* die für jede Einsetzung wahr wird, und die *Kontradiktion,* die für keine Einsetzung wahr ist.

»Ich weiß z. B. nichts über das Wetter, wenn ich weiß, daß es regnet oder nicht regnet.« ist WITTGENSTEINS Beispiel für die Tautologie. Die entsprechende Kontradiktion wäre »Es regnet *und* es regnet nicht.«, die für beide Fälle falsch wäre. Der Bereich sinnvollen Sprechens liegt dazwischen:

die Aussagen der Naturwissenschaft über empir. Sachverhalte.

(Die Logik selbst besteht dagegen aus Tautologien.) Damit ist das »Undenkbare von innen durch das Denkbare begrenzt«.

Außerhalb dieser Grenze liegt das **Mystische:** das Ich, Gott, der Sinn der Welt u. a.

Es *zeigt* sich, z. B.

»Die Lösung des Problems des Lebens merkt man am Verschwinden dieses Problems.«

Für die (eigtl. wichtigeren) Bereiche wie Ethik, Religion, Kunst gelten die Schlußsätze des ›Tractatus‹:

»Wenn alle *möglichen* wiss. Fragen beantwortet sind, [sind] unsere Lebensprobleme noch gar nicht berührt ... Wovon man nicht sprechen kann, darüber muß man schweigen.«

Es geht aber entgegen der Ansicht des »Wiener Kreises« und den darin versammelten log. Empiristen nicht um Metaphysik-Kritik, sondern um **Ethik.** In einem Brief schreibt WITTGENSTEIN 1919:

». . . der Sinn des Buches ist ein ethischer ... Ich wollte nämlich schreiben, mein Werk bestehe aus zwei Teilen: aus dem, der hier vorliegt, und aus alledem, was ich nicht geschrieben habe. Und gerade dieser zweite Teil ist der wichtigste. Es wird nämlich das Ethische durch mein Buch gleichsam von Innen her begrenzt.«

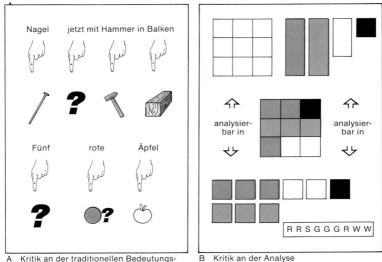

A Kritik an der traditionellen Bedeutungs-
theorie

B Kritik an der Analyse

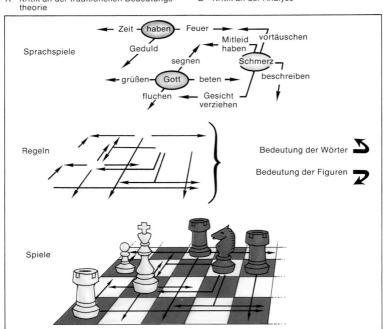

C Die Bedeutung des Wortes ist die Verwendung im Sprachspiel

Aus der späteren Sicht WITTGENSTEINS von 1945 stehen im ›Tractatus‹ »schwere Irrtümer«, was ihn veranlaßt, »mit tödl. Rücksichtslosigkeit« seine früheren Thesen zu verwerfen. Die ›Philosoph. Untersuchungen‹ sind leichter zu lesen als der ›Traktat‹, dennoch verwirren sie durch die Weise des scheinbar unbedarften Fragens, z. B.:

»Aber ist ein verschwommener Begriff überhaupt ein *Begriff*? Ist eine unscharfe Photographie überhaupt ein Bild eines Menschen?«

Die ›Philosoph. Untersuchungen‹ bieten eine *flexible* Sprachtheorie, die in dem Satz gipfelt:

»Eine ganze Wolke von Philosophie kondensiert zu einem Tröpfchen Sprachlehre.«

WITTGENSTEINS **Kritik** umfaßt u. a. die *Abbildtheorie* der Sprache. Ein Wort ist nicht immer verständlich als Repräsentant eines Gegenstandes.

Denk dir ein Sprachspiel, in dem einer dem anderen den Befehl gibt, Platten oder Balken zu reichen. Die Verbindung vom Wort »Platte« zur Platte selbst ist noch durch Daraufdeuten zu erreichen. Bei anderen Wörtern (»jetzt«, »fünf«) ist sie es nicht mehr.

Stattdessen nennt WITTGENSTEIN den **Gebrauch** eines Wortes in der Sprache seine Bedeutung.

Auch der log. Atomismus ist nicht durchzuhalten. Die *Analyse* stößt nicht zu letzten Elementarsätzen vor:

Die letzte Analyse eines Besens wären Stiel und Bürste, die eines Stieles z. B. seine Atome und Moleküle usw.

Auch unter welchem Gesichtspunkt die Analyse erfolgt, ist nicht eindeutig:

Ein Schachbrett z. B. läßt sich in je 32 weiße und schwarze Felder *oder* in Schwarz und Weiß und ein Gittermuster zerlegen.

Das *Exaktheitsideal* und die Forderung nach einer entsprechenden Idealsprache wird relativiert:

»Wenn ich einem sage: ›Halte dich ungefähr hier auf!‹ – kann denn diese Erklärung nicht funktionieren? Und kann jede andere nicht auch versagen?«

WITTGENSTEIN deutet jetzt die Sprache mit Hilfe des **Sprachspiels:**

Das Wort »Sprach*spiel*« soll hier hervorheben, daß das Sprechen ein Teil ist einer Tätigkeit, oder einer Lebensform. »Führe dir die Mannigfaltigkeit der Sprachspiele . . . vor Augen: Beschreiben eines Gegenstands nach dem Ansehen, oder nach Messungen – Herstellen eines Gegenstandes nach einer Beschreibung (Zeichnung) – Berichten eines Hergangs –. . . . Aus einer Sprache in die andere übersetzen – Bitten, Danken, Fluchen, Grüßen, Beten.«

Wie im Schachspiel die Figuren, werden in der Sprache die Wörter durch *Regeln* festgelegt.

Die Frage »Was ist eigentlich ein Wort?« ist deshalb analog zur Frage nach einer Schachfigur. Beide setzen zu ihrer Beantwortung ein konventionelles Regelsystem voraus.

Diese Regeln der *Grammatik* können auch nicht *privat* sein:

Die einmalige Befolgung einer Regel ist unmöglich.

Ausdrücke für individ. innere Vorgänge (z. B. Schmerzen) sind außerdem keine Namen für innere »Gegenstände«. Sie haben ihre Bedeutung nur im Kontext mit nichtsprachl. Äußerungen und dem Verhalten von Sprecher und Umgebung.

WITTGENSTEIN erklärt dies am Bild von verschlossenen Schachteln.

Da der Inhalt nicht zugänglich ist, ist er irrelevant.

Und da private Empfindung nicht Teil eines Sprachspiels sein kann, ist ihre Bezeichnung bedeutungslos.

Genauso ist es z. B. paradox, einem Schauspieler die Rolle zuzuweisen, jemand unterdrücke seine Gefühle vollständig o. ä.

Die Sprache arbeitet weitgehend mit Analogien, Ähnlichkeiten oder **»Verwandtschaften«.**

Z. B. die versch. Verwandtschaften unter allem Möglichen, das wir mit demselben Wort »Spiel« zusammenfassen.

Auch die Sprachspiele weisen unter sich nur Ähnlichkeiten auf. Die Frage nach dem *Wesen* der Sprache ist aufgelöst in die Beschreibung der Verwandtschaft der Sprachspiele.

Auch in den anderen Schriften aus dem Nachlaß, dem ›Braunen Buch‹ und dem ›Blauen Buch‹, sowie ›Über Gewißheit‹ variiert WITTGENSTEIN seine Behauptung, der Philosoph behandle »eine Frage wie eine Krankheit«. Die **Philosophie** sei

»ein Kampf gegen die Verhexung unseres Verstandes durch die Mittel unserer Sprache« und ihr Ziel sei es, »der Fliege den Ausweg aus dem Fliegenglas« zu zeigen.

Das Ergebnis beschreibt er als die »Entdekkung irgendeines schlichten Unsinns«, wobei »sich der Verstand beim Anrennen an die Grenzen der Sprache Beulen holt«.

Die Welt wird durch die Sprache ausgemessen, ihre Grenzen sind logisch aussprechbar; das Nichtsagbare, das »Geheimnis« kann nur gezeigt werden. Auch hierin gleicht Philosophie keiner Lehre, sondern einer *Tätigkeit:*

das Zeigen geschieht lebensmäßig.

Eine Besonderheit der Philosophie WITTGENSTEINS ist ihre vollständige *Instrumentalisierung.* Sie hilft nur zur Klärung des eigenen Standpunktes, niemals soll sie Selbstzweck sein. Ein Bild illustriert die Funktion:

eine Leiter benützt man zum Aufsteigen; wer oben angekommen ist, braucht sie nicht mehr.

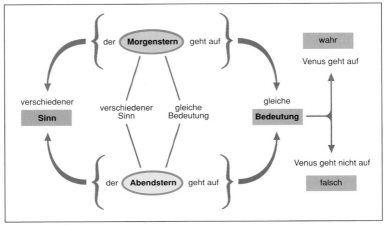

A   Zu Freges »Sinn und Bedeutung«

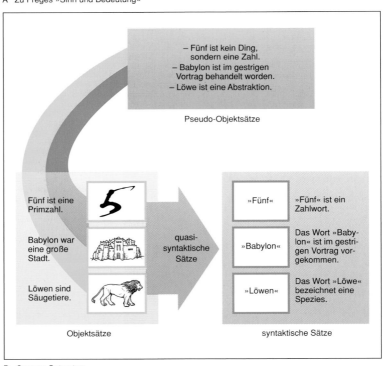

B   Carnap: Satzarten

Analytische Philosophie zeichnet sich dadurch aus, daß sie Fragen beantwortet (oder auch zurückweist), indem sie die *Sprache* klärt, in der sie formuliert sind. Dazu werden komplexe Ausdrücke in einfachere und fundamentalere aufgelöst (analysiert), die Bedeutung von *Begriffen* und *Aussagen* untersucht und der Kontext ihres Gebrauchs. Analyse will die Grundlage eines Arguments herausfinden und eine Entscheidung über seine Gültigkeit herbeiführen.

Ihre Domäne ist die Sprachphilosophie; ihre Relevanz für andere Disziplinen (Ethik, Religionsphilosophie, Ontologie) besteht in der Bewertung der verwendeten Ausdrücke und Kategorien und in der Beseitigung sprachlich fundierter Mißverständnisse.

Ihre Anwendung in der Ethik z. B. (sog. *Metaethik*) führt nicht zur Erstellung neuer inhaltlicher Formen, sondern zur Befragung der Funktion und der Reichweite ethischer Vorschriften.

Analyse ist primär nicht an der Systembildung oder der Entstehung einer ganzen Theorie interessiert, sondern sie ist ein Instrument, eine philosoph. Lehre von sprachl. Unklarheiten zu befreien. Mit GILBERT RYLE: »Die philosophischen Überlegungen ... sollen unsere Kenntnisse ... nicht vermehren, sondern die logische Geographie dieses Wissens berichtigen.«

Gottlob Frege (1848–1925) gilt als einer der Väter der modernen Logik und der Sprachanalyse. Er entwickelt eine Lehre, die einem Ausdruck, einer Formel oder einem Satz zweierlei zuspricht: **Sinn** und **Bedeutung.**

»Scott« und »der Autor von ›Waverley‹« haben die gleiche Bedeutung: die Person »Walter Scott«. Aber sie haben versch. Sinn. »Der gegenwärtige König von Frankreich« hat als Ausdruck zwar einen Sinn, aber keine Bedeutung. Sinn und Bedeutung von Sätzen ergeben sich aus denen ihrer Bestandteile.

Von LEIBNIZ übernahm er das Prinzip der »Substitution«:
»Dinge sind identisch, die sich wechselseitig ersetzen (substituieren) lassen, ohne daß dabei die Wahrheit verändert wird (salva veritate).«
Wird also ein wesentlicher Bestandteil eines Ausdrucks ersetzt durch einen anderen Teil, der dieselbe Bedeutung hat, wird dabei der Sinn geändert, aber nicht die Bedeutung.

Die Bedeutung eines Satzes ist sein *Wahrheitswert* (also wahr oder falsch). Der Sinn eines Satzes ist der Gedanke, den er ausdrückt. Gedanken sind verschieden, wenn jemand den einen für wahr und den anderen für falsch halten kann.

An FREGES Beispiel: Morgenstern und Abendstern haben versch. Sinn, aber die gleiche Bedeutung (den Planeten Venus). Die Sätze »Der Morgenstern geht auf«

und »der Abendstern geht auf« drücken versch. Gedanken aus (für jemand, der z. B. nicht weiß, daß die Venus gemeint ist); ihre Bedeutung ist gleich: ist der eine wahr, dann auch der andere; ist der eine falsch, dann auch der andere.

Der **Neopositivismus**, auch »Logischer Empirismus« wird vom sog. »Wiener Kreis« propagiert. Vertreter sind M. SCHLICK, R. CARNAP, G. BERGMANN, H. FEIGL, K. GÖDEL, H. HAHN, O. NEURATH, F. WAISMANN u. a.

A. J. AYER (1910–89) teilt mit dem Kreis das Verständnis von Philosophie als Sprachanalyse und die Ablehnung der Metaphysik.

Philosophie tritt nicht in Konkurrenz mit der *Wissenschaft*, sondern hängt von ihr ab. Viele Mitglieder des Kreises sind in erster Linie Mathematiker und Physiker. Ein bes. Anliegen ist für sie eine *Fundierung* von Methode und Sprache der Naturwissenschaft. Worüber sich sinnvoll sprechen läßt, ist Logik, Mathematik und Naturwissenschaft.

Wenn ein Satz nicht verifizierbar ist oder keine Tautologie darstellt, dann ist er erkenntnismäßig sinnlos.

Ein wichtiges Thema ist das neu eingeführte Prinzip der **Verifikation**. Sätze sind dann sinnvoll, wenn sich ihr Inhalt *empirisch* prüfen läßt, bzw. wenn sich angeben läßt, wie er zu prüfen wäre. So schreibt CARNAP:
»Die Bedeutung eines Satzes ist ... damit identisch, wie wir seine Wahrheit oder Falschheit feststellen; und ein Satz hat nur Bedeutung, wenn solch eine Feststellung möglich ist.«
Der Anspruch der Wissenschaftlichkeit und die Konzeption der Sprache als Kalkül führen zur *Zurückweisung der Metaphysik*.

Rudolf Carnap (1891–1970) versucht die Ersetzung der Philosophie durch *Wissenschaftslogik* zunächst über die *Syntax* der Sprache. Sie soll der Schaffung **idealer**, d. h. formaler und exakter Sprachen dienen. Um Scheinsätze zu erkennen, unterscheidet CARNAP zwischen inhaltl. und formaler Sprechweise, die beide legitim sind. »Philosophische« Sätze werden einem Zwischenbereich zugeordnet. Diese »quasi-syntaktischen« Sätze täuschen einen Gegenstandsbezug vor, den sie nicht haben: Scheinbar beziehen sie sich auf Objekte, tatsächlich aber auf Wörter (Abb. B).

Z. B. »Fünf ist kein Ding« scheint etwas über einen Gegenstand auszusagen, bezieht sich aber auf das Wort »fünf«.

Die Verwendung vieler philosoph. Ausdrücke ist so sinnlos wie die Verwendung des Wortes »babig«. Sollen nämlich das Wort »a« und der Elementarsatz »S (a)« Bedeutung haben, müssen »*empirische* Kennzeichen« für »a« bekannt sein und »Wahrheitsbedingungen« für »S (a)« (ein Satz, in dem »a« vorkommt) festliegen.

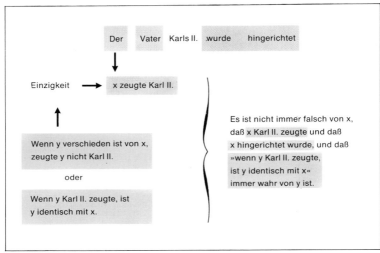

A   Analyse eines Satzes

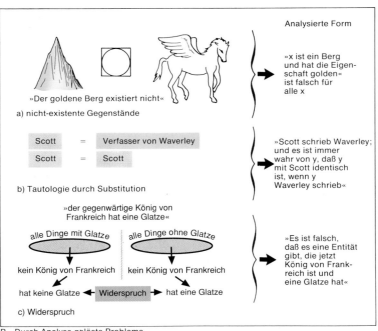

B   Durch Analyse gelöste Probleme

Bertrand Russell (1872–1970), dessen Arbeiten sich mit fast allen Zweigen der Philosophie befassen, leistet wichtige Beiträge zur Logik und Analyse, die er »formale Analyse« nennt: Die Untersuchung der Welt rein vom log. Standpunkt aus. Er denkt an eine abstrakte Kosmologie, die sich mit den letzten *Strukturen* der Sprache und der Welt beschäftigt.
Seine ›Principia Mathematica‹, 1910–13 mit A. N. WHITEHEAD (S. 227) zusammen verfaßt, versuchen eine Fundierung der *Mathematik* auf der Grundlage log. Begriffe und Sätze.
RUSSELLS »Philosophie des **Logischen Atomismus**« erklärt:
Ein Satz *korrespondiert* mit der Welt.
Eine *Satzfunktion* gibt die Bildung der Satzteile an. Diese Satzfunktion (geschrieben z. B. »C (x)«) ergibt sich, wenn man Variable als Konstituenten des Satzes einsetzt (z. B. »x ist der Autor von ›Waverley‹«):
»Eine Satzfunktion ist einfach irgendein Ausdruck, der ... mehrere unbestimmte Konstituenten enthält und der ein Satz wird, sobald man die unbestimmten Konstituenten bestimmt.«
RUSSELL verteidigt die **Korrespondenz** des Universums der Sätze zum Universum der Tatsachen.
Die Bedeutung eines *Eigennamens* ist das Objekt, das er benennt.
Ein atomarer Satz *(atomic proposition)* ist *isomorph* (gleichförmig) mit einer atomaren Tatsache *(atomic fact).* Solche einfachsten Sätze geben an, ob ein bestimmtes Ding eine bestimmte Eigenschaft hat oder in einer bestimmten Relation steht, z. B. »Dieses ist weiß« oder »Dies ist unter jenem.«
Ein Satz bezieht sich auf eine Tatsache entweder als »wahr« oder »falsch«.
Ein *molekularer* Satz zeichnet sich dadurch aus, daß er andere Sätze als seine Komponenten enthält. Die Wahrheit oder Falschheit ergibt sich aus der Wahrheit oder Falschheit der Teilsätze, aus denen er sich zusammensetzt.
Ziel der Analyse ist es, Sätze dergestalt log. durchsichtig zu machen, daß sie als Elemente nur enthalten, womit wir unmittelbar **Bekanntschaft** haben (z. B. Sinneseindrücke oder log. Verknüpfungen). Niemand kann etwas *benennen,* mit dem er nicht bekannt ist.

RUSSELLS Theorie der **Kennzeichnungen** (v. a. in ›On denoting‹) versucht, den Gebrauch von Satzteilen, die nicht Eigennamen sind, auf eine sichere log. und sprachl. Grundlage zu stellen.
»Kennzeichnende Ausdrücke« haben keine Bedeutung in sich selbst, sind *»unvollständige Symbole«* und kommen deshalb nur als *Teil* von Sätzen vor.
Wichtig sind solche Kennzeichnungen deshalb, weil wir viele Dinge nicht aus unmittelbarer Bekanntschaft, sondern nur aus *Beschreibungen* kennen, wie »den Massenmit-

telpunkt der Sonne«. Gleichzeitig ist ihre Verwendung häufig irreführend und führt zu *Paradoxien,* wie z. B. im Satz »Der gegenwärtige König von Frankreich hat eine Glatze«:
»Gingen wir die Dinge durch, die eine Glatze haben, und dann die Dinge, die keine Glatze haben, würden wir den gegenwärtigen König von Frankreich nicht unter ihnen finden.« D. h. er hat eine Glatze und er hat keine, was das Widerspruchsgesetz verletzt.
RUSSELL unterscheidet dazu drei **Fälle von Kennzeichnungen:**
1) Ein Ausdruck ist eine Kennzeichnung ohne etwas zu kennzeichnen, z. B. »Der gegenwärtige König von Frankreich«.
2) Ein Ausdruck kennzeichnet ein bestimmtes Objekt: »Die gegenwärtige Königin von England«.
3) Ein Satz kennzeichnet unbestimmt: »ein Mann« kennzeichnet einen unbestimmten Mann.
Im ersten Fall wird so analysiert, daß die Verbindung zweier Sätze behauptet wird: »Mindestens *eine* Entität hat die Eigenschaft so-und-so« und »Höchstens *eine* Entität hat die Eigenschaft so-und-so.« Anders gesagt, eine und *nur* eine Entität hat die Eigenschaft. So wird »der gegenwärtige König von Frankreich existiert« analysiert in »Eine und nur eine Entität ist König von Frankreich«, was eine falsche Aussage ist und damit auch die Verbindung mit »und dieser hat eine Glatze«, weil der erste Teilsatz falsch ist.

A. MEINONG (1853–1920) hatte Dinge wie runde Vierecke oder goldene Berge »nichtseiende **Gegenstände**« genannt. Um ihre »Subsistenz« zu verneinen, muß man sie als Gegenstände betrachten. Nach der Analyse sind sie nicht mehr als Satzsubjekte nötig.
»Der Berg aus Gold existiert nicht.«
setzt den Berg als Satzsubjekt voraus. In der analysierten Form verschwindet er:
»Es gibt keine Entität, die zugleich ein Berg und aus Gold ist.«

Durch FREGES **Substitutionsprinzip** (S. 219) kommt eine *Tautologie* zustande, wenn bedeutungsgleiche Ausdrücke wechselseitig ersetzt werden. Die analysierte Form spricht die Identität aus, ohne eine Tautologie zu ergeben.
Z. B. ergibt »Scott ist der Autor von Waverley« analysiert »Scott schrieb Waverley; und es ist immer wahr von y, daß y mit Scott identisch ist, wenn y Waverley schrieb.«
Allgemein gilt für die Form der Aussage C (x), die eine Kennzeichnung enthält, für die Einsetzung für x:
C (alles) bedeutet ›C (x) ist immer wahr‹.
C (nichts) bedeutet: »»C (x) ist falsch«, ist immer wahr‹.
C (etwas) bedeutet: ›Es ist falsch, daß »C (x) ist falsch« immer wahr ist‹.

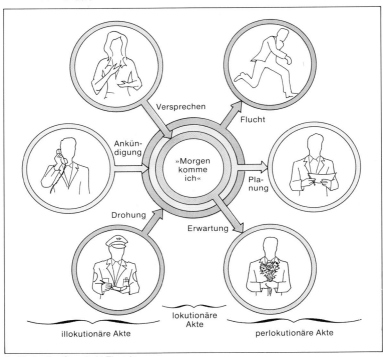

A   Zu Austins Sprechakt-Theorie

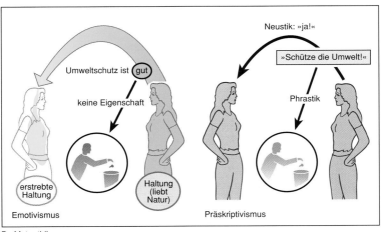

B   Metaethik

Die Philosophie der **normalen Sprache** (engl.: ordinary language = alltäglichen) folgt dem späten WITTGENSTEIN (S. 217):

»Frag nicht nach der Bedeutung, schau auf den Gebrauch.«

Die Suche nach einer definierten Bedeutung, letztgültigen Kriterien und syntakt. Präzision wird in Frage gestellt zugunsten der Beachtung des *Kontexts,* von Familienähnlichkeiten von Wörtern und Aussagen und dem tatsächlichen und prakt. *Gebrauch* der Sprache.

Philosophie ist nicht länger ein Corpus von Sätzen, sondern Untersuchung der vielfältigen sprachl. Äußerungen.

SUSAN STEBBING, PETER STRAWSON, JOHN L. AUSTIN u. a. wenden sich vom Positivismus ab. Die tatsächlich gebrauchte Sprache zu erforschen und ihre Beziehung zur Welt wird zur Hauptaufgabe. Das Interesse verlagert sich von der Reduktion zur Erklärung und zum legitimen Gebrauch der Sprache. Damit gibt die Philosophie den Standpunkt auf, der die Sprache zum Abbild oder zur isomorphen Struktur der Welt gemacht hatte. Fundamentale sprachl. Einheiten stellen nicht länger Objekte dar, und der Gebrauch der Sprache liegt nicht mehr einzig in der Feststellung von Tatsachen. Die Sprache ist mehr als ein Spiegel, der die Welt reflektiert.

Die Philosophie der *Normalsprache* sieht die Sprache als flexibel im Zusammenspiel mit dem Kontext und erfinderisch in ihrem Gebrauch.

Bedeutung, der zentrale Punkt der Analyse, ist nicht mehr nur die Beziehung zwischen Wörtern und der Welt, sondern wird interpretiert als die *Regeln, Konventionen, Gebräuche,* kurz die *Anwendungen* von Wörtern. Damit ist die Schaffung idealer Sprachen als Ziel der Philosophie verschwunden.

In seiner Theorie der **Sprechakte** untersucht **J. L. Austin** (1911–60) die versch. Funktionen der Sprache. Sie kann nicht nur deskriptive oder konstative Funktion haben, sondern auch »performativ« sein:

Mit bestimmten Wörtern wird auch eine Handlung vollzogen, z. B. durch das »Ja-Wort« bei der Eheschließung.

AUSTIN unterscheidet zwischen dem *lokutionären* Akt, der im einfachen Aussprechen besteht, und dem *illokutionären,* der in der damit verbundenen Tätigkeit besteht, etwa drohen, danken etc. Dazu kommt der *perlokutionäre,* der Erfolg seines Sprechens.

Damit diese Sprechakte gelingen, muß eine Reihe von Bedingungen erfüllt sein. Die Äußerung muß im Rahmen bestimmter *Konventionen* erfaßbar sein. Befehle eines Untergeordneten sind z. B. wirkungslos. Außerdem ist eine *korrekte* und *vollständige* Durchführung verlangt:

Eine Wette ist nur richtig, wenn ein zweiter dagegenwettet, und auch nur dann, wenn das Pferd nicht schon im Ziel ist.

Die Analyse der Sprache erstreckt sich damit auf Felder, in denen Wertungen, Vorschriften, Haltungen ausgedrückt werden. Solche normativen Ausdrücke finden sich in der **Ethik** und der **Religion.**

George Edward Moore (1873–1958) entwickelt die Analyse in Auseinandersetzung mit der idealist. Philosophie, die in England v. a. von BRADLEY vertreten wird. Er hält ihr die unbestreitbaren Ansichten (»truisms«) des Alltagsverstandes (»common sense«) entgegen.

Diesen zugrundelegend dient die Analyse der Klärung von verdeckten Voraussetzungen und logischen Ungereimtheiten philosoph. Theorien.

In seinen ›Principia Ethica‹ versucht MOORE die Verwendung des Begriffs **»gut«** zu klären. D. HUME hatte den Übergang von Seinsaussagen zu Sollensaussagen als unzulässigen Fehlschluß bezeichnet. Aus analytischer Sicht kommt MOORE zu dem Ergebnis, daß »gut« nicht weiter analysierbar ist, sondern eine einfache, nicht weiter reduzierbare Qualität darstellt. Diese wird daher aufgrund eigener Bewußtseinsakte intuitiv erfaßt. Alle Versuche, »gut« durch andere Eigenschaften zu definieren, führen zu einem *naturalistischen Fehlschluß.*

A. J. Ayer (1910–89) zieht aus dem Umstand, ethische u. ä. Aussagen seien empir. nicht verifizierbar, den Schluß, die ethischen Grundbegriffe seien nicht analysierbar, weil

»sie nur Pseudobegriffe sind. Ihr Vorhandensein fügt ihrem tatsächlichen Inhalt nichts hinzu«.

Das Gleiche trifft auf die Sätze der Religion bzw. der Theologie zu.

Die Theorie des **Emotivismus** (vertreten v. a. von C. L. STEVENSON) sieht mit Wörtern wie »gut« überhaupt keine Eigenschaft benannt. Moralische und religiöse Aussagen werden nur als Äußerungen von Gefühlen und Haltungen interpretiert. Solche

»Sätze drücken eine Einstellung des Sprechers aus und tendieren dazu, ähnliche Einstellungen beim Hörer hervorzurufen«. (M. J. CHARLESWORTH)

Die Aussage etwa, Gott habe die Welt erschaffen, liest sich demnach als eine

»positive Einstellung zum Universum«.

Demgegenüber versucht R. M. HARE etwas wie eine Logik der Imperative. Dazu analysiert er Aufforderungen in ein Phrastikon (»was auf etwas hinweist«), also den zugrundeliegenden Sachverhalt, und ein Neustikon (»zustimmendes Nicken«). Dies ermöglicht, moral. Aussagen als *präskriptiv* (»vorschreibend«) zu kennzeichnen, auf Gründen beruhend, die wir in allen gleich gelagerten Fällen anführen müßten (Prinzip der *Universalisierung*).

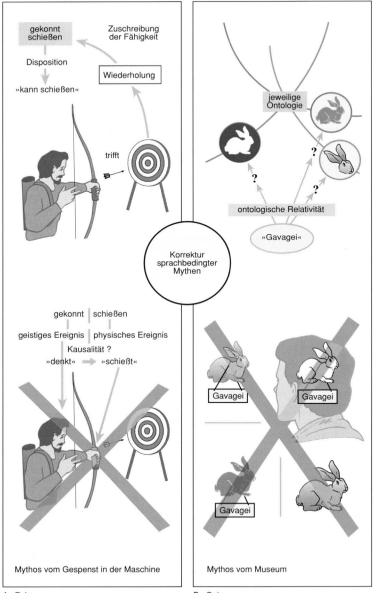

gekonnt
schießen

Zuschreibung
der Fähigkeit

Disposition

Wiederholung

»kann schießen«

trifft

jeweilige
Ontologie

ontologische Relativität

»Gavagei«

Korrektur
sprachbedingter
Mythen

gekonnt │ schießen

geistiges Ereignis │ physisches Ereignis

Kausalität ?

»denkt« ➡ »schießt«

Gavagei

Gavagei

Gavagei

Mythos vom Gespenst in der Maschine

Mythos vom Museum

A   Ryle

B   Quine

Gilbert Ryle (1900–76) (›Systematisch irreführende Ausdrücke‹; 1931–32) bemerkt die beständige Verwirrung zwischen grammatikal. Aussagen und log. Formen.

Beispiel: In dem Satz »Fleischfressende Kühe existieren nicht« bezeichnet »fleischfressende Kühe« keinen Gegenstand, und »existieren nicht« ist kein Prädikat.

Also muß der Ausdruck heißen: »Nichts ist zugleich eine Kuh und fleischfressend.«

Solche Sätze sind alle irreführend, wenn ihre grammatikal. Form der Tatsache nicht angemessen ist, die sie beschreiben.

RYLES Interesse gilt diesen **Kategorienverwechslungen.** Dabei werden Begriffe einem logischen Typ zugeordnet, zu dem sie nicht gehören (z. B. »Sie kam aus Liebe und aus Hamburg.«). Es gilt

»Ausdrücke, mit denen man die gleiche Frage beantworten kann, gehören zur gleichen Kategorie.«.

Und nur solche Ausdrücke dürfen in Aussagen gleichgeordnet werden.

RYLE wendet diese Art von Analysen auch auf die trad. Lehren von Geist und Körper an. Sein ›Begriff des Geistes‹ (1949) ist ein Muster für die **»philosophy of mind«** (»Philosophie des Geistes«). Seine Überlegungen

»sollen unsere Kenntnisse vom Geist oder der Seele nicht vermehren, sondern die logische Geographie dieses Wissens berichtigen«.

RYLE kämpft an gegen den Dualismus von Geist und Körper, den er »Descartes' Mythos« oder »das Dogma vom Gespenst in der Maschine« nennt.

Unreflektierter Sprachgebrauch verführt dazu, hinter der empirischen äußeren Handlung noch eine verborgene, private Entität wie den Geist anzunehmen. Dem »Mythos« nach folgt dieser einer eigenen Kausalität, die auf (ungeklärte) Weise auf die Außenwelt einwirkt. Scheinbar verknüpft eine planvolle Handlung ein geistiges und ein physisches Ereignis.

RYLE dagegen bestreitet, daß jemand, der »überlegt Auto fährt«, zuerst überlegt und dann steuert.

Ihm zufolge bezeichnen die »geistigen« Attribute *Dispositionen,* die sich nur in Wenn-Dann-Aussagen wiedergeben lassen.

Unsere Kriterien für die Anwendung von Wörtern wie »Wissen«, »Können«, »Wollen« etc. entnehmen wir den sichtbaren Handlungen, die mit einer gewissen Konstanz auftreten.

Nur wenn ein Schütze häufig trifft, schließen wir Zufall aus und sprechen von »Können«.

Peter Frederick Strawson (geb. 1919) behandelt das Problem im Zuge einer »deskriptiven Metaphysik«, wie er sie in ›Individuals‹ (1959) darlegt. Diese, im Unterschied zur »revisionären«,

»begnügt sich damit, die tatsächliche Struktur unseres Denkens über die Welt zu beschreiben«.

Zu den Einzeldingen, die wir im Sprechen identifizieren, gehören **Personen.** Ihnen schreiben wir sowohl materielle Prädikate (z. B. 1,80 m) zu als auch solche, die sich nur auf Personen beziehen (z. B. lächeln, Schmerzen leiden). Der Fehler dualist. Theorien besteht darin, daß sie zweierlei Verwendungen von »ich« annehmen. STRAWSON sieht dagegen »Person« als die vorgängige Kategorie an, als

»einen Typ von Entitäten derart, daß einem Individuum von diesem ... Typ sowohl Bewußtseinszustände als auch körperliche Eigenschaften zugeschrieben werden können«.

Sein Argument: Wir können die entsprechenden Prädikate nur verwenden, wenn wir sie auf uns *und* andere anwenden, also gleichermaßen *Beobachtungen und Empfindungen* damit benennen.

Willard van Orman Quine (geb. 1908) greift die trad. Theorien von »Bedeutung« an, die den »Mythos vom Museum teilen«.

Sie stellen Bedeutung als ein Schildchen vor, das an den Gegenständen in einer Gallerie hängt – gleichgültig ob als »Ausstellungsstücke« platon. Ideen, die Gegenstände selber oder Ideen (Bilder) von ihnen im Bewußtsein behauptet werden.

QUINES naturalist. Programm hält ihnen den realen Spracherwerb entgegen:

»Der Lernprozeß ist eine implizite Induktion des Subjekts in Bezug auf den Sprachgebrauch der Gesellschaft.«

Die Sprache erwerben wir durch Verknüpfungen von Äußerungen mit bestimmten empir. Reizen *(»Reizbedeutung«),* die bestätigt (und damit verstärkt) oder nicht bestätigt (getilgt) werden.

»Die Reizbedeutung eines Satzes für eine bestimmte Person faßt ihre Disposition zusammen, dem Satz in Reaktion auf einen gegenwärtigen Reiz zuzustimmen oder ihn abzulehnen.«

Riefe jemand in einer uns unbekannten Sprache beim Anblick eines Hasen »gavagai«, wüßten wir nicht, ob er den Hasen oder Teile des Hasen oder »Alles minus des Hasen« bezeichnet. Eine andere Sprache könnte mit einem ganz anderen Klassifikationssystem arbeiten (QUINES Prinzip der *Unbestimmtheit der Übersetzung*). Allgemeiner: Über Gegenstände und Eigenschaften zu sprechen, ist sinnvoll nur im Rahmen einer

»eigenen, vorgängig angenommenen und letztlich unerforschlichen Ontologie« (QUINES Prinzip der *ontolog. Relativität*).

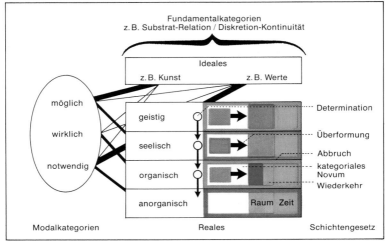

Fundamentalkategorien
z. B. Substrat-Relation / Diskretion-Kontinuität

Ideales
z. B. Kunst   z. B. Werte

möglich

wirklich

notwendig

geistig .... Determination

seelisch .... Überformung

.... Abbruch

organisch .... kategoriales
Novum

anorganisch   Raum Zeit .... Wiederkehr

Modalkategorien   Reales   Schichtengesetz

A   Zu Hartmanns Kategorien

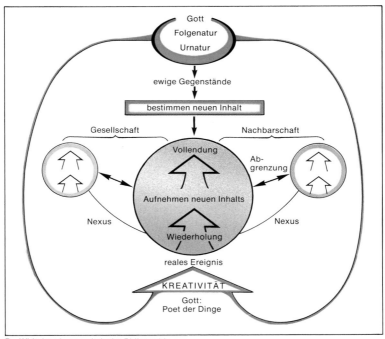

Gott
Folgenatur
Urnatur

ewige Gegenstände

bestimmen neuen Inhalt

Gesellschaft   Nachbarschaft

Vollendung

Ab-
grenzung

Aufnehmen neuen Inhalts

Nexus   Nexus

Wiederholung

reales Ereignis

KREATIVITÄT

Gott:
Poet der Dinge

B   Whiteheads organistische Philosophie

Nicolai Hartmann (1882–1950) beabsichtigt, eine »neue **Ontologie**« zu begründen. Grundlegend ist die Abkehr von der subjektivist. Tradition, die im Erkennen ein *Erschaffen* des Objekts sieht. Vielmehr sind Erkenntnisakte *transzendent,* d. h., sie weisen über sich hinaus auf einen *Gegenstand*.

Auch Ethik und Erkenntnistheorie sind der Ontologie zugeordnet, die HARTMANN als *Kategorialanalyse* betreibt. So ist Erkenntnis als Identität von Erkenntnis- und Seinskategorien gefaßt, die allerdings nur teilweise gegeben ist. Es bleibt in der Erkenntnis immer ein »Überschuß« an nicht Erkennbarem.

HARTMANNS **Kategorien** bilden versch. Gruppen:

– *Modalkategorien:* Die Modi von Wirklichkeit, Möglichkeit und Notwendigkeit erlauben die Aufteilung in versch. Seins*sphären,* z. B. in reales (zeitl.) und ideales (überzeitl.) Sein (z. B. Wesen und Werte). HARTMANN behauptet für die Sphäre des Realen das Zusammenfallen von möglich, wirklich und notwendig.

– *Fundamentalkategorien:* auch sie gelten für alles Sein. HARTMANN zählt u. a. auf: »1. Prinzip und Concretum, 2. Struktur und Modus, 3. Form und Materie . . .«

– *besondere Kategorien:* z. B. die der Physik, der Biologie, der Mathematik.

Das Sein ist nach den jeweils geltenden Kategorien innerhalb der Sphären noch näher in *Stufen* oder **Schichten** zu teilen.

Das reale Sein z. B. baut sich auf in Anorganisches, Organisches, Seelisches und Geistiges. Jede höhere Schicht überlagert die untere.

HARTMANN findet dabei *Schichtengesetze,* z. B. daß Kategorien der niedrigeren in der höheren Schicht wiederkehren, aber nicht umgekehrt. Da Kategorien in der höheren Schicht überformt werden, und deren eigene Kategorien ihren Charakter bestimmen, ist *Determination* von unten ausgeschlossen. Vielmehr determiniert die höhere Schicht die untere.

Alfred North Whitehead (1861–1947) versucht in seinem Hauptwerk ›Prozeß und Realität‹ (1929) eine spekulative Erklärung der Welt. In diesem »Versuch einer Kosmologie« korrigiert er einige Mißverständnisse des abendländ. Denkens:

Die »Aufgabelung« (bifurcation) von Geist und Materie wird ebenso kritisiert wie die klass. Teilung in Substanz und Akzidenz oder tradit. Zeitvorstellungen.

WHITEHEAD versucht der Täuschung zu entgehen, die aus der Verwechslung von *Abstraktem* und *Konkretem* entsteht (fallacy of misplaced concreteness). Seine Philosophie soll sich durch **Adäquatheit** auszeichnen: sie soll

»ein kohärentes, log. und notwendiges System von allg. Ideen formulieren, mit deren Hilfe sich jedes Element unserer Erfahrung interpretieren läßt.«

WHITEHEAD schafft dazu ein kompliziertes Kategoriensystem, das *alles* Wirkliche zu erfassen sucht.

Wirklich ist dabei im Sinne des »ontolog. Prinzips« immer nur das *einzelne Konkrete.* Alles Wirkliche ist *Ereignis* im **Prozeß,** in dem es »objektive Unsterblichkeit« erlangt. Er ist durch ein *Erfassen* (prehension) charakterisiert. In ihm begegnen sich die aus der Vergangenheit stammenden Bestimmungen des jeweiligen Gegenstandes und die in die Zukunft weisenden Möglichkeiten. Die realen Dinge, die die Ereignisse repräsentieren, wählen *frei* jeweils eine dieser Möglichkeiten und erreichen den Zustand der *Erfüllung,* wenn sie konkretisiert ist.

Diese Vorgänge sind bipolar, d. h. sie haben neben dem physischen einen geistigen Pol im subjektiven Empfinden. Im Prozeß bestimmt sich das Ding durch Aufnehmen neuer Inhalte, aber auch durch Abgrenzung von anderen. Diese sind somit als *Daten* in jedem Wirklichen mitenthalten.

Die Beziehung von Ereignissen nennt WHITEHEAD »*Nexus*« (z. B. Gleichzeitigkeit). Sie können nach dem Grad an Komplexität und Wechselwirkung auch als Gesellschaften aufgefaßt werden, die allein die *Dauer* verbürgen.

Z. B. ist ein Molekül in einer Zelle Teil einer »strukturierten« Gesellschaft, da es dort Eigenschaften besitzt, die es außerhalb nicht hätte.

Die im Prozeß gegebenen Möglichkeiten sind mitbestimmt durch die *»zeitlosen Gegenstände«.* Diese »Ideen« haben unterschiedliche Relevanz der Entstehung eines Einzeldings, sind allerdings auch nur real, wenn sie in einem Ereignis verwirklicht sind, dessen *Ziel* sie darstellen. Ihre Beziehungen hängen von der ordnenden Tätigkeit **Gottes** ab.

»In diesem Sinne ist Gott das Prinzip der Konkretion . . ., von dem jede zeitl. Konkretisierung das anfängl. Ziel erhält . . . Dieses Ziel bestimmt die anfängl. Abstufungen der Relevanz zeitloser Gegenstände.«

Diesen Aspekt nennt WHITEHEAD die *»Urnatur«* Gottes und stellt ihr die »*Folgenatur*« zur Seite, in der Gott mit jedem Geschöpf verbunden ist, was sich in Bildern ausdrückt:

»[Gott] schafft die Welt nicht, er rettet sie; oder, genauer: Er ist der Poet der Welt, leitet sie mit zärtl. Geduld durch seine Einsicht in das Wahre, Schöne und Gute.«

Die Welt und jedes ihrer Elemente wird bei WHITEHEAD als **Organismus** verstanden, in dem jedem Bestandteil eine eigene Bedeutung für sich selbst und für das Ganze zukommt. Er ist von umfassender *Kreativität* bestimmt.

A   Zu Blochs »flexibler« Zeitvorstellung

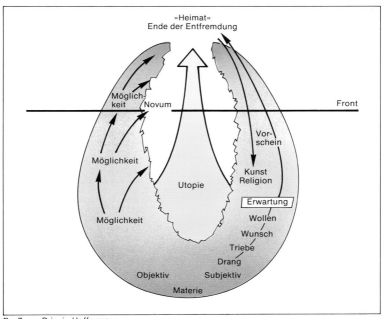

B   Zum »Prinzip Hoffnung«

Der Ausbau und die Umsetzung der Lehren von Marx und Engels in die polit. Wirklichkeit ist v. a. durch W. I. Uljanow (1870–1924), gen. **Lenin**, erfolgt. Er verurteilt den »Revisionismus«, d. h. die Tendenz, den Sozialismus durch stetige Reformen zu erreichen.

Nach Lenin führt der *Monopolkapitalismus* dazu, daß der Staat weiterhin Instrument der Unterdrückung ist. Außerdem können durch die hohe Profitrate Teile der Arbeiterklasse korrumpiert werden.

Lenin setzt dem seine Theorie der **Revolution** entgegen, die er 1917 in Rußland verwirklicht. Kernpunkt seines *Bolschewismus* ist die (vorübergehende) »Diktatur des Proletariats«, die durch eine *Partei* gelenkt sein muß. Diese Elite soll streng zentralistisch geführt sein und ist Träger der »Ideologie«, d. h. der richtigen Theorie:

»Das polit. Klassenbewußtsein kann nur von außen an den Arbeiter herangetragen werden.«

In der außenpolit. Analyse kommt es Lenin v. a. auf den *Imperialismus* an. Die Aufteilung der Welt durch Verbände, in denen Kapital konzentriert ist, ist Folge der dauernden Absatzkrise. Banken u. ä. lenken die Außenpolitik mit dem Ziel, in Kolonien neue Märkte zu erschließen.

In Lenins *Materialismus* wird Erkenntnis aufgefaßt als Annäherung an die Wahrheit durch die Praxis. Obwohl objektive Wahrheit vorausgesetzt wird, sind durch die geschichtl. Bedingtheit ihrer Kenntnis Grenzen gesetzt. Für China hat **Mao Tse-Tung** (1893–1976) eine revolutionäre Ideologie geformt, deren Charakteristikum die *permanente* und *etappenweise* Revolution darstellt.

In großer Stoffülle und Sprachkraft deutet **Ernst Bloch** (1885–1977) Marx' Philosophie auf das Zentrum seines Lebenswerkes: die Erfassung der **Utopie.** Sein Hauptwerk ›Das Prinzip Hoffnung‹ (1954–59) stellt eine Enzyklopädie menschl. Hoffens dar. Bloch weist das Vorwegnehmende, die *Antizipation* als hervorragende Eigenschaft des Bewußtseins aus. Der Mangel und seine mögl. Beseitigung drückt sich auf allen Stufen des Menschseins aus:

als Drang, dann als Streben und Sehnsucht, das mit einem unbest. Ziel verbunden zur Suche wird, mit einem bestimmten zum Trieb. Bleibt dieser ungestillt, steht als Ziel aber bewußt, entsteht der Wunsch und schließlich das Wollen.

Der Mensch ist auf die *Zukunft* hin angelegt, die noch gar nicht feststeht:

»Wir sind Subjekte ohne Namen, Kaspar-Hauser-Naturen, die mit unbekannter Ordre fahren ... Mit seiner ganzen Welt noch auf Fahrt befindlich, ist [die Ordre] ... doch in der Entdeckungsfahrt ihrer selbst möglicherweise erhellbar, ja überhaupt erst bildbar.«

In der *Kunst* z. B. und der *Religion* ist die Grenze zum Noch-Nicht-Bewußten überschritten, sie sind ein »Vor-schein eines Gelungenen«.

Einen weiteren Hort noch unerreichter Inhalte stellt für Bloch das **Naturrecht** dar. Als »strenger Vetter der Utopie« zeichnet es den Rahmen gesellschaftl. Verhältnisse, in denen menschl. Freiheit möglich ist. Allerdings verteidigt das Naturrecht u. U. auch bestehende Mißstände gegen echten Fortschritt.

Die subjektiven Phantasien und Bilder der Hoffnung haben in der objektiven Wirklichkeit ihr Pendant:

»Erwartung, Hoffnung, Intention auf noch ungewordene Möglichkeit: das ist nicht nur der Grundzug des menschl. Bewußtseins, sondern, konkret berichtigt und erfaßt, eine Grundbestimmung innerhalb der objektiven Wirklichkeit insgesamt.«

Wie die subjektive Wirklichkeit vom **Noch-Nicht** durchzogen ist, ist es auch die objektive. Der Kernsatz heißt logisch formuliert nicht »A = A oder A nicht nicht-A«, sondern »A ist *noch nicht* A.«

Die Welt befindet sich in einem *dialektischen Prozeß,* für den Bloch 3 Kategorien angibt:

1) »Front«, d. h. jener vorderste Abschnitt der Zeit, wo die Zukunft jeweils entschieden wird,

2) »Novum«, der immer erneuerte Inhalt der Zukunft aus der realen Möglichkeit,

3) »Materie«.

Materie faßt Bloch nicht als statisch-quantitativ, sondern (aus der Wurzel »mater« = Mutter«) als dynamisch-schöpferisch. Sie ist nicht der »mechanische Klotz«, vielmehr das einzige Substrat für **reale Möglichkeit** und somit Garant des Novum:

»Reale Möglichkeit ist das kategoriale Vor-Sich der materiellen Bewegung als eines Prozesses.«

Diese »objektiv-reale« Möglichkeit ist unterschieden etwa von der formalen, d. h. des rein *Denkmöglichen,* oder der »sachlich-objektiven«, die in mangelnder Bekanntheit der Bedingungen begründet ist. Echte Möglichkeit ist kein reines Ausfalten eines schon Angelegten.

Die *Zeit* soll als flexible Größe betrachtet werden. Scheinbar (nach der Uhr-zeit) Gleichzeitiges gehört in versch. Räumen versch. Epochen an. Auch in der Gesellschaft finden sich »gleichzeitig« Heutiges und Atavistisches.

Die Entwicklung des Reichtums der menschl. Natur bestimmt Bloch mit Marx am Ende des ›Prinzips Hoffnung‹ als sein **Ziel:**

»Hat [der Mensch] sich erfaßt und das Seine ohne Entäußerung und Entfremdung in realer Demokratie begründet, so entsteht in der Welt etwas, das allen in die Kindheit scheint und worin noch niemand war: Heimat.«

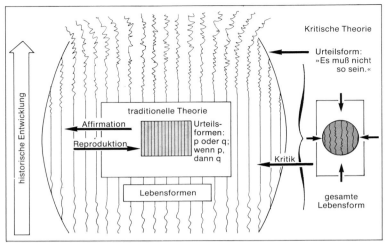

A Kritische und traditionelle Theorie

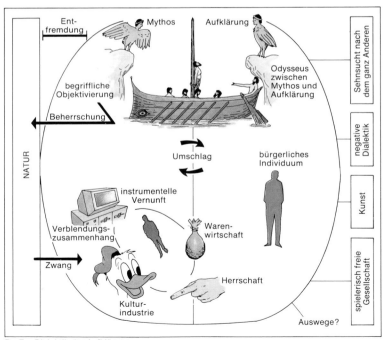

B Zur Dialektik der Aufklärung

Die wichtigsten Vertreter der **Kritischen Theorie,** wegen des Sitzes ihres »Instituts für Sozialforschung« in Frankfurt/M. auch **Frankfurter Schule** genannt, sind MAX HORKHEIMER (1895–1973), THEODOR W. ADORNO (1903–69) und HERBERT MARCUSE (1898–1979). Als Verfolgte des Nationalsozialismus mußten sie ins amerikan. Exil. Mit je unterschiedl. Akzent verfolgen sie eine krit. Analyse der Gesellschaft, die sich stark auf MARX stützt.

Zu ihren allg. Kennzeichen gehört eine scharfe Zurückweisung des Bestehenden, *Skepsis* gegenüber Alternativen und *Meidung des Systematischen.* Ihre Schriften sind deshalb häufig Essays, Aufsätze und Aphorismen.

HORKHEIMER charakterisiert die Krit. Theorie so:

In der *traditionellen* Theorie ist die Erkenntnisleistung auf Teilaspekte beschränkt. Sie reproduziert nur ihre vorgefundene Lage *und affirmiert* damit die gesellschaftl. Bedingungen, unter denen sie entsteht.

Dagegen setzt HORKHEIMER:
»Die krit. Theorie der Gesellschaft hat . . . die Menschen als die Produzenten ihrer gesamten histor. Lebensformen zum Gegenstand.«

Als *Methode* benutzt das Frankfurter Institut v. a. interdisziplinäre Studien. Eine Untersuchung der **Gesellschaft** ist notwendig, denn alle Tatsachen sind gesellschaftl. »präformiert«. Die Kriterien sind dabei neu zu suchen. Deshalb

geht es nicht um Korrekturen innerhalb des Systems, sondern um dessen grundlegende Kritik.

Diese ist möglich, da der *Mensch* selbst als *Subjekt* seiner Geschichte betrachtet wird. Als »Existentialurteil« formuliert heißt das:
»Es muß nicht so sein, die Menschen können das Sein ändern.«

Ziel dieser Veränderung ist eine *vernünftige* Gestalt der Gesellschaft. Sie soll die *Wahrheit* zur Geltung bringen
»und [die] Vernünftigkeit des Strebens nach Frieden, Freiheit und Glück«.

Erstrebt wird dabei die Emanzipation durch die Beseitigung von Herrschaft und Unterdrückung.

In Amerika (40 er Jahre) untersuchen HORKHEIMER und ADORNO die ›Dialektik der Aufklärung‹:
»Mit der Ausbreitung der bürgerl. Warenwirtschaft wird der dunkle Horizont des Mythos von der Sonne der kalkulierenden Vernunft aufgehellt, unter deren eisigen Strahlen die Saat der neuen Barbarei [v. a. Faschismus] heranreift.«

Die Herrschaft der **Vernunft** allgemein wird hier als Aufklärung bezeichnet. Ihr Instrument ist der *Begriff,* was sie mit dem *Mythos* teilt, der deshalb schon Aufklärung enthält. Vor dem Mythos verhält sich der Mensch

magisch zur Natur, indem er sie nachahmt (Mimesis).

Mit dem begriffl. Denken gelangt der Mensch als Subjekt zur *Objektivierung* der Natur. Dies ermöglicht sein Überleben durch *Naturbeherrschung,* aber nur um den Preis seiner Entfremdung. Diese »Versachlichung« durchdringt nun umgekehrt auch die Beziehungen zwischen den Menschen und das Verhältnis des einzelnen zu sich selbst. Damit ist sie ein Pendant zur Abstraktion des Tauschwerts von Waren in der kapitalist. Wirtschaft. Aufklärung schlägt in Mythologie zurück, indem am Ende das Subjekt widerstandslos der totalen Herrschaft ausgeliefert ist:
»Der Animismus hatte die Sachen beseelt, der Industrialismus versachlicht die Seelen.«

Die Moral, der Kulturbetrieb und die Wissenschaft sind gleichermaßen durch den reinen Formalismus der instrumentellen Vernunft bestimmt. Sie dienen dem »Verblendungszusammenhang« als Träger der totalen Beherrschung von Mensch und Natur. V. a. HORKHEIMER betont, daß damit das *Individuum* selbst bedroht ist. Das einzelne Subjekt geht in der verwalteten Welt auf.

Die **spätere** Krit. Theorie verzichtet zunehmend auf eine best. Hoffnung. HORKHEIMERS Spätphilosophie ist gekennzeichnet als »Sehnsucht nach dem ganz Anderen«. ADORNO sucht in der ›Negativen Dialektik‹ den Weg, das *Nicht-Identische* zu bewahren, d. h. das Einzelne zu retten. Negation und Gegensatz wird nicht durch Synthese oder System aufgehoben:
»Dialektisch ist Erkenntnis des Nichtidentischen . . . Sie will sagen, was etwas sei, . . . [nicht] wovon es Exemplar ist oder Repräsentant, was es also nicht selbst ist.«

ADORNO sieht v. a. in der *Kunst* die Möglichkeit, diese »vom Identitätszwang befreite Sichselbstgleichheit« zu verwirklichen. Die *Ästhetik* nimmt einen breiten Raum in seinem Werk ein.

MARCUSE hebt in seinem Hauptwerk ›Der eindimensionale Mensch‹ die Diskrepanz zwischen dem Rationalen in der Funktion der Industriegesellschaft und ihrem Irrationalen hervor, das darin besteht, daß sie nicht mehr der freien Entfaltung des Menschen dient.

Das Denken verewigt **»eindimensional«** das Bestehende und verschleiert dessen Irrationalität.

Bes. MARCUSE greift FREUD auf. Die psychosoziale Situation sieht er als repressiv. Das Lustprinzip der urspr. Triebe, v. a. des Eros, wird durch das Realitätsprinzip ersetzt. Dieses ist zum Leistungsprinzip verkommen. Die Veränderung hat zum Ziel, eine Gesellschaft zu schaffen, in der v. a. *spielerisch-freie* Möglichkeiten die natürl. Entwicklung des Menschen garantieren.

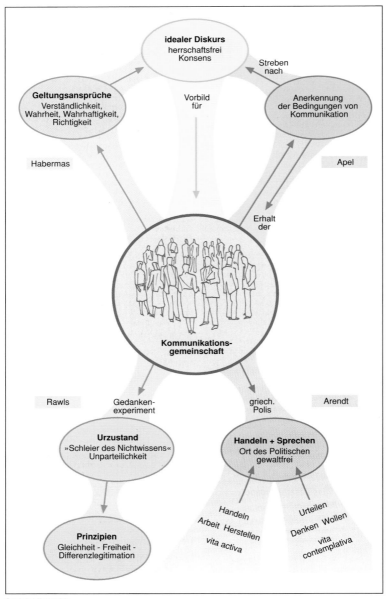

idealer Diskurs
herrschaftsfrei
Konsens

Geltungsansprüche
Verständlichkeit,
Wahrheit, Wahrhaftigkeit,
Richtigkeit

Streben
nach

Vorbild
für

Anerkennung
der Bedingungen von
Kommunikation

Habermas

Apel

Erhalt
der

Kommunikations-
gemeinschaft

Rawls

Gedanken-
experiment

griech.
Polis

Arendt

Urzustand
»Schleier des Nichtwissens«
Unparteilichkeit

Handeln + Sprechen
Ort des Politischen
gewaltfrei

Handeln
Arbeit Herstellen
vita activa

Urteilen
Denken Wollen
vita
contemplativa

Prinzipien
Gleichheit - Freiheit -
Differenzlegitimation

Sozialphilosophie

Jürgen Habermas (geb. 1929) untersucht die Grundlagen einer kritischen Theorie der Gesellschaft. In ›Erkenntnis und Interesse‹ (1968) stellt er heraus, daß jede scheinbar objektive Wissenschaft von **erkenntnisleitenden Interessen** motiviert ist. Den *empirisch-analytischen* Wissenschaften liegt ein *technisches* Interesse zugrunde, dem es um die Sicherung erfolgskontrollierten Handelns geht. Die *historisch-hermeneutischen* Wissenschaften haben ein *praktisches* Interesse, das auf die Erweiterung der Verständigungsmöglichkeiten zielt. Beide unterliegen den Zwängen der gesellschaftlichen Lebensbedingungen.

Die zu begründende **kritische** Wissenschaft ist von einem *emanzipatorischen* Interesse getragen.

Die Idee der Mündigkeit, als Durchschauen ideolog. Verstrickungen, ist nach HABERMAS in der Struktur der *Sprache* bereits angelegt. Wer überhaupt spricht, setzt schon voraus, daß ein freier Konsens möglich ist.

Eine kritische Gesellschaftstheorie muß sich daher den universalen Bedingungen möglicher Verständigung zuwenden. Der Ausgangspunkt einer solchen **Universalpragmatik** findet sich darin,

»daß jeder kommunikativ Handelnde im Vollzug einer beliebigen Sprechhandlung universale Geltungsansprüche erheben und ihre Einlösbarkeit unterstellen muß«.

HABERMAS nennt vier **Geltungsansprüche:** *Verständlichkeit* des Ausdrucks, *Wahrheit* der Aussage, *Wahrhaftigkeit* der Intention und *Richtigkeit* der Normen.

Das kommunikative Handeln muß seine Geltungsansprüche in Form eines **Diskurses** rechtfertigen können. Dieser stellt eine ideale Sprechsituation dar, bei der jeder Betroffene die gleiche Möglichkeit hat, sich zu äußern, und die frei von inneren und äußeren Zwängen ist. Das tatsächliche kommunikative Handeln stellt im Idealfall selbst einen erfolgreichen Diskurs dar, wenn es keine Handlung gibt, die nicht auf einem Konsens beruht.

Karl-Otto Apel (geb. 1922) stimmt mit HABERMAS in der konsenstheoret. Auffassung von Geltung überein, unterscheidet sich aber darin, daß er eine *Letztbegründung* für möglich hält. Seine **Transzendentalpragmatik** will daher zeigen, daß es nicht nur universale, sondern zugleich notwendige Geltungsbedingungen von Normen gibt.

Den Ausgangspunkt bildet bei ihm die unhintergehbare **Kommunikationsgemeinschaft** der Menschen.

Jeder, der eine Aussage macht und einen Geltungsanspruch erhebt, muß implizit die Bedingungen der Möglichkeit von Kommunikation schon anerkannt haben, und er kann sie nicht leugnen, ohne in einen Selbstwiderspruch zu geraten. Die Argumentationsprinzipien enthalten zugleich die Grundlagen einer *normativen Ethik,* da die Argumentieren-den die Regeln der Interaktion und Kooperation von Menschen anerkannt haben.

Daraus ergeben sich die **Grundnormen:**
– die Menschheit als *reale* Kommunikationsgemeinschaft zu erhalten,
– eine *ideale* Kommunikationsgemeinschaft in zwangfreien gesellschaftl. Verhältnissen anzustreben, die über alle vernünftig zu rechtfertigenden Ansprüche aller Mitglieder einen allg. Konsens herzustellen hat.

Im Zentrum von **John Rawls'** (geb. 1921) ›Theorie der Gerechtigkeit‹ steht die Frage, nach welchen Grundsätzen die Rechte und Freiheiten der Bürger zueinander und die Verteilung der Güter untereinander in einer Gesellschaft geregelt werden müssen.

Um dies zu klären, stellt RAWLS ein *vertragstheoretisches Gedankenexperiment* an:

Wir stellen uns einen **Urzustand** vor, in dem die Menschen zusammenkommen, um die Grundregeln ihrer künftigen Gesellschaft zu entwerfen.

Um das moral. Prinzip der *Unparteilichkeit* zu gewährleisten, befinden sich die Personen im Urzustand hinter einem »*Schleier des Nichtwissens*«, d. h. sie kennen ihre eigenen Fähigkeiten, soziale Position etc. nicht. Aus diesem Grund würden sie sich für eine Gesellschaftsstruktur entscheiden, die die möglichen Interessen aller berücksichtigt.

Somit würden zwei **Prinzipien** festgelegt:

»1. Jedermann soll gleiches Recht auf das umfangreichste System gleicher Grundfreiheiten haben, das mit dem gleichen System für alle anderen verträglich ist. 2. Soziale und wirtschaftliche Ungleichheiten sind so zu gestalten, daß (a) vernünftigerweise zu erwarten ist, daß sie zu jedermanns Vorteil dienen, und (b) sie mit Positionen und Ämtern verbunden sind, die jedem offen stehen.«

Das zweite sog. *Differenzprinzip* legt fest, daß soziale Ungleichheiten nur dann legitim sind, wenn sie für die Schwächsten einen Vorteil bewirken (Maximin-Prinzip).

Die polit. Philosophie von **Hannah Arendt** (1906–75) baut auf einer an ARISTOTELES angelehnten Handlungstheorie auf.

Von den drei *Grundaktivitäten* Arbeit, Herstellen, Handeln ist Letztere der eigentl. Ort des Politischen.

Handeln und Sprechen bilden den *herrschaftsfreien* Raum, in dem Menschen sich aufeinander beziehen, verhandeln und überzeugen. Dementsprechend wird polit. *Macht* als Fähigkeit kommunikativen Handelns bestimmt, die durch Gewalt zerstört wird. Mit der neuzeitlichen Hochschätzung der *Arbeit* verschwindet der Raum des Handelns, Bürokratisierung, Technik und Massendasein verstärken die Entpolitisierung, die totalitären Herrschaftssystemen den Weg ebnet.

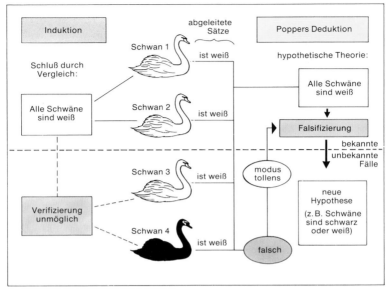

A Induktion und Deduktion nach Popper

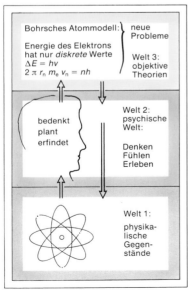

B Zu Poppers drei Welten

C Alberts »Münchhausen-Trilemma«

Karl Raimund Popper (1902-94) ist bekannt v. a. für seine Arbeiten zur **Wissenschaftstheorie.** Er nennt sich selbst einen Realisten, der mit dem Alltagsverstand (common sense) die Außenwelt und Gesetzmäßigkeiten in ihr als real gegeben ansieht. Er lehnt dagegen die Auffassung ab, in der Wiss. sei irgendein Wesen der Dinge zu erfassen. Diesen sog. *Essentialismus* macht er verantwortlich für die Rückständigkeit der Sozial- gegenüber den Naturwissenschaften, wo methodolog. *Nominalismus* herrscht.

Für den Essentialismus wäre die Frage charakteristisch:
»Was ist Bewegung?«.
Für den Nominalismus:
»Wie bewegt sich ein Planet?«

Dem entspricht die Tendenz des Essentialismus, *Begriffe* zu behandeln, deren Sinn sich durch Definition erschließt. Im Nominalismus werden *Aussagen* oder *Theorien* durch Ableitungen auf ihre Wahrheit geprüft.

Für die ›Logik der Forschung‹ ist POPPERS Behandlung der **Induktion** wichtig. Mit HUME lehnt er die Möglichkeit ab, aus noch so vielen Fällen auf ein Gesetz zu schließen. Der induktive Schluß ist logisch nicht zwingend. Dagegen ist das deduktive Verfahren beim »modus tollens« gültig:

Ist p aus t ableitbar [p ist ein Folgesatz eines Satzsystems t], und p ist falsch, so ist auch t falsch.

Damit hängt die Abgrenzung von Naturwiss. und Metaphysik nicht vom induktiven Verfahren ab, sondern davon, ob die empir. **Falsifizierung** (Widerlegung) der Sätze prinzipiell möglich ist. (Abb. A)

Der *Gehalt* einer Theorie ist doppelt zu bestimmen:
der »logische« Gehalt ist die Menge aller Sätze, die aus einer Theorie ableitbar sind; ihr informativer Gehalt ist die Menge der Sätze, die mit der Theorie unvereinbar sind.

Damit ist eine Theorie auch um so reicher, je mehr Möglichkeiten zu Kritik und Falsifizierung sie bietet.

Erkenntnisgewinn erfolgt für POPPER nach dem Schema P1 – VT – FB – P2.

Problem P1 wird durch eine vorläufige Theorie VT erklärt. Diese wird durch Diskussion oder experimentelle Prüfung einer Fehlerbeseitigung FB unterworfen, bei der sich das nächste Problem P2 stellt.

Alles Wissen ist demnach Vermutungswissen, alle Theorien sind *Hypothesen*. Der Erkenntnis geht immer eine Vermutung voraus, jede Erfahrung ist »theoriegetränkt«. Erreicht wird nie die wahre Theorie, sondern Theorien werden immer »wahrheitsähnlicher«.

Die ganze **Evolution** folgt für POPPER diesem Schema. Der Darwinismus (S. 189) ist für

ihn nicht wiss. prüfbare Theorie, sondern »metaphys. Forschungsprogramm«.

Alle Lebewesen produzieren aus sich Problemlösungen, die einem Selektionsdruck ausgesetzt sind.

Menschen aber verschwinden nicht selbst mit ihren Fehlern, sondern können sprachlich formulierte Hypothesen »sterben« lassen.

POPPER unterscheidet 3 »**Welten**«. Die 1. bildet die physikal. Realität, die 2. die Welt unseres Bewußtseins. Die Probleme und Theorien sind die Hauptbestandteile der Welt 3. Sie ist überzeitlich und objektiv beständig gegenüber unserem Denken, obwohl sie von ihm geschaffen wird (Abb. B).

Z. B. ist die Zahl eine Erfindung, mit der *unabhängig* neue objektive mathemat. Probleme geschaffen werden.

Der Raum, in dem die krit. Überprüfung aller Hypothesen geschehen kann, ist für POPPER allein in der **offenen Gesellschaft** gegeben. Diese Demokratie gewährt zugleich Sicherheit und Freiheit. Sie ist gefährdet durch die totalitäre Tendenz, die POPPER bei den »falschen Propheten« HEGEL und MARX, v. a. bei PLATON sieht. Für die offene Gesellschaft zitiert POPPER den Griechen PERIKLES:

»Obgleich nur wenige eine polit. Konzeption entwerfen und durchführen können, so sind wir doch alle fähig, sie zu beurteilen.«

Hans Albert (geb. 1921) sieht im Krit. Rationalismus einen mögl. Ausgleich zwischen der Neutralität des Positivismus und dem totalen Engagement der Existenzphilosophie. Philosophie versteht er als

Aufgabe zur **kritischen Prüfung** von Religion, Ethik und Politik.

Sie sind durch das *Dogma* weitgehend immunisiert gegen Verbesserungsvorschläge, was eine gründl. Ideologiekritik beseitigen soll.

Das Dogma kommt nach ALBERT durch den Willen zur *Gewißheit* zustande. Dieser ist formuliert im Prinzip des zureichenden Grundes, das für alle Aussagen eine letztgültige Erklärung fordert. Daraus entsteht das »Münchhausen-Trilemma« (Abb. C):

Die Suche nach einem archimed. Punkt der Erkenntnis führt zu 3 Möglichkeiten:
– dem infiniten Regreß, der bei der Suche nach Gründen immer weiter zurückgeht,
– dem logischen Zirkel,
– dem Abbruch des Verfahrens.

Beim Abbruch wird die Begründung geliefert durch Intuition, Erfahrung etc., was für ALBERT den Rekurs auf ein Dogma darstellt. Es dient zur Konservierung bestehender Zustände. Dagegen setzt ALBERT den Willen zur *Aufklärung:*

Prüfbare Theorien sind zu entwickeln und als Provisorien permanent zu kritisieren, um sich der Wahrheit anzunähern.

Ziel ist ein rationales Verhalten im Werten und Handeln des Menschen.

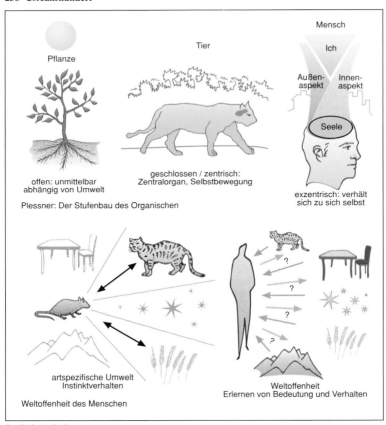

Mensch

Ich

Pflanze

Tier

Außen-
aspekt

Innen-
aspekt

Seele

offen: unmittelbar
abhängig von Umwelt

geschlossen / zentrisch:
Zentralorgan, Selbstbewegung

exzentrisch: verhält
sich zu sich selbst

Plessner: Der Stufenbau des Organischen

artspezifische Umwelt
Instinktverhalten

Weltoffenheit
Erlernen von Bedeutung und Verhalten

Weltoffenheit des Menschen

A Anthropologie

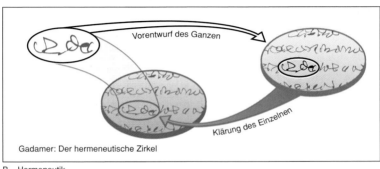

Vorentwurf des Ganzen

Klärung des Einzelnen

Gadamer: Der hermeneutische Zirkel

B Hermeneutik

Die philosophische **Anthropologie** im 20. Jh. stützt sich auf die Ergebnisse der *Biologie.* **Helmuth Plessner** (1892–1985) ordnet daher den Menschen in den Stufenbau des Lebendigen ein.

Alles Lebendige zeichnet sich durch seine **Positionalität** aus: Es setzt sich gegen die außer ihm bestehende Umwelt ab, auf die es bezogen ist und von der es Rückwirkungen empfängt.

Die **Organisationsform** der *Pflanze* ist offen, d. h. sie gliedert sich unmittelbar abhängig ihrer Umgebung ein. Die geschlossene Form der *Tiere* dagegen zentriert den Organismus stärker auf sich selbst durch die Ausbildung von Organen (mit dem Gehirn als Zentralorgan) und ermöglicht so größere Unabhängigkeit.

Erst der **Mensch** zeichnet sich durch eine *exzentrische Positionalität* aus, da er sich aufgrund seines Selbstbewußtseins reflexiv zu sich selbst verhalten kann. Er erfaßt sich so in einem dreifachen Aspekt:

als gegenständl. *Körper,* als *Seele* im Körper und als *Ich,* von dem aus er die exzentr. Position zu sich einnimmt.

Aufgrund der Distanz, die der Mensch so zu sich hat, ist sein Leben eine von ihm selbst zu vollziehende Aufgabe.

Er muß erst aus sich machen, was er ist, und ist daher von Natur aus auf *Kultivierung* angelegt und angewiesen.

Natur und Kultur, Sinnlichkeit und Geistigkeit sind beim Menschen stets eine vermittelte Einheit.

Auch **Arnold Gehlen** (1904–76) stützt sich auf die Ergebnisse der Biologie und geht vom Tier-Mensch-Vergleich aus.

Anders als das Tier, das an seine Umwelt genau angepaßt ist und von einer durchgängigen Instinktsteuerung geleitet wird, ist der Mensch biolog. ein **Mängelwesen.**

Aufgrund seiner Unangepaßtheit und *Instinktreduktion* ist er in seiner Existenz bedroht. Dem entspricht aber andererseits seine **Weltoffenheit** und damit Lernfähigkeit, denn der Mensch ist auf keinen Erfahrungshorizont und kein Handlungsmuster festgelegt.

Daher kann er dank seines *reflexiven Bewußtseins* die Bedingungen seines (Über-) Lebens neu gestalten, indem er sich eine künstl. Umwelt, die *Kultur,* schafft.

Aufgrund seiner Weltoffenheit steht der Mensch einer ständigen Überfülle an Eindrücken und damit an Handlungs- und Weltauslegungsmöglichkeiten gegenüber, die er ohne Hilfe nicht bewältigen könnte. Viele menschl. Eigenschaften und Einrichtungen sind daher aus ihrer **Entlastungsfunktion** zu erklären, indem sie Ordnung und Identität ermöglichen:

Dazu gehören die gesellschaftl. *Institutionen* oder *»Innenleistungen«* wie Sprache, Denken, Phantasie.

Hans-Georg Gadamer (geb. 1900) vermittelt in ›Wahrheit und Methode‹ (1960) der **Hermeneutik** des 20. Jh. wesentliche Impulse.

Das **Verstehen** ist für ihn nicht nur eine wiss. Methode, sondern die Seinsweise des menschl. Daseins selber, in der dieses sich die Welt erschließt.

Der Prozeß des Verstehens bewegt sich in einem *hermeneutischen Zirkel,* innerhalb dessen sich das Einzelne aus dem Ganzen und das Ganze aus dem Einzelnen erklären muß. Daher sind auf das Sinnganze zielende *»Vor-Urteile«* notwendig, die aber bewußt und korrigierbar sein müssen.

Der geschichtl. Horizont des Interpreten bildet sich innerhalb eines *»Überlieferungsgeschehens«* aus, in dem sich Vergangenheit und Gegenwart beständig vermitteln. Das Verstehen der Überlieferung gleicht einem *Gespräch,* denn ihre Zeugnisse erheben einen Wahrheitsanspruch, den der Interpret als mögliche Antwort auf *seine* Frage neu aktualisieren muß. In der Begegnung verändert sich so sein eigener Horizont, wie auch einem Werk im Laufe der Wirkungsgeschichte durch den zeitl. Abstand ein neuer Sinn zuwächst.

Paul Ricoeur (geb. 1913) befaßt sich zunächst mit der Bedeutung von **Symbolen.** Diese sind *doppeldeutige* Zeichen, die in ihrem manifesten Gegebensein auf einen latenten Sinn verweisen, der dem Menschen einen umfassenderen Bereich des Seins erschließt. Ein Leitsatz RICOEURS:

»Das Symbol gibt zu denken«

macht deutlich, daß das Symbol das Denken auf eine Wirklichkeit hinweist, die dieses direkt nicht selbst findet.

RICOEUR unterscheidet drei *Dimensionen des Symbols:*

eine kosmische, oneirische (im Traum hervorgebrachte) und eine poetische.

Unter den möglichen Interpretationsweisen gibt es zwei Extrempole: die *Hermeneutik des Vertrauens* (bes. die Religionsphänomenologie) zielt auf die Rückgewinnung eines vergessenen Sinnes, während die *Hermeneutik des Verdachts* (bes. FREUDS Psychoanalyse) das Symbol als verstellende Maske verdrängter Affekte entlarven will.

In seinen späteren Werken beschäftigt sich RICOEUR mit der Hermeneutik des Textes und der Handlung. Ein wesentl. Grundzug des **Textes** (im Unterschied zum Gesprochenen) besteht in seiner *semantischen Autonomie:*

der Ablösung vom Autor, dem urspr. Situationszusammenhang und Adressaten.

Dies trifft auch für (zeitlich nachwirkende) **Handlungen** zu, die deshalb als *»Quasi-Text«* interpretierbar sind. Beide hinterlassen eine eigenwirksame Spur in der Welt. Dieser Text enthält mögliche Weisen der Erschließung von Welt, die in ihrer Andersheit angeeignet werden können, um so das eigene Selbstverständnis des Interpreten zu vertiefen.

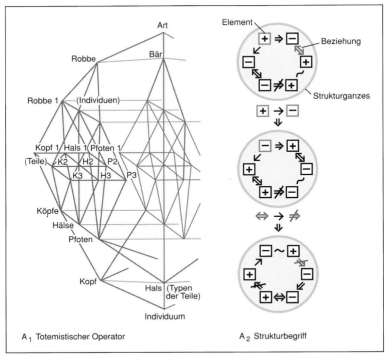

A₁ Totemistischer Operator   A₂ Strukturbegriff

A Lévi-Strauss

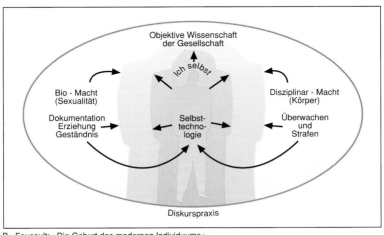

B Foucault: »Die Geburt des modernen Individuums«

Von großem Einfluß auf die Entstehung des **Strukturalismus** ist die von **Ferdinand de Saussure** (1857–1913) ausgehende *strukturale Linguistik*.

Sprache ist danach ein System von miteinander in Beziehung stehenden *Zeichen*. Diese bestehen ihrerseits aus dem *Bezeichnendem* (frz. *le signifiant;* Lautbild) und dem *Bezeichnetem* (*le signifié;* Inhalt). Die Beziehung zwischen diesen beiden Größen ist willkürlich (arbiträr). Die Bedeutung eines Zeichens besteht daher nicht an sich, sondern ist durch das innere Bezugssystem der Sprache festgelegt.

Die Sprache als System (*la langue*) liegt dem faktischen Sprachgebrauch der Individuen (*la parole*) als unbewußte Struktur zugrunde. Sie existiert vollständig nur in der Gesamtheit der Sprecher.

Mit Saussure zeigt sich die Sprache als eine selbständige *Ordnung* innerer Beziehungen von Elementen (Zeichen), die durch ihre konkrete Äußerungsform hindurch erst erschlossen werden muß. Da auch andere kulturelle Leistungen (wie Kunst, Rituale, Umgangsformen etc.) Zeichensysteme sind, kann man ebenfalls nach der ihnen zugrundeliegenden Struktur fragen.

Claude Lévi-Strauss (geb. 1908) überträgt die strukturale Methode auf die *Ethnologie* zur Erforschung der Zeichen- und Klassifikationssysteme von Stammeskulturen. Er geht davon aus, daß jeder Institution, jedem Brauch oder Mythos eine unbewußte Struktur zugrundeliegt, die es ausfindig zu machen gilt, denn in ihr offenbart sich die Form der Aktivität des menschl. Geistes überhaupt.

Struktur ist eine Gesamtheit von *Elementen,* zwischen denen *Beziehungen* bestehen, und zwar so, daß eine Änderung eines Elements oder einer Beziehung die Änderung der anderen Elemente oder Beziehungen zur Folge hat.

So lassen sich die **Verwandtschaftssysteme** als eine Struktur interpretieren, deren Elemente die Personen sind und deren Beziehungen durch die Heiratsregeln bestimmt werden. Das gesamte System bestimmt die sozialen Verhältnisse, da die gesellschaftl. Stellung und die Rechte der Individuen von ihm festgelegt werden.

In seinem Buch ›Das wilde Denken‹ (1968) deutet Lévi-Strauss den sog. **Totemismus** als ein *Klassifikationssystem,* das die sozialen Verhältnisse in Analogie zur natürl. Vielfalt der Pflanzen- und Tierarten differenziert und ordnet (Totemclans).

Der »*totemistische Operator*« (Abb. A) zeigt die Komplexität des Begriffsapparates, die dieses Klassifizierungssystem zur Verfügung stellt.

Das »wilde Denken« der Naturvölker ist zur Abstraktion fähig und strebt eine Ordnung der natürlichen und sozialen Gegebenheiten an, die sich eng an die konkreten Lebensbedingungen hält.

Als ein Grundproblem des Denkens betrachtet Lévi-Strauss den Gegensatz von **Natur und Kultur.** Dieser wird in versch. Zeichensystemen kodiert:

– auf der Ebene der gesellschaftl. Praxis z. B. in Heiratsregeln oder Riten;

– auf der Ebene der Deutung in **Mythen.**

So untersucht er in den ›Mythologica‹ (1971–75) die amerikan. Mythen als ein zusammenhängendes System, das den Vorgang der Kulturwerdung zum Inhalt hat.

Die histor. orientierten Arbeiten von **Michel Foucault** (1926–84) zielen auf eine Rekonstruktion der *Ordnungsformen des Wissens* und der von diesen konstituierten Gegenstände. Obwohl er vom Strukturalismus beeinflußt ist, kritisiert Foucault vor allem dessen Annahme der Universalität und Überzeitlichkeit von Strukturen und betont die Diskontinuität der Geschichte. Er wird daher zum **Poststrukturalismus** gerechnet.

In seinen ersten Schriften zur **Archäologie des Wissens** untersucht Foucault

die Ordnung der »*episteme*«, die als Gesamtheit der *Diskurspraxis,* d. h. einer kohärenten Menge von Aussagen, einer Zeit bestimmt wird.

Erst Ende des 18. Jh. gewinnt der Mensch nach Foucault in diesem Diskurs die erkenntnistheoret. Schlüsselposition als eine »empirisch-transzendentale Dublette«, da er als Subjekt und Objekt der Erkenntnis fungiert. Nachdem er so zum Gegenstand der Humanwissenschaften geworden ist, beginnt der Mensch bereits wieder zu »verschwinden« in den Wissenschaften, die sich der Erforschung unbewußter Strukturen zuwenden.

Ein zentrales Thema ist die Weise, wie der Mensch als *Subjekt* konstituiert und wieder aufgelöst wird durch seine Stelle im Netzwerk der Diskurse.

Dabei zeigt sich der Diskurs als Mittel der Durchsetzung von **Macht,** die Wissen, Gesellschaftsordnung und individuelles Selbstverständnis gestaltet.

Dieser Diskurs hat kein Zentrum in irgendwelchen Subjekten, sondern ist verstreut in die Äußerlichkeit des Gesagten. Die *Genealogie* der Machtstrategien fragt nicht nach dem Ursprung, sondern nach »Herkünften«. Die »Entstehung« des mod. Individuums sieht Foucault als Folge des Aufkommens der Praxis der Überwachung und des »Geständnisses«, an der Mediziner, Richter, Pädagogen beteiligt sind. In der verlangten »Offenlegung« konstituiert sich der einzelne als »Ich selbst«, das nun zum Gegenstand der Kontrolle werden kann. Dagegen sieht Foucault in der antiken Sorge um sich selbst eine ethische »Ästhetik der Existenz«, die der strateg. Vereinnahmung des Subjekts entgegensteht.

Bibliographie

Quellen
Die folgenden Hinweise beschränken sich auf eine Auswahl deutschsprachiger und zumeist im Buchhandel erhältlicher Einzel- oder Gesamtausgaben. Die für die wissenschaftliche Beschäftigung maßgebenden originalsprachigen (Gesamt-)Ausgaben können der Bibliographie von W. Totok (Handbuch der Geschichte der Philosophie. 6 Bde. Frankfurt 1964 ff.) entnommen werden.
Im Anschluß an einzelne Philosophen ist eine Auswahl einführender Literatur angegeben. Generell sei auf die Biographien in der Reihe »Rowohlt Bildmonographien«, sowie auf die »Reihe Campus: Einführungen« und »Junius: Zur Einführung« verwiesen, in denen Einführungen zu zahlreichen Philosophen erschienen sind. Die Bände dieser Reihen werden im folgenden nicht einzeln ausbibliographiert.

Östliche Philosophie

Indien
Bhagavadgita. Übers. S. Lienhard. Baden-Baden 1958
Bhagavadgita. Hg. H. Glasenapp. Stuttgart 1992
Buddha: Die vier edlen Wahrheiten. Hg. K. Mylius. München ²1986
Reden des Buddha. Übers. H. Bechert. Freiburg 1993
Indische Geisteswelt. Eine Auswahl von Texten in dt. Übersetzung. 2 Bde. Hg. H. v. Glasenapp. Baden-Baden 1958/59
Upanishaden. Übers. A. Hillebrandt. Köln 1986
Upanishaden. Übers. P. Thieme. Stuttgart 1966

China
Versch. Ausgaben in der Übersetzung von R. Wilhelm sind bei Eugen Diederichs, Düsseldorf/Köln/München erschienen (I Ging; Lun Yü; Menzius; Tao te king; Zhuang Zi u. a.)
Konfuzius: Gespräche des Meisters Kung (Lun Yü). Hg. E. Schwarz. München 1985
Lao-Tse: Tao Te King. Übers. V. v. Strauss. Zürich 1959
Lao-Tse: Tao Te King. Übers. G. Debon. Stuttgart 1961

Antike

Aristoteles
Werke in dt. Übersetzung. Begr. E. Grumach, hg. H. Flashar. Berlin 1956 ff.
Philosophische Schriften. 6 Bde. Übers. H. Bonitz u. a. Hamburg 1995
Einzelausgaben in der »Philosophischen Bibliothek«, Meiner, Hamburg und in der »Bibliothek der Alten Welt«, Artemis, Zürich

J. L. Ackrill: Aristoteles. Einf. in sein Philosophieren. Berlin 1985
W. Bröcker: Aristoteles. Frankfurt ⁵1987
O. Höffe: Aristoteles. München 1996

I. Düring: Aristoteles. Darstellung und Interpretation seines Denkens. Heidelberg 1966
E. Sandvoss: Aristoteles. Stuttgart 1981

Boëthius
Trost der Philosophie. Lat.-dt. Hg. u. Übers. E. Gegenschatz u. O. Gigon. Zürich/München ⁵1981

Epikur
Von der Überwindung der Furcht. Katechismus, Lehrbriefe, Spruchsammlung, Fragmente. Hg. u. Übers. O. Gigon. Zürich/München ⁵1983
Briefe, Sprüche, Werkfragmente. Griech.-dt. Hg. H. W. Krautz. Stuttgart 1980

M. Hossenfelder: Epikur. München ²1998

Platon
Jubiläumsausgabe sämtl. Werke. Hg. O. Gigon, Übers. R. Rufener. Zürich/München 1974
Sämtl. Dialoge. Hg. u. Übers. O. Apelt. Sonderausgabe Hamburg 1988
Werke in acht Bänden. Griech.-dt. Hg. G. Eigler. Darmstadt 1970–1983

K. Bormann: Platon. Freiburg ³1993
W. Bröcker: Platos Gespräche. Frankfurt ³1985
P. Friedländer: Platon. 3 Bde. Berlin ²1954–1960
H. Görgemanns: Platon. Heidelberg 1994

Plotin
Plotins Schriften. Griech.-dt. 6 Bde. Übers. R. Harder. Hamburg 1956–1971 (daraus auch einzelne Studienausgaben)
Ausgewählte Schriften. Hg. W. Marg. Stuttgart 1973

V. Schubert: Plotin. Einf. in sein Philosophieren. Freiburg 1973

Skepsis
Sextus Empiricus: Grundriß der pyrrhon. Skepsis. Übers. M. Hossenfelder. Frankfurt 1985

F. Ricken: Antike Skeptiker. München 1994

Sokrates
(Quellen: siehe Platon)

G. Böhme: Der Typ Sokrates. Frankfurt 1988
G. Figal: Sokrates. München ²1998
H. Kuhn: Sokrates. München 1959
B. Waldenfels: Das sokrat. Fragen. Meisenheim 1961

Stoa
Stoa und Stoiker. Die Gründer, Panatios, Poseidonios. Hg. u. Übers. M. Pohlenz. Zürich ²1964
Epiktet: Handbüchlein der Moral. Hg. u. Übers. H. Schmidt. Stuttgart ¹¹1984
Marc Aurel: Wege zu sich selbst. Hg. u. Übers. W. Theiler. Zürich ³1985
Seneca: Philosoph. Schriften. 5 Bde. Lat.-dt. Hg. u. Übers. M. Rosenbach. Darmstadt 1969–1989

M. Pohlenz: Die Stoa. Geschichte einer geistigen Bewegung. 2 Bde. Göttingen 1992 u. 1990

Vorsokratiker
Die Fragmente der Vorsokratiker. 3 Bde. Griech.-dt. Hg. H. Diels/W. Kranz. Dublin/ Zürich ⁶1985
Die Vorsokratiker. Hg. W. Capelle. Stuttgart ⁸1973
Die Vorsokratiker. Griech.-dt. Übers. J. Mansfeld. Stuttgart 1987
Gorgias von Leontinoi: Reden, Fragmente und Testimonien. Griech.-dt. Hg. Th. Buchheim. Hamburg 1989

W. Bröcker: Die Geschichte der Philosophie vor Sokrates. Frankfurt ²1986
U. Hölscher: Anfängl. Fragen. Studien zur frühen griech. Philosophie. Göttingen 1968
W. H. Pleger: Die Vorsokratiker. Stuttgart 1991

Mittelalter

Albertus Magnus
Ausgewählte Texte. Lat.-dt. Hg. u. Übers. A. Fries. Darmstadt ³1994

I. Craemer-Ruegenberg: Albertus Magnus. München 1980

Anselm von Canterbury
Monologion. Lat.-dt. Hg. F. S. Schmitt. Stuttgart 1964
Proslogion. Lat.-dt. Hg. F. S. Schmitt. Stuttgart ³1995
De veritate. Über die Wahrheit. Lat.-dt. Hg. F. S. Schmitt. Stuttgart 1966

Analecta Anselmiana. Untersuchungen über Person und Werk Anselms von Canterbury. Begr. F. S. Schmitt. 5 Bde. Frankfurt 1969–1976

K. Kienzler: Glauben und Denken bei Anselm von Canterbury. Freiburg 1981

Aurelius Augustinus
Dt. Augustinusausgabe. Hg. C. J. Perl. Paderborn 1940 ff.
Bekenntnisse. Einl. u. Übers. W. Thimme. Zürich/München 1982
Selbstgespräche über Gott und die Unsterblichkeit der Seele. Lat.-dt. Übers. H. Müller. Zürich ²1986
Vom Gottesstaat. 2 Bde. Übers. W. Thimme. Zürich/München 1978

R. Berlinger: Augustins dialog. Metaphysik. Frankfurt 1962
K. Flasch: Augustin. Einf. in sein Denken. Stuttgart ²1994
A. Schöpf: Augustinus. Einf. in sein Philosophieren. Freiburg/München 1970

Averroes
Die Metaphysik des Averroes. Übers. u. Erl. M. Horten. Frankfurt 1960 (Nachdr. der Ausg. Halle 1912)
Philosophie und Theologie von Averroes. Übers. M. J. Müller. Osnabrück 1974 (Nachdr. der Ausg. München 1875)

Avicenna
Die Metaphysik Avicennas. Übers. u. Erl. M. Horten. Frankfurt 1960 (Nachdr. der Ausg. Leipzig 1907)

G. Verbeke: Avicenna. Grundleger einer neuen Metaphysik. Opladen 1983

Bonaventura
Das Sechstagewerk. Lat.-dt. Übers. W. Nyssen. München 1964
Pilgerbuch der Seele zu Gott. Lat.-dt. Übers. J. Kaup. München 1961

E. Gilson: Die Philosophie des hl. Bonaventura. Darmstadt ²1960

Johannes Duns Scotus
Abhandlung über das erste Prinzip. Hg. u. Übers. W. Kluxen. Darmstadt 1974

E. Gilson: Johannes Duns Scotus. Einf. in die Grundgedanken seiner Lehre. Düsseldorf 1959

Johannes Scotus Eriugena
Über die Einteilung der Natur. Übers. L. Noack. Hamburg 1983

W. Beierwaltes: Eriugena. Grundzüge seines Denkens. Frankfurt 1994
G. Schrimpf: Das Werk des Johannes Scotus Eriugena im Rahmen des Wissenschaftsverständnisses seiner Zeit. Münster 1982

Meister Eckhart
Die lat. Werke. Hg. u. Übers. K. Weiß u. a.
   Stuttgart 1936 ff.
Die dt. Werke. Hg. u. Übers. J. Quint. Stutt-
   gart 1958 ff.
Dt. Predigten und Traktate. Hg. u. Übers.
   J. Quint. München ²1963

H. Fischer: Meister Eckhart. Einf. in sein philosoph. Denken. Freiburg 1974
K. Ruh: Meister Eckhart. München ²1989

Moses Maimonides
Führer der Unschlüssigen. Hg. u. Übers.
   A. Weiss. Hamburg 1995 (Nachdr. der
   Ausg. v. 1923/24)

Nikolaus von Kues
Schriften des Nikolaus von Cues. In dt. Über-
   setzung. Hg. E. Hoffmann u. a. Leipzig/
   Hamburg 1936 ff.
Die belehrte Unwissenheit (De docta igno-
   rantia). 3 Bde. Lat.-dt. Hg. u. Übers. P. Wil-
   pert u. H. G. Senger.
   Hamburg 1977
Weitere lat.-dt. Parallelausgaben in der »Phi-
   losophischen Bibliothek«, Hamburg

K.-H. Kandler: Nikolaus von Kues. Göttingen ²1997
K. H. Volkmann-Schluck: Nicolaus Cusanus.
   Die Philosophie im Übergang vom Mittelalter zur Neuzeit. Frankfurt ³1984

Peter Abaelard
Theologia Summi boni. Lat.-dt. Hg. U. Nig-
   gli. Hamburg ³1997
Die Leidensgeschichte und der Briefwechsel
   mit Heloisa. Hg. u. Übers. E. Brost. Heidelberg ⁴1979

L. Graue: Pierre Abélard. Philosophie und
   Christentum im Mittelalter. Göttingen
   1969

Raymond Lull
Die neue Logik. Lat.-dt. Hg. Ch. Lohr. Hamburg 1985

E. W. Platzeck: Raimund Lull. 2 Bde. Düsseldorf 1962/1964

Patristiker
Bibliothek der Kirchenväter. Eine Auswahl
   patrist. Werke in dt. Übersetzung. Hg.
   O. Bardenhewer u. a. München 1911–38

E. Osborn: Anfänge christl. Denkens. Düsseldorf 1987

Thomas von Aquin
Die dt. Thomas-Ausgabe. Dt.-lat. Ausgabe
   der Summa theologica. Heidelberg 1933 ff.
Summe gegen die Heiden. 4 Bde. Lat.-dt.
   Hg. u. Übers. K. Albert u. P. Engelhardt.
   Darmstadt 1974 ff.

Über das Sein und das Wesen. Lat.-dt. Übers.
   R. Allers. Darmstadt 1989
Untersuchungen über die Wahrheit. Übertr.
   E. Stein. Löwen/Freiburg 1964

R. Heinzmann: Thomas von Aquin. Stuttgart
   1992
G. Mensching: Thomas von Aquin. Frankfurt
   1995
J. Pieper: Thomas von Aquin. Leben und
   Werk. München ⁴1990
J. Weisheipl: Thomas von Aquin. Sein Leben
   und seine Theologie.
   Graz/Wien/Köln 1980

Wilhelm von Ockham
Summe der Logik (aus Teil I). Hg. u. Übers.
   P. Kunze. Hamburg 1984
Texte zur Theorie der Erkenntnis und der
   Wissenschaft. Lat.-dt. Hg. R. Imbach.
   Stuttgart 1984

J. P. Beckmann: Wilhelm von Ockham. Mün-
   chen 1996
H. Junghans: Ockham im Lichte der neueren
   Forschung.
   Berlin/Hamburg 1968

Renaissance

Francis Bacon
Neues Organon. Lat.-dt. Hg. W. Krohn.
   Hamburg 1990

W. Krohn: Francis Bacon. München 1987
Ch. Whitney: Francis Bacon. Frankfurt 1989

Giordano Bruno
Das Aschermittwochsmahl. Übers. F. Fell-
   mann. Frankfurt 1981
Von den heroischen Leidenschaften. Hg.
   Ch. Bachmeister. Hamburg 1989
Von der Ursache, dem Prinzip und dem Ei-
   nen. Hg. P. R. Blum. Hamburg ⁶1982
Zwiegespräche vom unendl. All und den
   Welten. Hg. L. Kuhlenbeck. Darmstadt
   1973

A. Groce: Giordano Bruno. Der Ketzer von
   Nola. Versuch einer Deutung. Wien 1970

Erasmus von Rotterdam
Erasmus Studienausgabe. 8 Bde. Lat.-dt.
   Darmstadt 1967 ff.
Lob der Torheit. Hg. U. Schultz. Frankfurt
   1978
Vertraute Gespräche. Lat.-dt. Hg. H. Rädle.
   Stuttgart 1976

C. Augustijn: Erasmus von Rotterdam. Leben – Werk – Wirkung. München 1986

Marsilio Ficino
Über die Liebe oder Platos Gastmahl. Lat.-
   dt. Hg. P. R. Blum. Hamburg 1984

P. O. Kristeller: Die Philosophie des Marsilio Ficino. Frankfurt 1972

Hugo Grotius
Drei Bücher vom Recht des Krieges und des Friedens. Hg. W. Schätzel. Tübingen 1950

Niccolò Machiavelli
Der Fürst. Hg. R. Zorn. Stuttgart ⁶1978
Il principe/Der Fürst. Hg. Ph. Rippel. Stuttgart 1986

H. Freyer: Machiavelli. Weinheim 1986
W. Kersting: Niccolò Machiavelli. München ²1998

Pico della Mirandola
Über die Würde des Menschen. Lat.-dt. Hg. A. Buck. Hamburg 1990

Michel de Montaigne
Essais. Übers. H. Lüthy. Zürich ⁹1996

H. Friedrich: Montaigne. Bern/München ³1993
J. Starobinski: Montaigne. Denken und Existenz. München/Wien 1986

Pietro Pomponazzi
Abhandlung über die Unsterblichkeit der Seele. Lat.-dt. Hg. B. Mojsisch. Hamburg 1990

Aufklärung

George Berkeley
Eine Abhandlung über die Prinzipien der menschl. Erkenntnis. Hg. A. Klemmt. Hamburg 1979
Philosoph. Tagebuch. Hg. W. Breidert. Hamburg 1980

H. M. Bracken: Berkeley. 1974
A. Kulenkampff: George Berkeley. München 1988

René Descartes
Discours de la Méthode. Frz.-dt. Hg. L. Gäbe. Hamburg 1990
Meditationes de prima philosophia. Lat.-dt. Hg. L. Gäbe. Hamburg ³1992
Regulae ad directionem ingenii. Lat.-dt. Hg. H. Springmeyer u. a. Hamburg 1973

F. Alquié: Descartes. Stuttgart 1962
W. Röd: Descartes. Die innere Genesis des cartesian. Systems. München 1964

Thomas Hobbes
Lehre vom Körper. Hg. M. Frischeisen-Köhler. Hamburg ²1967
Lehre vom Menschen. Lehre vom Bürger. Hg. M. Frischeisen-Köhler, G. Gawlick. Hamburg ²1966

Leviathan oder Stoff, Form und Gewalt eines bürgerl. und kirchl. Staates. Hg. I. Fetscher. Frankfurt 1984

L. Strauss: Hobbes polit. Wissenschaft. Neuwied/Berlin 1965
U. Weiß: Das philosoph. System von Thomas Hobbes. Stuttgart-Bad Cannstatt 1980

David Hume
Eine Unters. über den menschl. Verstand. Hg. J. Kulenkampff. Hamburg ¹¹1984
Eine Untersuchung über die Prinzipien der Moral. Übers. C. Winckler. Hamburg 1972
Ein Traktat über die menschl. Natur. Hg. Th. Lipps, R. Brandt. Hamburg 1973
Die Naturgeschichte der Religion. Hg. L. Kreimendahl. Hamburg 1984

E. Craig: David Hume. Eine Einf. in seine Philosophie. Frankfurt 1979
J. Kulenkampff: David Hume. München 1989
G. Streminger: David Hume. Sein Leben u. sein Werk. Paderborn ³1995

Gottfried Wilhelm Leibniz
Werke. Zweisprachige Ausgabe. 5 Bde. Frankfurt 1986
Studienausgabe. 5 Bde. Darmstadt 1965 ff.
Philosophische Werke. 4 Bde. Hamburg 1996

K. Müller u. G. Krönert: Leben und Werk von G. W. Leibniz. Frankfurt 1969

John Locke
Versuch über den menschl. Verstand. 2 Bde. Hg. C. Winckler. Hamburg ⁴1981
Ein Brief über Toleranz. Engl.-dt. Hg. J. Ebbinghaus. Hamburg ²1975
Zwei Abhandlungen über die Regierung. Hg. W. Euchner. Frankfurt ²1977

R. Specht: John Locke. München 1989

Montesquieu
Vom Geist der Gesetze. Hg. K. Weigand. Stuttgart 1967

Blaise Pascal
Gedanken über die Religion und über einige andere Gegenstände. Übers. E. Wasmuth. Stuttgart 1987
Die Kunst zu überzeugen und die anderen kleineren philosoph. und relig. Schriften. Übers. E. Wasmuth. Heidelberg ³1963

A. Béguin: Blaise Pascal. Hamburg ⁸1979
J. Steinmann: Pascal. Stuttgart ²1962

Jean-Jacques Rousseau
Die Bekenntnisse. München 1981
Diskurs über die Ungleichheit. Frz.-dt. Hg. H. Meier. Paderborn ⁴1997
Schriften zur Kulturkritik. Hg. K. Weigand. Hamburg ⁵1995

Emil oder Über die Erziehung. Übers. L. Schmidts. Paderborn [12]1995

M. Forschner: Rousseau. Freiburg 1977
R. Spaemann: Rousseau. Bürger ohne Vaterland. München 1980

Baruch de Spinoza
Sämtl. Werke in sieben Bänden. Hamburg 1965–90 (Nachdrucke und Neuauflagen)
Studienausgabe, 2 Bde. Lat.-dt. Darmstadt 1979/ [3]1980
Die Ethik. Lat.-dt. Übers. J. Stern. Stuttgart 1977

H. G. Hubbeling: Spinoza. Freiburg 1978
F. Wiedmann: Baruch de Spinoza. Würzburg 1982

Giovanni Battista Vico
Prinzipien einer neuen Wissenschaft über die gemeinsame Natur der Völker. Hg. V. Hösle u. Ch. Jermann. Hamburg 1990

S. Otto: G. Vico. Stuttgart 1989
R. W. Schmidt: Die Geschichtsphilosophie G. B. Vicos. Würzburg 1982

Christian Wolff
Gesammelte Werke. Hg. J. Ecole u. a. Hildesheim 1965 ff.

W. Schneiders (Hg.): Christian Wolff 1679–1754. Hamburg 1983

Deutscher Idealismus

Johann Gottlieb Fichte
Histor.-krit. Gesamtausgabe. Hg. R. Lauth, H. Jacob u. a. Stuttgart-Bad Cannstatt 1962 ff.
Studienausgaben in der »Philosophischen Bibliothek«, Hamburg

W. Janke: Fichte. Sein und Reflexion. Grundlagen der krit. Vernunft. Berlin 1970
P. Rohs: J. G. Fichte. München 1991
J. Widmann: J. G. Fichte. Einf. in seine Philosophie. 1982

Georg Wilhelm Friedrich Hegel
Gesammelte Werke. Hamburg 1968 ff.
Daraus: Studienausgaben in der »Philosophischen Bibliothek«, Hamburg
Werke in 20 Bänden. Hg. E. Moldenhauer u. K. M. Michel. Frankfurt 1986

Ch. Helferich: G. W. F. Hegel. Stuttgart 1979
O. Pöggeler (Hg.): Hegel. Freiburg 1977

Immanuel Kant
Gesammelte Schriften (Akademieausgabe). Berlin 1902 ff.

Werke in sechs Bänden. Hg. W. Weischedel. Wiesbaden 1956–64 (Nachdruck Darmstadt [5]1983)
Studienausgaben in der »Philosophischen Bibliothek«, Hamburg, und bei Reclam, Stuttgart

H. M. Baumgartner: Kants ›Kritik der reinen Vernunft‹. Anleitung zur Lektüre. Freiburg [4]1996
O. Höffe: Immanuel Kant. München [4]1996
F. Kaulbach: Immanuel Kant. Berlin [2]1982

Friedrich Wilhelm Joseph Schelling
Histor.-krit. Gesamtausgabe. Hg. H. M. Baumgartner, W. G. Jacobs, H. Krings, H. Zeltner. Stuttgart 1976 ff.
Studienausgabe (Aus F. W. J. v. Schellings sämmtl. Werke. Stuttgart/Augsburg 1856–61). Nachdruck Darmstadt 1976–83
Ausgewählte Schriften. 6 Bde. Hg. M. Frank. Frankfurt 1989

H.-M. Baumgartner/H. Korten: Schelling. München 1996
S. Dietzsch: F. W. J. Schelling. Berlin/Köln 1978
M. Frank: Eine Einf. in Schellings Philosophie. Frankfurt 1985
H. J. Sandkühler: F. W. J. Schelling. Stuttgart 1970

Friedrich Daniel Ernst Schleiermacher
Krit. Gesamtausgabe. Hg. H.-J. Birkner u. a. Berlin/New York 1980 ff.
Brouillon zur Ethik. Hg. H.-J. Birkner. Hamburg 1981
Hermeneutik und Kritik. Hg. M. Frank. Frankfurt 1977
Über die Religion. Hg. H.-J. Rothert. Hamburg 1970

D. Lange (Hg.): Friedrich Schleiermacher. Theologe – Philosoph – Pädagoge. Göttingen 1985

19. Jahrhundert

Auguste Comte
Rede über den Geist des Positivismus. Hg. I. Fetscher. Hamburg [3]1979
Die Soziologie. Hg. F. Blasche. Stuttgart [2]1974

John Dewey
Demokratie und Erziehung. Braunschweig 1930
Psycholog. Grundfragen der Erziehung. Hg. W. Corell. München 1974

Wilhelm Dilthey
Gesammelte Schriften. Stuttgart/Göttingen 1914 ff.

Der Aufbau der geschichtl. Welt in den Geisteswissenschaften. Hg. M. Riedel. Frankfurt 1981
Die Philosophie des Lebens. Eine Auswahl aus seinen Schriften. Hg. H. Nohl. Stuttgart/Göttingen 1961
Texte zur Kritik der histor. Vernunft. Hg. H.-U. Lessing. Göttingen 1983

O. F. Bollnow: Dilthey. Stuttgart ³1967
R. A. Makkreel: Dilthey. Philosoph der Geisteswiss. Frankfurt 1991
F. Rodi u. H.-U. Lessing (Hg.): Materialien zur Philosophie Wilhelm Diltheys. Frankfurt 1984

Ludwig Feuerbach
Sämtl. Schriften. 13 Bde. Hg. W. Bolin u. F. Jodl. Stuttgart 1960–64
Werke in sechs Bänden. Hg. E. Thies. Frankfurt 1974 ff.

H. J. Braun: Feuerbachs Lehre vom Menschen. Stuttgart-Bad Cannstatt 1971
A. Schmidt: Emanzipator. Sinnlichkeit. Feuerbachs anthropolog. Materialismus. München 1988

William James
Der Pragmatismus. Hg. K. Oehler. Hamburg 1977
Die Vielfalt religiöser Erfahrung. Hg. E. Herms. Freiburg 1979

Sören Kierkegaard
Gesammelte Werke. Übers. E. Hirsch. Düsseldorf/Köln 1950 (Taschenbuchausgabe: Gütersloher Taschenbücher Siebenstern)
Werke. Übers. L. Richter. Hamburg 1966 ff. (jetzt Frankfurt)
Entweder - Oder. 2 Bde. München 1988

H. Diem: Sören Kierkegaard. Eine Einführung. Göttingen/Zürich 1964
A. Paulsen: Sören Kierkegaard. Deuter unserer Existenz. Hamburg 1955
M. Theunissen u. W. Greve: Materialien zur Philosophie Sören Kierkegaards. Frankfurt 1979

Karl Marx
Marx-Engels: Werke und Briefe. 39 Bde. Berlin 1957 ff.
Studienausgabe. 6 Bde. Hg. H.-J. Lieber. Darmstadt (versch. Auflagen)
Die Frühschriften. Stuttgart ⁶1971
Das Kapital. Stuttgart 1957

W. Euchner: Karl Marx. München 1983
I. Fetscher: Karl Marx und der Marxismus. München 1967
H. Fleischer: Marx und Engels. Die philosoph. Grundlinien ihres Denkens. Freiburg ²1974

John Stuart Mill
Gesammelte Werke. Hg. Th. Gomperz. 12 Bde. 1869–86 (Nachdruck Aalen 1968)
Über die Freiheit. Hg. M. Schlenke. Stuttgart 1974
Der Utilitarismus. Stuttgart 1985

Friedrich Nietzsche
Werke. Krit. Gesamtausgabe. Hg. G. Colli u. M. Montinari. Berlin/New York 1967 ff. (Studienausgabe. 15 Bde. München 1980)
Sämtl. Werke. 12 Bde. Stuttgart 1965 (versch. Auflagen)
Werke. 3 Bde. Hg. K. Schlechta. München ⁹1982

E. Fink: Nietzsches Philosophie. Stuttgart ⁶1992
V. Gerhardt: Friedrich Nietzsche. München ²1995
W. Kaufmann: Nietzsche. Darmstadt ²1988
M. Montinari: Friedrich Nietzsche. Berlin 1991

Charles Sanders Peirce
Schriften zum Pragmatismus und Pragmatizismus. Hg. K.-O. Apel. Frankfurt 1976
Semiotische Schriften. 3 Bde. Hg. Ch. Kloesel u. H. Pape. Frankfurt 1986–93
Über die Klarheit unserer Gedanken. Engl.-dt. Hg. K. Oehler. Frankfurt ³1985

K.-O. Apel: Der Denkweg von Charles S. Peirce. Frankfurt 1975
E. Arroyabe: Peirce. Eine Einf. in sein Denken. Königstein 1982
L. Nagl: Charles Sanders Peirce. Frankfurt 1992

Arthur Schopenhauer
Sämtl. Werke. 7 Bde. Hg. A. Hübscher. Wiesbaden ⁴1988
Sämtl. Werke. 5 Bde. Hg. W. v. Löhneysen. Stuttgart/Frankfurt 1960–65 (Nachdruck Darmstadt 1976–82; Taschenbuchausgabe Frankfurt 1986)

A. Hübscher: Denker gegen den Strom – Schopenhauer: gestern, heute, morgen. Bonn ³1987

20. Jahrhundert

Theodor W. Adorno
Gesammelte Schriften. 23 Bde. Frankfurt 1970 ff.
Minima Moralia. Reflexionen aus dem beschädigten Leben. Frankfurt 1969
Negative Dialektik. Frankfurt 1975
Dialektik der Aufklärung. Frankfurt 1971 (zusammen mit Horkheimer)

F. Grenz: Adornos Philosophie in Grundbegriffen. Frankfurt 1974
R. Wiggershaus: Theodor W. Adorno. München 1987

Karl-Otto Apel
Transformation der Philosophie. 2 Bde. 1973 u. ö.
Diskurs und Verantwortung. Frankfurt 1988 u. ö.

W. Kuhlmann: Reflexive Letztbegründung. Freiburg 1985

Hannah Arendt
Vita activa oder Vom tätigen Leben. München [10]1998
Vom Leben des Geistes. 2 Bde. München 1979

D. Barley: Hannah Arendt. München 1990
S. Wolf: Hannah Arendt. Frankfurt 1991
E. Young-Bruehl: Hannah Arendt. Leben, Werk und Zeit. Frankfurt 1986

John L. Austin
Zur Theorie der Sprechakte. Stuttgart 1972
Gesammelte Aufsätze. Hg. J. Schulte. Stuttgart 1986

Henri Bergson
Die beiden Quellen der Moral und der Religion. Freiburg 1980
Materie und Gedächtnis. Frankfurt 1964
Denken und schöpfer. Werden. Frankfurt 1985

P. Jurevics: Henri Bergson. Freiburg 1949
L. Kolakowski: Henri Bergson. München/ Zürich 1985
G. Pflug: Henri Bergson. Berlin 1959

Ernst Bloch
Gesamtausgabe. 16 Bde. Frankfurt 1967 ff.
Werkausgabe. 17 Bde. Frankfurt 1985

B. Schmidt: Ernst Bloch. Stuttgart 1985

Albert Camus
Der Mensch in der Revolte. Reinbek 1969
Der Mythos von Sisyphos. Reinbek 1959

H. R. Lottmann: Albert Camus. Hamburg 1986
A. Pieper: Albert Camus. München 1984

Ernst Cassirer
Das Erkenntnisproblem in der Philosophie und Wissenschaft der neueren Zeit. 4 Bde. Stuttgart/Berlin 1906–57 (Nachdruck Darmstadt 1995)
Philosophie der symbol. Formen. 3 Bde. Darmstadt 1982/1988
Versuch über den Menschen. Hamburg 1995

A. Graeser: E. Cassirer. München 1994
H. Paetzold: E. Cassirer. Darmstadt 1995

Michel Foucault
Die Ordnung der Dinge. Frankfurt [9]1990
Archäologie des Wissens. Frankfurt [6]1994
Sexualität und Wahrheit. 3 Bde. Frankfurt 1983–89

H. H. Kögler: M. Foucault. Stuttgart/Weimar 1994
U. Marti: M. Foucault. München 1988
R. Visker: M. Foucault. München 1991

Gottlob Frege
Begriffsschrift und andere Aufsätze. Hildesheim [2]1971
Funktion, Begriff, Bedeutung. Hg. G. Patzig. Göttingen [7]1994
Schriften zur Logik und Sprachphilosophie. Hg. G. Gabriel. Hamburg [3]1990

F. v. Kutschera: Gottlob Frege. Berlin 1989
V. Mayer: Gottlob Frege. München 1996
M. Schirn (Hg.): Studien zu Frege. 3 Bde. Stuttgart-Bad Cannstatt 1976

Hans-Georg Gadamer
Gesammelte Werke. 10 Bde. Tübingen 1985 ff.
Wahrheit und Methode. Grundzüge einer philosophischen Hermeneutik. Tübingen 1960 u. ö.

Arnold Gehlen
Gesamtausgabe. 10 Bde. Frankfurt 1978 ff.
Der Mensch. Seine Natur und seine Stellung in der Welt. Bonn [6]1958. Wiesbaden [13]1986
Moral und Hypermoral. Eine pluralist. Ethik. Bonn 1969. Wiesbaden [5]1986
Urmensch und Spätkultur. Bonn [2]1964. Wiesbaden [5]1986

Jürgen Habermas
Erkenntnis und Interesse. Frankfurt 1968 u. ö.
Theorie des kommunikativen Handelns. 2 Bde. Frankfurt 1981 u. ö.
Zur Logik der Sozialwissenschaften. Frankfurt 5. erw. Aufl. 1970 u. ö.

A. Honneth u. H. Joas (Hg.): Kommunikatives Handeln. Frankfurt 1986
D. Horster: Jürgen Habermas. Stuttgart 1991

Nicolai Hartmann
Der Aufbau der realen Welt. Berlin/New York [3]1964
Grundzüge einer Metaphysik der Erkenntnis. Berlin/New York [5]1965

Martin Heidegger
Gesamtausgabe. Hg. F.-W. v. Herrmann. Frankfurt 1975 ff.
Holzwege. Frankfurt [6]1980
Sein und Zeit. Tübingen [16]1986
Unterwegs zur Sprache. Pfullingen [8]1986
Wegmarken. Frankfurt [2]1978

W. Franzen: Martin Heidegger. Stuttgart 1976
O. Pöggeler: Der Denkweg Martin Heideggers. Pfullingen 1963

Max Horkheimer
Gesammelte Schriften. 18 Bde. Hg. A. Schmidt u. G. Schmid-Noerr. Frankfurt 1985 ff.
Krit. Theorie. 2 Bde. Frankfurt ³1977
Gesellschaft im Übergang. Frankfurt 1981

A. Schmidt u. A. Altwicker (Hg.): Max Horkheimer heute: Werk und Wirkung. Frankfurt 1986

Edmund Husserl
Husserliana. Gesammelte Werke. Den Haag 1950 ff.
Cartesian. Meditationen. Hg. E. Ströker. Hamburg ³1995
Ideen zu einer reinen Phänomenologie und phänomenolog. Philosophie. Tübingen ⁵1993
Die Krisis der europ. Wissenschaften und die transzendentale Phänomenologie. Hg. E. Ströker. Hamburg ³1996
Log. Untersuchungen. Tübingen ²1980

E. Fink: Studien zur Phänomenologie. Den Haag 1966
P. Janssen: Edmund Husserl. Einf. in seine Phänomenologie. Freiburg 1976
L. Landgrebe: Der Weg der Phänomenologie. Gütersloh 1963
W. Marx: Die Phänomenologie Husserls. München 1987
E. Ströker: Husserls transzendentale Phänomenologie. Frankfurt 1987

Karl Jaspers
Philosophie. 3 Bde. Berlin/Göttingen/Heidelberg ⁴1973
Von der Wahrheit. München ³1983

F.-P. Burkard: Karl Jaspers. Einf. in sein Denken. Würzburg 1985
K. Salamun: Karl Jaspers. München 1985

Ludwig Klages
Sämtl. Werke. Hg. E. Frauchinger u. a. Bonn 1966 ff.
Der Geist als Widersacher der Seele. Bonn ⁶1981

Claude Lévi-Strauss
Mythologica. 4 Bde. Frankfurt 1976
Strukturale Anthropologie. Frankfurt 1978
Das wilde Denken. Frankfurt 1973

W. Lepenies u. H. Ritter (Hg.): Orte des wilden Denkens. Frankfurt 1970
G. Schiwy: Der franz. Strukturalismus. Reinbek 1969

Gabriel Marcel
Reflexion und Intuition. Frankfurt 1987
Sein und Haben. Paderborn ²1968

V. Berning: Das Wagnis der Treue. Freiburg 1973

Maurice Merleau-Ponty
Die Struktur des Verhaltens. Berlin 1976
Phänomenologie der Wahrnehmung. Berlin ²1976
Das Sichtbare und das Unsichtbare. München 1986

A. Metraux u. B. Waldenfels (Hg.): Leibhaftige Vernunft. Spuren von Merleau-Pontys Denken. München 1986

George E. Moore
Principia Ethica. Stuttgart 1970

Helmuth Plessner
Gesammelte Schriften. 10 Bde. Frankfurt 1980–85

F. Hammer: Die exzentr. Position des Menschen. Bonn 1967
S. Pietrowicz: H. Plessner. Freiburg/München 1992

Karl Popper
Die offene Gesellschaft und ihre Feinde. 2 Bde. Bern/München ⁶1980
Logik der Forschung. Tübingen ⁹1989

E. Döring: Karl R. Popper. Einf. in Leben und Werk. Hamburg 1987
L. Schäfer: Karl R. Popper. München ³1996

Willard Van Orman Quine
Wort und Gegenstand. Stuttgart 1980

H. Lauener: W. V. O. Quine. München 1982

John Rawls
Eine Theorie der Gerechtigkeit. Frankfurt 1975 u. ö.
Gerechtigkeit als Fairneß. Hg. O. Höffe. Freiburg 1977
Die Idee des politischen Liberalismus. Frankfurt 1992

O. Höffe (Hg.): Über John Rawls Theorie der Gerechtigkeit. Frankfurt 1977
Th. W. Pogge: John Rawls. München 1994

Paul Ricoeur
Die Interpretation. Ein Versuch über Freud. Frankfurt 1969, Neuaufl. 1993
Hermeneutik und Strukturalismus. München 1973
Hermeneutik und Psychoanalyse. München 1974
Zeit und Erzählung. 3 Bde. München 1988–91

F. Prammer: Die philosophische Hermeneutik Paul Ricoeurs. Wien 1988

Bertrand Russell
Philosoph. und polit. Aufsätze. Hg. U. Steinvorth. Stuttgart 1971
Studienausgabe. München 1972 ff.

A. J. Ayer: Bertrand Russell. München 1973

Gilbert Ryle
Der Begriff des Geistes. Stuttgart 1969

Jean-Paul Sartre
Ist der Existentialismus ein Humanismus?
In: Drei Essays.
Kritik der dialekt. Vernunft. Reinbek 1967
Das Sein und das Nichts. Reinbek 1962

W. Biemel: Jean-Paul Sartre in Selbstzeugnissen und Bilddokumenten. Reinbek 1964
J. Hengelbrock: Jean-Paul Sartre. Freiburg 1989

Max Scheler
Gesammelte Werke. 11 Bde. Hg. von Maria Scheler u. M. S. Frings. Bern/Bonn 1933–79

E. W. Orth u. G. Pfafferott (Hg.): Studien zur Philosophie von M. Scheler. Freiburg/München 1994

Georg Simmel
Gesamtausgabe. 20 Bde. Frankfurt 1988 ff. (als Taschenbuchausgabe 24 Bde.)
Hauptprobleme der Philosophie. Berlin/New York [9]1989
Das individuelle Gesetz. Philosoph. Exkurse. Hg. M. Landmann. Frankfurt 1968

H. J. Dahme u. O. Rammstedt (Hg.): Georg Simmel und die Moderne. Frankfurt 1984

Alfred North Whitehead
Prozeß und Realität. Frankfurt [2]1984

E. Wolf-Gazo: Whitehead. Einf. in seine Kosmologie. Freiburg/München 1980

Ludwig Wittgenstein
Schriften. 7 Bde. Frankfurt 1960 ff.
Philosoph. Untersuchungen. Frankfurt 1977
Tractatus logico-philosophicus. Frankfurt [14]1979

K. T. Fann: Die Philosophie L. Wittgensteins. München 1971
A. Kenny: Wittgenstein. Frankfurt 1974
G. Pitcher: Die Philosophie Wittgensteins. Freiburg/München 1967
J. Schulte: Wittgenstein. Stuttgart 1989

Naturwissenschaften
Ch. Darwin: Die Entstehung der Arten durch natürl. Zuchtwahl. Übers. C. W. Neumann. Stuttgart 1967

M. Drieschner: Einf. in die Naturphilosophie. Darmstadt 1981
A. Einstein: Über die spezielle und die allgemeine Relativitätstheorie. Wiesbaden [23]1988
A. Einstein: Mein Weltbild. Frankfurt 1988
Evolution. Die Entwicklung von den ersten Lebensspuren bis zum Menschen. (Spektrum der Wissenschaft) Heidelberg [6]1986
Geo-Wissen: Chaos und Kreativität. Hamburg 1990
W. Heisenberg: Physik und Philosophie. Frankfurt/Berlin/Wien 1990
W. Heisenberg: Der Teil und das Ganze. München [6]1986
K. Keitel-Holz: Charles Darwin und sein Werk. Frankfurt 1981
Th. S. Kuhn: Die Struktur wissenschaftlicher Revolutionen. Frankfurt 1973
K. Lorenz: Die Rückseite des Spiegels. Versuch einer Naturgeschichte menschl. Erkennens. München/Zürich 1973
P. Mittelstaedt: Philosophische Probleme der modernen Physik. Mannheim u. a. [7]1989
J. Monod: Zufall und Notwendigkeit. München [7]1985
H. R. Pagels: Cosmic Code. Frankfurt 1983
P. A. Schilpp: Albert Einstein als Philosoph und Naturwissenschaftler. Wiesbaden 1979
F. M. Wuketits: Evolution, Erkenntnis, Ethik. Darmstadt 1984

Analytische Philosophie
W. F. Frankena: Analytische Ethik. München 1994
A. Keller: Sprachphilosophie. Freiburg/München 1979
E. Runggaldier: Analyt. Sprachphilosophie. Stuttgart 1990
E. v. Savigny: Analyt. Philosophie. Freiburg/München 1970
E. v. Savigny: Die Philosophie der normalen Sprache. Frankfurt 1993
P. F. Strawson: Analyse und Metaphysik. München 1994
G. J. Warnock: Engl. Philosophie im 20. Jh. Stuttgart 1971

Moderne Logik
W. K. Essler: Einf. in die Logik. Stuttgart [2]1969
R. Kleinknecht u. E. Wüst: Lehrbuch der elementaren Logik. München 1976
F. v. Kutschera u. A. Breitkopf: Einf. in die moderne Logik. Freiburg [6]1992
W. van O. Quine: Grundzüge der Logik. Frankfurt 1974
J. M. Bochenski u. A. Menne: Grundriß der formalen Logik. Paderborn [5]1983

Sekundärliteratur

Bibliographie
Totok, W.: Handbuch der Geschichte der Philosophie. 6 Bde. Frankfurt 1964 ff.

Lexika
Chines.-dt. Lexikon der chines. Philosophie. Übers. v. L. Geldsetzer u. Hong Han-Ding. Aalen 1986
Enzyklopädie Philosophie und Wissenschaftstheorie. 4 Bde. Hg. v. J. Mittelstraß. Mannheim u. a. 1980 ff., ab Bd. 3: Stuttgart/Weimar
Enzyklopädie zu Philosophie und Wissenschaften. 4 Bde. Hg. H. J. Sandkühler. Hamburg 1990
Handbuch philosoph. Grundbegriffe. 6 Bde. Hg. v. H. Krings, H. M. Baumgartner, Ch. Wild. München 1973/74
Histor. Wörterbuch der Philosophie. 12 Bde. Hg. v. J. Ritter u. K. Gründer. Basel 1971 ff.
Lexikon der Ästhetik. Hg. v. W. Henckmann, K. Lotter. München 1992
Lexikon der Ethik. Hg. O. Höffe u. a. München ^{5}1997
Lexikon der philosoph. Werke. Hg. v. F. Volpi u. J. Nida-Rümelin. Stuttgart 1988
Metzler Philosophenlexikon. Hg. B. Lutz u. a. Stuttgart ^{2}1995
Metzler Philosophie Lexikon. Hg. v. P. Prechtl, F.-P. Burkard. Stuttgart/Weimar ^{2}1999
Philosophenlexikon. Hg. v. W. Ziegenfuß. 2 Bde. Berlin 1949/50
Philosophielexikon. Hg. A. Hügli u. P. Lübcke. Reinbek 1991
Philosoph. Wörterbuch. Hg. M. Müller u. A. Halder. Freiburg 1988; Neuausg. 1999
Philosoph. Wörterbuch. Hg. G. Schischkoff. Stuttgart ^{22}1991
Wörterbuch der Philosophie. Hg. R. Hegenbart. München 1984
Wörterbuch der philosoph. Begriffe. Hg. J. Hoffmeister. Hamburg ^{2}1955

Philosophiegeschichten
Anzenbacher, A.: Einf. in die Philosophie. Wien/Freiburg/Basel ^{6}1997
Aster, E. v.: Geschichte der Philosophie. Stuttgart ^{18}1998
Böhme, G. (Hg.): Klassiker der Naturphilosophie. Von den Vorsokratikern bis zur Kopenhagener Schule. München 1989
Bubner, R. (Hg.): Geschichte der Philosophie in Text und Darstellung. 8 Bde. Stuttgart 1982
Capelle, W.: Die griech. Philosophie. 2 Bde. Berlin ^{3}1971
Châtelet, F. (Hg.): Geschichte der Philosophie. 8 Bde. Frankfurt/Berlin/Wien 1973
Copleston, F. C.: Geschichte der Philosophie im Mittelalter. München 1976

Coreth, E., Ehlen, P., Heinzmann, R., Ricken, F. u. a.: Grundkurs Philosophie Bd. 6–10. Stuttgart u. a. 1983 ff.
Deussen, P.: Allgemeine Geschichte der Philosophie mit besonderer Berücksichtigung der Religionen. Leipzig ^{5}1922
Flasch, K.: Das philosoph. Denken im Mittelalter. Stuttgart 1987
Forke, A.: Geschichte der alten chines. Philosophie. Hamburg 1927, 1964
Forke, A.: Geschichte der mittelalterl. chines. Philosophie. Hamburg 1934, 1964
Forke, A.: Geschichte der neueren chines. Philosophie. Hamburg 1938, 1964
Frauwallner, E.: Geschichte der ind. Philosophie. 2 Bde. Salzburg 1953, 1956
Gilson, E. u. Böhner, Ph.: Die Geschichte der christl. Philosophie. Paderborn 1937
Glasenapp, H. v.: Die Philosophie der Inder. Stuttgart 1974
Helferich, Ch.: Geschichte der Philosophie. Stuttgart ^{2}1992; Tb. 1998
Hirschberger, J.: Geschichte der Philosophie. 2 Bde. Freiburg/Basel/Wien ^{12}1984, 1988
Höllhuber, I.: Geschichte der Philosophie im spanischen Kulturbereich. München/Basel 1967
Höllhuber, I.: Geschichte der italienischen Philosophie. München/Basel 1969
Hoerster, N. (Hg.): Klassiker des philosoph. Denkens. 2 Bde. München 1982
Höffe, O. (Hg.): Klassiker der Philosophie. 2 Bde. München ^{2}1985
Hügli, A., Lübcke, P. (Hg.): Philosophie im 20. Jhd. 2 Bde. Reinbek 1992
Kafka, G.: Geschichte der Philosophie in Einzeldarstellungen. 40 Bde. 1921–33
Keil, G.: Philosophiegeschichte. 2 Bde. Stuttgart u. a. 1985/1987
Krause, F. E. A.: Ju-Tao-Fo. Die religiösen und philosoph. Systeme Ostasiens. München 1924
Kristeller, P. O.: Acht Philosophen der ital. Renaissance. Weinheim 1986
Kroner, R.: Von Kant bis Hegel. 2 Bde. Tübingen 1921/1924
Lehmann, G.: Philosophie des 19. Jh. Berlin 1953
Lehmann, G.: Die Philosophie im ersten Drittel des 20. Jh. Berlin 1957, 1960
Nida-Rümelin, J. (Hg.): Philosophie der Gegenwart in Einzeldarst. Stuttgart 1991
Noack, H.: Die Philosophie Westeuropas (Die philosoph. Bemühungen des 20. Jh.). Darmstadt ^{4}1976
Radhakrishnan, S.: Ind. Philosophie. Darmstadt/Baden-Baden/Genf o. J.
Rehmke, J. u. Schneider, F.: Grundriß der Geschichte der Philosophie. Bonn 1965
Röd, W.: Dialekt. Philosophie der Neuzeit. München ^{2}1986
Röd, W. (Hg.): Geschichte der Philosophie. 12 Bde. München 1976 ff.
Röd, W.: Der Weg der Philosophie. 2 Bde. München 1994/1996

Russell, B.: Denker des Abendlandes. Stuttgart 1962

Sandvoss, E. R.: Geschichte der Philosophie. 2 Bde. München 1989

Scherer, G.: Philosophie des Mittelalters. Stuttgart/Weimar 1993

Schilling, K.: Von der Renaissance bis Kant. Berlin 1954

Schleichert, H.: Klass. chines. Philosophie. Frankfurt 1980

Speck, J. (Hg.): Grundprobleme der großen Philosophen. 12 Bde. Göttingen 1972 ff.

Stegmüller, W.: Hauptströmungen der Gegenwartsphilosophie. 4 Bde. Stuttgart 1987/1989

Störig, H. J.: Kleine Weltgeschichte der Philosophie. Frankfurt (verschiedene Ausgaben und Auflagen)

Ueberweg, F.: Grundriß der Geschichte der Philosophie. 5 Bde. [13]1953
Neue Ausgabe: Grundriß der Geschichte der Philosophie. Basel/Stuttgart. Bisher erschienen:
Flashar, H. (Hg.): Die Philosophie der Antike. Bd. 2/1 (1998); Bd. 3 (1983); Bd. 4 (1994)
Schobinger, J.-P. (Hg.): Die Philosophie des 17. Jhd. Bd. 1 (1998); Bd. 2 (1993); Bd. 3 (1988)

Vorländer, K. u. Erdmann, E.: Geschichte der Philosophie. 7 Bde. (bearb. v. E. Metzke u. H. Knittermeyer) Hamburg 1963 ff.

Waldenfels, B.: Phänomenologie in Frankreich. Frankfurt 1983

Wuchterl, K.: Bausteine zu einer Geschichte der Philosophie des 20. Jhd. Stuttgart/Wien 1995

Abbildungsnachweis

Register

Sachregister

164   Antike Hochkulturen/Ägypten

Zeitstrahl, Cheironomie, Musikinstrumente

dtv-Atlas Musik
von Ulrich Michels
2 Bände
250 Farbseiten
von Gunther Vogel
Originalausgabe
dtv 3022 / 3023

dtv-Atlas
Musik

Band 2
Musikgeschichte
vom Barock
bis zur Gegenwart